Novo

Oscar Rojas

Minidicionário Escolar Espanhol

ESPANHOL/PORTUGUÊS ❖ PORTUGUÊS/ESPANHOL

Editor : Raul Maia

Revisão Técnica: Carmen Barbosa
Telma Baeza

Texto em conformidade com as novas regras ortográficas do Acordo da Língua Portuguesa.

Dados Internacionais de Catalogação na Publicação (CIP)
(Câmara Brasileira do Livro, SP, Brasil)

Rojas, Oscar
Minidicionário escolar de espanhol: espanhol-português, português-espanhol / Oscar Rojas. — São Paulo : DCL, 2010.

ISBN 85-7338-349-6 (antigo)
ISBN 978-85-7338-349-2 (novo)

1. Espanhol - Dicionário - Português
2. Português - Dicionário - Espanhol I. Título

99-3720 CDD-463.69

Índice para catálogo sistemático:

1. Espanhol: Português: Dicionário 463.60
2. Português: Espanhol: Dicionário 869.87

Editora DCL
Av. Marquês de São Vicente, 446, Cj. 1808 — Barra Funda
CEP 01139-000 — São Paulo — SP
Tel.: (0xx11) 3932-5222
www.editoradcl.com.br

APRESENTAÇÃO

A DCL – Difusão Cultural do Livro – apresenta aos seus leitores o mais recente e moderno dicionário Português/Espanhol e Espanhol/Português, consciente de sua responsabilidade deste empreendimento editorial. O momento de globalização, onde é crescente o intercâmbio cultural, econômico e turístico entre os países do mundo, e no caso particular do Brasil com seus vizinhos da América do Sul – Mercosul – fez surgir a necessidade de colocar a disposição dos brasileiros um material atualizado e confiável do idioma espanhol. Assim, temos a certeza que este será um valioso instrumento de trabalho e consulta cotidiana.

Os Editores

PRESENTACIÓN

La DCL – Difusão Cultural do Livro presenta a sus lectores el mas reciente y moderno diccionario Portugués/Español y Español/Portugués, seguros de su responsabilidad en este empreendimiento editorial. Este momento de globalización, donde es muy grande el intercambio cultural, económico y turístico entre los paises del mundo, y en particular entre el Brasil y sus vecinos de la America del Sur – Mercosul – hace sugir la necesidad de poner un diccionario actualizado y confiable del idioma español, a disposición de los brasileños. Entonces, tenemos certeza que el presente, será un valioso instrumento de trabajos y consultas diarias.

Los Editores

Sumário

O Mercosul

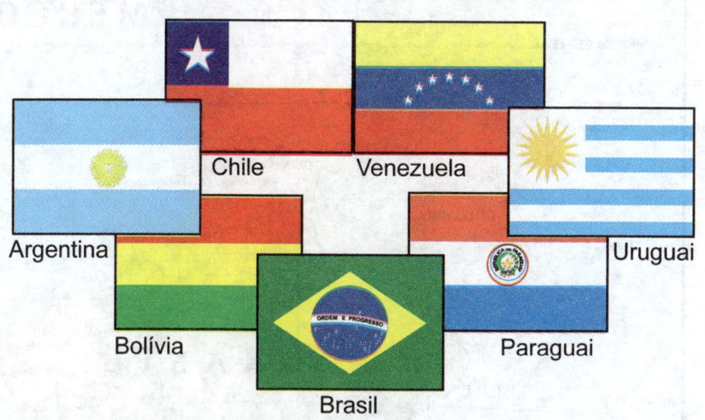

O Mercosul surgiu, anteriormente, de acordos de integração comercial entre o Brasil e a Argentina, assinados em 1990.

Em 1991, em visita oficial ao Brasil, o então presidente argentino Carlos Menem propôs a criação de um Mercado Comum que reunisse os dois países e mais Uruguai e Paraguai.

Em março de 1991, ficou estabelecida a criação do Mercosul a partir de janeiro de 1995. Nessa data, seria liberada a circulação de bens e mercadorias entre os quatro países.

Em julho de 1991 foram discutidas também as medidas práticas para o funcionamento do Mercosul. Em reunião em Montevidéu, os ministros da Economia do Brasil, Argentina, Uruguai e Paraguai discutiram a respeito de tentar unificar até o final daquele ano uma política antidumping. Os ministros decidiram que os países integrantes, antes de adotarem qualquer medida econômica importante, deveriam levar em conta seu impacto sobre o Mercosul e consultar os demais países envolvidos.

Em 1º de janeiro de 1995, Argentina, Brasil, Paraguai e Uruguai passaram a cobrar tarifas idênticas nas suas importações.

Chile em 1996 e Bolívia em 1997 tornaram-se membros associados e, em julho de 2006, a Venezuela aderiu ao bloco.

Os quatro países passaram a formar uma união aduaneira com quase 190 milhões de consumidores potenciais e um PIB (Produto Interno Bruto) total de mais de meio trilhão de dólares. O objetivo do bloco é dinamizar a economia regional, movimentando entre si mercadorias, pessoas, força de trabalho e capitais.

MERCOSUL
OCEANO ATLÂNTICO
OCEANO PACÍFICO
AMÉRICA CENTRAL
BRASIL
VENEZUELA
COLÔMBIA
EQUADOR
PERU
BOLÍVIA
CHILE
ARGENTINA
PARAGUAI
URUGUAI
GUIANA
SURINAME
GUIANA FRANCESA
(FR)
Antilhas Holandesas
Pequenas Antilhas
Aruba
Curaçao
Bonaire
Caracas
I. Trinidad e Tobago
Georgetown
Paramaribo
Caiena
Santa Fé de Bogotá
I. do Coco (CR)
I. Malpelo (COL)
Equador
Quito
I. Puná
Boa Vista
Macapá
Belém
São Luís
Fortaleza
Penedos de S. Pedro e S. Paulo
Atol das Rocas
Arq. Fernando de Noronha
Natal
João Pessoa
Recife
Maceió
Aracaju
Salvador
Manaus
Porto Velho
Rio Branco
Palmas
Lima
La Paz
Cuiabá
Brasília
Goiânia
Campo Grande
Belo Horizonte
Vitória
São Paulo
Rio de Janeiro
Curitiba
Florianópolis
Porto Alegre
Assunção
Golfo de Arica
Trópico de Capricórnio
I. Trindade (BRA)
I. San Félix (CHI)
I. San Ambrosio (CHI)
I. Robinson Crusoé (CHI)
I. Alexandre Selkirk (CHI)
Santiago
Buenos Aires
Montevidéu
Golfo de S. Matias
I. de Chiloé
Arq. das Chones
Pen. de Taitao
I. Campana
I. Wellington
I. Madre de Dios
Arq. da Rainha Adelaide
Ilhas Falkland (Ilhas Malvinas) (RU)
Terra do Fogo
I. Desolación
I. Sta. Inês
Estreito de Magalhães
I. de los Estados
I. Hoste
Passagem de Drake
I. Geórgia do Sul (RU)
80º
70º
60º
50º
40º
10º
0º
10º
20º
30º
40º
50º

Países que participam do Mercosul

ARGENTINA - Nome oficial: República Argentina. **Área:** 2.780.092 km^2. **População:** 38,7 milhões de habitantes. **Capital:** Buenos Aires. **Moeda:** peso argentino. **Idioma:** espanhol. **Gentílico:** argentino. **Religião:** cristianismo.

BRASIL - Nome oficial: República Federativa do Brasil. **Área:** 8.514.215,3 km^2. **População:** 188 milhões de habitantes. **Capital:** Brasília. **Moeda:** real. **Idioma:** português. **Gentílico:** brasileiro. **Religião:** cristianismo.

PARAGUAI - Nome oficial: República do Paraguai. **Área:** 406.752 km^2. **População:** 6,2 milhões de habitantes. **Capital:** Assunção. **Moeda:** guarani. **Idiomas:** espanhol e guarani. **Gentílico:** paraguaio. **Religião:** cristianísmo.

URUGUAI - Nome oficial: República Oriental do Uruguai. **Área:** 176.215 km^2. **População:** 3,5 milhões de habitantes. **Capital:** Montevidéu. **Moeda:** peso uruguaio. **Idioma:** espanhol. **Gentílico:** Paraguaio. **Religião:** cristianismo.

VENEZUELA - Nome oficial: República Bolivariana da Venezuela. **Área:** 912.050 km^2. **População:** 26,7 milhões de habitantes. **Capital:** Caracas. **Moeda:** Bolívar. **Idioma:** espanhol. **Gentílico:** venezuelano. **Religião:** cristianismo.

O acordo final de funcionamento do MERCOSUL foi assinado em dezembro de 1994, na cidade de Ouro Preto (MG), pelos presidentes Itamar Franco (Brasil), Carlos Menem (Argentina), Luis Lacalle (Uruguai) e Juan Carlos Wasmosy (Paraguai).

Outros Países

A inclusão de Uruguai e Paraguai foi quase automática.

Ambos têm na Argentina e no Brasil seus grandes parceiros externos e poderiam se tornar focos menores de tensão caso permanecessem isolados.

A capital paraguaia foi então simbolicamente escolhida para assinatura, em 6 de julho de 1990, do Tratado de Assunção, para a Constituição do Mercado Comum do Cone Sul (Mercosul).

Membros Associados do Mercosul

BOLÍVIA - Nome oficial: República da Bolívia. **Área:** 1.098.581 km². **População:** 9,2 milhões de habitantes. **Capital:** La Paz. **Moeda:** peso boliviano. **Idiomas:** espanhol, quíchua e aimará. **Gentílico:** boliviano. **Religião:** cristianismo.

CHILE - Nome oficial: República do Chile. **Área:** 756.626 km². **População:** 16,3 milhões de habitantes. **Capital:** Santiago. **Moeda:** peso chileno. **Idioma:** espanhol. **Gentílico:** chileno. **Religião:** cristianismo.

Integração Aduaneira

A rigor, o Mercosul ainda não é um mercado comum, organização que, além de mercadorias e serviços, permite a livre circulação de .

O único exemplo do gênero é a União Européia, ex-Mercado Comum Europeu.

O Mercosul é, por enquanto, uma zona de integração aduaneira, na qual os países membros circulam produtos sem cobrar mutuamente direitos alfandegários e mantêm, com relação a terceiros, as mesmas taxas aduaneiras.

A fusão não é, por enquanto, total. Dos 9.000 produtos que os países do Mercosul comercializam, pouco mais de 800 continuam a ser protegidos por barreiras alfandegárias quando se trata do comércio multilateral.

Para outros tantos, os países membros cobram impostos diferenciados de terceiros. Ou seja, não aplicam a TEC (Tarifa Externa Comum).

Estágios da Integração

Área de Livre Comércio: acordo entre dois ou mais países que institui em seus respectivos territórios uma única política de tarifas. Cada país mantém independência nas relações comerciais com outras partes do mundo.

União aduaneira: é o estágio em que ingressou o Mercosul no dia 1º de janeiros de 1995. Além da constituição de uma área de livre comércio, os países-membros estabeleceram uma política comum de relacionamento comercial com todos os demais. Para tanto foi estabelecida a TEC (Tarifa Externa Comum).

Mercado Comum: é o estágio de integração completa. Os países-membros liberalizam o comércio também no que se refere aos chamados fatores de produção — pessoas, bens e capitais —, estipulando a livre circulação desses fatores, sem quaisquer restrições. É o objetivo final do chamado Tratado de Assunção, que deu origem ao Mercosul.

O Poder no Mercosul

Conselho do Mercado Comum (CMC): órgão supremo cuja função é a condução política do processo de integração. O CMC é formado pelos Ministros das Relações Exteriores e da Economia dos Estados Parte, que se pronunciam por meio de decisões.

Grupo Mercado Comum (GMC): órgão decisório executivo, responsável por fixar os programas de trabalho e por negociar acordos com terceiros em nome do Mercosul, por delegação expressa do CMC. O GMC é integrado por representantes dos Ministérios de Relações Exteriores e de Economia e dos Bancos Centrais dos Estados Parte e se pronuncia por resoluções.

Comissão de Comércio do MERCOSUL (CCM): órgão decisório técnico, é responsável por apoiar o GMC no que diz respeito à política comercial do bloco e se pronuncia por diretivas.

Comissão Parlamentar Conjunta (CPC): órgão de representação parlamentar, integrado por até 64 parlamentares, 16 de cada Estado Parte. A CPC tem um caráter consultivo, deliberativo e de formulação de declarações, disposições e recomendações.

Foro Consultivo Econômico Social (FCES): órgão consultivo que representa os setores da economia e da sociedade e se manifesta por recomendações ao GMC.

Processo de Integração

Coordenação: pelo Tratado de Assunção, que deu origem ao Mercosul, os países membros se comprometeram a harmonizar suas políticas macroeconômicas (tributação, políticas monetária e cambial etc.) e setoriais.

Lista de Exceções: para facilitar o processo de adaptação das economias, o Tratado permitiu que cada país fizesse uma lista dos produtos que não se sujeitariam ao cronograma comum de redução de tarifas.

Argentina • Bolívia
Chile • Paraguai • Uruguai
Peru
Brasil
BOLÍVIA
CHILE
PARAGUAI
URUGUAI
ARGENTINA
10º
20º
30º
40º
50º
Trópico de Capricórnio
Golfo de Arica
Lago Titicaca
Riberalta
Rurrenabaque
La Paz
Cochabamba
Oruro
Sucre
Potosi
Tarija
Camari
Pto. Suárez
Guaporé
Mamoré
Tacna
Arica
Iquique
Calama
Antofagasta
Chañaral
Copiapó
Coquimbo
Valparaíso
Santiago
Talca
Chillán
Talcahuano
Concepción
Temuco
Valdivia
Puerto Montt
I. de Chiloé
Castro
Arq. das Chones
Pto. Aisén
Colhaique
Pen. de Taitao
I. Campana
I. Wellington
I. Madre de Dios
Arq. da Rainha Adelaide
Pto. Natales
I. Desolación
I. Sta. Inês
I. Hoste
Estr. de Magalhães
Passagem de Drake
I. San Félix (CHI)
I. San Ambrosio (CHI)
I. Robinson Crusoé (CHI)
I. Alexandre Selkirk (CHI)
Pedro J. Caballero
Assunção
Ciudad del Este
Pilcomayo
Salta
S. Miguel de Tucumán
Santiago del Estero
Salado
Catamarca
Corrientes
Uruguaia
Uruguaiana
Córdoba
Sta. Fé
Paraná
Salto
Paysandú
Rosário
Mendoza
San Rafael
Malargue
Buenos Aires
La Plata
Montevidéu
Punta del Este
Tandil
Mar del Plata
Neuquén
Bahia Blanca
Colorado
Punta Alta
Gal. Roca
Negro
Viedma
S. Carlos de Bariloche
Golfo de S. Matias
Pto. Piramides
Esquel
Rawson
Comodoro Rivadavia
Caleta Olivia
Deseado
Chico
San Julián
Calafate
Santa Cruz
Rio Galegos
Puntarenas
Terra do Fogo
Rio Grande
I. de los Estados
Ushuaia
Ilhas Falkland (Ilhas Malvinas) (RU)
I. Geórgia do Sul (RU)
OCEANO PACÍFICO
OCEANO ATLÂNTICO

BRASIL
OCEANO ATLÂNTICO
OCEANO PACÍFICO
VENEZUELA
COLÔMBIA
GUIANA
SURINAME
GUIANA FRANCESA (FR)
PERU
BOLÍVIA
CHILE
ARGENTINA
PARAGUAI
URUGUAI
Antilhas Holandesas
Pequenas Antilhas
Equador
Trópico de Capricórnio
AMAZONAS
RORAIMA
AMAPÁ
PARÁ
ACRE
RONDÔNIA
MATO GROSSO
MARANHÃO
PIAUÍ
CEARÁ
RIO GRANDE DO NORTE
PARAÍBA
PERNAMBUCO
ALAGOAS
SERGIPE
BAHIA
TOCANTINS
GOIÁS
DF
MINAS GERAIS
ESPÍRITO SANTO
RIO DE JANEIRO
SÃO PAULO
MATO GROSSO DO SUL
PARANÁ
SANTA CATARINA
RIO GRANDE DO SUL
Boa Vista
Macapá
Belém
Manaus
São Luís
Fortaleza
Teresina
Natal
João Pessoa
Recife
Maceió
Aracaju
Salvador
Palmas
Porto Velho
Rio Branco
Cuiabá
Brasília
Goiânia
Belo Horizonte
Vitória
Campo Grande
São Paulo
Rio de Janeiro
Curitiba
Florianópolis
Porto Alegre
Chuí
I. de Marajó
Baía de Marajó
Baía de S. Marcos
Baía de Todos os Santos
Penedos de S. Pedro e S. Paulo
Atol das Rocas
Fernando de Noronha
I. Trindade (BRA)
Lago Titicaca
FERNANDO DE NORONHA (PE)
Vila dos Remédios
I. do Meio
I. da Rata
I. de S. José
I. Sela Gineta
I. Rasa
I. Dois Irmãos
Baía do Sancho
I. do Frade
I. Ovos
I. Cabeluda
I. Morro do Leão
I. do Lucena
32°25'w
3°50's
ILHA DE TRINDADE
Pta. do Norte
Pta. do Tunal
Pta. do Sul
20°30's
29°20'w
ATOL DAS ROCAS
Rocas
3°52's
33°49'w
ILHA MARTIM VAZ
I. Norte
I. Sul
20°30's
28°51'w
PENEDOS DE SÃO PEDRO E SÃO PAULO
S. Pedro
S. Paulo
0°56'n
29°22'w
0 350 700 1.050 km
10°
0°
10°
20°
30°
80°
70°
60°
50°
40°
30°
20°

Universo Idiomático

Alguns países que falam a língua:

peseta

ESPANHA (ESP)
Nome oficial: Reino da Espanha.
Área: 505.954 km^2.
População: 40 milhões de habitantes.
Capital: Madri.
Cidades principais: Madri, Barcelona, Valência,
Sevilha e Zaragoza.
Unidade monetária: peseta.
Idiomas: espanhol, basco, galego e catalão.
Gentílico: espanhol.
Religião: católica.
Rios principais: Ebro, Tejo, Guadiana, Minho e Douro.

Bilbao
Madrid
Barcelona
Espanha
Valencia
Sevilha
Gibraltar
Málaga

COLÔMBIA (COL)
Nome oficial: República da Colômbia.
Área: 1.141.748 km^2.
População: 37,1 milhões de habitantes.
Capital: Bogotá.
Cidades principais: Medellín, Cali, Barranquilla e Cartagena.
Unidade monetária: peso colombiano.
Idioma: espanhol.
Gentílico: colombiano.
Religião: católica.
Rios principais: Magdalena, Cauca, Meta, Arauca, Atrato e Patía.

COSTA RICA (CRC)
Nome oficial: República da Costa Rica.
Área: 51.100 km^2.
População: 3,6 milhões de habitantes.
Capital: San José.
Cidades principais: Alajuela, Puerto Limón e San José.
Unidade monetária: colón costarriquenho.
Idioma: espanhol (of.).
Gentílico: costarriquenho.
Religião: católica romana .
Rios principais: Sapoá, Frio, San Juan Carlos, Sarapiqui e Chirripó.

CUBA (CUB)
Nome oficial: República de Cuba.
Área: 110.922 km^2.
População: 11,1 milhões de habitantes.
Capital: Havana.
Cidades principais: Havana, Santiago de Cuba e Camaguey.
Unidade monetária: peso cubano.
Idioma: espanhol (of.).
Gentílico: cubano.
Religião: católica.
Rios principais: Cauto, Sague la Grande, Agabama e Cayaguateje.

EL SALVADOR (ESA)
Nome oficial: República de El Salvador.
Área: 21.041 km^2.
População: 5,9 milhões de habitantes.
Capital: San Salvador.
Cidades principais: San Salvador, Santa Ana e San Miguel.
Unidade monetária: colón salvadorenho.
Idioma: espanhol (of.).
Gentílico: salvadorenho.
Religião: católica romana.
Rios principais: Lempa, La Paz e San Miguel.

EQUADOR (EQU)

Nome oficial: República do Equador.
Área: 283.561 km^2.
População: 12 milhões de habitantes.
Capital: Quito.
Cidades principais: Guayaquil, Quito e Cuenca.
Unidade monetária: sucre.
Idioma: espanhol.
Gentílico: equatoriano.
Religião: católica.
Rios principais: Esmeralda, Daule e Mira.

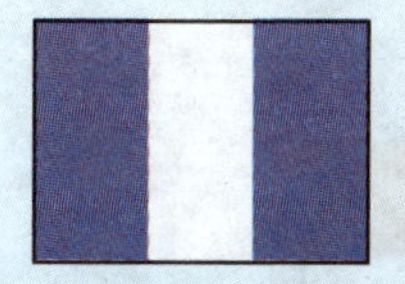

GUATEMALA (GUA)

Nome oficial: Guatemala.
Área: 108.889 km^2.
População: 11,2 milhões de habitantes.
Capital: Guatemala.
Cidades principais: Guatemala, Mixco e Villa Nueva.
Unidade monetária: quetzal.
Idioma: espanhol.
Gentílico: guatemalteco, guatemalense.
Religião: católica.
Rios principais: Negro, Matagua e Salinas

FILIPINAS

Nome oficial: República das Filipinas.
Área: 300.000 km^2.
População: 71 milhões de habitantes.
Capital: Manila.
Cidades principais: Manila, Quezón, Cebu e Davao.
Unidade monetária: peso filipino.
Idiomas: filipino (of.), tagalo, cebuano, inglês e espanhol.
Gentílico: filipino.
Religião: católica romana, protestante e islamismo sunita.
Rios principais: Cangayán e Agusán.

GUINÉ EQUATORIAL (GEQ)

Nome oficial: República da Guiné Equatorial.
Área: 28.051 km^2.
População: 420.000 habitantes.
Capital: Malabo.
Cidades principais: Malabo e Bata.
Unidade monetária: franco CFA.
Idiomas: espanhol (of.), inglês e fang.
Gentílico: guinéu-equatoriano.
Religião: católica romana.
Rios principais: Mbini e Utamboni.

HONDURAS (HON)
Nome oficial: República de Honduras.
Área: 112.088 km².
População: 6 milhões de habitantes.
Capital: Tegucigalpa.
Cidades principais: Tegucigalpa, San Pedro Sula e La Ceiba.
Unidade monetária: lempira.
Idioma: espanhol.
Gentílico: hondurenho.
Religião: católica.

MÉXICO (MEX)
Nome oficial: Estados Unidos Mexicanos.
Área: 1.972.545 km².
População: 94,3 milhões de habitantes.
Capital: Cidade do México.
Cidades principais: Cidade do México, Guadalajara, Monterrey e Netzahualcóyoti.
Unidade monetária: peso novo mexicano.
Idioma: espanhol.
Gentílico: mexicano.
Religião: católica.
Rios principais: Bravo ou Grande do Norte, Colorado, Grijalva, Balsas e Yaqui.

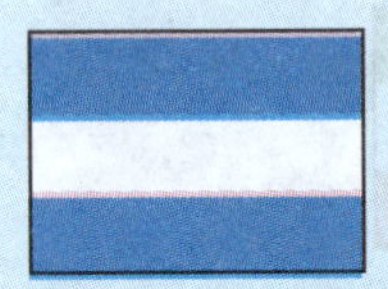

NICARÁGUA (NIC)
Nome oficial: República da Nicarágua
Área: 130.682 km².
População: 4,4 milhões de habitantes.
Capital: Manágua.
Cidades principais: Manágua, León, Masaya e Chinandeça.
Unidade monetária: córdoba nova.
Idioma: espanhol.
Gentílico: nicaragüense.
Religião: católica.
Rios principais: Coco, Matagalpa, San Juan e Prinzapolca.

PANAMÁ (PAN)
Nome oficial: República do Panamá.
Área: 75.517 km².
População: 2,7 milhões de habitantes.
Capital: Cidade do Panamá.
Cidades principais: Cidade do Panamá, San Miguelito, Lo, David e Colón.
Unidade monetária: balboa.
Idioma: espanhol.
Gentílico: panamenho.
Religião: católica.
Rios principais: Pacora, Camito, Chico e Grande.

PERU (PER)
Nome oficial: República do Peru.
Área: 1.285.215 km^2.
População: 24,4 milhões de habitantes.
Capital: Lima.
Cidades principais: Lima, Callao, Arequipa, Trujillo e Chiclayo.
Unidade monetária: sol novo.
Idioma: espanhol.
Gentílico: peruano.
Religião: católica.
Rios principais: Ucayali, Putumayo, Maranón e Madre de Dios.

SANTA LÚCIA (SLU)
Nome oficial: Santa Lúcia.
Área: 617 km^2.
População: 148.000 habitantes.
Capital: Castries.
Cidade principal: Castries.
Unidade monetária: dólar do Caribe do Leste.
Idiomas: inglês (of.) e francês crioulo.
Gentílico: santa-lucense.
Religião: católica.
Rios principais: Canelles e Roseau.

REPÚBLICA DOMINICANA (RDO)
Nome oficial: República Dominicana.
Área: 48.442 km^2.
População: 3,1 milhões de habitantes.
Capital: Santo Domingo.
Cidades principais: Santo Domingo, Santiago e La Vega.
Unidade monetária: peso dominicano.
Idioma: espanhol.
Gentílico: dominicano.
Religião: católica.
Rios principais: Yaque del norte e Yuna.

VENEZUELA (VEN)
Nome oficial: República da Venezuela.
Área: 912.050 km^2.
População: 22,8 milhões de habitantes.
Capital: Caracas.
Cidades principais: Caracas, Maracaibo, Valencia e Barquisimeto.
Unidade monetária: bolivar.
Idioma: espanhol.
Gentílico: venezuelano.
Religião: católica.
Rios principais: Orinoco, Meta, Arauca, Apure e Guárico.

Dias da semana / Días de la semana

Dias da semana	Días de la semana
domingo	domingo
segunda-feira	lunes
terça-feira	martes
quarta-feira	miércoles
quinta-feira	jueves
sexta-feira	viernes
sábado	sábado

Meses do ano / Meses del año

Meses do ano	Meses del año
janeiro	enero
fevereiro	febrero
março	marzo
abril	abril
maio	mayo
junho	junio
julho	julio
agosto	agosto
setembro	septiembre
outubro	octubre
novembro	noviembre
dezembro	diciembre

Estações do ano / Estanciones del año

Estações do ano	Estanciones del año
primavera	primavera
verão	verano
outono	otoño
inverno	invierno

Cores - Colores

Conversación General Expresiones y Frases Utiles

(Conversação Geral - Expressões e Frases Uteis)

Gracias.
Obrigado.

Muchas gracias.
Muito obrigado.

De nada.
De nada.

En absoluto. No hay de qué.
Por nada. Não tem de que.
Não, de modo algum.

Buenos días.
Bom dia.

Boa tarde.

¿Como está ud?
Como está você?

Como vai?
Como vai passando?

El placer es mío.
Muito prazer.

Muy amable.
É muita bondade sua.

Quem é?

¿Qué quiere(s)?
¿Qué desea(s)?
O que você deseja?

Quiero una tarta de manzana.
Quero uma torta de maçã.

¿Qué hora es?
Que horas são?

Escúchame.
Me escute.

Adios.
Adeus.

Hasta luego.
Até logo.

Nos vemos después.
Vejo você mais tarde.

Hasta mañana.
Até amanhã.

¿Cómo se llama esto?
Como se chama isto?

¿Qué pasa?
O que acontece? / Qual é o problema?

Descúlpame.
Desculpe-me.

¡Cuidado!
Preste atenção.
Tome cuidado.

Sigame.
Siga-me.

É sua vez.

Sentate. Siéntese.
Sente-se.

Levántase.
Levante-se.

De pie.
Levante-se.

¡Continua! ¡Adelante!
Vá em frente.
Prossiga.

Prohibido estacionar.
Proibido estacionar.

Como se escreve desenvolvimento?

Mano única.
Mão única.

Prohibido fumar.
Proibido fumar.

Yo también.
Eu também.

Tenho certeza.

¡Sin duda!
Não há dúvida!

Es muy posible.
É perfeitamente possível.

Proibida a entrada.

Lindo día, ¿no?
Lindo dia, não é verdade?

Un momento, por favor.
Um momento por favor.

Sí, está bien.
Sim, está bem.

¡Exactamente como dijiste!
Exatamente como você falou!

Afirmando (Afirmando)

Por isso é perfeita.

Tarda alderedor de una hora.
Dura mais ou menos uma hora.

Voltarei num instante.

Es una persona (joven, hombre) muy agradable.
Ele é uma pessoa muito agradável (rapaz, homem etc.).

Tenemos que irnos o llegaremos tarde.
Temos que ir agora, ou vamos nos atrasar.

Ela é uma excelente moça.

Preguntando y Respondiendo

(Perguntando e Respondendo)

Você fala espanhol?
Não, eu não falo.
Sim, eu falo.

¿Cómo es Tu nombre?
Qual é o seu nome?

Mi nombre es ...
Meu nome é ...

¿De dónde eres?
De onde você é?

Soy de Brasil.
Sou do Brasil.

¿Cuál es tu(su) nacionalidad?
Qual a sua nacionalidade?

Soy brasileño/a.
Eu sou brasileiro.

¿Cuál es su ocupación?
Qual é sua profissão?

Soy médico. (estudiante, vendedor).
Eu sou médico. (estudante, vendedor)

¿Cuánto tiempo se(te) quedará(s) aquí?
Quanto tempo você vai permanecer aqui?

Más o menos 5 (cinco) días.(una semana, un mes)
Mais ou menos cinco dias. (uma semana, um mês)

¿Me podría(s) dar uma mano?
Poderia me dar uma ajuda?

Sí, claro. Por supuesto.
Sim, naturalmente.

¿Juan, tienes dinero?
Juan, você tem dinheiro?

Tengo un poco, ¿porque?
Tenho algum, por quê?

Raúl, ¿tienes sed?
Raul, você está com sede?

¡Sí, tengo mucha sed!
Sim, estou com muita sede.

¿Qué vamos a hacer esta noche?
O que faremos à noite?

Podríamos ir al cine.
Poderíamos ir ao cinema.

¿Puedo preguntarle(te) algunas preguntas?
Posso fazer algumas perguntas a você?

Ahora no, estoy muy ocupado.
Agora não. Estou muito ocupado.

¿Quieres ir al cine?
Você quer ir ao cinema?

¡Me encataría!
Sim, adoraria!

¿Viste a la señora Maria?
Você viu a sra. Maria?

¿Podría(s) informarme?
Você poderia me dar uma informação?

Presentaciones (Apresentação)

Neusa, quero te apresentar Alberto.

Alberto, esta é a Neusa, esposa de Sílvio.

Buenas Tardes, busco al señor Camargo.
Boa tarde, procuro pelo sr. Camargo.

Me perdí. ¿Puede(s) ayudar-me?
Estou perdido. Poderia me ajudar?

Negación (Negação)

No lo puedo hacer.
Não posso fazê-lo.

Não é possível.

No soy capaz de hacerlo.
Não sou capaz de fazê-lo.

No lo creo.
Eu não penso assim.
Eu não acho.

No me gusta.
Eu não gosto.

Situaciones y Lugares (Situações e Lugares)

En el Aeropuerto (No Aeroporto)

Você poderia me ajudar com a mala?

¿Muéstreme su pasaje y pasaporte, por favor?
Posso verificar seu bilhete e passaporte?

Você tem excesso de bagagem?

¿Dónde hay un taxi?
Onde há um táxi?

Quantas malas o senhor tem?

¿Cuál es mi número de vuelo?
Qual é o número do meu vôo?

En el Hotel (No Hotel)

Gostaria de fazer uma reserva.

Que tipo de quarto, senhor?

Quiero una habitación doble com aire-acondicionado televisión y baño privado.

Quero um quarto com ar-condicionado, televisão e banheiro privado.

Por favor preencha a ficha de registro

Quanto é a diária?

US$ 40. (quarenta dólares)

A diária inclui meia pensão?

Qual o número do meu quarto?

É 311. (trezentos e onze)

¿Este hotel tienes bar?

Este hotel tem um bar?

(al botones):

(para o mensageiro):

¿Puedes traer nuestras maletas?

Você poderia trazer nossas malas?

311

En el Restaurante (No Restaurante)

Una mesa, ¿por favor?
Uma mesa, por favor?

¿Una mesa para cuántas personas, señor?
Uma mesa para quantas pessoas, senhor?

Una mesa para dos, ¡por favor!
Uma mesa para dois, por favor!

¿Quiere ver el menú, señor?
Gostaria de ver o menu, senhor?

Si, por favor, y tráigame un martini.
Sim, por favor.
E traga-me um martini.

¿Puedo anotar su pedido?
Posso anotar seu pedido?

Sí, por favor.
Sim, por favor.

Quero costeletas de porco, batatas cozidas e salada de tomate.

¿Qué postre desea?
Que tipo de sobremesa gostaria?

Torta, budín, tarta.
Bolo, pudim, torta.

¡La cuenta, por favor!
A conta, por favor!

Siempre desayunamos a las 7:00 (siete).
Nós sempre fazemos o desjejum às 7:00.

Comprando (Comprando)

Preciso comprar un regalo de cumpleaños.

Preciso comprar um presente de aniversário.

Qual o preço deste (desta)?

Llevo éste.

Vou querer esta(ou este).
Vou levar esta (ou este).

Quiero una casi así.

Quero uma parecida com esta.

Llevo todos.

Quero todos (todos eles).

Com licença! - Quanto custam aquelas maçãs?

¿Puede(s) mostrarme algo diferente?

Pode me mostrar algo diferente?

¿Cuánto cuesta eso?

Quanto custa aquilo? (ou isto)

Indicaciones y Viajes
(Direções e Viagens)

¿Estamos en el camino correto?
Este é o caminho certo?

¿La estación está lejos de aquí?
A estação está longe daqui?

¿Cuál es el mejor camino para ir hasta allá?
Qual é o melhor caminho para chegar lá?

Poderia dizer-me onde é a estação, por favor?

¿Podría decirme dónde está el hotel Internacional, por favor?
Sabe me dizer onde fica o hotel Internacional?

Sígame. Venga conmigo.
Venha comigo.

¿Qué lugar es éste? ¿Dónde estamos?
Que lugar é este? Onde estamos?

¿Dónde está el centro de la ciudad?
Onde é o centro da cidade?

Gire a la derecha.
Vire à direita.

Gire a la izquierda.
Vire à esquerda.

Abreviaturas Usadas Neste Dicionário

abreviatura	português	español
adj	adjetivo	adjetivo
adv	advérbio	adverbio
art	artigo	artículo
contr	contração	contracción
conj	conjunção	conjunción
def	definido	definido
FIG	linguagem figurada	lenguaje figurado
interj	interjeição	interjección
loc adv	locução adverbial	locución adverbial
MAT	matemática	matemática
num	numeral	numeral
prep	preposição	preposición
pron dem	pronome demosntrativo	pronombre demostrativo
pron neutro	pronome neutro	pronombre neutro
pron pess	pronome pessoal	pronombre personal
s	substantivo	sustantivo
v	verbo	verbo

Minidicionário Escolar

Espanhol – Português

Célia Franco

a A

A primeira letra do alfabeto *prep* indica direção, tempo modo.
Ábaco *s* ábaco, tabuleiro.
Abad *s* abade, cura, pároco.
Abadesa *s* abadessa, prelada.
Abadía *s* abadia, mosteiro.
Abajo *adv* embaixo, abaixo.
Abalanzar *v* abalançar, balancear.
Abalorio *s* avelórios, contas de vidro para enfeite.
Abanderado *s* porta-bandeira.
Abandonado *adj* abandonado, descuidado.
Abandonar *v* abandonar, desamparar, renunciar.
Abandono *s* abandono, negligência.
Abanicar *v* abanicar, abanar com leque.
Abanico *s* ventarola, leque.
Abaratar *v* baratear, baixar o preço.
Abarca *s* tamanco, calçado rústico.
Abarcar *v* abarcar, abranger, alcançar, cingir.
Abarrancar *v* embarrancar, encalhar.
Abarrotado *adj* abarrotado, cheio.
Abarrotar *v* abarrotar, encher completamente.
Abastecedor *adj* abastecedor, que abastece.
Abastecer *v* abastecer, fornecer, prover.
Abastecimiento *s* abastecimento, aprovisionamento.
Abasto *s* abasto, provisão de comestíveis.
Abate *s* eclesiástico de ordens menores, minorista.
Abatimiento *s* abatimento, prostração, fraqueza, desalento.
Abatir *v* abater, derrubar, baixar; FIG desanimar.
Abdicar *v* abdicar, renunciar.
Abdomen *s* abdômen.
Abdominal *adj* abdominal.
Abecedario *s* alfabeto, cartilha, lista em ordem alfabética.
Abedul *s* bétula, álamo branco.
Abeja *s* abelha; FIG trabalhador, esperto.
Abejorro *s* besouro.
Aberración *s* aberração, desvio.
Abertura *s* abertura, fenda, orifício; FIG franqueza.
Abeto *s* abeto.
Abiertamente *adv* abertamente, francamente.
Abierto *adj* aberto, franco, sincero, dilatado.
Abigarrado *adj* matizado, em diversas cores.
Abismar *v* abismar, guardar, ocultar.
Abismo *s* abismo, precipício, despenhadeiro.
Abjurar *v* abjurar, renunciar.
Ablación *s* ablação, extirpação.
Ablandar *v* abrandar, amolecer, suavizar, moderar.
Ablución *s* ablução, lavagem.
Abnegación *s* abnegação, renúncia.
Abnegado *adj* abnegado.
Abocado *adj* delicado, agradável.
Abocar *v* apanhar com a boca, embocar, aproximar.
Abochornar *v* abafar, causar calor.
Abofetear *v* esbofetear, esmurrar, dar bofetadas.
Abogacía *s* advocacia.
Abogado *s* advogado, magistrado.
Abogar *v* advogar, defender em juízo.

Abolengo *s* avoengo, ascendência de avós, linhagem.
Abolición *s* abolição, anulação, extinção.
Abolir *v* abolir, revogar, suprimir, anular, cessar.
Abolladura *s* amolgadura.
Abollar *v* amolgar, amassar.
Abominable *adj* abominável, detestável.
Abominación *s* abominação.
Abominar *v* abominar, condenar, maldizer.
Abonar *v* abonar, afiançar, garantir, creditar.
Abono *s* abono, subscrição, assinatura.
Abordaje *s* abordagem, abalroamento.
Abordar *v* abordar, aproximar.
Aborigen *adj* aborígene, nativo.
Aborrecer *v* aborrecer, detestar, odiar, desagradar.
Aborrecimiento *s* aborrecimento, ódio, antipatia.
Abortar *v* abortar, falhar, fracassar.
Aborto *s* aborto; FIG frustração.
Abotonar *v* abotoar.
Abovedar *v* abobadar, dar forma de abóbada.
Abrasador *adj* abrasador, ardente, candente.
Abrasar *v* abrasar, queimar, incendiar, arder.
Abrasivo *adj* abrasivo.
Abrazadera *s* braçadeira, argola, colchete.
Abrazar *v* abraçar, cingir, cercar.
Abrazo *s* abraço.
Abrelatas *s* abridor de latas.
Abrevadero *s* bebedouro ou bebedoiro.
Abrevar *v* abrevar, regar.
Abreviar *v* abreviar, encurtar, resumir, apressar.
Abreviatura *s* abreviatura.
Abrigar *v* abrigar, resguardar, proteger, amparar, recolher, defender.
Abrigo *s* abrigo, agasalho, amparo, asilo, acolhida.
Abril *s* abril.
Abrillantar *v* abrilhantar, dar brilho, lustrar.
Abrir *v* abrir, destampar, desdobrar, desenrolar, separar, inaugurar.
Abrochar *v* abrochar.
Abrogar *v* ab-rogar, revogar, abolir, anular.
Abrojo *s* abrolho; FIG dificuldades.
Abrumar *v* abrumar, afligir, oprimir, aborrecer.
Abrupto *adj* abrupto, escarpado, íngreme, inacessível.
Absceso *s* abscesso.
Ábside *s* lugar do altar mor.
Absolución *s* absolvição.
Absolutamente *adv* absolutamente.
Absoluto *adj* absoluto, independente, incondicional; FIG autoritário.
Absolver *v* absolver, perdoar, indultar, anistiar.
Absorber *v* absorver, aspirar, sorver, tragar, engolir.
Absorción *s* absorção.
Absorto *adj* absorto, distraído, contemplativo.
Abstemio *adj* abtêmio.
Abstención *s* abstenção, abstinência, privação.
Abstenerse *v* abster-se, privar-se.
Abstinencia *s* abstinência, privação.
Abstrato *s*, *adj* abstrato, alheio, irreal.
Abstraer *v* abstrair, separar, prescindir.
Absuelto *adj* absolto, indultado.
Absurdo *adj* absurdo, disparatado, fantástico, incrível.
Abuchear *v* assobiar, apitar, silvar.
Abucheo *s* troça.
Abuelo *s* avô, ancião, velho.
Abulia *s* abulia, falta de vontade.
Abúlico *adj* abúlico, apático.
Abultar *v* avultar, aumentar, engrossar.
Abundancia *s* abundância, fartura, abastança, opulência.
Abundante *adj* abundante, farto, copioso, opulento.
Aburrido *adj* aborrecido, enfadonho, chato, tedioso.
Aburrimiento *s* aborrecimento, tédio, chateação, fastio.

Aburrir *v* aborrecer, cansar, molestar.
Abusar *v* abusar, estuprar, violentar sexualmente, faltar à confiança.
Abuso *s* abuso, violência, desordem, excesso.
Abusón *adj* abusador.
Abyecto *adj* abjeto, vil, desprezível, indigno.
Acá *adv* aqui, cá.
Acabado *adj* acabado, concluído, terminado, arruinado, perfeito.
Acabar *v* acabar, concluir, terminar, destruir, gastar.
Acacia *s* acácia.
Academia *s* academia.
Académico *adj* acadêmico, referente ao ensino universitário.
Acaecer *v* acontecer, suceder, ocorrer.
Acallar *v* aplacar, sossegar, fazer calar.
Acalorado *adj* acalorado, ardente, vivo, fogoso.
Acalorar *v* acalorar, aquecer, animar, excitar, inflamar, entusiasmar.
Acampar *v* acampar.
Acantilado *adj* alcantilado, escarpado.
Acanto *s* acanto.
Acaparador *adj* açambarcador.
Acaparar *v* açambarcar, monopolizar.
Acaramelado *adj* doce, açucarado.
Acaramelar *v* caramelar, caramelizar.
Acariciar *v* acariciar, afagar, mimar.
Acarrear *v* conduzir, transportar; FIG causar.
Acarreo *s* acarreio, transporte em carro.
Acartonarse *v* acartonar-se.
Acaso *s* acaso, casualidade, talvez.
Acatar *v* acatar, respeitar, aguardar.
Acatarrarse *v* resfriar-se.
Acaudalado *adj* rico, abastado.
Acaudillar *v* acaudilhar, comandar, guiar.
Acceder *v* aceder, consentir, anuir, assentir, concordar.
Accesible *adj* acessível; FIG comunicativo.
Acceso *s* acesso, entrada, ingresso.
Accessorio *adj* acessório, secundário.
Accidental *adj* acidental, casual, imprevisto, eventual.
Accidente *s* acidente, incidente, casualidade, peripécia, desastre.
Acción *s* ação, ato, feito, atitude.
Accionar *v* acionar, ligar.
Accionista *s* acionista.
Acebo *s* azevinho.
Acechar *v* espreitar, observar, espiar.
Acecho *s* espreita.
Acedera *s* azedeira.
Acéfalo *adj* acéfalo, que não tem cabeça.
Aceite *s* azeite, óleo.
Aceitera *s* azeiteira.
Aceitoso *adj* azeitado, gorduroso, oleoso.
Aceituna *s* azeitona, fruto de oliveira.
Aceitunado *adj* azeitonado, verde-oliva.
Aceleración *s* aceleração, aquecimento.
Acelerador *adj* acelerador.
Acelerar *v* acelerar, apressar, antecipar, ativar, instigar.
Acelga *s* acelga.
Acémila *s* azêmola, cavalgadura.
Acento *s* acento, tom de voz, entonação, timbre, sotaque.
Acentuar *v* acentuar, realçar, salientar.
Acepción *s* acepção, sentido.
Aceptable *adj* aceitável, admissível.
Aceptación *s* aceitação, acolhida, aprovação.
Aceptar *v* aceitar, receber, admitir, aprovar.
Acequia *s* acéquia, aqueduto.
Acera *s* passeio, calçada para pedestres.
Acerado *adj* de aço; FIG forte.
Acerbo *adj* azedo, amargo.
Acerca *adv* acerca, perto.
Acercar *v* acercar, aproximar, chegar perto.
Acería *s* aciaria, fábrica de aço.
Acero *s* aço.
Acérrimo *adj* acérrimo, forte.
Acertado *adj* acertado, avisado.
Acertar *v* acertar, igualar, coincidir.
Acertijo *s* adivinhação, enigma.
Acervo *s* acervo, cúmulo.
Acetileno *s* acetileno.
Achacar *s* achacar, atribuir, imputar, inculpar.

Achacoso *adj* achacoso, que tem achaques.
Achantarse *v* ter medo, ocultar-se.
Achaque *s* achaque, indisposição, doença.
Achatar *v* achatar, amassar.
Achicar *v* diminuir, encurtar, reduzir.
Achicharrar *v* torrar, crestar, tostar.
Achicoria *s* chicória.
Achispado *adj* embriagado.
Achisparse *v* embriagar-se.
Achuchar *v* apertar, esmagar, incitar.
Achuchón *s* empurrão.
Achuras *s* intestinos.
Aciago *adj* aziago, infausto, de mau agouro.
Acicalar *v* acicalar, polir.
Acicate *s* acicate, incentivo.
Acidez *s* acidez.
Ácido *adj* ácido, azedo.
Acierto *s* acerto, ajuste.
Aclamación *s* aclamação, aplauso, glorificação.
Aclamar *v* aclamar, aplaudir, glorificar.
Aclaración *s* aclaração, esclarecimento.
Aclarar *v* aclarar, esclarecer, explicar.
Aclimatar *v* aclimatar, climatizar.
Acobardar *v* acovardar, amedrontar, assustar, atemorizar.
Acodar *v* apoiar os cotovelos sobre alguma coisa para sustentar a cabeça.
Acogedor *adj* acolhedor, hospitaleiro, receptivo.
Acoger *v* acolher, receber.
Acogida *s* acolhida, recepção.
Acogotar *v* matar com uma pancada na nuca.
Acólito *s* acólito.
Acometer *v* acometer, atacar, invadir.
Acometida *v* acometida, acometimento.
Acomodado *adj* acomodado, apto, oportuno, rico.
Acomodador *adj* acomodador.
Acomodar *v* acomodar, adaptar, ajustar, adequar, dispor.
Acomodo *s* emprego, cargo.
Acompañamiento *s* acompanhamento, cortejo, séquito.
Acompañante *adj* acompanhante, companhia.
Acompañar *v* acompanhar, seguir, escoltar.
Acompasar *v* compassar.
Acondicionar *v* acondicionar, condicionar, embalar.
Acongojar *v* angustiar, afligir, inquietar, oprimir, entristecer.
Aconsejable *adj* aconselhável, recomendável.
Aconsejar *v* aconselhar, guiar, recomendar.
Acontecer *v* acontecer, suceder, ocorrer.
Acontecimiento *s* acontecimento, fato.
Acopiar *v* aprovisionar, ajuntar.
Acopio *s* grande quantidade, cópia.
Acoplar *v* acoplar, juntar, unir.
Acoquinar *v* acovardar, intimidar.
Acorazado *adj* couraçado, blindado.
Acordar *v* acordar, concordar, conciliar.
Acorde *adj* acorde, conforme.
Acordeón *s* acordeão, harmônica.
Acordonar *v* acordoar.
Acorralar *v* encurralar.
Acortar *v* encurtar, reduzir.
Acosar *v* acossar, apertar.
Acoso *s* acossamento.
Acostar *v* deitar, encostar, atracar.
Acostumbrar *v* acostumar, habituar.
Acotar *v* cotar, demarcar, delimitar.
Acre *s* acre, medida agrária; *adj* azedo, picante.
Acrecentar *v* acrescentar, aumentar, adicionar, juntar.
Acreditar *v* acreditar, creditar, abonar.
Acreedor *adj* credor, merecedor.
Acribillar *v* furar, crivar.
Acrisolar *v* acrisolar, purificar no crisol, apurar.
Acritud *s* acritude.
Acrobacia *s* acrobacia.
Acróbata *s* acrobata.
Acrópolis *s* acrópole.
Acta *s* ata, registro, resumo escrito.

Actitud *s* atitude, postura, pose.
Activar *v* ativar, impulsionar, despertar, excitar.
Actividad *s* atividade, pressa, dinamismo, vivacidade.
Activo *adj* ativo, ágil, diligente, animado.
Acto *s* ato, feito, ação.
Actor *s* ator, artista.
Actriz *s* atriz, artista.
Actuación *s* atuação, funcionamento.
Actual *adj* atual, efetivo, real, corrente, presente.
Actualidad *s* atualidade, oportunidade.
Actualizar *v* atualizar, modernizar, realizar.
Actualmente *adv* atualmente.
Actuar *v* atuar, influir.
Acuarela *s* aquarela.
Acuario *s* aquário.
Acuartelar *v* aquartelar, alojar.
Acuático *adj* aquático.
Acuchillar *v* esfaquear.
Acuciar *v* estimular, aguçar, induzir, incentivar.
Acudir *s* acudir, socorrer, atender, acorrer.
Acueducto *s* aqueduto.
Acuerdo *s* acordo, contrato, ajuste, convênio.
Acumulador *adj* acumulador.
Acumular *v* acumular, reunir, juntar.
Acunar *v* embalar, balançar uma criança no berço.
Acuñar *v* cunhar, meter cunhas.
Acuoso *adj* aquoso.
Acurrucarse *v* acocorar-se, encolher-se.
Acusación *s* acusação, incriminação.
Acusado *adj* acusado.
Acusador *adj* acusador, que acusa.
Acusar *v* acusar, culpar, incriminar.
Acústica *s* acústica.
Adagio *s* adágio, ditado, sentença, aforismo.
Adalid *s* chefe, caudilho.
Adán *s* homem sujo, apático, negligente.
Adaptable *adj* adaptável.
Adaptación *s* adaptação, ajustamento.
Adaptar *v* adaptar, ajustar, moldar.
Adecentar *v* arrumar, assear.
Adecuado *adj* adequado, conveniente, apropriado.
Adecuar *v* adequar, ajustar, igualar, convir.
Adefesio *s* extravagância.
Adelantado *adj* adiantado, antecipado.
Adelantar *v* adiantar, acelerar.
Adelante *adv* diante.
Adelanto *s* adiantamento, melhoria.
Adelgazar *v* emagrecer, adelgaçar.
Ademán *s* gesto, trejeito.
Además *adv* ademais, demais, além disso.
Adentro *adv* adentro, dentro, interiormente.
Adepto *adj* adepto, partidário.
Aderezar *v* adereçar, enfeitar, compor.
Aderezo *s* adereço, enfeite, aparelho, tempero, condimento.
Adeudar *v* endividar, dever.
Adherir *v* aderir, anuir, vincular, ligar.
Adhesión *s* adesão, acordo, união, ligação.
Adhesivo *adj* adesivo, aderente.
Adición *s* adição, acréscimo, aditamento, aumento.
Adicto *adj* adepto, apegado, dedicado, propenso.
Adiestramiento *s* adestramento, treino, exercício.
Adiestrar *v* adestrar, treinar, exercitar.
Adinerado *adj* endinheirado, rico.
Adiós *s* adeus, despedida.
Adiposo *adj* adiposo, gorduroso.
Adivinanza *s* adivinhação, enigma.
Adivinar *v* adivinhar, predizer, profetizar.
Adivino *s* adivinho, profeta.
Adjetivo *s* adjetivo.
Adjudicación *s* adjudicação.
Adjudicar *v* adjudicar, declarar judicialmente.
Adjuntar *v* juntar, unir, agregar, associar.
Adjunto *adj* adjunto, unido, junto, anexo.
Administración *s* administração, gerência, direção.
Administrador *s* administrador, gerente, diretor.

Administrar *v* administrar, gerenciar, conduzir, conferir.
Admirable *adj* admirável, digno de admiração.
Admirablemente *adv* admiravelmente.
Admiración *s* admiração, entusiasmo, arroubo, espanto, assombro.
Admirar *v* admirar, contemplar, apreciar.
Admisión *s* admissão, ingresso, iniciação, entrada.
Admitir *v* admitir, receber, consentir, concordar, permitir, aceitar.
Adobar *v* temperar, condimentar, adubar.
Adobe *s* tijolo cru, seco ao sol.
Adobo *s* adobo, tempero, adubo, reparo.
Adocenado *adj* vulgar, comum.
Adoctrinar *v* doutrinar, educar.
Adolecer *v* adoecer, sofrer.
Adolescencia *s* adolescência.
Adolescente *adj* adolescente.
Adonde *adv* aonde, para onde.
Adopción *s* adoção, aceitação, perfilhação.
Adoptar *v* adotar, aceitar, abraçar, perfilhar.
Adoptivo *adj* adotivo, adotado.
Adoquín *s* paralelepípedo, pedra, macadame.
Adoquinar *v* empedrar, calçar.
Adorable *adj* adorável, encantador, estimável.
Adoración *s* adoração, veneração, estima.
Adorar *v* adorar, prestar culto, amar apaixonadamente, reverenciar.
Adormecer *v* adormecer, acalentar, entorpecer.
Adornar *v* adornar, enfeitar, decorar, ornamentar, embelezar.
Adorno *s* adorno, enfeite, ornamento.
Adosar *v* encostar, apoiar.
Adquirir *v* adquirir, comprar, obter, conseguir.
Adquisición *s* aquisição, obtenção, compra.
Adrede *adv* adrede, de propósito.
Aduana *s* aduana, alfândega.
Aduanero *s* aduaneiro, alfandegário.
Aducir *v* aduzir, alegar, apresentar, juntar, acrescentar.
Adueñarse *v* apossar-se, apoderar-se, apropriar-se.
Adulación *s* adulação lisonja.
Adulador *adj* adulador.
Adular *v* adular, lisonjear, bajular.
Adulterar *v* adulterar, falsificar.
Adulterio *s* adultério.
Adulto *adj* adulto, crescido.
Adunia *adv* em abundância.
Advenimiento *s* advento, vinda, chegada.
Advenir *v* advir, chegar.
Adverbio *s* advérbio.
Adversario *s* adversário, oponente, antagonista.
Adversidad *s* adversidade, desventura, infelicidade.
Adverso *adj* adverso, desfavorável, infeliz, oposto.
Advertencia *s* advertência, conselho.
Advertir *v* advertir, chamar a atenção, notar, reparar.
Adyacente *adj* adjacente, vizinho, contíguo.
Aéreo *adj* aéreo.
Aeródromo *s* aeródromo.
Aerolito *s* aerólito.
Aeronauta *s* aeronauta, aeronáutica.
Aeronave *s* aeronave.
Aeroplano *s* aeroplano, avião.
Aeropuerto *s* aeroporto.
Aerosol *s* aerossol.
Aerostática *s* aerostática.
Aerovía *s* aerovia.
Afable *adj* afável, benevolente, cortês, meigo, delicado.
Afamado *adj* afamado, famoso, notável, célebre.
Afán *s* afã, esforço, trabalho, empenho.
Afear *v* tornar-se feio.
Afección *s* afeição.
Afectación *s* afetação, vaidade, fingimento, presunção.
Afectado *adj* afetado, fingido, falso.
Afectar *v* afetar, fingir, simular, dissimular.

Afectividad *s* afetividade, emotividade.
Afectivo *adj* afetivo, sensível, afetuoso.
Afecto *s* afeto, afeição, amor, carinho, dedicação.
Afectuoso *adj* afetuoso, carinhoso, afável, cordial, meigo.
Afeitado *adj* barbeado.
Afeitar *v* barbear, fazer a barba.
Afeite *s* enfeite, cosmético.
Afeminado *adj* afeminado.
Aferrar *v* aferrar, agarrar com força, segurar, prender.
Afgano *adj* afegã.
Afianzar *v* afiançar, garantir, afirmar.
Afición *s* afeição, afeto, predileção.
Aficionado *adj* aficionado, amador.
Aficionarse *v* afeiçoar-se.
Afijo *s* afixo.
Afilador *adj* afiador, amolador.
Afilar *v* afiar, amolar, aguçar, dar fio.
Afiliado *adj* afiliado.
Afiliar *v* afiliar, adotar, ingressar.
Afín *adj* afim, com afinidades, próximo.
Afinar *v* afinar, aperfeiçoar.
Afinidad *s* afinidade, analogia, parentesco.
Afirmación *s* afirmação, confirmação, afirmativa, declaração.
Afirmado *adj* afirmado, consolidado, assegurado.
Afirmar *v* afirmar, garantir, certificar, assegurar.
Afirmativo *adj* afirmativo.
Aflicción *s* aflição, sentimento, amargura, angústia, ansiedade.
Aflictivo *adj* aflitivo, perturbador, angustiante.
Afligir *v* afligir, inquietar, assolar, devastar.
Aflojar *v* afrouxar, alargar.
Aflorar *v* aflorar, nivelar, emergir.
Afluencia *s* afluência, abundância.
Afluente *adj* afluente.
Afluir *v* afluir, convergir, correr, concorrer.
Afonía *s* afonia.
Afónico *adj* afônico.
Aforar *v* aforar, avaliar.
Aforismo *s* aforismo, máxima, sentença.
Afortunado *adj* afortunado, feliz, ditoso, favorecido.
Afrancesado *adj* afrancesado.
Afrenta *s* afronta, injúria, insulto, ofensa, agravo.
Afrentar *v* afrontar, insultar, ofender, injuriar.
Africano *adj* africano.
Afrodisíaco *adj* afrodisíaco.
Afrontar *v* enfrentar, encarar, confrontar.
Afuera *adv* fora, por fora.
Agachar *v* agachar, esconder, encobrir, ocultar.
Agalla *s* guelra.
Ágape *s* ágape, banquete, festim, jantar.
Agarrado *adj* agarrado, avarento, avaro, mesquinho, sovina.
Agarrar *v* agarrar, pegar, segurar, apreender, colher.
Agasajar *v* tratar com atenção; obsequiar.
Agasajo *s* hospedagem, acolhida.
Ágata *s* ágata.
Agazapar *v* agarrar, esconder.
Agencia *s* agência, filial.
Agenciar *v* agenciar, negociar, solicitar.
Agenda *s* agenda, apontamento.
Agente *s* agente, corretor.
Agigantar *v* agigantar.
Ágil *adj* ágil, rápido, ligeiro, destro, vivo, desembaraçado.
Agilidad *s* agilidade, rapidez, vivacidade, desembaraço.
Agio *s* ágio, usura, especulação.
Agitación *s* agitação, perturbação.
Agitar *v* agitar, sacudir.
Aglomeración *s* aglomeração, agrupamento, ajuntamento.
Aglomerado *adj* aglomerado.
Aglomerar *v* aglomerar, juntar, reunir, amontoar.
Aglutinar *v* aglutinar, unir, reunir.
Agnóstico *adj* agnóstico.
Agobiado *adj* preocupado.
Agobiar *v* curvar, dobrar o corpo para o chão, incômodo.

Agobio *s* angústia, sufocação; FIG abatido.
Agolpar *v* amontoar, empilhar.
Agonía *s* agonia, angústia, aflição.
Agonizante *adj* agonizante, moribundo.
Agonizar *v* agonizar, agonia.
Agorero *adj* agoureiro.
Agosto *s* agosto, mês de colheita; FIG lucro.
Agotamiento *s* esgotamento, exaustão.
Agotar *v* esgotar, consumir, fatigar, extenuar.
Agraciado *adj* agraciado, felizardo.
Agraciar *v* agraciar, favorecer.
Agradable *adj* aprazível, ameno, suave, amável.
Agradar *v* agradar, amenizar, suavizar.
Agradecer *v* agradecer.
Agradecido *adj* agradecido.
Agradecimiento *s* agradecimento, gratidão.
Agrado *s* agrado, gosto, deleite, prazer.
Agrandar *v* engrandecer, tornar grande.
Agrario *adj* agrário, agrícola, rural.
Agravar *v* agravar, exagerar.
Agravio *s* agravo, ofensa, dano.
Agraz *s* agraço; FIG amargura.
Agredir *v* agredir, atacar, ir contra.
Agregado *adj* agregado, adido, anexo.
Agregar *v* agregar, associar, anexar, juntar, reunir.
Agresión *s* agressão, ataque, assalto, embate.
Agresividad *s* agressividade, combatividade, violência.
Agresivo *adj* agressivo.
Agresor *s* agressor, provocador, atacante.
Agreste *adj* agreste, rústico, silvestre.
Agriar *v* azedar; FIG irritar.
Agrícola *adj* agrícola, agrário.
Agricultor *s* agricultor, lavrador.
Agricultura *s* agricultura, lavoura.
Agrio *adj* acre, ácido, azedo.
Agronomía *s* agronomia.
Agropecuario *adj* agropecuário.
Agrupación *s* agrupação.
Agrupamiento *s* agrupamento, ajuntamento.
Agrupar *v* agrupar, ajuntar, reunir.
Agua *s* água, líquido.
Aguacate *s* abacate.
Aguacero *s* aguaceiro, chuva forte.
Aguada *s* aguada.
Aguador *s* aguadeiro.
Aguafiestas *s* desmancha-prazeres.
Aguafuerte *s* água-forte.
Aguantar *v* aguentar, suportar, tolerar.
Aguante *s* tolerância, paciência.
Aguar *v* aguar, regar, borrifar, frustrar.
Aguardar *v* aguardar, prorrogar.
Aguardiente *s* aguardente, cachaça.
Aguarrás *s* aguarrás.
Agudeza *s* agudeza, astúcia, perspicácia; FIG sutileza.
Agudizar *v* aguçar.
Agudo *adj* agudo, penetrante, aguçado.
Agüero *s* agouro, pressário, vaticínio.
Aguerrido *adj* aguerrido, valente, belicoso.
Aguijón *s* aguilhão, ferrão.
Aguijonear *v* aguilhoar, apressar.
Aguileño *adj* aquilino.
Águila *s* águia; FIG presa esperta.
Aguja *s* agulha, bússola, ponteiro de relógio.
Agujerear *v* furar, esburacar, perfurar.
Agujero *adj* agulheiro, buraco, furo, perfuração.
Agujeta *s* agulhada, pontada, dores musculares.
Aguzar *s* aguçar, estimular, avivar, incitar.
Aherrojar *s* aferrolhar, algemar.
Ahí *adv* aí, nesse lugar.
Ahijado *adj* afilhado, protegido.
Ahijar *v* adotar, perfilhar, proteger.
Ahinco *s* afinco, persistência, apego.
Ahíto *adj* farto, fatigado, abarrotado.
Ahogado *adj* afogado, sufocado.
Ahogar *v* afogar, sufocar, asfixiar.
Ahogo *s* sufoco, aflição, pressão, aperto.
Ahondar *v* afundar, penetrar, aprofundar.
Ahora *adv* agora, neste instante.

Ahorcado *adj* enforcado.
Ahorcar *v* enforcar, estrangular.
Ahorrar *v* economizar, poupar.
Ahorro *s* economia, poupança.
Ahuecar *v* cavar, escavar, tornar oco, afofar.
Ahulado *s* oleado, tecido impermeável.
Ahumado *adj* defumado.
Ahuyentar *v* afugentar, espantar.
Airado *adj* colérico, irritado.
Airar *v* irar, irritar, encolerizar.
Aire *s* ar, vento, atmosfera, clima.
Aireación *s* ventilação, arejamento.
Airear *v* arejar, desabafar, ventilar.
Airoso *adj* arejado, airoso, garboso.
Aislacionismo *s* isolacionismo.
Aislado *adj* isolado, avulso, desacompanhado, solitário.
Aislador *adj* isolador.
Aislante *s* isolante.
Aislar *v* isolar, separar.
Ajar *v* estragar, maltratar, amarfanhar.
Ajedrecista *s* enxadrista.
Ajedrez *s* xadrez.
Ajenjo *s* absinto.
Ajetreo *s* cansaço, fadiga.
Ají *s* pimentão.
Ajo *s* alho.
Ajorca *s* pulseira, bracelete.
Ajuar *s* enxoval.
Ajustado *adj* ajustado, aparelhado.
Ajustador *adj* ajustador, montador.
Ajustar *v* ajustar, estipular, reconciliar, combinar.
Ajuste *s* ajuste, trato, pacto, acordo, ajustamento.
Ajusticiado *adj* justiçado, executado.
Ajusticiar *v* justiçar, executar.
Al contração da prep. a com o art. el (ao).
Ala *s* ala, aba, asa.
Alabanza *s* elogio, louvor, louvação, aplauso.
Alabar *v* louvar, elogiar.
Alabastro *s* alabastro.
Alacena *s* armário embutido.
Alaco *s* farrapo, andrajo.
Alacrán *s* escorpião, lacrau.
Alado *adj* alado, com asas, ligeiro.
Alajú *s* massa de amêndoas e nozes.
Alambique *s* alambique, destilador.
Alambrar *v* alambrar, cercar com arame.
Alambre *s* arame, fio de metal.
Alambrera *s* rede de arame, tela.
Alameda *s* alameda, rua com árvores, avenida.
Álamo *s* álamo.
Alarde *s* alarde, ostentação, orgulho, vaidade.
Alardear *v* alardear, propalar, divulgar.
Alargar *v* alongar, encompridar, estender, dilatar, prolongar.
Alarido *adj* alarido, clamor, gritaria.
Alarma *s* alarme, rebate, susto, clamor.
Alarmar *v* alarmar, assustar, clamar.
Alarmista *adj* alarmista, assustador.
Alazán *adj* alazão.
Alba *s* alba, alvorada, aurora, amanhecer.
Albacea *s* testamenteiro.
Albanés *adj* albanês, albano.
Albañil *s* pedreiro.
Albañilería *s* alvenaria, construção civil.
Albarán *s* tabuleta, rótulo.
Albardar *v* lardear; FIG molestar.
Albaricoque *s* abricó, damasco.
Albear *v* alvejar, branquear.
Albedrío *s* arbítrio.
Albergar *v* albergar, hospedar, acolher, alojar.
Albergue *s* albergue, estalagem, hospedaria, pensão, pousada.
Albino *adj* albino.
Albóndiga *s* almôndega.
Albor *s* alvor, brancura.
Alborada *s* alvorada, madrugada.
Alborear *v* alvorecer, romper o dia.
Albornoz *s* albornoz, espécie de capa.
Alborotar *v* alvoroçar.
Alboroto *s* alvoroço, balbúrdia, motim.
Alborozo *s* alvoroço, alegria, animação.
Albricias *s* alvíssaras.
Albufera *s* lagoa, restinga.
Álbum *s* álbum, livro.
Albumen *s* albume, albúmen.
Albúmina *s* albumina.

Albur *s* boga, mugem.
Alcachofa *s* alcachofra.
Alcahuete *s* alcoviteiro, fofoqueiro, mexeriqueiro.
Alcaldada *s* abuso de autoridade.
Alcalde *s* alcaide, prefeito.
Alcaldía *s* alcaidia, prefeitura.
Alcalino *adj* alcalino.
Alcaloide *s* alcaloide.
Alcance *s* alcance, seguimento.
Alcancía *s* alcanzia.
Alcanfor *s* cânfora.
Alcantarilla *s* pontezinha, esgoto.
Alcanzar *v* alcançar, atingir, chegar a.
Alcaparra *s* alcaparra.
Alcatifa *s* almofada, tapeçaria.
Alcázar *s* fortaleza, castelo.
Alce *s* alce.
Alcoba *s* alcova, quarto de dormir.
Alcohol *s* álcool.
Alcohólico *adj* alcoólico, alcoólatra.
Alcornoque *s* sobreiro.
Alcurnia *s* família, linhagem, estirpe.
Aldaba *s* aldrava.
Aldea *s* aldeia, vila, vilarejo, povoado.
Aldeano *adj* aldeão, rústico.
Aleación *s* liga de metal.
Aleatorio *adj* aleatório, eventual.
Aleccionar *s* lecionar, adestrar, educar.
Aledaño *adj* divisório, limítrofe.
Alegación *s* alegação, defesa.
Alegar *v* alegar, citar, afirmar.
Alegato *s* alegação por escrito.
Alegoría *s* alegoria, fábula, metáfora.
Alegórico *adj* alegórico, simbólico, metafórico.
Alegrar *v* alegrar, divertir, brincar.
Alegre *adj* alegre, contente, animado.
Alegría *s* alegria, contentamento, animação, brincadeira.
Alegro *s* alegro.
Alejar *v* afastar, distanciar, aposentar.
Aleluya *s* aleluia.
Alemán *adj* alemão, germânico.
Alentada *s* respiração contínua.
Alentar *v* alentar, animar, encorajar.
Alergia *s* alergia.
Alérgico *adj* alérgico.
Alerta *s* alerta.
Alertar *v* alertar, vigiar.
Aleta *s* aleta, pequena asa.
Aletargar *v* aletargar.
Aletear *v* bater as asas, esvoaçar.
Alevosía *s* aleivosia, traição, falsidade, infidelidade.
Alevoso *adj* aleivoso, traidor.
Alfa *s* alfa, primeira letra do alfabeto grego.
Alfabético *adj* alfabético.
Alfabetización *s* alfabetização.
Alfabetizar *v* alfabetizar.
Alfajor *s* alfajor, doce seco.
Alfalfa *s* alfafa, erva para pasto.
Alfanje *v* alfange, sabre oriental.
Alfarería *s* olaria, cerâmica.
Alfarero *s* oleiro, ceramista.
Alféizar *s* batente, vão da porta ou janela.
Alfeñique *s* alfenim, pessoa delicada.
Alférez *s* alferes.
Alfiler *s* alfinete, adorno, broche.
Alfiletero *s* agulheiro.
Alfombra *s* tapete.
Alfombrar *v* atapetar.
Alforja *s* alforje, provisão.
Alga *s* alga, sargaço.
Algarabía *s* algaravia, eufrásia.
Algarada *s* algarada, algazarra.
Algarroba *s* alfarroba.
Algazara *s* algazarra.
Álgebra *s* álgebra.
Álgido *adj* álgido, muito frio.
Algo *pron* algo.
Algodón *s* algodão.
Algodonero *s* algodoeiro.
Alguacil *s* aguazil.
Alguien *pron* alguém, alguma pessoa.
Algún *pron* algum; *adv* um tanto.
Alguno *pron* algum, qualquer.
Alhaja *s* joia, adorno.
Alhajera *s* porta-joias.
Aliado *adj* aliado, coligado.
Alianza *s* aliança, liga, anel de casamento, coligação.
Aliar *s* aliar, unir, harmonizar.

Alias *adv* por outro nome.
Alicaído *adj* abatido, triste, desanimado, desalentado.
Alicates *s* alicate.
Aliciente *adj* aliciante, sedutor, atraente.
Alícuota *s* alíquota.
Alienación *s* alienação, demência.
Alienar *v* alienar, alhear, afastar.
Aliento *s* alento, vigor.
Aligerar *v* aligeirar, aliviar.
Alijo *s* muamba, contrabando.
Alimaña *s* alimária, embustes.
Alimentación *s* alimentação, nutrição, sustento.
Alimentar *v* alimentar, nutrir, sustentar.
Alimenticio *adj* alimentício, nutritivo, substancial.
Alimento *s* alimento, comida, sustento.
Alinear *v* alinhar, enfileirar.
Aliñar *v* alinhar, enfeitar, compor, preparar, condimentar, temperar.
Aliño *s* alinho, asseio, gosto, condimento, tempero.
Alisar *v* alisar, amaciar, desgastar, polir.
Alisios *adj* alísios, vento.
Alistamiento *s* alistamento, recrutamento, arrolamento.
Alistar *v* alistar, catalogar, dispor, preparar.
Aliviar *v* aliviar, moderar, suavizar, consolar.
Alivio *s* alívio, descanso, consolação.
Aljibe *s* algibe, cisterna.
Allá *adv* lá, além.
Allanamiento *s* aplainamento.
Allanar *v* aplainar, igualar, pacificar.
Allegado *adj* chegado, próximo, parente.
Allegar *v* aproximar, ajuntar, acrescentar.
Allende *adj* além de, além disso.
Allí *adv* ali.
Alma *s* alma, espírito.
Almacén *s* armazén, almoxarifado, depósito.
Almacenaje *s* armazenagem, armazenamento.
Almacenar *v* armazenar, conservar, depositar, reunir.
Almacenista *s* atacadista.
Almanaque *s* almanaque.
Almazara *s* lagar de azeite.
Almeja *s* amêijoa, molusco.
Almendra *s* amêndoa.
Almendrado *adj* amendoado.
Almendro *s* amendoeira.
Almíbar *s* calda de açúcar.
Almibarado *adj* açucarado, em calda.
Almibarar *v* adoçar, açucarar.
Almidón *s* amido, fécula.
Almidonar *v* engomar.
Alminar *s* minarete, almenara.
Almirante *s* almirante.
Almirez *s* almofariz, gral.
Almizcle *s* almíscar.
Almohada *s* almofada, travesseiro.
Almohadón *s* almofadão.
Almoneda *s* leilão.
Almorrana *s* hemorroidas.
Almorzar *v* almoçar, comer.
Almuerzo *s* almoço, refeição.
Alocado *adj* amalucado, doido.
Alocución *s* alocução, conferência, discurso breve.
Alojamiento *s* alojamento, aposento.
Alojar *s* alojar, hospedar, acomodar, recolher.
Alón *s* asa sem penas.
Alondra *s* cotovia.
Alpaca *s* alpaca, lã.
Alpargata *s* alpercata, alpargata.
Alpinismo *s* alpinismo.
Alpinista *s* alpinista.
Alpino *adj* alpino.
Alpiste *s* alpiste.
Alquería *s* casa de campo, granja.
Alquilar *v* alugar, arrendar, ceder temporalmente.
Alquiler *s* aluguel, arrendamento.
Alquimia *s* alquimia.
Alquimista *s* alquimista.
Alquitrán *s* alcatrão.
Alrededor *adv* ao redor, em torno, em volta.
Alta *s* alta, licença para sair do hospital.
Altanería *s* altivez, orgulho.

Altanero *adj* altaneiro, altivo, orgulhoso.
Altar *s* altar, ara.
Altavoz *s* alto-falante, megafone.
Alteración *s* alteração, inquietação, desordem.
Alterar *v* alterar, mudar, transformar.
Altercar *v* altercar, disputar, discutir.
Alternador *s* alternador.
Alternar *v* alternar, revezar, variar.
Alternativa *s* alternativa, opção, escolha.
Alterno *adj* alternativo, alterno, revezado.
Alteza *s* alteza.
Altibajo *s* desigual, irregular.
Altilocuencia *s* grandiloquência.
Altímetro *s* altímetro.
Altiplanicie *s* altiplano, planalto, chapada.
Altitud *s* altitude, altura, elevação, estatura.
Altivez *s* altivez, arrogância.
Altivo *adj* altivo, orgulhoso, arrogante.
Alto *adj* alto, eminente.
Altoparlante *s* altofalante, amplificador.
Altramuz *s* tremoço.
Altruismo *s* altruísmo, generosidade.
Altruista *adj* altruísta, generoso.
Altura *s* altura, elevação.
Alubia *s* feijão.
Alucinación *s* alucinação, visão, delírio.
Alucinante *adj* alucinante, delirante.
Alucinar *v* alucinar, delirar, fascinar, ofuscar, deslumbrar.
Alucinógeno *s* alucinógeno.
Alud *s* avalanche.
Aludir *v* aludir, citar, mencionar.
Alumbrado *s* iluminação; *adj* iluminado.
Alumbramiento *s* iluminação, parto.
Alumbrar *v* iluminar, aluminar, parir.
Alumbre *s* alúmen, pedra-ume.
Alúmina *s* alumina.
Aluminio *s* alumínio.
Alumnado *s* alunado, corpo discente.
Alumno *s* aluno, discípulo, estudante, colegial.
Alunizaje *s* alunissagem.
Alunizar *v* alunissar.
Alusión *s* alusão, menção, citação.
Alusivo *adj* alusivo, indireto.
Aluvión *s* aluvião, inundação.
Alveolar *adj* alveolar.
Alveólo *s* alvéolo, casulo, pequena cavidade.
Alza *s* alça.
Alzado *adj* alçado.
Alzamiento *s* alçamento, revolta.
Alzar *v* alçar, levantar, elevar.
Ama *s* ama, dona-de-casa, senhora, governanta.
Amabilidad *s* amabilidade, cortesia, delicadeza, atenção.
Amable *adj* amável, cortês, delicado, atencioso.
Amaestrado *adj* amestrado, treinado.
Amaestrar *v* amestrar, ensinar, treinar.
Amagar *v* ameaçar.
Amago *s* ameaça, sintoma, sinal, indício.
Amainar *v* amainar, acalmar.
Amalgama *s* amálgama.
Amalgamar *v* amalgamar, mesclar, misturar.
Amamantar *v* amamentar.
Amancebarse *v* amancebar-se, amasiar-se, amigar-se.
Amanecer *s* amanhecer.
Amanerado *adj* amaneirado, afetado.
Amansar *v* amansar, domesticar.
Amante *adj* amante, companheiro, amigo, namorado, fã.
Amanuense *s* amanuense, tipógrafo.
Amañar *v* amanhar, lavrar, ajeitar, preparar.
Amaño *s* amanho, jeito, preparo.
Amapola *s* papoula.
Amar *v* amar, estimar, apreciar, querer, gostar.
Amareje *s* amerissagem.
Amargado *adj* amargurado, angustiado, desgostoso, aflito.
Amargar *v* amargar, amargurar, desgostar, afligir.
Amargo *adj* amargo, acre.
Amargura *s* amargura, desgosto, angústia.

Amariconado *adj* afeminado, maricas, bichoso, boneca.
Amarillear *v* amarelar.
Amarillento *adj* amarelento, amarelado.
Amarillo *adj* amarelo, cor-de-ouro.
Amarra *s* amarra, corda de navio.
Amarrado *adj* amarrado.
Amarrar *v* amarrar, prender, atracar.
Amartelar *v* enciumar, atormentar com ciúmes.
Amartillar *v* martelar.
Amasar *v* amassar, misturar.
Amasijo *s* massa, confusão.
Amatista *s* ametista.
Amazona *s* amazona.
Amazónico *adj* amazônico.
Ambages *s* rodeios, evasias, circunlóquios.
Ámbar *s* âmbar.
Ambición *s* ambição, cobiça, ganância.
Ambicionar *v* ambicionar, cobiçar, desejar.
Ambicioso *adj* ambicioso, cobiçoso.
Ambidextro *adj* ambidestro.
Ambiental *adj* ambiental.
Ambiente *s* ambiente, meio, atmosfera.
Ambigüedad *s* ambiguidade, equívoco, dúvida, incerteza.
Ambiguo *adj* ambíguo, equívoco, duvidoso, incerto.
Ámbito *s* âmbito, esfera, contorno, circuito.
Ambivalencia *s* ambivalência, duplicidade.
Ambivalente *adj* ambivalente.
Ambos *adj* ambos, os dois.
Ambrosia *s* ambrosia.
Ambucia *s* voracidade, gulodice.
Ambulancia *s* ambulância.
Ambulante *adj* ambulante, errante, nômade.
Ambulatorio *adj* ambulatório.
Ameba *s* ameba.
Amedrentar *v* amendrontar, atemorizar, assustar.
Amén *s* amém.
Amenaza *s* ameaça, intimidação.
Amenazador *adj* ameaçador.
Amenazar *v* ameaçar, intimidar, coagir.
Amenidad *s* amenidade, suavidade, delicado.
Americana *s* jaqueta, jaquetão, casaco.
Americanismo *s* americanismo.
Americanista *s* americanista.
Americanizar *v* americanizar.
Americano *adj* americano, norte-americano.
Ametralladora *s* metralhadora.
Ametrallar *v* metralhar, fuzilar.
Amianto *s* amianto.
Amiga *s* amiga, concubina, amante.
Amigable *adj* amigável.
Amigdala *s* amídala.
Amigo *adj* amigo, companheiro, camarada, colega, namorada.
Amilanar *v* assustar, intimidar.
Aminoración *s* diminuição, minoração, redução.
Aminorar *v* minorar, diminuir, reduzir.
Amistad *s* amizade, dedicação.
Amistosamente *adv* amistosamente.
Amistoso *adj* amistoso, amigável, dedicado, gentil, amável.
Amnesia *s* amnésia, perda de memória.
Amniótico *adj* amniótico.
Amnistía *s* anistia, indulto, perdão.
Amnistiar *v* anistiar, indultar, perdoar.
Amo *s* amo, dono de casa, proprietário.
Amodorrarse *v* amodorrar-se.
Amohinar *v* aborrecer.
Amojonar *v* demarcar, delimitar.
Amolar *v* amolar, afiar, aguçar.
Amoldar *v* amoldar, moldar, modelar.
Amonestar *v* admoestar, repreender.
Amoníaco *s* amoníaco.
Amontonar *v* amontoar.
Amor *s* amor, afeto, afeição, carinho, paixão.
Amoral *adj* amoral, imoral.
Amoralidad *s* amoralidade.
Amoratar *v* arroxear.
Amordazar *v* amordaçar.
Amorfo *adj* amorfo, disforme.
Amorío *s* namorar.

Amoroso *adj* amoroso, carinhoso, afetuoso, meigo.
Amortiguador *adj* amortecedor.
Amortiguar *v* amortecer.
Amortizable *adj* amortizável.
Amortización *s* amortização.
Amortizar *v* amortizar, pagar aos poucos, resgatar.
Amotinar *v* amotinar, sublevar, alvoroçar.
Amovible *adj* removível, transferível.
Amparar *v* amparar, proteger.
Amparo *s* amparo, proteção, auxílio, socorro, defesa, abrigo.
Amperímetro *s* amperímetro.
Ampliación *s* ampliação, amplificação, aumento.
Ampliar *v* ampliar, amplificar, aumentar.
Amplificación *s* amplificação, aumento, acréscimo.
Amplificador *s* amplificador.
Amplio *adj* amplo, espaçoso, extenso, vasto.
Amplitud *s* amplitude, extensão vastidão.
Ampolla *s* ampola, bolha, bexiga.
Ampolleta *s* ampulheta.
Amputación *s* amputação, mutilação.
Amputar *v* amputar, mutilar, extirpar.
Amuchar *v* aumentar.
Amueblar *v* mobiliar.
Amular *v* esterilizar.
Amuleto *s* amuleto, talismã.
Anacoreta *s* anacrônico.
Anacronismo *s* anacronismo.
Anaerobio *adj* anaeróbio.
Anáfora *s* anáfora, repetição.
Anagrama *s* anagrama.
Anal *adj* anal.
Analar *v* canalar, abrir canais.
Anales *s* anais, narração de eventos organizada por ano.
Analfabetismo *s* analfabetismo.
Analfabeto *adj* analfabeto, iletrado, ignorante.
Analgésico *adj* analgésico.
Análisis *s* análise, estudo, exame.
Analista *s* analista, pesquisador.
Analítico *adj* analítico.
Analizar *v* analisar, decompor, estudar, examinar.
Analogía *s* analogia, semelhança, similaridade.
Análogo *adj* semelhante, similar.
Ananás *s* ananás, abacaxi.
Anaquel *s* prateleira, armação.
Anaranjado *adj* alaranjado.
Anarquía *s* anarquia, desgoverno.
Anárquico *adj* anárquico.
Anarquismo *s* anarquismo.
Anarquista *adj* anarquista.
Anatema *s* anátema, excomunhão.
Anatomía *s* anatomia.
Anatómico *adj* anatômico.
Anca *s* anca, quadril.
Ancestral *adj* ancestral, antigo.
Ancho *adj* largo, amplo, extenso, espaçoso.
Anchoa *s* anchova.
Anchura *s* largura, extensão.
Ancianidad *s* ancianidade, velhice.
Anciano *adj* ancião, velho.
Ancla *s* âncora.
Ancladero *s* ancoradouro.
Anclar *v* ancorar, fundear.
Andaluz *adj* andaluz, natural da Andaluzia.
Andamio *s* andaime.
Andante *adj* andante.
Andanza *s* andança.
Andar *v* andar, caminhar, ir.
Andariego *adj* andarilho, errante, andejo.
Andas *s* padiola, liteira.
Andén *s* cais, embarcadouro, plataforma de estação.
Andino *adj* andino.
Andrajo *s* andrajo, farrapo, trapo.
Andrajoso *adj* andrajoso, esfarrapado.
Androceo *s* androceu.
Andrógino *adj* andrógino, hermafrodita.
Androide *s* androide, robô.
Anécdota *s* anedota, episódio.
Anecdótico *adj* anedótico, episódico.
Anegadizo *adj* alagadiço.
Anegar *v* alagar, inundar, encher.
Anejo *adj* anexo, incorporado.

Anemia *s* anemia, fraqueza, enfraquecimento.
Anémico *adj* anêmico, fraco, débil.
Anémona *s* anêmona.
Anestesia *s* anestesia.
Anestesiar *v* anestesiar.
Anestesista *s* anestesista.
Anexión *s* anexação, incorporação.
Anexionar *v* anexar, juntar, incorporar.
Anexo *adj* anexo, ligado, incorporado.
Anfibio *adj* anfíbio, ambíguo.
Anfibología *s* anfibiologia.
Anfiteatro *s* anfiteatro.
Anfitrión *s* anfitrião.
Ánfora *s* ânfora, vaso.
Angarillas *s* padiola, cangalhas.
Ángel *s* angelical; *adj* angelical, angélico.
Angina *s* angina.
Anglicanismo *s* anglicanismo.
Anglicismo *s* anglicismo.
Anglófilo *adj* anglófilo.
Anglosajón *adj* anglo-saxão.
Angora *adj* angorá.
Angosto *adj* estreito, apertado, reduzido.
Anguila *s* enguia.
Angular *adj* angular.
Ángulo *s* ângulo, aresta, esquina, canto.
Anguloso *adj* anguloso.
Angustia *s* angústia, aflição, opressão, ansiedade, agonia.
Angustiado *adj* angustiado, amargurado, oprimido, ansioso.
Angustiar *v* angustiar, afligir, amargurar, entristecer.
Anhelante *adj* anelante, desejoso.
Anhelar *v* anelar, desejar, aspirar.
Anhelo *s* anelo, desejo, aspiração, anseio.
Anidar *v* aninhar.
Anilina *s* anilina.
Anilla *s* argola, aro de metal, anel.
Anillo *s* anel.
Ánima *s* alma.
Animación *s* animação, entusiasmo, alegria, vivacidade.
Animado *adj* animado, alegre, entusiasmado.
Animador *adj* animador.
Animal *s* animal, besta, fera.
Animar *v* animar, entusiasmar.
Anímico *adj* anímico.
Animismo *s* animismo.
Ánimo *s* ânimo, espírito, coragem.
Animosidad *s* animosidade, antipatia, aversão, inimizade.
Animoso *adj* animoso, corajoso.
Aniñado *adj* pueril, infantil.
Aniquilar *v* aniquilar, exterminar, destruir, acabar.
Anís *s* anis.
Aniversario *s* aniversário.
Ano *s* ânus.
Anoche *adv* ontem à noite.
Anochecer *s* crepúsculo, anoitecer.
Anodino *adj* anódino, inofensivo.
Anomalía *s* anomalia, anormalidade.
Anómalo *adj* anômalo, anormal.
Anonadar *v* reduzir a nada, aniquilar.
Anonimato *s* anonimato.
Anónimo *adj* anônimo, incógnito.
Anorak *s* agasalho impermeável.
Anormal *adj* anormal, extraordinário.
Anormalidade *s* anormalidade, anomalia.
Anotación *s* anotação, advertência, minuta, comentário.
Anotar *v* anotar, tomar notas, explicar.
Ánsar *s* ganso.
Ansia *s* ânsia, angústia, desejo, tormento, agonia, anseio.
Ansiar *v* ansiar, desejar, ambicionar.
Ansiedad *s* ansiedade, angústia, incerteza.
Ansioso *adj* ansioso, ávido, desejoso, aflito, agoniado.
Anta *s* anta, tapir.
Antagónico *adj* antagônico, oposto.
Antagonismo *s* antagonismo, oposição.
Antaño *adv* antanho, outrora.
Antártico *adj* antártico.
Ante *s* alce; *adv* antes.
Anteanoche *adv* anteontem à noite.
Anteayer *adv* anteontem.
Antebrazo *s* antebraço.
Antecámara *s* antecâmara.

Antecedente *s* antecedente, fato anterior.
Anteceder *v* anteceder, preceder.
Antecesor *s* antecessor, antepassado.
Antedicho *adj* expresso, dito anteriormente.
Antediluviano *adj* antediluviano.
Antelación *s* antelação, antecipação.
Antemano *adv* antemão, antecipadamente.
Antena *s* antena.
Anteojo *s* óculos, lente, luneta.
Antepasado *adj* antepassado, ancestral.
Antepecho *s* parapeito, peitoril.
Antepenúltimo *adj* antepenúltimo.
Anteponer *v* antepor, preferir.
Anteproyecto *s* anteprojeto.
Anterior *adj* anterior, precedente.
Antes *adv* antes.
Antesala *s* antessala.
Antiaéreo *adj* antiaéreo.
Antialcoholismo *s* antialcoolismo.
Antiatómico *adj* antiatômico.
Antibiótico *adj* antibiótico.
Anticipar *v* antecipar, avançar, prevenir.
Anticipo *s* antecipação, adiantamento.
Anticlericalismo *s* anticlericalismo.
Anticoagulante *adj* anticoagulante.
Anticomunista *adj* anticomunista.
Anticonceptivo *adj* contraceptivo, anticoncepcional.
Anticongelante *adj* anticongelante.
Anticuado *adj* antiquado, velho, obsoleto, ultrapassado.
Anticuario *s* antiquário, colecionador, vendedor de antiguidades.
Anticuerpo *s* anticorpo.
Antídoto *s* antídoto, contraveneno.
Antiestético *adj* antiestético.
Antifaz *s* máscara, carapuça.
Antigüedad *s* antiguidade, velhice.
Antiguo *adj* antigo, antiquado, obsoleto, velho, desusado.
Antillano *adj* antilhano.
Antílope *s* antílope.
Antimonio *s* antimônio.
Antinomia *s* antinomia, contradição.
Antipara *s* anteparo, biombo.
Antipatía *s* antipatia, aversão, repulsa, birra.
Antipático *adj* antipático, desagradável, detestável.
Antipirético *adj* antipirético.
Antípoda *s* antípoda.
Antiquísimo *adj* antiquíssimo.
Antirrábico *adj* antirrábico.
Antirrobo *s* antirroubo, pega-ladrão.
Antisemita *adj* antissemita.
Antisepsia *s* antissepsia.
Antiséptico *adj* antisséptico.
Antisocial *adj* antissocial.
Antítesis *s* antítese, oposição, contraste.
Antitoxina *s* antitoxina.
Antojarse *v* apetecer, desejar, muito.
Antojo *s* desejo, capricho, fantasia.
Antología *s* antologia, coletânea, seleta, seleção de texto.
Antológico *adj* antológico.
Antónimo *s* antônimo.
Antonomasia *s* antonomásia.
Antorcha *s* tocha, facho, farol.
Antracita *s* antracite.
Ántrax *s* antraz, tumor.
Antro *s* antro, cova, covil.
Antropofagia *s* antropofagia, canibalismo.
Antropófago *adj* antropófago, canibal.
Antropoide *adj* antropoide.
Antropología *s* antropologia.
Antropólogo *s* antropólogo.
Antropomorfo *adj* antropomorfo.
Anual *adj* anual; *s* anualidade, anuidade.
Anuario *s* anuário.
Anubarrado *adj* nublado, anuviado, enevoado.
Anudar *v* atar, juntar, dar nós.
Anuencia *s* anuência, consentimento.
Anulación *s* anulação, revogação.
Anular *v* anular, invalidar, cancelar.
Anunciación *s* anunciação, manifestação, notícia.
Anunciar *v* anunciar, noticiar, publicar.
Anuncio *s* anúncio, aviso, convocação, sinal.
Anverso *s* anverso, frente, face.

Añadir *v* agregar, acrescentar, adicionar.
Añejo *adj* antigo, velho, ancestral, antiquado.
Añicos *s* pedaços fragmentos.
Añil *s* anil.
Año *s* ano.
Añoranza *s* nostalgia, saudade.
Añorar *v* ter saudades, desejar.
Anzuelo *s* anzol.
Aojar *v* encantar, fascinar, enfeitiçar.
Aojo *s* encanto, fascinação, feitiço, quebranto.
Aorta *s* aorta.
Aovado *adj* oval, ovalado.
Aovar *v* desovar.
Apabullar *v* esmagar, achatar.
Apacentar *v* apascentar, pastorear.
Apacible *adj* aprazível, agradável, ameno.
Apaciguar *v* apaziguar, desarmar, sossegar, pacificar.
Apadrinar *v* apadrinhar.
Apagado *adj* tímido, acanhado, extinto.
Apagar *v* apagar, extinguir, aplacar, abafar.
Apagón *s* blecaute, apagamento.
Apalabrar *v* apalavrar, ajustar.
Apalancar *v* alavancar.
Apalear *v* espancar, bater.
Apandillar *v* formar partidos.
Apañado *adj* apanhado, colhido.
Apañar *v* apanhar, colher, furtar.
Aparador *s* aparador.
Aparar *v* aparar, cortar.
Aparato *s* aparato, ostentação, pompa, grandeza.
Aparatoso *adj* aparatoso, grandioso, suntuoso.
Aparcamiento *s* estacionamento.
Aparcar *v* estacionar, parar.
Aparear *v* emparelhar, igualar, juntar.
Aparecer *v* aparecer, comparecer, surgir.
Aparecimiento *s* aparição, aparecimento, surgimento.
Aparejador *s* aparelhador, construtor.
Aparejar *v* aparelhar, preparar.
Aparentar *v* aparentar, fingir, enganar.
Aparente *adj* aparente, falso, enganoso.
Aparición *s* aparição, visão, aparecimento.
Apariencia *s* aparência, aspecto.
Apartado *adj* afastado, distante.
Apartamento *s* apartamento, compartimento, aposento.
Apartamiento *s* afastamento, lugar retirado.
Apartar *v* apartar, separar, afastar.
Aparte *adv* à parte, separadamente.
Apasionado *adj* apaixonado, enamorado.
Apasionar *v* apaixonar, exaltar.
Apatía *s* apatia, indiferença, indolência.
Apático *adj* apático, indiferente, impassível, insensível.
Apátrida *s* apátrida.
Apear *v* apear, delimitar, demarcar.
Apedreamiento *s* apedrejamento.
Apedrear *v* apedrejar, lapidar.
Apegarse *v* apegar-se, agarrar-se.
Apego *s* apego, afeição, afeto.
Apelación *s* apelação.
Apelar *v* apelar, recorrer, invocar, chamar.
Apelativo *adj* apelativo.
Apellidar *v* apelidar, cognominar, nomear.
Apellido *s* sobrenome.
Apelmazar *v* condensar, comprimir.
Apenar *v* causar pena, desgostar.
Apenas *adv* apenas, unicamente, somente.
Apéndice *s* apêndice.
Apendicitis *s* apendicite.
Apercibir *v* aperceber, dispor, avisar, perceber.
Aperitivo *s* aperitivo, antepasto.
Apertura *s* abertura, entrada, inaguração.
Apesadumbrar *v* afligir, entristecer.
Apestar *v* empestar, infectar.
Apestillar *v* agarrar, pegar.
Apestoso *adj* pestilento, fétido.
Apetecer *v* apetecer, desejar, pretender.
Apetencia *s* apetência, apetite.
Apetito *s* apetite, estímulo, desejo.
Apetitoso *adj* apetitoso, saboroso, gostoso, tentador.

Apiadarse *v* apiedar-se.
Ápice *s* ápice, auge, cume, vértice.
Apicultor *s* apicultor.
Apicultura *s* apicultura.
Apilar *v* empilhar, amontoar.
Apiñar *v* apinhar, ajuntar, agregar.
Apio *s* aipo.
Apisonar *v* calcar.
Aplacar *v* aplacar, acalmar, tranquilizar.
Aplanar *v* aplanar, nivelar, igualar.
Aplastar *v* achatar, esmagar.
Aplaudir *v* aplaudir, louvar.
Aplauso *s* aplauso, aclamação, louvor.
Aplazamiento *s* aprazamento, convocação.
Aplazar *v* aprazar, prorrogar, adiar, retardar.
Aplicable *adj* aplicável.
Aplicación *s* aplicação, adaptação.
Aplicado *adj* aplicado, estudioso, atento, assíduo, dedicado.
Aplicar *v* aplicar, adaptar, adequar.
Aplomo *s* gravidade, serenidade, circunspecção.
Apocalipsis *s* apocalipse.
Apocalíptico *adj* apocalíptico.
Apocar *v* apoucar, diminuir, minguar, reduzir.
Apócope *s* apócope.
Apócrifo *adj* apócrifo, falso, suposto.
Apoderado *adj* apoderado; *s* procurador, agente.
Apoderar *v* apoderar, dar procuração, autorizar, encarregar.
Apodo *s* apodo, alcunha.
Apófisis *s* apófise.
Apogeo *s* apogeu, auge, culminância.
Apolillar *v* roer, traçar.
Apolítico *adj* apolítico.
Apologético *adj* apologético.
Apología *s* apologia, defesa, elogio.
Apologista *adj* apologista.
Apoltronarse *v* tornar-se preguiçoso.
Apoplejía *s* apoplexia.
Aporrear *v* espancar, bater.
Aportación *s* contribuição.
Aportar *v* contribuir, ocasionar.
Aposentar *v* hospedar, alojar.
Aposento *s* aposento, casa, moradia, quarto.
Apósito *s* apósito, compressa.
Apostar *v* apostar, competir, arriscar.
Apóstata *s* apóstata.
Apostilla *s* apostila, comentário, anotação.
Apostillar *v* apostilar, comentar.
Apóstol *s* apóstolo, missionário.
Apostolado *adj* apostolado, missão.
Apostólico *adj* apostólico.
Apóstrofe *s* apóstrofe.
Apóstrofo *s* apóstrofo.
Apostura *s* atitude, garbo, gentileza, linha.
Apoteósico *adj* apoteótico, consagrador.
Apoteosis *s* apoteose, consagração.
Apoyar *v* apoiar, sustentar, colaborar, amparar.
Apoyo *s* apoio, arrimo, amparo, favor, base, descanso.
Apreciable *adj* apreciável, digno, admirável.
Apreciación *s* apreciação, admiração, estima.
Apreciar *v* apreciar, avaliar, julgar.
Aprecio *s* apreço, consideração, estima.
Aprehender *v* apreender, prender.
Aprehensión *s* apreensão, percepção.
Apremiar *v* apressar, acelerar.
Aprender *v* aprender, estudar, instruir-se.
Aprendiz *s* aprendiz, estagiário; *adj* principiante, novato, calouro.
Aprendizaje *s* aprendizagem.
Aprensión *s* apreensão, receio, temor.
Aprensivo *adj* apreensivo, receoso, preocupado.
Apresamiento *s* captura, detenção, prisão.
Apresar *v* capturar, deter, prender, agarrar.
Aprestar *v* preparar, equipar, dispor.
Apresurar *v* apressar, acelerar, ativar.
Apretado *adj* apertado.
Apretar *v* apertar, amarrar, estreitar.
Apretón *s* apertão.

Aprieto *s* aperto, perigo.
Aprisa *adv* às pressas, velozmente.
Aprisionar *v* aprisionar, capturar, prender.
Aprobación *s* aprovação, permissão, adesão.
Aprobado *adj* aprovado, habilitado.
Aprobar *v* aprovar, admitir, autorizar, habilitar.
Apropiación *s* apropriação.
Apropiado *adj* apropriado, próprio.
Apropiar *v* apropriar, acomodar, atribuir.
Aprovechable *adj* aproveitável, útil.
Aprovechado *adj* aproveitado, utilizado.
Aprovechar *v* aproveitar, ganhar.
Aprovisionamiento *s* aprovisionamento, abastecimento.
Aprovisionar *v* aprovisionar, prover, abastecer.
Aproximación *s* aproximação, proximidade, aconchego.
Aproximado *adj* aproximado, próximo, chegado.
Aproximar *v* aproximar, encostar.
Aproximativo *adj* aproximativo.
Aptitud *s* aptidão, habilidade, jeito, queda.
Apto *adj* apto, hábil, conveniente.
Apuesta *s* aposta.
Apuesto *adj* enfeitado, aplicado.
Apuntalar *v* escorar, assegurar.
Apuntamiento *s* apontamento, anotação.
Apuntar *v* apontar, anotar, aguçar, fazer pontaria.
Apunte *s* apontamento, nota, anotação.
Apuñalar *v* apunhalar, esfaquear.
Apurado *adj* apurado, exato, esmerado.
Apurar *v* apurar, purificar, escolher, selecionar.
Apuro *s* apuro, aperto, aflição.
Aquejar *v* afligir, magoar.
Aquel *pron* aquele.
Aquello *pron* aquilo.
Aquí *adv* aqui, neste lugar.
Aquietar *v* aquietar, sossegar, acomodar.
Ara *s* ara, altar, lugar sagrado.
Árabe *adj* árabe.
Arabesco *s* arabesco.
Arábico *adj* arábico, árabe, mouro.
Arado *s* charrua, terra lavrada.
Arancel *s* tarifa.
Arancelario *adj* tarifário.
Arandela *s* arandela, candelabro de parede.
Araña *s* aranha, lustre, candelabro.
Arañar *v* arranhar, riscar.
Arañazo *s* arranhão.
Arar *v* lavrar a terra.
Arbitraje *s* arbitragem, arbitramento, julgamento.
Arbitrar *v* arbitrar, julgar, dirigir jogos.
Arbitrariedad *s* arbitrariedade, injustiça.
Arbitrario *adj* arbitrário, despótico.
Árbitro *s* árbitro, juiz.
Árbol *s* árvore.
Arbolado *adj* arborizado, arvoredo, bosque.
Arbusto *s* arbusto.
Arca *s* arca, baú, cofre.
Arcada *s* arcada, série de arcos, náusea.
Arcaico *adj* arcaico, antiquado, antigo.
Arcaísmo *s* arcaísmo.
Arcángel *s* arcanjo.
Arcano *s* arcano, segredo profundo.
Archidiócesis *s* arquidiocese.
Archipiélago *s* arquipélago.
Archivador *s* arquivista, classificador.
Archivo *s* arquivo, depósito, cartório.
Arcilla *s* argila, barro.
Arcilloso *adj* argiloso, barrento.
Arco *s* arco, curva.
Arder *v* arder, abrasar, queimar.
Ardid *s* ardil, armadilha, emboscada.
Ardiente *adj* ardente, tórrido, abrasador.
Ardilla *s* esquilo.
Ardor *s* calor, afã, paixão.
Ardoroso *adj* ardoroso, ardente, intenso, fogoso.
Arduo *adj* árduo, difícil, penoso, trabalhoso.
Área *s* área, espaço, superfície, zona, campo.
Arena *s* areia, pó.
Arenal *s* areal.

Arenga *s* arenga, palavreado.
Arenoso *adj* arenoso, areento.
Arenque *s* arenque.
Argamasa *s* argamassa.
Argelino *adj* argelino.
Argénteo *adj* argênteo, prateado.
Argentino *adj* argentino.
Argolla *s* argola, aro, elo.
Argucia *s* argúcia, perspicácia, sutileza.
Argüir *v* arguir, deduzir, provar.
Argumentación *s* argumentação, alegação.
Argumentar *v* argumentar, discutir, alegar.
Argumento *s* argumento, assunto.
Aria *s* ária.
Aridez *s* aridez, secura, esterilidade.
Árido *adj* árido, seco, estéril.
Aries *s* áries.
Ario *s* ariano.
Arisco *s* arisco, esquivo, áspero.
Arista *s* aresta.
Aristocracia *s* aristocracia, nobreza.
Aristócrata *s* aristocrata, nobre, fidalgo.
Aristocrático *adj* aristocrático, nobre, fino, distinto.
Aristotélico *adj* aristotélico.
Aritmética *s* aritmética.
Aritmético *adj* aritmético.
Arma *s* arma.
Armada *s* armada, esquadra, marinha.
Armadía *s* jangada.
Armadillo *s* tatu.
Armador *s* armador.
Armadura *s* armadura, armação.
Armamento *s* armamento, arsenal.
Armar *v* armar, munir, equipar, aparelhar.
Armario *s* armário, móvel.
Armazón *s* armação, esqueleto.
Armería *s* armaria, depósito de armas.
Armero *s* armeiro.
Armiño *s* arminho.
Armisticio *s* armistício, trégua.
Armonía *s* harmonia, acordo, fraternidade.
Armónica *s* harmônica.
Armónico *adj* harmônico, harmonioso, melodioso.
Armonioso *adj* harmonioso, sonoro, agradável.
Armonizar *v* harmonizar, acordar, assentar.
Árnica *s* arnica.
Aro *s* aro, argola.
Aroma *s* aroma, perfume, cheiro, odor, fragrância.
Aromático *adj* aromático, pefumado, fragrante.
Aromatizar *v* aromatizar, perfumar.
Arpa *s* harpa.
Arpegio *s* arpejo.
Arpía *s* hárpia.
Arpón *s* arpão.
Arquear *v* arquear, curvar, encurvar.
Arqueología *s* arqueologia.
Arqueológico *adj* arqueológico.
Arqueólogo *s* arqueólogo.
Arquero *s* arqueiro.
Arquetipo *s* arquétipo, modelo, padrão.
Arquitecto *s* arquiteto.
Arquitectónico *adj* arquitetônico.
Arquitectura *s* arquitetura.
Arrabal *s* arrabalde, subúrbio, cercanias.
Arrabalero *s* suburbano; *adj* vulgar, grosseiro.
Arrabañar *v* arrebanhar, recolher.
Arrabio *s* ferro fundido.
Arraigar *v* arraigar, enraizar.
Arrancar *v* arrancar, extorquir, separar, extirpar.
Arranque *s* arranque, arrancada.
Arras *s* penhor, sinal, doação.
Arrasar *v* arrasar, aplanar, nivelar, demolir, derrubar.
Arrastrar *v* arrastar, impelir, atrelar.
Arrastre *s* arrasto.
Arrayán *s* murta.
Arrear *v* arrear, apressar, estimular.
Arrebatado *adj* arrebatado, precipitado, fogoso, impetuoso.
Arrebatar *v* arrebatar, precipitar, irritar, arrancar.
Arrebato *s* arrebato, arrebatamento.

Arrebol *s* arrebol, cor vermelha.
Arrebujar *v* amarrotar, agasalhar-se.
Arreciar *v* arrecife; *s* recife, banco de areia.
Arredrar *v* arredar, afastar, apartar.
Arreglado *adj* regulado, regrado, arranjado.
Arreglar *v* regular, ajustar, arrumar, compor.
Arreglo *s* regra, ordem, arranjo, conserto.
Arremangar *v* arregaçar.
Arremeter *v* arremeter, investir, agredir, embater, atacar.
Arremetida *s* arremetida.
Arremolinar *v* remoinhar; FIG amontoar-se, apinhar-se.
Arrendador *s* arrendador.
Arrendamiento *s* arrendamento.
Arrendar *v* arrendar, alugar.
Arrendatario *s* arrendatário.
Arreo *s* arreio, rédea.
Arrepentido *adj* arrependido, contrito.
Arrepentimiento *s* arrependimento, contrição, pesar, remorso.
Arrepentirse *v* arrepender-se.
Arrestado *adj* detido, preso, apreendido, embargado.
Arrestar *v* prender, deter, arrestar, embargar.
Arresto *s* arresto, detenção, provisória.
Arriar *v* arriar, afrouxar.
Arriba *adv* em cima, para cima.
Arribada *s* arribação.
Arribar *v* arribar, atracar, ancorar, chegar.
Arribista *adj* arrivista, oportunista.
Arriero *s* arrieiro.
Arriesgado *adj* arriscado, perigoso.
Arriesgar *v* arriscar, aventurar, expor.
Arrimar *v* arrimar, aproximar, encostar, apoiar.
Arrimo *s* arrimo, apoio, encosto, amparo.
Arrinconar *v* encurralar, acuar.
Arritmia *s* arritmia.
Arrítmico *adj* arrítmico.
Arroba *s* arroba.
Arrobamiento *s* arroubamento, êxtase.
Arrobar *v* enlevar, entusiasmar, extasiar.
Arrodillar *v* ajoelhar.
Arrogancia *s* arrogância.
Arrogante *adj* arrogante, pretensioso, insolente, altivo.
Arrogarse *v* arrogar-se, atribuir-se.
Arrojado *adj* arrojado, empreendedor, audacioso, decidido.
Arrojar *v* arrojar, arremessar, lançar.
Arrojo *s* arrojo, ímpeto, ousadia, atrevimento.
Arrollador *adj* enrolador.
Arrollar *v* enrolar, rolar, envolver.
Arropar *v* agasalhar, abafar.
Arrostrar *v* encarar, afrontar, enfrentar.
Arroyo *s* arroio, riacho, regato, ribeiro, córrego.
Arroz *s* arroz.
Arrozal *s* arrozal.
Arruga *s* ruga, dobra, prega, franzimento.
Arrugar *v* enrugar, franzir, encrespar, amarrotar.
Arruinar *v* arruinar, empobrecer, destruir, estragar.
Arrullar *v* arrulhar, sussurrar.
Arrullo *s* arrulho, sussurro.
Arsenal *s* arsenal, depósito.
Arsénico *s* arsênico.
Arte *s* arte, cautela, astúcia, método, habilidade, destreza.
Artefacto *s* artefato.
Artejo *s* falange.
Arteria *s* artéria.
Arterial *adj* arterial.
Arteriosclerosis *s* arteriosclerose.
Artesanal *adj* artesanal, manual.
Artesanía *s* artesanato.
Artesano *s* artesão, artífice.
Ártico *adj* ártico, boreal.
Articulación *s* articulação, junção.
Articulado *adj* articulado.
Articular *v* articular, unir, ligar, juntar.
Artículo *adj* artigo.
Artífice *s* artífice, artesão, artista, autor.
Artificial *adj* artificial, falso, fingido.
Artificiero *s* artífice, fogueteiro.
Artificio *s* artifício, produto de arte, astúcia, ardil.

Artillería *s* artilharia.
Artillero *s* artilheiro, atacante.
Artimaña *s* artimanha, ardil, astúcia.
Artista *s* artista, artífice; *adj* engenhoso, artístico.
Artritis *s* artrite.
Arzobispado *s* arcebispado.
Arzobispo *s* arcebispo.
Asa *s* asa.
Asado *adj* assado, espeto, assadeira, tabuleiro para assar.
Asadura *s* entranhas, vísceras, fígado.
Asalariado *adj* assalariado; *s* trabalhador.
Asalariar *v* assalariar, pagar salário.
Asaltante *s* assaltante, atacante.
Asaltar *v* assaltar, atacar, acometer, avançar.
Asalto *s* assalto, investida, avanço.
Asamblea *s* assembleia, junta, reunião, congresso.
Asar *v* assar, abrasar.
Ascendencia *s* ascendência, família, linhagem, influência.
Ascender *v* ascender, subir, elevar-se.
Ascendiente *s* ascendente, antecedente.
Ascensión *s* ascensão, subida, elevação, promoção.
Ascenso *s* ascensão, subida.
Ascensor *s* elevador.
Ascensorista *v* ascensorista.
Asco *s* asco, nojo, náusea, repugnância.
Ascua *s* brasa, carvão ardente.
Aseado *adj* asseado, limpo.
Asear *v* assear, limpar.
Asechanza *s* armadilha, cilada.
Asediar *v* assediar, sitiar, bloquear.
Asedio *s* assédio, cerco.
Asegurar *v* assegurar, garantir.
Asemejar *v* assemelhar, semelhar, parecer.
Asenso *s* assenso, assentimento.
Asentado *adj* aposentado, situado.
Asentamiento *s* assentamento, juízo.
Asentar *v* assentar, afirmar, pressupor, consolidar.
Asentimiento *s* assentimento, anuência, aprovação.
Asentir *v* assentir, consentir, concordar, afirmar.
Aseo *s* asseio, limpeza, esmero.
Asepsia *s* assepsia, esterilização.
Aséptico *adj* asséptico, esterilizado.
Asequible *adj* acessível, exequível, fácil.
Aserción *s* asserção, afirmativa, enunciado, proposição.
Aserradero *s* serraria.
Aserrador *s* serrador.
Aserrar *v* serrar, cortar com serra.
Asesinar *v* assassinar, matar, eliminar, trucidar.
Asesinato *s* assassinato, homicídio.
Asesino *s* assassino, homicida.
Asesor *s* assessor, auxiliar; *adj* adjunto, conselheiro.
Asesoramiento *s* assessoramento, assessoria.
Asesorar *v* assessoriar, aconselhar.
Aseveración *s* asseveração, afirmação.
Aseverar *v* asseverar, afirmar, certificar.
Asexuado *adj* assexuado.
Asfaltado *adj* asfaltado, recapeado.
Asfaltar *v* asfaltar, recapear, pavimentar.
Asfalto *s* asfalto.
Asfixia *s* asfixia, sufoco.
Asfixiar *v* asfixiar, sufocar, estrangular.
Así *adv* assim, do mesmo modo, desta maneira.
Asiático *adj* asiático.
Asiduidad *s* assiduidade, frequência, empenho.
Asiduo *adj* assíduo, frequente, pontual.
Asiento *s* assento, cadeira, banco.
Asignación *s* vencimento, consignação, destinação.
Asignar *v* destinar, nomear, atribuir, assinalar.
Asignatura *s* cadeira, disciplina, programa universitário.
Asilado *adj* asilado, albergado, recolhido em asilo.
Asilar *v* asilar, abrigar, albergar.
Asilo *s* asilo, albergue, abrigo.
Asimetría *s* assimetria.
Asimétrico *adj* assimétrico.

Asimilable *adj* assimilável.
Asimilación *s* assimilação, semelhança.
Asimilar *v* assimilar, acomodar, assemelhar.
Asimismo *adv* deste modo, do mesmo modo, ainda assim.
Asir *v* agarrar, pegar, segurar, prender.
Asirio *adj* assírio.
Asistenta *s* criada, empregada doméstica.
Asistente *adj* assistente, auxiliar, ajudante.
Asistir *v* assistir, estar presente.
Asma *s* asma.
Asmático *adj* asmático.
Asno *s* asno, burro.
Asociación *s* associação, sociedade.
Asociado *adj* associado, sócio, parceiro.
Asociar *v* associar, agregar, aliar.
Asolar *v* assolar, arrasar, exterminar, destruir totalmente.
Asomar *v* assomar, despontar, aparecer, indicar, apontar.
Asombrar *v* assombrar, maravilhar, espantar, admirar.
Asombro *s* assombro, admiração, espanto, estranheza.
Asomo *s* assomo, indício, suspeita.
Aspecto *s* aspecto, aparência.
Aspereza *s* aspereza, rudeza, serveridade.
Asperjar *v* aspergir.
Áspero *adj* áspero, rugoso, duro, rigoroso, austero.
Aspersión *s* aspersão.
Aspiración *s* aspiração, desejo, anelo, ambição.
Aspirador *adj* aspirador.
Aspirante *s* aspirante.
Aspirar *v* aspirar, desejar, sorver, inalar, pretender.
Aspirina *s* aspirina.
Asqueroso *adj* asqueroso, repugnante, repelente, sórdido.
Asta *s* haste, lança, chifre.
Astenia *s* astenia, fraqueza.
Asténico *adj* astênico.
Asterisco *s* asterisco.
Asteroide *s* asteroide, pequeno astro.
Astigmatismo *s* astigmatismo.
Astilla *s* lasca, estilhaço, fragmento.
Astillar *v* estilhaçar, despedaçar, fragmentar.
Astillazo *s* estilhaço, fragmento.
Astillero *s* estaleiro, depósito de madeira.
Astral *adj* astral, sideral.
Astringencia *s* adstringência.
Astringir *v* adstringir, contrair, apertar, estreitar.
Astro *s* astro, corpo celeste.
Astrofísica *s* astrofísica.
Astrología *s* astrologia.
Astrólogo *s* astrólogo.
Astronauta *s* astronauta.
Astronomía *s* astronomia.
Astronómico *adj* astronômico.
Astrónomo *s* astrônomo.
Astroso *adj* desastrado, desgraçado.
Astucia *s* astúcia, sagacidade, esperteza.
Astuto *adj* astuto, hábil, esperto, sagaz.
Asumir *v* assumir, atribuir-se, encarregar-se.
Asunto *s* assunto, tema, motivo, argumento.
Asustado *adj* assustado, inquieto, intimidado, amedrontado.
Asustar *v* assustar, intimidar, inquietar, amedrontar.
Atacante *adj* atacante, agressor.
Atacar *v* atacar, acometer, agredir.
Atado *adj* atado, amarrado.
Atadura *s* atadura.
Atajar *v* atalhar, interceptar, deter, separar.
Atajo *s* atalho, vereda.
Atalaya *s* atalaia, sentinela.
Atañer *v* corresponder, tocar, pertencer.
Ataque *s* ataque, assalto, investida, agressão, arremesso.
Atar *v* atar, ligar, unir, amarrar, cingir.
Atarantar *v* atarantar, atordoar, perturbar, atrapalhar.
Atardecer *v* entardecer, a tardinha.
Atareado *adj* atarefado, ocupado.
Atarear *v* atarefar, dar tarefa.
Atascar *v* atolar, calafetar, entupir.

Ataúd *s* ataúde, féretro, esquife.
Ataviar *v* ataviar, adornar, embelezar, enfeitar, ornar.
Atavío *adj* adorno, enfeite, ornamento.
Atavismo *s* atavismo.
Ateísmo *s* ateísmo.
Atemorizar *v* atemorizar, assustar, espantar.
Atemperar *v* temperar, suavizar, conciliar, restabelecer.
Atención *s* atenção, cortesia, consideração, deferência.
Atender *v* atender, considerar, observar, notar.
Atenerse *v* ater-se, aderir.
Atentado *s* atentado.
Atentar *v* atentar, cometer um atentado, tentar.
Atento *adj* atento, cortês, atencioso, educado.
Atenuación *s* atenuação, suavização.
Atenuante *adj* atenuante.
Atenuar *v* atenuar, desvanecer, enfraquecer.
Ateo *adj* ateu, impío.
Aterciopelado *adj* aveludado.
Aterirse *v* endurecer-se, entumescer-se.
Aterrar *v* espantar, apavorar, aterrorizar.
Aterrizaje *s* aterrissagem, pouso.
Aterrizar *v* aterrissar, pousar.
Aterrorizar *v* aterrorizar, aterrar, apavorar, assustar.
Atesorar *v* entesourar, acumular.
Atestado *s* atestado, declaração.
Atestar *v* atestar, certificar.
Atestiguar *v* testemunhar, atestar.
Atiborrar *v* estofar.
Ático *s* ático.
Atildar *v* reparar, notar.
Atinar *v* atinar, conseguir, encontrar.
Atisbar *v* observar, espreitar.
Atizar *v* atiçar, avivar.
Atlántico *adj* atlântico.
Atlas *s* atlas, mapas.
Atleta *s* atleta, desportista.
Atlético *adj* atlético.
Atmósfera *s* atmosfera.
Atmosférico *adj* atmosférico.
Atolladero *s* atoleiro, lodaçal, pântano.
Atollar *v* atolar, encalhar.
Atolondrar *v* estontear, aturdir, atordoar, desorientar.
Atómico *adj* atômico.
Átomo *s* átomo.
Atonía *s* atonia.
Atónito *adj* atônito, espantado, aturdido.
Átono *adj* átono.
Atontamiento *s* atordoamento, espanto.
Atontar *v* atordoar, estontear, espantar.
Atormentar *v* atormentar, torturar, afligir, importunar.
Atornillar *adj* atarraxar, parafusar.
Atosigar *v* intoxicar, envenenar.
Atracadero *s* atracadouro.
Atracar *v* atracar, aproximar, assaltar, abordar.
Atracción *s* atração.
Atraco *s* assalto, roubo.
Atractivo *adj* atrativo, atraente, encantador.
Atraer *v* atrair.
Atragantar *v* engasgar, afogar.
Atrancar *v* trancar, atravancar, empacar.
Atrapar *v* apanhar, pegar.
Atrás *adv* atrás, detrás, anteriormente.
Atrasado *adj* atrasado.
Atrasar *v* atrasar, retardar, demorar.
Atraso *s* atraso, decadência, demora, retardo.
Atravesar *v* atravessar, cruzar, trespassar.
Atrayente *adj* atraente, magnético.
Atreverse *v* atrever-se, ousar, arriscar-se.
Atrevido *adj* atrevido, audacioso, ousado.
Atrevimiento *s* atrevimento, ousadia, audácia.
Atribución *s* atribuição, direito, autoridade, competência.
Atribuir *s* atribuir, conceder, conferir, dar.
Atribular *s* atribular, afligir, angustiar, maltratar.
Atributo *s* atributo, qualidade, condição.
Atrio *s* átrio, vestíbulo.
Atrocidad *s* atrocidade, crueldade, ferocidade.

Atrofia *s* atrofia, enfraquecimento.
Atrofiar *v* atrofiar, enfraquecer, tolher.
Atronar *v* atordoar, abalar, troar, retumbar.
Atropellar *v* atropelar, derrubar.
Atropello *s* atropelo, transgressão.
Atroz *adj* atroz, cruel, desumano.
Atún *s* atum.
Aturar *v* aturar, suportar, tolerar.
Aturdido *adj* aturdido, atordoado, perturbado.
Aturdir *v* aturdir, atordoar, perturbar, espantar.
Atusar *v* aparar, podar.
Audacia *s* audácia, ousadia, atrevimento, arrojo.
Audaz *adj* audaz, atrevido, arrojado.
Audible *adj* audível.
Audición *s* audição.
Audiencia *s* audiência, sessão de um tribunal, auditório.
Auditor *s* auditor, ouvinte, magistrado.
Auditoría *s* auditoria.
Auge *s* auge, apogeu, ápice.
Augurar *v* augurar, prognosticar, pressagiar, vaticinar.
Augurio *s* augúrio, presságio, vaticínio.
Augusto *adj* augusto, majestoso, imponente.
Aula *s* sala de aula, sala de estudo, classe.
Aullar *v* uivar, ulular.
Aullido *s* uivo, guincho.
Aumentar *v* aumentar, ampliar, alargar, estender, crescer.
Aumentativo *adj* aumentativo.
Aumento *s* aumento, acréscimo, extensão, alongamento.
Aun *adv* até, inclusive, também.
Aún *adv* ainda, todavia.
Aunar *v* unir, unificar.
Aunque *adv* ainda que, mesmo que, se bem que.
Aura *s* aura, halo.
Áureo *adj* áureo, dourado, brilhante.
Aureola *s* auréola.
Aurícula *s* aurícula.
Auricular *adj* auricular.
Aurora *s* aurora, amanhecer, madrugada.
Auscultación *s* auscultação.
Auscultar *v* auscultar, examinar, explorar.
Ausencia *s* ausência, inexistência, retiro, afastamento, falta.
Ausentar *v* ausentar, afastar, retirar.
Ausente *adj* ausente, afastado, distante, retirado.
Auspicio *s* auspício, presságio, agouro, prognóstico.
Austeridad *s* austeridade, integridade, severidade.
Austero *adj* austero, íntegro, severo, sério.
Austral *adj* austral, meridional.
Australiano *adj* australiano.
Austríaco *adj* austríaco.
Autarquía *s* autarquia, autossuficiência.
Autenticar *v* autenticar, legalizar, autorizar.
Autenticidad *s* autenticidade, veracidade, legitimidade.
Auténtico *adj* autêntico, verdadeiro, legítimo.
Auto *s* auto, decreto, depacho, sentença; composição dramática, automóvel.
Autoadhesivo *adj* autoadesivo.
Autobiografía *s* autobiografia.
Autobús *s* ônibus, lotação.
Autocar *s* ônibus.
Autocracia *s* autocracia, poder absoluto.
Autócrata *adj* autocrata, tirano.
Autocrítica *s* autocrítica.
Autóctono *adj* autóctone.
Autodefensa *s* autodefesa.
Autodeterminación *s* autodeterminação.
Autodidacta *adj* autodidata.
Autoescuela *s* autoescola.
Autógeno *adj* autógeno.
Autogestión *s* autogestão.
Autógrafo *adj* autógrafo.
Autómata *s* autômato, robô.
Automático *adj* automático, mecânico.
Automatizar *v* automatizar.
Automóvil *s* automóvel.
Automovilismo *s* automobilismo.
Automovilista *adj* automobilista.

Autonomía *s* autonomia, independência, soberania.
Autopista *s* estrada, rodovia.
Autopsia *s* autópsia.
Autor *s* autor, criador, produtor, escritor, literato, fundador.
Autoría *s* autoria.
Autoridad *s* autoridade, domínio, mando, influência.
Autoritario *adj* autoritário, dominador, influente.
Autorización *s* autorização, ordem, permissão, licença.
Autorizar *v* autorizar, permitir, validar, apoiar.
Autorretrato *s* autorretrato.
Autoservicio *s* autosserviço.
Autostop *s* carona.
Autostopista *s* caronista.
Autovía *s* rodovia, estrada.
Auxiliar *v* auxiliar, ajudar, socorrer; *adj* ajudante, subalterno.
Auxilio *s* auxílio, ajuda, esmola.
Aval *s* aval, garantia, caução.
Avalancha *s* avalancha, avalanche, alude.
Avalar *v* avaliar, garantir, assegurar.
Avalista *adj* avalista.
Avance *s* ataque, avanço.
Avanzado *adj* avançado, atrevido, saliente, liberal.
Avanzar *v* avançar, ir adiante; investir, andar, progredir.
Avaricia *s* avareza, avidez, mesquinhez, mesquinharia.
Avaricioso *adj* avaro, mesquinho.
Avaro *adj* avaro, avarento.
Avasallar *v* avassalar, dominar, subjugar.
Ave *s* ave, pássaro.
Avecinar *v* avizinhar, aproximar.
Avellana *s* avelã.
Avena *s* aveia.
Avenencia *s* avença, acordo, ajuste, conciliação.
Avenida *s* avenida, alameda, enchente, inundação.
Avenir *v* advir, concordar, acontecer, suceder.
Aventajar *v* avantajar, adiantar, progredir, exceder.
Aventar *v* aventar, ventilar, arejar, abanar.
Aventura *s* aventura, proeza, acontecimento.
Aventurero *adj* aventureiro.
Avergonzado *adj* envergonhado, encabulado.
Avergonzar *v* envergonhar, encabular, acanhar.
Avería *s* avaria, dano, prejuízo.
Averiar *v* avariar, estragar, danificar.
Averiguación *s* averiguação, investigação, exploração.
Averiguar *v* averiguar, investigar, explorar.
Aversión *s* aversão, antipatia, oposição, repulsa.
Avestruz *s* avestruz.
Aviación *s* aviação, aeronáutica.
Aviador *s* aviador, piloto.
Aviar *v* aviar, despachar, dispor.
Avícola *s* avícola.
Avicultura *s* avicultura.
Avidez *s* avidez, cobiça, avareza, ganância.
Ávido *adj* ávido, cobiçoso, ganancioso, voraz.
Aviejar *v* envelhecer.
Avieso *adj* avesso, contrário, oposto.
Avinagrar *v* avinagrar, azedar.
Avío *s* aviamento, preparo.
Avión *s* avião, aeronave.
Avisado *adj* avisado, prudente, experiente.
Avisar *v* avisar, prevenir, notificar, advertir, delatar, denunciar.
Aviso *s* aviso, advertência, anúncio, informe, conselho.
Avispa *s* vespa.
Avispado *adj* esperto.
Avispero *s* vespeiro.
Avistar *v* avistar, ver, encontrar.
Avituallar *v* abastecer, prover, fornecer.
Avivar *v* avivar, animar, despertar, entusiasmar.
Axial *adj* axial, do eixo.

Axila *s* axila, sovaco.
Axioma *s* axioma, máxima.
Ayer *adv* ontem.
Ayuda *s* ajuda, auxílio, socorro, favor.
Ayudante *s* ajudante, auxiliar, assistente.
Ayudar *v* ajudar, auxiliar, socorrer.
Ayunar *v* jejuar, abster-se de comer ou beber.
Ayuntamiento *s* ajuntamento, prefeitura, câmara municipal.
Ayuntar *v* ajuntar, juntar, reunir.
Azabache *s* azeviche.
Azada *s* enxada.
Azafata *s* aeromoça.
Azafrán *s* açafrão.
Azahar *s* flor de laranjeira, de cidreira, de limoeiro.
Azar *s* azar, acaso, casualidade, desgraça.
Azogue *s* azougue, mercúrio.
Azorar *v* sobressaltar, irritar.
Azotar *v* açoitar, chicotear, fustigar.
Azote *s* açoite, chicote.
Azotea *s* açoteia.
Azteca *adj* asteca.
Azúcar *s* açúcar.
Azucarado *adj* açucarado, doce.
Azucarar *v* açucarar, adoçar.
Azucarero *adj* açucareiro.
Azucena *s* açucena.
Azufre *s* enxofre.
Azufroso *adj* sulfuroso.
Azul *s* azul.
Azulejo *s* azulejo, ladrilho.
Azuzar *v* açular, atiçar, instigar.

bB

B segunda letra do alfabeto espanhol.
Baba *s* baba, saliva espessa.
Babear *v* babar.
Babel *s* babel.
Babero *s* babador.
Babor *s* bombordo.
Babosa *s* lesma; FIG adulador.
Baboso *adj* baboso.
Babucha *s* chinela, chinelo.
Bacalao *s* bacalhau.
Bacanal *s* bacanal, orgia.
Bache *s* cova, buraco.
Bachear *v* consertar, tapar.
Bachiller *s* estudante de 2º grau; FIG tagarela.
Bachillerato *s* 2º grau.
Bacía *s* bacia, vasilha.
Bacilo *s* bacilo.
Bacín *s* urinol, penico.
Bacteria *s* bactéria.
Bactericida *adj* bactericida.
Bacteriología *s* bacteriologia.
Bacteriólogo *s* bacteriologista.
Báculo *s* bastão, cajado.
Badajo *s* badalo.
Badana *s* pele curtida de animal.
Bagaje *s* bagagem, equipamento militar.
Bagatela *s* bagatela, ninharia.
Bahía *s* baía, enseada, angra.
Bailable *adj* dançante.
Bailar *v* bailar, dançar.
Bailarín *s* bailarino, dançarino.
Baile *s* baile, dança.
Baja *s* baixa, diminuição de preço.
Bajada *s* baixada, declive, ladeira.
Bajamar *s* baixamar, maré baixa.
Bajar *v* baixar, diminuir.
Bajeza *s* baixeza, vileza.
Bajo *adj* baixo, inferior, humilde, desprezível.
Bajorrelieve *s* baixo-relevo.
Bala *s* bala, projétil de arma de fogo, fardo.
Balacera *s* tiroteio.
Balada *s* balada.
Baladí *adj* fútil, superficial.
Balance *s* balanço; FIG oscilação.
Balancear *v* balançar, agitar-se.
Balandro *s* barco pequeno, barco pesqueiro.
Balanza *s* balança; FIG equilíbrio.
Balar *v* balir.
Balaustre *s* balaústre.
Balbucear *v* balbuciar, gaguejar.
Balcón *s* balcão, sacada, varanda.
Baldar *v* baldar, frustrar.
Balde *adv* debalde, sem motivo, gratuitamente; *s* balde.
Baldear *v* baldear, fazer baldeação, molhar plantas.
Baldío *adj* baldio, inútil, vadio, vagabundo.
Baldón *s* ofensa, afronta.
Baldosa *s* ladrilho.
Balear *v* balear, fuzilar.
Balido *s* balido.
Balístico *adj* balístico.
Baliza *s* baliza, boia, meta.
Balizar *v* balizar, limitar, demarcar.
Ballena *s* baleia.
Ballenero *adj* baleeiro.
Ballet *s* balé.
Balneario *s* balneário.
Balompié *s* futebol.
Balón *s* balão, bola para jogar.
Baloncesto *s* basquete.

Balonmano *s* handebol.
Balonvolea *s* vôlei.
Balsa *s* balsa, jangada, charco, pântano.
Bálsamo *s* bálsamo.
Baluarte *s* baluarte, bastião.
Bambolear *v* bambolear, vacilar.
Bambú *s* bambu.
Banal *adj* banal, trivial.
Banalidad *s* banalidade.
Banana *s* banana.
Banano *s* bananeira.
Banca *s* banco, cadeira sem costas.
Bancario *adj* bancário, relativo a banco.
Banco *s* estabelecimento de crédito, banco, assento.
Banda *s* banda, grupo de pessoas armadas, conjunto de instrumentos musicais.
Bandada *s* bandada, aves voando.
Bandeja *s* bandeja, travessa de louça.
Bandera *s* bandeira.
Banderín *s* bandeirola, flâmula.
Bandido *s* bandido, ladrão.
Bando *s* bando, partido, édito, proclamação pública.
Bandolero *s* bandoleiro, salteador, bandido, ladrão.
Banquero *s* banqueiro, cambista.
Banqueta *s* banqueta, banquinho.
Banquete *s* banquete.
Banquillo *s* banquinho, banco dos réus.
Bañador *s* maiô.
Bañar *v* banhar, molhar.
Bañera *s* banheira, tina.
Bañista *s* banhista.
Baño *s* banho, banheiro, balneário.
Baptisterio *s* batistério.
Baqueta *s* baqueta.
Bar *s* bar, cantina, botequim.
Barahúnda *s* barafunda, confusão.
Baraja *s* baralho.
Barajar *v* baralhar, embaralhar, confundir.
Baranda *s* corrimão, varanda.
Barandilla *s* varanda, galeria.
Barata *s* troca, câmbio.
Baratija *s* bagatela, ninharia.
Barato *adj* barato, baixo preço.
Barba *s* barba.
Barbacoa *s* grelha.
Barbaridad *s* barbaridade, crueldade, atrocidade.
Barbarie *s* barbárie, ignorância.
Bárbaro *adj* bárbaro, rude, grosseiro.
Barbería *s* barbearia.
Barbero *s* barbeiro.
Barbilla *s* queixo, barbicha.
Barbitúrico *s* barbitúrico.
Barbotar *v* resmungar.
Barca *s* barca, jangada.
Barcaza *s* barcaça.
Barco *s* barco, navio, embarcação.
Bario *s* bário.
Barítono *s* barítono.
Barniz *s* verniz, polimento.
Barnizar *v* envernizar, lustrar.
Barómetro *s* barômetro.
Barón *s* barão.
Barquero *s* barqueiro.
Barquillo *s* barquete.
Barra *s* barra, alavanca.
Barraca *s* barraco, choupana.
Barracón *s* barracão, alpendre.
Barranco *s* barranco, obstáculo.
Barrena *s* verruma.
Barrenar *v* verrumar, furar com verruma.
Barrendero *s* varredor, gari.
Barreño *s* terrina.
Barrer *v* varrer.
Barrera *s* barreira, tapume, cancela.
Barriada *s* bairro, arrabalde.
Barrica *s* barrica, tonel.
Barricada *s* barricada, trincheira.
Barriga *s* barriga, abdômen, ventre.
Barril *s* barril.
Barrio *s* bairro, arrabalde.
Barrizal *s* lamaçal, lodaçal.
Barro *s* barro, lama, lodo, argila.
Barroco *adj* barroco.
Barrote *s* barrote, travessa, tranca.
Bártulos *s* objetos de uso.
Barullo *s* barulho, desordem.
Basalto *s* basalto.
Basamento *s* embasamento.

Basar *v* embasar, fundamentar, basear.
Báscula *s* balança.
Base *s* base, apoio, alicerce.
Básico *adj* básico, essencial.
Basílica *s* basílica.
Bastante *adj* bastante, suficiente.
Bastar *v* bastar, ser suficiente.
Bastardilla *s* letra cursiva, grifo, itálico.
Bastardo *s* bastardo.
Bastidor *s* bastidor, caixilho.
Bastión *s* bastão, fortificação.
Basto *adj* basto, denso, bruto.
Bastón *s* bastão, bengala.
Basura *s* lixo, sujeira, imundície.
Basurero *s* lixeiro, varredor.
Bata *s* bata, roupão.
Batalla *s* batalha, combate.
Batallar *v* batalhar, guerrear, combater.
Batata *s* batata-doce.
Batel *s* batel, bote, canoa.
Batería *s* bateria.
Batiborrillo *s* confusão.
Batidera *s* batedeira.
Batiente *s* batente, ombreira.
Batir *v* bater, explorar, abater, sacudir, mexer.
Batiscafo *s* batiscafo, equipamento para mergulho.
Batracio *s* batráquio.
Baturro *adj* rústico.
Batuta *s* batuta.
Baúl *s* baú, cofre, arca.
Bautismo *s* batismo.
Bautizar *v* batizar.
Bauxita *s* bauxita.
Baya *s* baga, bago.
Bayoneta *s* baioneta.
Bazar *s* bazar, loja.
Bazo *adj* baço, embaçado; *s* baço.
Bazofia *s* bazófia.
Beatificar *v* beatificar.
Beatitud *s* beatitude, placidez.
Beato *s* beato, devota, religiosa.
Bebé *s* bebê, nenê.
Bebedero *s* bebedouro.
Beber *v* beber, ingerir, engolir, absorver.
Bebida *s* bebida, beberagem.
Bebido *adj* embriagado, bêbado.
Beca *s* beca, bolsa de estudos.
Becario *adj* bolsista.
Becerro *s* bezerro.
Bedel *s* bedel.
Beduino *s* beduíno.
Begonia *s* begônia.
Beige *adj* bege.
Béisbol *s* beisebol.
Beldad *s* beldade, formosura.
Belén *s* presépio; FIG confusão.
Belga *adj* belga.
Belicismo *s* belicismo.
Bélico *adj* bélico.
Belicoso *adj* belicoso, guerreiro, agressivo.
Beligerancia *s* beligerância.
Bellaco *adj* velhaco, astuto.
Belladona *s* beladona.
Bellaquería *s* velhacaria, baixeza.
Belleza *s* beleza, formosura, beldade.
Bello *adj* belo, formoso, lindo, distinto, agradável.
Bellota *s* bolota.
Bencina *s* benzina.
Bendecir *v* benzer, abençoar, bendizer, louvar.
Bendición *s* bênção.
Bendito *adj* bendito, bento.
Benefactor *adj* benfeitor.
Beneficencia *s* beneficência, caridade.
Beneficiar *v* beneficiar, favorecer, melhorar.
Beneficiario *adj* beneficiário.
Beneficio *s* benefício, proveito, privilégio.
Benéfico *adj* benéfico.
Benemérito *adj* benemérito.
Beneplácito *s* beneplácito, aprovação, licença.
Benevolencia *s* benevolência, bondade, boa vontade.
Benévolo *adj* benévolo, afetuoso, bondoso, benevolente.
Bengala *s* bengala, bastão.
Benignidad *s* benignidade, bondade, doçura, clemência.
Benigno *adj* benigno, ameno, agradável.
Beodo *adj* bêbado, ébrio, embriagado.

Berbiquí *s* berbequim, furador.
Berenjena *s* beringela.
Bermejo *adj* vermelho, encarnado.
Bermellón *adj* zarcão, mínio, vermelhão.
Berrido *s* berro, mugido, grito.
Berrinche *s* rabugem, cólera, berreiro das crianças.
Berro *s* agrião.
Berza *s* couve, couve-galega.
Besamel *s* bechamel, tipo de molho.
Besar *v* beijar.
Beso *s* beijo.
Bestia *s* besta, animal.
Bestial *adj* bestial, brutal.
Bestialidad *s* bestialidade, brutalidade.
Besucón *adj* beijoqueiro.
Besugo *s* besugo.
Besuquear *v* beijocar, dar beijocas.
Betún *s* betume.
Bezo *s* beiço, lábio grosso.
Biberón *s* mamadeira.
Biblia *s* bíblia.
Bíblico *adj* bíblico.
Bibliografía *s* bibliografia.
Biblioteca *s* biblioteca, livraria.
Bibliotecario *s* bibliotecário.
Bicarbonato *s* bicarbonato.
Bicentenario *s* bicentenário.
Biceps *s* bíceps.
Bicho *s* bicho, animal.
Bicicleta *s* bicicleta.
Bicoca *s* ninharia.
Bicolor *adj* bicolor.
Bidé *s* bidê.
Bidón *s* vasilha.
Biela *s* biela.
Bien *s* bem, benefício, virtude.
Bien *adv* bem, corretamente, com saúde.
Bienal *adj* bienal.
Bienaventurado *adj* bem-aventurado.
Bienaventuranza *s* bem-aventurança, felicidade.
Bienestar *s* bem-estar, conforto.
Bienhechor *adj* benfeitor.
Bienintencionado *adj* bem-intencionado.
Bienio *s* biênio.
Bienquerer *v* bem-querer, estimar.
Bienvenida *s* boas-vindas.
Bienvenido *adj* bem-vindo.
Biés *s* viés.
Bifásico *adj* bifásico.
Bifurcación *s* bifurcação, vértice.
Bifurcarse *v* bifurcar-se, dividir-se.
Bigamia *s* bigamia.
Bígamo *adj* bígamo.
Bigote *s* bigode.
Bigotudo *adj* bigodudo.
Bilabial *adj* bilabial.
Bilateral *adj* bilateral.
Biliar *adj* biliar.
Bilingüe *adj* bilíngue.
Bilis *s* bilis, bile.
Billar *s* bilhar.
Billete *s* bilhete, escrito breve.
Billetero *s* bilheteiro.
Billón *s* trilhão, um milhão de milhões.
Bimotor *adj* bimotor.
Binario *adj* binário.
Bingo *s* bingo.
Binóculo *s* binóculo.
Binomio *s* binômio.
Biodegradable *adj* biodegradável.
Biofísica *s* biofísica.
Biografía *s* biografia.
Biología *s* biologia.
Biológico *adj* biológico.
Biólogo *s* biólogo.
Biomasa *s* biomassa.
Biombo *s* biombo, anteparo.
Biopsia *s* biópsia.
Biosfera *s* biosfera.
Bióxido *s* bióxido.
Bípede *adj* bípede.
Bipolar *adj* bipolar.
Birlar *v* derrubar, tirar, tomar algo.
Birrete *s* barrete, boné.
Birria *s* ridículo, grotesco.
Bis *adv* duas vezes.
Bisabuelo *s* bisavô.
Bisagra *s* dobradiça, gonzo.
Bisbiseo *s* murmuração, murmúrio, cochicho.
Bisección *s* bissecção, bipartição.
Bisector *s* bissectriz.

Bisel *s* corte oblíquo, chanfradura.
Biselar *v* chanfrar.
Bisexual *adj* bissexual.
Bisiesto *adj* bissexto.
Bisílabo *adj* bissílabo.
Bismuto *s* bismuto.
Bisonte *s* bisão, bisonte.
Bisoñé *s* peruca.
Bisoño *adj* acanhado, inexperiente.
Bistec *s* bife.
Bisturí *s* bisturi.
Bisutería *s* bijuteria, quinquilharia.
Bíter *s* bíter (bebida).
Bituminoso *adj* betuminoso.
Bizantino *adj* bizantino.
Bizco *adj* vesgo, estrábico.
Bizcocho *s* biscoito, bolacha.
Biznieto *s* bisneto.
Blanco *adj* branco.
Blancor *s* alvura.
Blancura *s* brancura.
Blandengue *adj* brando, suave.
Blandir *v* brandir, agitar uma arma.
Blando *adj* brando, suave, macio, fraco, vagaroso.
Blandura *s* brandura, doçura.
Blanquear *v* branquear, caiar, alvejar, desencardir.
Blanquecino *adj* alvacento, esbranquiçado.
Blasfemar *v* blasfemar, ultrajar.
Blasfemia *s* blasfêmia.
Blasfemo *adj* blasfemo, ímpio.
Blasón *s* brasão, escudo de armas.
Blenorragia *s* blenorragia, gonorreia.
Blindado *adj* blindado, couraçado.
Blindaje *s* blindagem.
Blindar *v* blindar, couraçar, fortificar.
Bloc *s* bloco de papel.
Bloquear *v* bloquear, sitiar.
Bloqueo *s* bloqueio, cerco.
Blusa *s* blusa.
Boa *s* boa, jiboia.
Boato *s* ostentação, pompa, luxo.
Bobada *s* bobeira, bobice.
Bobina *s* bobina, carretel.
Bobinadora *s* bobinador.
Bobinar *v* bobinar.
Bobo *adj* bobo, tonto, tolo, bobalhão.
Boca *s* foz de um rio, boca, lábios.
Bocacalle *s* embocadura, entrada de rua, cruzamento.
Bocadillo *s* sanduíche.
Bocado *s* bocado, pedaço.
Bocal *s* jarro.
Bocanada *s* gole, bochechada, baforada.
Boceto *s* esboço.
Bochorno *s* ar quente.
Bocina *s* buzina, trombeta, megafone.
Bocio *s* bócio, papeira.
Bodas *s* bodas, casamento.
Bode *s* bode.
Bodega *s* bodega, armazém, adega, taverna.
Bodegón *s* taverna, tasca.
Bodoque *s* bodoque.
Bofetada *s* bofetada, sopapo.
Boga *s* voga, ato de remar.
Bogar *v* vogar, remar.
Bohemio *s* boêmio, cigano.
Boicot *s* boicote.
Boina *s* boina.
Bola *s* bola.
Bolchevique *adj* bolchevique.
Bolear *v* jogar bola.
Bolero *s* bolero.
Boletín *s* boletim, publicação periódica.
Boleto *s* bilhete de entrada.
Bolívar *s* bolívar (moeda venezuela).
Boliviano *adj* boliviano.
Bollería *s* confeitaria.
Bollo *s* bolo.
Bolo *s* bola, jogo de bola, pílula grande.
Bolsa *s* bolsa, saco.
Bolsillo *s* bolso, saco.
Bolso *s* bolso.
Bomba *s* bomba.
Bombardear *v* bombardear.
Bombardero *s* bombardeiro.
Bombear *v* bombear, extrair água, bombardear.
Bombero *s* bombeiro.
Bombilla *s* lâmpada elétrica.
Bombo *s* bombo, zabumba.

Bombón *s* bombom, confeito.
Bombona *s* vasilha de vidro de muita capacidade, garrafão.
Bombonería *s* confeitaria.
Bonachón *adj* bonachão, bondoso, crédulo.
Bonanza *s* bonança, calma, sossego.
Bondad *s* bondade, benevolência.
Bondadoso *adj* bondoso, bom, clemente.
Bonete *s* boné, barrete.
Boniato *s* batata-doce.
Bonificación *s* bonificação.
Bonificar *v* bonificar.
Bonito *adj* bonito, lindo, formoso, engraçado.
Bono *s* bônus, título de crédito.
Bonzo *s* bonzo, sacerdote budista.
Boñiga *s* bosta, esterco.
Boomerang *s* bumerangue.
Boquear *v* boquear, bocejar.
Boquerón *s* boqueirão, anchova.
Boquete *s* garganta, desfiladeiro, brecha.
Boquiabierto *adj* boquiaberto.
Boquilla *s* boquinha, boca pequena.
Borbollar *v* borbulhar.
Borbotar *v* borbotar, ferver.
Borbotón *s* borbotão, jato forte.
Borda *s* borda, cabana.
Bordado *s* bordado.
Bordar *v* bordar, orlar, enfeitar.
Borde *s* borda, margem, orla.
Bordear *v* bordear, beirar, costear.
Bordo *s* bordo, costado, lado do navio.
Boreal *adj* boreal, setentrional.
Boricado *adj* boricado.
Bórico *adj* bórico.
Borla *s* borla, barrete de doutor.
Borne *s* borne, extremidade.
Bornearse *v* curvar, revolver, dobrar.
Boro *s* boro.
Borona *s* pão de milho, broa.
Borra *s* borra, felpa, fezes.
Borrachera *s* bebedeira, embriaguez.
Borracho *adj* bêbado, embriagado, beberrão.
Borrador *s* rascunho, borrão.
Borrar *v* borrar, rabiscar, apagar, rasurar.
Borrasca *s* borrasca, tempestade.
Borrego *s* boato.
Borrico *s* burrico, burro, jumento.
Borrón *s* borrão, nódoa de tinta.
Borroso *adj* impreciso, confuso.
Bosque *s* bosque, mata, selva.
Bosquejo *s* bosquejo, esboço.
Bosta *s* bosta, excremento.
Bostezar *v* bocejar.
Bostezo *s* bocejo.
Bota *s* bota, botina, calçado.
Botadura *s* bota-fora, lançamento de um barco à água.
Botánica *s* botânica.
Botar *v* botar, lançar, atirar, arremessar.
Bote *s* bote, golpe, salto de cavalo, pulo.
Botella *s* botelha, garrafa.
Botica *s* botica, farmácia.
Boticario *s* boticário, farmacêutico.
Botija *s* botija, jarra.
Botijo *s* moringa, vasilha de barro.
Botín *s* botim, bota de cano curto.
Botiquín *s* farmácia ou caixa de primeiros socorros.
Botón *s* botão, rebento, botão de roupa.
Botonadura *s* abotoadura.
Botones *s* rapaz, moço de recado.
Botulismo *s* botulismo.
Bouquet *s* buquê, ramalhete, aroma dos vinhos.
Bóveda *s* abóbada.
Bovino *adj* bovino.
Boxeador *s* boxeador, pugilista.
Boxear *v* boxear.
Boxeo *s* boxe, pugilismo.
Boya *s* boia, baliza.
Boyante *adj* flutuante.
Boyar *v* boiar, flutuar.
Boyero *s* boiadeiro.
Bozo *s* buço, bigode incipiente, bigodinho.
Bracear *v* bracejar, nadar.
Bragado *adj* pessoa enérgica.
Bragas *s* calcinha, braga.
Braguero *s* bragueiro, faixa ou funda.
Bragueta *s* braguilha.
Brahmán *s* brâmane.

Brahmanismo *s* bramanismo.
Bramante *s* barbante, fio, cordel; *adj* bramador.
Bramido *s* bramido, rugido.
Branquia *s* brânquia.
Branquicéfalo *adj* branquicéfalo.
Brasa *s* brasa, carvão incandescente.
Brasero *s* braseiro, fogareiro.
Brasileño *adj* brasileiro.
Bravata *s* bravata, fanfarronice.
Bravío *adj* bravio, silvestre, selvagem.
Bravo *adj* bravo, valente, destemido.
Bravucón *adj* fanfarrão, valentão.
Bravura *s* bravura, coragem.
Braza *s* braça, medida de comprimento.
Brazada *s* braçada.
Brazalete *s* bracelete, pulseira.
Brazo *s* braço de rio, braço, ramo de árvore.
Brea *s* breu.
Brebaje *s* beberagem, poção.
Brecha *s* brecha, abertura, fenda.
Brega *s* briga, luta.
Bregar *v* brigar, lutar, trabalhar muito.
Breña *s* brenha, matagal.
Brete *s* grilhão.
Bretón *adj* bretão.
Breve *adj* breve, curto.
Brevedad *s* brevidade, efemeridade.
Breviario *s* breviário.
Brezo *s* urze, brejo.
Bribón *adj* preguiçoso, velhaco.
Brigada *s* brigada.
Brigadier *s* brigadeiro.
Brillante *adj* brilhante, fulgurante, reluzente.
Brillantina *s* brilhantina.
Brillar *v* brilhar, reluzir, cintilar.
Brillo *s* brilho, esplendor, claridade.
Brindar *v* brindar, oferecer, presentear.
Brindis *s* brinde, saudação.
Brío *s* brio, valor, coragem.
Brisa *s* brisa, aragem.
Brisca *s* bisca.
Británico *adj* britânico.
Brizna *s* fibra, fio delgado, fiapo.
Broca *s* broca.
Brocado *s* brocado, tecido de seda.
Brocha *s* broxa, pincel.
Broche *s* broche, fecho de metal.
Broma *s* brincadeira, diversão.
Bromear *v* caçoar, gracejar.
Bromista *s* brincalhão.
Bromo *s* bromo.
Bronca *s* bronca, briga, rixa.
Bronce *s* bronze.
Bronceado *adj* bronzeado.
Bronceador *s* bronzeador.
Broncear *v* bronzear.
Bronco *adj* bronco, rude, estúpido.
Bronconeumonía *s* broncopneumonia.
Bronquio *s* brônquio.
Bronquitis *s* bronquite.
Brotar *v* brotar, aparecer, nascer, aflorar.
Brote *s* broto, pimpolho.
Bruces *adv* bruços, de bruços.
Brujería *s* bruxaria, magia, feitiçaria, feitiço.
Brujo *s* bruxo, mago, feiticeiro.
Brújula *s* bússola.
Bruma *s* bruma, nevoeiro.
Bruñir *v* brunir, polir, lustrar.
Brusco *adj* brusco, desagradável.
Brutal *adj* brutal, violento.
Brutalidad *adj* brutalidade, violência, estupidez.
Bruto *adj* bruto, estúpido.
Bu *s* papão, bicho-papão.
Bucal *adj* bucal.
Bucear *v* mergulhar, ficar debaixo d'água.
Buche *s* bucho, ventre.
Bucle *s* anel, caracol feito de cabelo.
Bucólico *adj* bucólico, campestre.
Budismo *s* budismo.
Buenaventura *s* boa sorte.
Bueno *adj* bom, útil, agradável, divertido.
Buey *s* boi.
Búfalo *s* búfalo.
Bufanda *s* cachecol.
Bufar *v* bufar, resfolegar.
Bufete *s* escrivaninha, banca de advogado.
Bufón *s* bufão, bobo da corte.
Buganvillia *s* buganvílea.

Buhardilla *s* águas-furtadas, trapeira, desvão.
Búho *s* mocho, bubo, bufo.
Buhonero *s* vendedor ambulante de quinquilharia.
Buitre *s* abutre.
Bujía *s* vela de cera, castiçal, vela de motor.
Bula *s* bula.
Bulbo *s* bulbo.
Bulevar *s* bulevar, alameda.
Búlgaro *adj* búlgaro.
Bulla *s* bulha, confusão, desordem.
Bullicio *s* bulício, confusão, motim.
Bullir *v* bulir, ferver, mexer, agitar.
Bulo *s* boato, mentira.
Bulto *s* vulto, volume, fardo, pacote, inchação, maleta.
Bungalow *s* bangalô.
Búnker *s* búnquer.
Buñuelo *s* filhó, massa de farinha com ovos.
Buque *s* espaço, capacidade, casco de navio.
Burbuja *s* borbulha, bolha.
Burbujear *v* borbulhar.
Burdel *s* bordel.
Burgués *adj* burguês.
Burguesía *s* burguesia.
Buril *s* buril, cinzel.
Burla *s* burla, engano, trapaça, gozação, zombaria.
Burlar *v* burlar, enganar, zombar.
Burlesco *adj* burlesco, festivo, caricato, jocoso.
Burlón *adj* zombador, gozador.
Burocracia *s* burocracia.
Burócrata *s* burocrata.
Burocrático *adj* burocrático.
Burrada *s* burrada, asneira.
Burro *s* burro, asno, jumento; *adj* ignorante, teimoso, tonto.
Bus *s* ônibus.
Busca *s* busca, pesquisa.
Buscapiés *s* buscapé.
Buscar *v* buscar, procurar, pesquisar, averiguar.
Búsqueda *s* busca.
Busto *s* busto, efígie.
Butaca *s* poltrona, cadeira com braços.
Butano *s* butano.
Butifarra *s* espécie de chouriço.
Buzo *s* mergulhador.
Buzón *s* tampa, rolha, caixa de correio.
Buzonero *s* carteiro.

C

C terceira letra do alfabeto espanhol, C 100 em algarismos romanos.
Cabal *adj* cabal, completo, perfeito.
Cábala *s* cabala, ciência oculta.
Cabalgada *s* cavalgada.
Cabalgar *v* cavalgar, montar.
Caballa *s* cavala (peixe).
Caballeresco *adj* cavalheiresco, nobre.
Caballería *s* cavalaria, cavalgadura.
Caballero *adj* cavaleiro, cavalheiro, gentil, nobre.
Caballerosidad *s* cavalheirismo.
Caballete *s* cavalete, cavalinho, potro.
Caballo *s* cavalo, peça de jogo de xadrez.
Cabaña *s* cabana, choupana.
Cabaret *s* cabaré.
Cabe *prep* junto a, cerca de.
Cabecear *v* cabecear, pender.
Cabecera *s* cabeceira (de mesa, de cama), origem de um rio.
Cabecilla *s* cabeça pequena, cabecinha, cabecilha; FIG cabeça de vento.
Cabellera *s* cabeleira, peruca.
Cabello *s* cabelo, pelo.
Cabelludo *adj* cabeludo, fibroso.
Caber *v* caber, pertencer, conter, ter capacidade.
Cabestro *s* cabresto.
Cabeza *s* cabeça.
Cabezada *s* cabeçada.
Cabida *s* cabimento, capacidade.
Cabildo *s* cabido, Conselho Municipal.
Cabina *s* cabina, camarote.
Cabizbajo *adj* cabisbaixo, abatido.
Cable *s* cabo, corda grossa.
Cablegrama *s* cabograma.
Cabo *s* cabo, extremidade, fim.
Cabotaje *s* cabotagem.
Cabra *s* cabra.
Cabrear *v* saltar; FIG irritar-se.
Cabria *s* guindaste.
Cabriola *s* cabriola, salto, pulo, pinote.
Cabritilla *s* pelica.
Cabrito *s* cabrito.
Cabrón *s* bode; FIG marido traído, corno.
Caca *s* caca, cocô, excremento humano.
Cacahuete *s* amendoim.
Cacao *s* cacau.
Cacarear *v* cacarejar, gaguejar.
Cacerola *s* caçarola.
Cacha *s* folha do cabo da navalha.
Cachafaz *s* velhaco, pulha.
Cachalote *s* cachalote.
Cacharro *s* vasilha ordinária, louça quebrada, cacos.
Cachaza *s* lentidão, despreocupação, sossego, cachaça, aguardente.
Cachear *v* revistar.
Cachete *s* soco, murro, bochecha.
Cachimbo *s* cachimbo.
Cachiporra *s* clava, maça.
Cacho *s* pedaço, porção, talhada, cacho de banana.
Cachondo *adj* cachondo, brincalhão.
Cachorro *s* cachorro, cão, filhote de cachorro ou outros mamíferos.
Cachupín *s* espanhol estabelecido na América.
Cacique *s* cacique.
Cacofonía *s* cacofonia.
Cacto *s* cacto.
Cada *pron* cada, *pron* **uno**= cada um, **a**= cada passo, **=cual** cada qual.
Cadalso *s* cadafalso, palanque.
Cadáver *s* cadáver, defunto.
Cadavérico *adj* cadavérico.

Cadena *s* cadeia, corrente, prisão, sucessão, série.
Cadencia *s* cadência, ritmo.
Cadera *s* cadeira, quadril, anca.
Cadete *s* cadete.
Cadmio *s* cádmio.
Caducar *v* caducar, declinar, envelhecer.
Caduco *adj* caduco, decrépito.
Caer *v* cair, desabar, tombar, diminuir, morrer, sucumbir.
Café *s* café.
Cafeína *s* cafeína.
Cafetera *s* cafeteira.
Cafetería *s* cafeteria, bar.
Cagada *s* cagada, dejeeção.
Cagado *adj* cagado.
Cagalera *s* caganeira, diarreia.
Cagar *v* cagar, defecar.
Cagón *adj* cagão, medroso.
Caída *s* queda, ruína, declive.
Caimán *s* caimão, jacaré.
Caja *s* caixa, arca, cofre.
Cajero *s* caixeiro, caixa, pessoa que recebe pagamento.
Cajetilla *s* maço de cigarros.
Cajón *s* gaveta, caixa grande, caixão, esquife.
Cajonera *s* gaveteiro.
Cal *s* cal.
Cala *s* enseada pequena, pedaço de fruta, perfuração em um terreno; FIG peseta.
Calabaza *s* abóbora, cabaça.
Calabozo *s* calabouço, cárcere, prisão.
Calado *s* bordado, entalhe, calado (do navio).
Calafatear *v* calafetar.
Calamar *s* calamar, lula.
Calambre *s* cãibra.
Calamidad *s* calamidade, desgraça.
Calamitoso *adj* calamitoso.
Calaña *s* amostra, modelo, padrão, índole, qualidade.
Calar *v* calar, impregnar, trespassar, atravessar.
Calavera *s* caveira.
Calcañar *s* calcanhar.
Calcar *v* calcar, comprimir, pisar.
Calcetín *s* meia três-quartos, meia soquete.
Calcificación *s* calcificação.
Calcificar *v* calcificar.
Calcinar *v* calcinar, carbonizar.
Calcio *s* cálcio.
Calco *s* calco de um desenho, decalque.
Calculable *adj* calculável.
Calculador *adj* calculador.
Calcular *v* calcular, computar, contar.
Calculista *s* calculista, projetista.
Cálculo *s* cálculo, avaliação.
Caldear *v* escaldar, temperar.
Caldera *s* caldeira, reservatório.
Caldereta *s* caldeirada, ensopado.
Calderilla *s* caldeirinha, moedinhas.
Caldero *s* caldeirão.
Caldo *s* caldo, molho, tempero, caldo de cana.
Calefacción *s* calefação.
Camioneta *s* caminhonete, furgão, perua.
Camisa *s* camisa.
Camiseta *s* camiseta.
Camisón *s* camisão, camisola.
Camomila *s* camomila.
Camorra *s* briga, rixa.
Camote *s* batata-doce.
Campamento *s* acampamento.
Campana *s* sino; FIG igreja.
Campanario *s* campanário.
Campanilla *s* campainha, sineta.
Campante *adj* alegre, tranquilo.
Campaña *s* campanha, batalha.
Campar *v* ostentar, brilhar.
Campechano *adj* afável, franco.
Campeón *s* campeão, herói.
Campeonato *s* campeonato.
Campesino *s* camponês.
Campestre *adj* campestre.
Camping *s* acampamento.
Campiña *s* campina.
Campo *s* campo, planície, extensão.
Camposanto *s* cemitério.
Camuflaje *s* camuflagem, disfarce.
Camuflar *v* camuflar, disfarçar.
Can *s* cão, gatilho de arma.
Cana *s* cã, cabelos brancos.

Canadiense *adj* canadense.
Canal *s* canal, cano, faixa de frequência para sintonizar a televisão.
Canalización *s* canalização.
Canalizar *v* canalizar.
Canalla *adj* canalha, safado, sem-vergonha.
Canalón *s* calha, pia de cozinha.
Canapé *s* canapé, espécie de divã.
Canario *s* canário.
Canasta *s* canastra.
Cancel *s* biombo, persiana.
Cancela *s* cancela, portão de ferro.
Cancelación *s* cancelamento.
Cancelar *v* cancelar, anular, apagar.
Cancer *s* câncer, cancro, tumor maligno, constelação zodiacal.
Cancerígeno *adj* cancerígeno.
Canceroso *adj* canceroso.
Cancha *s* cancha, campo destinado a jogos, terreno espaçoso.
Canciller *s* chanceler.
Cancillería *s* chancelaria.
Canción *s* canção, cantiga.
Candado *adj* cadeado; *s* brincos das orelhas.
Candela *s* candeia, vela de sebo ou cera.
Candelabro *s* candelabro, castiçal, lustre.
Candelero *s* castiçal.
Candente *adj* candente, incandescente.
Candidato *s* candidato.
Candidatura *s* candidatura.
Cándido *adj* cândido, simples, sincero.
Candil *s* candil, candeia, lamparina.
Candor *s* candura, alvura.
Canela *s* canela.
Cangrejo *s* caranguejo.
Canguro *s* canguru.
Caníbal *s* canibal.
Canibalismo *s* canibalismo.
Canica *s* bola de gude.
Canijo *adj* débil, fraco.
Canilla *s* tíbia, canela, bobina.
Canino *adj* canino.
Canje *s* troca, permuta.
Canjear *v* trocar, permutar.
Cano *adj* encanecido, que tem cabelos brancos.
Canoa *s* canoa.
Canon *s* cânon, cânone, regra.
Canónico *adj* canônico.
Canónigo *s* cônego.
Canonizar *v* canonizar.
Canoro *adj* canoro, canto melodioso.
Cansado *adj* cansado, fatigado, enfraquecido.
Cansancio *s* cansaço, fadiga, canseira.
Cansar *v* cansar, fatigar, importunar, aborrecer.
Cantante *adj* cantante, cantor profissional.
Cantar *s* canto, canção; *v* cantar.
Cántaro *s* cântaro, bilha.
Cantata *s* cantata, serenata.
Cantera *s* cantaria, pedreira.
Cantero *s* canteiro, pessoa que trabalha em cantaria.
Cántico *s* cântico, hino, canto.
Cantidad *s* quantidade, quantia, porção.
Cantiga *s* cantiga.
Cantina *s* cantina, adega.
Canto *s* canto, cantoria, hino.
Cantón *s* cantão, distrito, esquina.
Cantor *s* cantor.
Canuto *s* canudo, tubo.
Caña *s* cana, talo, pé (de milho, pé de cana), junco, vara de pescar, tíbia, canela.
Cañada *s* canhada, planície, vale, estreito.
Cáñamo *s* cânhamo, corda.
Cañaveral *s* canavial.
Cañería *s* encanamento, aqueduto.
Cañero *s* encanador.
Cañizo *s* caniço.
Caño *s* cano, canudo, tubo, esgoto.
Cañón *s* canhão, tubo, cilindro, tronco de árvore.
Caoba *s* caoba, acaju.
Caos *s* caos, desordem, confusão.
Caótico *adj* caótico.
Capa *s* capa, cobertura.
Capacidad *s* capacidade, extensão, espaço.

Capacitación *s* capacitação, qualificação.
Capacitado *adj* capacitado, qualificado, habilitado.
Capacitar *v* capacitar, qualificar, habilitar.
Capar *v* capar, castrar.
Caparazón *s* caparazão, carcaça.
Capataz *s* capataz, feitor, caseiro.
Capaz *adj* capaz, apto, digno, inteligente.
Capcioso *adj* capcioso, enganoso.
Capellán *s* capelão.
Caperuza *s* carapuça, capuz.
Capilar *s* capilar; *adj* capilar.
Capital *adj* capital, principal, metrópole; *s* dinheiro, patrimônio.
Capitalismo *s* capitalismo.
Capitalista *s* capitalista.
Capitalización *s* capitalização.
Capitalizar *v* capitalizar.
Capitán *s* capitão.
Capitanía *s* capitania.
Capitel *s* capitel.
Capitulación *s* capitulação.
Capitular *v* capitular, render-se.
Capítulo *s* capítulo.
Capó *s* capô de automóvel.
Capón *s* capão, castrado.
Capotar *v* capotar.
Capote *s* capote, capa grande.
Capricho *s* capricho, fantasia.
Capricornio *s* capricórnio.
Cápsula *s* cápsula.
Captación *s* captação, conquista.
Captar *v* captar, atrair, interceptar.
Capturar *v* capturar, prender.
Capucha *s* capuz.
Capuchino *s* capuchinho, religioso.
Capullo *s* casulo, botão de flor, prepúcio, glande.
Caqui *adj* cáqui.
Cara *s* cara, rosto.
Carabela *s* caravela.
Carabina *s* carabina, espingarda.
Caracol *s* caracol.
Caracola *s* búzio.
Carácter *s* caráter, marca, dignidade, firmeza.
Característico *adj* característico.
Caracterizar *v* caracterizar.
Caradura *s* cara-de-pau, sem-vergonha.
Caramba *interj* caramba!, puxa!
Carambola *s* carambola, jogo de bilhar, carambola, fruta da caramboleira.
Caramelo *s* caramelo, bala, confeito.
Caramujo *s* caramujo.
Caravana *s* caravana.
Caray *interj* caramba!, puxa!
Carbón *s* carvão, brasa apagada.
Carbonero *adj* carbonífero.
Carbonero *s* carvoeiro.
Carbonífero *adj* carbonífero.
Carbonización *s* carbonização.
Carbonizar *v* carbonizar.
Carbono *s* carbono.
Carbúnculo *s* carbúnculo.
Carburación *s* carburação.
Carburador *s* carburador.
Carburante *s* carburante.
Carburar *v* carburar.
Carburo *s* carboneto.
Carcajada *s* gargalhada, risada.
Cárcel *s* cárcere, prisão, cadeia.
Carcelero *s* carcereiro.
Carcinoma *s* carcinoma.
Carcoma *s* carcoma, caruncho.
Carcomer *v* carcomer, roer.
Cardar *v* cardar, pentear a lã.
Cardenal *s* cardeal.
Cárdeno *adj* azul-violáceo.
Cardíaco *adj* cardíaco.
Cardinal *adj* cardinal, cardeal.
Cardiología *s* cardiologia.
Cardiólogo *s* cardiologista.
Cardo *s* cardo.
Carear *v* acarear, confrontar.
Carecer *v* carecer, falhar.
Carencia *s* carência, necessidade.
Carente *adj* carente, necessitado.
Careo *s* acareação, confronto.
Carestía *s* carestia, escassez, falta.
Careta *s* máscara.
Carey *s* tartaruga marinha.
Carga *s* carga, carregamento, peso, imposto.

Cargador *s* carregador.
Cargamento *s* carregamento, carga.
Cargar *v* carregar, embarcar mercadorias.
Cargo *s* carga, carregamento, cargo, emprego, responsabilidade.
Carguero *s* cargueiro.
Cariar *v* cariar, criar cárie.
Caricatura *s* caricatura.
Caricia *s* carícia, carinho, afago.
Caridad *s* caridade, benevolência, benefício, socorro, auxílio.
Caries *s* cárie.
Cariño *s* carinho, amor, ternura.
Cariñoso *adj* carinhoso, afetuoso.
Carisma *s* carisma.
Carismático *adj* carismático.
Cariz *s* aparência, semblante.
Carmesí *adj* carmesim, vermelho.
Carmín *s* carmin.
Carnada *s* isca de carne para pescar ou caçar.
Carnal *adj* carnal.
Carnaval *s* carnaval.
Carnavalesco *adj* carnavalesco.
Carnaza *s* sebo.
Carne *s* carne, tecido muscular, polpa dos frutos.
Carnero *s* carneiro, ossário, jazigo familiar.
Carnicería *s* açougue, matadouro.
Carnicero *s* açougueiro.
Carnívoro *adj* carnívoro.
Carnoso *adj* carnudo, cheio.
Caro *adj* caro, de preço elevado, querido, estimado; *adv* por preço alto.
Carótida *s* carótida.
Carozo *s* caroço de azeitona, caroço de fruta.
Carpa *s* carpa, toldo de feira.
Carpeta *s* pasta para guardar papéis.
Carpintería *s* carpintaria.
Carpintero *s* carpinteiro.
Carpir *v* carpir, chorar, lamentar.
Carraca *s* matraca.
Carraspear *v* pigarrear.
Carraspera *s* rouquidão, pigarro.
Carrera *s* carreira, corrida, carreira profissional, risca do cabelo.
Carreta *s* carreta.
Carrete *s* carretel.
Carretera *s* estrada.
Carretilla *s* carretilha, carrinho de mão.
Carril *s* sulco, pista, trilho.
Carrillo *s* bochecha.
Carro *s* carro, automóvel.
Carrocería *s* carroceria, oficina mecânica.
Carroña *s* carniça.
Carroza *s* carroça.
Carruaje *s* carruagem.
Carta *s* carta, missiva, carta do baralho, cardápio, mapa.
Cartabón *s* esquadro.
Cartapacio *s* pasta escolar, caderno de apontamentos.
Cartel *s* cartaz, anúncio.
Cártel *s* cartel, consórcio de empresas.
Cartelera *s* armação para cartazes; FIG anúncios de cinema e teatro no jornal.
Cartera *s* carteira.
Cartería *s* repartição dos correios.
Carterista *s* ladrão de carteiras, batedor de carteira.
Cartero *s* carteiro.
Cartilaginoso *adj* cartilaginoso.
Cartílago *s* cartilagem.
Cartilla *s* cartilha, breviário.
Cartografía *s* cartografia.
Cartógrafo *s* cartógrafo.
Cartomancia *s* cartomancia.
Cartón *s* cartão, papelão.
Cartucho *s* cartucho.
Cartujo *s* cartuxo, ordem religiosa.
Cartulina *s* cartolina.
Casa *s* casa, moradia, habitação, edifício.
Casaca *s* casaca.
Casación *s* cassação.
Casado *adj* casado.
Casal *s* parelha (de animais).
Casamiento *s* casamento, enlace, matrimônio, união.
Casar *v* casar, contrair matrimônio, unir.
Casca *s* casca.

Cascabel *s* cascavel, guizo.
Cascada *s* cascata, cachoeira.
Cascajo *s* cascalho, fragmento.
Cascanueces *s* quebra-nozes.
Cascar *v* quebrar, partir, rachar.
Cáscara *s* casca, revestimento externo.
Cascarón *s* casca de ovo.
Casco *s* casco, vasilha, capacete.
Cascote *s* cascalho, entulho.
Caserío *s* casaria, casario.
Casero *adj* caseiro, familiar.
Caserón *s* casarão.
Casi *adv* quase, por pouco.
Casilla *s* casinha, bilheteria, compartimento, latrina, caixa postal.
Casino *s* cassino, clube.
Caso *s* caso, acontecimento, acaso, circunstância.
Casorio *s* casório, casamento sem consideração.
Caspa *s* caspa.
Casta *s* casta, linhagem, qualidade.
Castaña *s* castanha.
Castañar *s* castanhedo.
Castaño *adj* castanho.
Castañuela *s* castanholas.
Castellano *adj* castelhano.
Castidad *s* castidade, pureza.
Castigar *v* castigar, punir, fazer sofrer.
Castigo *s* castigo, punição.
Castillo *s* castelo, fortaleza.
Castizo *adj* castiço, de boa raça.
Casto *adj* casto, puro.
Castor *s* castor.
Castración *s* castração.
Castrar *v* castrar, capar.
Casual *adj* casual, eventual, fortuito.
Casualidad *s* casualidade, eventualidade, acaso.
Cata *s* prova, degustação.
Cataclismo *s* cataclismo, desastre.
Catacumba *s* catacumba.
Catadura *s* catadura, aspecto, aparência, semblante.
Catalán *adj* catalão.
Catalejo *s* binóculo.
Catalepsia *s* catalepsia.
Catálisis *s* catálise.
Catalizador *adj* catalisador.
Catalogación *s* catalogação, indexação.
Catalogar *v* catalogar, apontar, registrar, inscrever.
Catálogo *s* catálogo, minuta, inventário.
Cataplasma *s* cataplasma.
Catapulta *s* catapulta.
Catar *v* catar, provar, ensaiar, ver, examinar, buscar, pesquisar.
Catarata *s* catarata.
Catarro *s* catarro.
Catástrofe *s* catástrofe, grande desgraça.
Catecismo *s* catecismo.
Cátedra *s* cátedra, cadeira, classe.
Catedral *s* catedral.
Catedrático *adj* catedrático, professor universitário.
Categoría *s* categoria, classe, ordem.
Categórico *adj* categórico, taxativo.
Catequizar *v* catequizar.
Caterva *s* caterva, multidão.
Catéter *s* cateter.
Cateterismo *s* cateterismo.
Cateto *s* cateto.
Catinga *s* catinga, cheiro desagradável.
Catolicismo *s* catolicismo.
Católico *adj* católico.
Cauce *s* leito (de rio ou riacho).
Caucho *s* caucho, borracha.
Caución *s* caução, precaução, cautela.
Caudal *adj* caudaloso, torrencial; *s* caudal, torrente.
Caudaloso *adj* caudaloso.
Caudillo *s* caudilho, chefe militar.
Causa *s* causa, origem, razão.
Causal *adj* causal.
Causalidad *s* causalidade, origem.
Causar *v* causar, acarretar, originar, produzir.
Cáustico *adj* cáustico.
Cautela *s* cautela, precaução, prevenção.
Cauteloso *adj* cauteloso.
Cauterio *adj* cautério.
Cauterización *s* cauterização.
Cautivar *v* cativar, seduzir, enamorar, encantar.

Cautiveiro *s* cativeiro, prisão, cárcere.
Cautivo *adj* cativo, prisioneiro.
Cava *s* cava, fosso.
Cavar *v* cavar, escavar, aprofundar.
Caverna *s* caverna, gruta, antro.
Cavernoso *adj* cavernoso, cavo, profundo.
Caviar *s* caviar.
Cavidad *s* cavidade, depressão, cova.
Cavilar *v* matutar, pensar, cismar.
Cayado *s* cajado, bordão, bastão de apoio.
Caza *s* caça, caçada, animais caçados.
Cazador *s* caçador.
Cazar *v* caçar, procurar, perseguir.
Cazo *s* caçarola, frigideira, concha.
Cazuela *s* caçarola, guisado.
Cazurro *adj* casmurro, carrancudo.
Cebada *s* cevada.
Cebar *v* cevar, fazer engordar, nutrir.
Cebo *s* ceva, isca, engodo.
Cebolla *s* cebola.
Cebolleta *s* cebolinha.
Cebra *s* zebra.
Cebú *s* zebu.
Cecina *s* carne defumada, seca e salgada.
Cedazo *s* peneira, crivo.
Ceder *v* ceder, transferir, renunciar, deixar.
Cedilla *s* cedilha.
Cedro *s* cedro.
Cédula *s* cédula.
Cefálico *adj* cefálico.
Cegar *v* cegar, tirar a visão.
Ceguera *s* cegueira.
Ceja *s* sobrancelha, supercílio.
Cejar *v* retroceder, recuar.
Celador *s* zelador, vigilante.
Celar *v* zelar, cuidar, vigiar.
Celda *s* cela, célula, cavidade pequena, cubículo.
Celdilla *s* célula, nicho.
Celebrar *v* celebrar, louvar, festejar, comemorar.
Célebre *adj* célebre, famoso.
Celebridad *s* celebridade, fama.
Celeridad *s* celeridade, rapidez.
Celeste *adj* celeste, azul-celeste.
Celestial *adj* celestial.
Celibato *s* celibato.
Célibe *adj* celibatário, solteiro.
Celo *s* zelo, cuidado, cio, anseio, ciúmes.
Celofán *s* celofane.
Celosía *s* gelosia.
Celoso *adj* zeloso, ciumento.
Celta *adj* celta.
Célula *s* célula.
Celular *adj* celular.
Celulitis *s* celulite.
Celuloide *s* celuloide.
Celulosa *s* celulose.
Cementerio *s* cemitério.
Cemento *s* cimento.
Cena *s* ceia, jantar.
Cenagal *s* atoleiro, lamaçal.
Cenagoso *adj* lamacento.
Cenar *v* cear, jantar.
Cencerro *s* chocalho.
Cenefa *s* sanefa, grinalda.
Cenicero *s* cinzeiro.
Ceniza *s* cinza, pó.
Cenizo *adj* cinzento.
Censar *v* recensear.
Censo *s* censo, recenseamento.
Censor *s* censor, crítico.
Censura *s* censura, crítica.
Censurar *v* censurar, examinar, repreender.
Centauro *s* centauro.
Centella *s* centelha, faísca, raio.
Centelleante *adj* cintilante.
Centena *s* centena.
Centenario *s* centenário, século; *adj* centenário.
Centeno *s* centeio.
Centígrado *s* centígrado.
Centímetro *s* centímetro.
Céntimo *s* cêntimo; *adj* centésimo.
Centinela *s* sentinela, vigia.
Centolla *s* santola.
Centrado *adj* centrado.
Central *adj* central, médio; *s* repartição pública.
Centralismo *s* centralismo.
Centralita *s* posto telefônico.
Centralización *s* centralização.

Centralizar *v* centralizar, centrar.
Centrar *v* centrar, determinar o centro, concentrar-se.
Centrifugar *v* centrifugar.
Centrífugo *adj* centrífugo.
Centrípeto *adj* centrípeto.
Centro *s* centro, meio.
Centuplicar *v* centuplicar.
Ceñir *v* cingir, rodear, abraçar-se.
Ceño *s* cenho, semblante severo, enfado.
Cepa *s* cepa, tronco.
Cepillar *v* alisar, polir.
Cepillo *s* escova de cabelo, escova de dente.
Cepo *s* cepo, tronco cortado.
Cera *s* cera, secreção das abelhas.
Cerámica *s* cerâmica.
Cerca *s* cerca, muro; *adv* quase, perto, próximo, em torno.
Cercanía *s* cercania, proximidade.
Cercano *adj* próximo, vizinho.
Cercar *v* cercar, sitiar, rodear.
Cercenar *v* cercear, cortar rente.
Cerciorar *v* certificar, afirmar, afiançar, assegurar.
Cerco *s* cerco, sítio, circuito, recinto.
Cerda *s* cerda, pelo.
Cerdo *s* porco, suíno.
Cereal *s* cereal.
Cerealista *s* cerealista.
Cerebelo *s* cerebelo.
Cerebral *adj* cerebral.
Cerebro *s* cérebro.
Ceremonia *s* cerimônia, formalidade, etiqueta, ritual.
Ceremonial *s* cerimonial; *adj* cerimonioso.
Cereza *s* cereja.
Cerilla *s* fósforo, pavio, cerúmen.
Cerner *v* peneirar, crivar, examinar.
Cero *s* zero, nulidade.
Cerrado *adj* fechado, oculto.
Cerradura *s* fechadura.
Cerrajero *s* serralheiro.
Cerrar *v* cerrar, fechar, encerrar, saldar, vedar.
Cerrazón *s* cerração, nevoeiro.
Cerro *s* cerro, colina, outeiro.
Cerrojo *s* ferrolho.
Certamen *s* desafio, duelo, competição.
Certero *adj* certeiro, seguro.
Certeza *s* certeza, segurança, convicção.
Certificado *s* certificado, atestado.
Certificar *v* certificar, assegurar, afirmar.
Cerumen *s* cerume, cera de ouvido.
Cervecería *s* cervejaria.
Cerveza *s* cerveja.
Cervical *adj* cervical.
Cerviz *s* cerviz, nuca.
Cesante *adj* cessante, parado.
Cesar *v* cessar, parar, acabar, suspender, deixar.
Cesárea *s* cesárea, operação cesariana.
Cese *s* cessação, suspensão.
Cesión *s* cessão, transferência, abandono.
Césped *s* gramado, relva.
Cesta *s* cesta.
Cesto *s* cesto.
Cetáceo *adj* cetáceo.
Cetro *s* cetro, bastão.
Ch quarta letra do alfabeto espanhol.
Chabacanería *s* grosseria, indecência.
Chabacano *adj* grosseiro, tosco, sem arte, de mau gosto.
Chabola *s* favela.
Chacal *s* chacal.
Chacarero *s* caseiro de chácara, camponês, colono.
Chacota *s* bulha, zombaria, caçoada.
Chacra *s* chácara, granja.
Chal *s* xale.
Chalado *adj* tonto, bobo, enamorado.
Chalar *v* endoidecer, enamorar, apaixonar-se.
Chaleco *s* jaleco, colete.
Chalet *s* chalé.
Chamaco *s* menino, rapaz, moço.
Champán *s* champanhe.
Champiñón *s* cogumelo.
Champú *s* xampu.
Chamuscar *v* chamuscar, crestar.
Chanchullo *s* negócio ilícito, sujo, tramoia, trapaça.
Chancla *s* chinela, sapato velho.

Chanclo *s* galocha, tamanco.
Chancro *s* cancro, úlcera de origem venérea.
Chantaje *s* chantagem.
Chantajear *v* chantagear.
Chanza *s* gracejo, brincadeira.
Chapa *s* chapa, folha, lâmina.
Chapado *adj* chapado.
Chapar *v* chapar.
Chaparrón *s* chuva forte de pouca duração, aguaceiro.
Chapotear *v* umedecer, molhar.
Chapucería *s* obra, serviço mal feito, mentira.
Chapucero *adj* incompetente, grosseiro.
Chapuzar *v* mergulhar.
Chaqué *s* fraque.
Chaqueta *s* jaqueta, casaco curto para homem, blusão.
Chaquetón *s* jaquetão.
Charada *s* charada, enigma.
Charanga *s* charanga.
Charca *s* açude.
Charco *s* charco, lodaçal, atoleiro.
Charla *s* conversa à toa, falatório.
Charlatán *s* charlatão, tagarela.
Charol *s* verniz.
Chascarrillo *s* anedota ligeira, picante, jocoso.
Chasco *s* decepção, engano, contratempo, zombaria.
Chasis *s* chassis.
Chasquido *s* estalo.
Chatarra *s* sucata.
Chatarrero *s* sucateiro.
Chauvinismo *s* chauvinismo.
Chaval *s* garoto, rapaz, jovem.
Checoslovaco *adj* checoslovaco.
Chepa *s* corcova, corcunda.
Cheque *s* cheque.
Chequear *v* checar, examinar.
Chic *adj* chique, elegância.
Chicharra *s* cigarra.
Chicharrón *s* torresmo.
Chico *adj* pequeno; *s* menino.
Chifla *s* silvo, apito, assobio.
Chiflado *adj* louco, demente.
Chileno *adj* chileno.
Chillar *v* chiar, guinchar.
Chillido *s* chiado, guincho, berro.
Chimenea *s* chaminé.
Chimpancé *s* chimpanzé.
China *s* pedra pequena, seixo, porcelana.
Chinchar *v* importunar, molestar, incomodar.
Chinche *s* percevejo.
Chinchilla *s* chinchila.
Chinela *s* chinela, chinelo.
Chino *adj* chinês.
Chipirón *s* lula.
Chipriota *s* cipriota.
Chiquillería *s* criançada.
Chiquillo *s* criança, menino, garoto.
Chirriar *v* chiar, guinchar.
Chisme *s* intriga, mexerico, boato, fofoca.
Chispa *s* chispa, faísca.
Chispear *v* chispar, faiscar, reluzir.
Chisporrotear *v* chispar, crepitar.
Chistar *v* assobiar.
Chiste *s* piada, gracejo, brincadeira.
Chivar *v* denunciar, delatar.
Chivato *s* delator.
Chivo *s* cabrito.
Chocante *adj* chocante, surpreendente.
Chocar *v* chocar, bater, ofender.
Chochear *v* caducar, envelhecer.
Choclo *s* tamanco, milho verde.
Chocolate *s* chocolate.
Chocolatera *s* chocolateira.
Chófer *s* chofer, motorista.
Chopo *s* choupo.
Choque *s* choque, embate, briga.
Chorizo *s* chouriço.
Chorrear *v* jorrar, gotejar, pingar.
Chorro *s* jorro, esguicho, jato.
Choza *s* choça, palhoça.
Chubasco *s* aguaceiro, chuvarada.
Chubasquero *s* impermeável, capa de chuva.
Chuchería *s* coisa sem importância.
Chulear *v* zombar.
Chuleta *s* chuleta, costela assada.
Chulo *adj* chulo, grosseiro; *s* rufião.
Chunga *s* algazarra, barulho.

Chupado *adj* chupado, extenuado.
Chupar *v* chupar, sugar, absorver.
Chupatintas *s* empregado de escritório.
Chupeta *s* chupeta.
Chupetear *v* chupar aos poucos.
Chupinazo *s* disparo de morteiro, fogos de artifício.
Chupón *adj* chupão, chupim, parasita, explorador.
Churrasco *s* churrasco.
Churro *s* churro.
Chusma *s* plebe.
Chutar *v* chutar, dar pontapés.
Cianuro *s* cianureto.
Ciática *s* ciática, dor no nervo ciático.
Cibernética *s* cibernética.
Cicatería *s* mesquinharia, avareza.
Cicatero *adj* avaro, sovina, mesquinho.
Cicatriz *s* cicatriz.
Cicatrizar *v* cicatrizar.
Cicerone *s* cicerone.
Cíclico *adj* cíclico.
Ciclismo *s* ciclismo.
Ciclista *s* ciclista.
Ciclo *s* ciclo, período cronológico.
Ciclón *s* ciclone.
Cicuta *s* cicuta, veneno.
Ciego *adj* cego.
Cielo *s* céu, firmamento, atmosfera, paraíso.
Ciempiés *s* centopeia.
Cien *num* cem.
Ciencia *s* ciência, conhecimento, sabedoria.
Cieno *s* lodo, lama, barro.
Científico *adj* científico.
Cierne *s* imaturo.
Cierre *s* fecho, fechamento.
Cierto *adj* certo, verdadeiro.
Ciervo *s* cervo, veado.
Cifra *s* cifra, zero, algarismo sem valor.
Cifrar *v* cifrar, escrever em cifra.
Cigarra *s* cigarra.
Cigarrería *s* charutaria, tabacaria.
Cigarrillo *s* cigarro, cigarrilha.
Cigarro *s* charuto.
Cigüeña *s* cegonha.
Cilindrada *s* cilindrada.
Cilíndrico *adj* cilíndrico.
Cilla *s* celeiro.
Cima *s* cimo, cume, topo.
Cimentar *v* cimentar, alicerçar.
Cimiento *s* cimento, alicerce.
Cinc *s* zinco.
Cincel *s* cinzel.
Cincha *s* tento, tira de couro.
Cincuentenario *s* cinquentenário.
Cine *s* cine, cinema.
Cineasta *s* cineasta.
Cineclub *s* cineclube.
Cíngaro *adj* zíngaro, cigano.
Cínico *adj* cínico, falacioso.
Cinismo *s* cinismo.
Cinta *s* cinta, faixa, tira, cinto.
Cinto *s* cinto, cinturão.
Cintura *s* cintura.
Cinturón *s* cinturão, cinto largo.
Ciprés *s* cipreste.
Circo *s* circo, anfiteatro.
Circuito *s* circuito, contorno.
Circulación *s* circulação, giro, trânsito.
Circular *adj* circular, redondo; *v* circular.
Círculo *s* círculo, circuito, distrito, clube, grêmio.
Circuncidar *v* circuncidar.
Circuncisión *s* circuncisão.
Circunciso *adj* circuncidado.
Circunferencia *s* circunferência.
Circunflejo *adj* circunflexo.
Circunloquio *s* circunlóquio, perífrase.
Circunscribir *v* circunscrever, marcar limites.
Circunspección *s* circunspecção, atenção.
Circunspecto *adj* circunspecto, prudente.
Circunstancia *s* circunstância, qualidade, requisito, valor.
Circunstante *adj* circunstante, que está perto.
Cirio *s* círio, vela grande de cera.
Cirro *s* cirro, nuvem branca e muito alta.
Cirrosis *s* cirrose.
Ciruela *s* ameixa.
Cirugía *s* cirurgia.
Cirujano *s* cirurgião.

Cisco *s* cisco, pó de carvão.
Cisma *s* cisma, discórdia, desavença.
Cisne *s* cisne.
Cisterna *s* cisterna, poço.
Cisura *s* fissura, fenda.
Cita *s* entrevista, encontro, citação, epígrafe.
Citación *s* citação.
Citar *v* citar, apontar, avisar, referir, mencionar.
Cítara *s* cítara.
Citología *s* citologia.
Citoplasma *s* citoplasma.
Cítrico *adj* cítrico.
Citrón *s* limão.
Ciudad *s* cidade, povoação urbana.
Ciudadanía *s* cidadania.
Ciudadano *s* cidadão.
Cívico *adj* cívico.
Civil *adj* civil, sociável, delicado, urbano.
Civilización *s* civilização, progresso, cultura.
Civilizar *v* civilizar, ilustrar.
Civismo *s* civismo, patriotismo.
Cizalla *s* tesoura mecânica.
Cizaña *s* joio; FIG cizânia, discórdia.
Clamar *v* clamar, vociferar, bradar.
Clamor *s* clamor, brado.
Clan *s* clã, tribo, família.
Clandestinidad *s* clandestinidade.
Clandestino *adj* clandestino.
Clara *s* clara (de ovo).
Claraboya *s* claraboia.
Clarear *v* clarear, aclarar, abrir clareiras, amanhecer.
Claridad *s* claridade, luz, transparência.
Clarificar *v* clarificar, esclarecer, iluminar.
Clarín *s* clarim.
Clarinete *s* clarinete.
Clarividencia *s* clarividência, perspicácia.
Claro *adj* claro, luminoso.
Clase *s* classe, ordem, categoria, sala de aula, grupo.
Clasicismo *s* classicismo.
Clásico *adj* clássico.
Clasificar *v* classificar, ordenar.
Claudicar *v* claudicar, mancar.
Claustro *s* claustro.
Claustrofobia *s* claustrofobia.
Cláusula *s* cláusula.
Clausura *s* clausura.
Clavar *v* cravar, pregar, firmar, fixar, encravar-se.
Clave *s* clave, chave, explicação.
Clavel *s* cravo.
Clavícula *s* clavícula.
Clavija *s* cavilha, cravelha.
Clavo *s* cravo, prego, cravo-da-índia.
Claxon *s* buzina.
Clemencia *s* clemência, bondade, indulgência.
Cleptomanía *s* cleptomania.
Clérigo *s* presbítero, sacerdote.
Clero *s* clero.
Cliché *s* clichê, matriz.
Cliente *s* cliente, freguês.
Clientela *s* clientela, freguesia.
Clima *s* clima, temperatura.
Climaterio *s* climatério.
Climático *adj* climático.
Climatizado *adj* climatizado, refrigerado.
Climatología *s* climatologia.
Clímax *s* clímax, auge.
Clínica *s* clínica.
Clínico *adj* clínico.
Clip *s* clipe, grampo.
Clítoris *s* clitóris.
Cloaca *s* fossa.
Cloro *s* cloro.
Clorofila *s* clorofila.
Cloroformo *s* clorofórmio.
Club *s* clube, grêmio, associação.
Coacción *s* coação, imposição.
Coaccionar *v* coagir, obrigar.
Coadyuvar *v* coadjuvar, ajudar, auxiliar, colaborar.
Coagulación *s* coagulação.
Coagulante *adj* coagulante.
Coagular *v* coagular, coalhar, solidificar.
Coágulo *s* coágulo.
Coalición *s* coalizão, liga.
Coartar *v* restringir, limitar, reduzir.
Coba *s* adulação, fingida, engodo, molestar, incomodar.

Cobalto *s* cobalto.
Cobarde *adj* covarde, medroso, fraco.
Cobardía *s* covardia, medo, indignidade, fraqueza.
Cobayo *s* cobaia, porquinho-da-índia, preá.
Cobertura *s* cobertura.
Cobijar *v* cobrir, tapar, ocultar.
Cobra *s* cobra, serpente venenosa.
Cobrador *s* cobrador.
Cobrar *v* cobrar, receber.
Cobre *s* cobre, dinheiro miúdo.
Coca *s* coca, planta narcótica.
Cocaína *s* cocaína.
Cocción *s* cocção, cozimento.
Cóccix *s* cóccix.
Cocer *v* cozer, cozinhar, ferver um líquido.
Cochambre *s* sujeira, porcaria, imundície.
Cochambroso *adj* sujo, porco, imundo.
Coche *s* coche, carro, vagão de trem.
Cochinería *s* porcaria, sujeira.
Cochinillo *s* leitão novo.
Cochino *s* porco.
Cocido *adj* cozido.
Cociente *s* quociente.
Cocina *s* cozinha.
Cocinar *v* cozinar, condimentar, temperar.
Cocinero *s* cozinheiro, mestre-cuca.
Coco *s* coco.
Cocodrilo *s* crocodilo.
Cóctel *s* coquetel.
Codear *v* acotovelar.
Codicia *s* cobiça, avidez.
Codiciar *v* cobiçar, desejar.
Codicioso *adj* ambicioso, ávido.
Codificar *v* codificar.
Código *s* código, conjunto de leis, regras.
Codo *s* cotovelo.
Codorniz *s* codorniz, perdiz.
Coeficiente *s* coeficiente.
Coercitivo *adj* coercitivo.
Coexistir *v* coexistir.
Cofia *s* coifa, touca para cabelo.
Cofradía *s* confraria.
Cofre *s* cofre, baú, arca.
Coger *v* colher, agarrar, pegar, recolher.
Cognoscitivo *adj* cognitivo, cognoscitivo.
Cohabitar *v* coabitar, viver em comum.
Cohecho *s* suborno.
Coherencia *s* coerência, lógica.
Cohesión *s* coesão, aderência.
Cohete *s* foguete.
Cohibir *v* coibir, reprimir, privar-se.
Coincidencia *s* coincidência.
Coincidir *v* coincidir, concordar.
Coito *s* coito, cópula, relação sexual.
Cojear *v* coxear, mancar.
Cojín *s* coxim, almofadão.
Cojinete *s* almofada.
Cojo *adj* coxo, manco.
Cojonudo *adj* excelente, incrível.
Col *s* couve.
Cola *s* cauda, rabo, fila, cola, grude.
Colaboración *s* colaboração, cooperação, ajuda.
Colaborador *s* colaborador, ajudante.
Colaborar *v* colaborar, cooperar, ajudar.
Colación *s* colação, nomeação, cotejo, refeição leve.
Colada *s* filtragem, ação de coar, colagem, desfiladeiro.
Coladero *s* corredor, passagem estreita, filtro.
Colador *s* coador, filtro.
Coladora *s* lavadeira.
Colapso *s* colapso, queda, paralisação repentina.
Colar *v* colar, coar, filtrar.
Colateral *adj* colateral.
Colcha *s* colcha.
Colchón *s* colchão.
Colección *s* coleção, conjunto, série.
Coleccionar *v* colecionar, juntar, compilar.
Coleccionista *s* colecionador.
Colecta *s* coleta, contribuição.
Colectividad *s* coletividade, sociedade, conjunto.
Colectivo *adj* coletivo; *s* micro ônibus.
Colector *adj* coletor.
Colega *s* colega, companheiro.

Colegiado *s* colegiado.
Colegial *adj* colegial, estudante, escolar.
Colegiarse *v* agremiar-se, reunir-se em colégio.
Colegio *s* colégio, escola, corporação, associação.
Colegir *v* coligir, juntar, compilar.
Cólera *s* cólera, ira, zanga.
Colérico *adj* colérico, irado, encolerizado.
Colesterol *s* colesterol.
Coleta *s* coleta, rabo-de-cavalo.
Coletazo *s* rabanada, pancada com a cauda.
Colgador *s* varal.
Colgadura *s* tapeçaria pendurada em paredes ou janelas.
Colgar *v* pendurar, dependurar, suspender.
Colibrí *s* colibri, beija-flor.
Cólica *s* cólica, dor abdominal.
Coliflor *s* couve-flor.
Coligar *v* coligar, unir-se.
Colilla *s* toco de cigarro, bagana, bituca.
Colina *s* colina, morro.
Colindar *v* limitar, ser vizinho.
Colirio *s* colírio.
Coliseo *s* coliseu, anfiteatro.
Colisión *s* colisão, choque.
Colisionar *v* colidir, chocar.
Colitis *s* colite.
Collar *s* colar, gola, coleira.
Collarín *s* colarinho, gola estreita.
Colmar *v* cumular, abarrotar.
Colmena *s* colmeia.
Colmillo *s* presa, dente canino.
Colmo *s* cúmulo, demasia, excesso; *adj* cheio, abarrotado.
Colocación *s* colocacão, situação, emprego.
Colocar *v* colocar, acomodar, situar, arranjar.
Colofón *s* anotação final.
Colombiano *adj* colombiano.
Colon *s* cólon (do intestino).
Colonia *s* colônia, povoação, água-de-colônia, perfume.
Colonial *adj* colonial.
Colonialismo *s* colonialismo.
Colonialista *adj* colonialista.
Colonización *s* colonização.
Colonizar *v* colonizar.
Colono *s* colono, colonizador.
Coloquial *adj* coloquial, próximo.
Coloquio *s* colóquio, palestra.
Color *s* cor, coloração.
Coloración *s* coloração.
Colorado *adj* colorido, corado, vermelho.
Colorante *adj* corante.
Colorear *v* colorir.
Colorete *s* ruge.
Colorido *adj* colorido, corado.
Colosal *adj* colossal, enorme.
Coloso *s* colosso, estátua enorme.
Columbrar *v* vislumbrar, descobrir, divisar.
Columna *s* coluna, pilar, apoio, coluna vertebral.
Columnista *s* colunista (de jornal).
Columpiar *v* balançar.
Columpio *s* balanço.
Coma *s* vírgula, sinal gráfico, coma, sono profundo.
Comadre *s* comadre, madrinha de batismo, parteira.
Comadreja *s* doninha.
Comandante *s* comandante, chefe.
Comandar *v* comandar, chefiar, dirigir.
Comando *s* comando, chefia.
Comarca *s* comarca, região.
Comatoso *adj* comatoso, em estado de coma.
Comba *s* curva, pular-corda.
Combar *s* curvar, empenar.
Combate *s* combate, luta, batalha, ação de guerra.
Combatible *adj* combatível.
Combatiente *adj* combatente.
Combatir *v* combater, lutar, batalhar, arremeter, atacar.
Combatividad *s* combatividade.
Combativo *adj* combativo, belicoso.
Combinable *adj* combinável.
Combinación *s* combinação, ajuste, pacto.

Combinación *s* combinação, peça do vestuário feminino, composto.
Combinar *v* combinar, agrupar, unir, dispor.
Combustibilidad *s* combustividade.
Combustible *adj* combustível; *s* combustível, lenha, gás, álcool.
Combustión *s* combustão.
Comedero *adj* comestível, comível.
Comedia *s* comédia, farsa.
Comediante *s* comediante, ator.
Comedido *adj* comedido, discreto, modesto.
Comedimiento *s* comedimento, modéstia, sobriedade.
Comedir *v* comedir, moderar, conter-se.
Comedor *adj* comilão; *s* sala de jantar.
Comendador *s* comendador.
Comensal *s* comensal.
Comentar *v* comentar, explicar, esclarecer.
Comentario *s* comentário, análise, crítica.
Comenzar *v* começar, iniciar, principiar, abrir, estrear.
Comer *v* comer, alimentar-se, almoçar, jantar.
Comercial *adj* comercial, mercantil.
Comercialización *s* comercialização.
Comercializar *v* comercializar.
Comerciante *s* comerciante, negociante.
Comerciar *v* comerciar, negociar.
Comercio *s* comércio, mercado, conjunto de estabelecimentos comerciais.
Comestible *adj* comestível.
Cometa *s* cometa, astro, papagaio, pipa.
Cometer *v* cometer, praticar.
Cometido *s* encargo, incumbência.
Comezón *s* comichão, coceira.
Cómic *s* história em quadrinhos, gibi.
Comicios *s* comícios, eleições.
Cómico *adj* cômico, ridículo.
Comida *s* comida, alimento, refeição.
Comidilla *s* fofoca, assunto para comentários.
Comienzo *s* começo, início, princípio, origem.
Comilla *s* aspa.
Comilona *s* refeição abundante, regabofe.
Comisaría *s* comissariado.
Comisario *s* comissário.
Comisión *s* comissão, incumbência, encargo.
Comisionar *v* comissionar, encarregar, delegar.
Comité *s* comitê, junta.
Comitiva *s* comitiva, acompanhamento, séquito.
Como *adv* como, assim, de que maneira, já que.
Cómoda *s* cômoda, gaveteiro para roupas.
Comodidad *s* comodidade, bem-estar, conforto.
Cómodo *adj* cômodo, conveniente, oportuno.
Compacto *adj* compacto, denso, espesso.
Compadecer *v* compadecer, tolerar.
Compadre *s* compadre, padrinho de batismo.
Compaginar *v* compor, ligar intimamente.
Compañerismo *s* companheirismo.
Compañero *s* companheiro, camarada, parceiro, colega.
Compañía *s* companhia, acompanhante, sociedade, associação, grupo teatral.
Comparación *s* comparação, paralelo.
Comparar *v* comparar, cotejar, confrontar.
Comparecencia *s* comparecimento.
Comparecer *v* comparecer, apresentar-se.
Compartimento *s* compartimento, quarto, aposento, departamento.
Compartir *v* partilhar, dividir, participar.
Compás *s* compasso, regra, princípio, ritmo.
Compasión *s* compaixão, piedade, dó.
Compasivo *adj* compassivo, bondoso.
Compatibilidad *s* compatibilidade.
Compatible *adj* compatível.
Compatriota *s* compatriota.
Compendio *s* compêndio, resumo, sumário, síntese.
Compenetración *s* compenetração.

Compenetrarse *v* compenetrar-se.
Compensación *s* compensação.
Compensar *v* compensar, contrabalançar, remunerar, equilibrar.
Competencia *s* competência, disputa, incumbência.
Competente *adj* competente, adequado, apto, devido.
Competer *v* competir, pertencer.
Competición *s* competição, rivalidade, concorrência.
Competidor *adj* competidor, adversário.
Competir *v* competir, concorrer, rivalizar.
Compilación *s* compilação, coleção.
Compilador *s* compilador.
Compilar *v* compilar, coligir.
Complacencia *s* complacência, benevolência.
Complacer *v* comprazer, contentar, agradar.
Complaciente *adj* complacente.
Complejidad *s* complexidade.
Complejo *s* complexo; *adj* complexo, complicado.
Complementar *v* complementar.
Complemento *s* complemento, acréscimo.
Completar *v* completar, integrar, concluir, acabar, preencher.
Completo *adj* completo, total, perfeito, inteiro.
Complexión *s* compleição, constituição fisiológica.
Complicación *s* complicação, concorrência, dificuldade.
Complicado *adj* complicado, difícil, confuso.
Complicar *v* complicar, confundir, embaraçar, agravar.
Cómplice *s* cúmplice, conivente.
Complicidad *s* cumplicidade, conivência.
Complot *s* complô, conspiração, intriga.
Componente *adj* componente, elemento.
Componer *v* compor, constituir, formar, restaurar, consertar, enfeitar.
Comportamiento *s* comportamento.
Comportar *v* comportar, suportar, permitir.
Composición *s* composição, arranjo, acordo.
Compositor *s* compositor, autor.
Compostura *s* compostura, arranjo.
Compota *s* compota.
Compra *s* compra, aquisição.
Comprar *v* comprar, adquirir.
Compraventa *s* compra e venda, contrato.
Comprender *v* compreender, abranger, incluir, entender.
Comprensión *s* compreensão, percepção.
Comprensivo *adj* compreensivo.
Compresa *s* compressa.
Compresor *s* compressor.
Comprimido *adj* comprimido, apertado.
Comprimir *v* comprimir, apertar, reduzir.
Comprobación *s* comprovação, prova.
Comprobante *adj* comprovante.
Comprobar *v* comprovar, confirmar, verificar, constatar.
Comprometer *v* comprometer, arriscar, assumir compromisso ou responsabilidade.
Compromiso *s* compromisso, obrigação, acordo.
Compuerta *s* comporta, eclusa.
Compuesto *s* composto.
Compulsar *v* compulsar, constatar, apurar.
Compulsión *s* compulsão.
Compunción *s* compunção.
Compungir *v* compungir, afligir.
Computable *adj* computável, calculável.
Computador *s* computador, ordenador.
Computar *v* computar, contar, calcular.
Cómputo *s* cômputo, cálculo, conta.
Comulgar *v* comungar.
Común *adj* comum, geral, vulgar, usual, trivial, habitual.
Comunicación *s* comunicação, informação, aviso.
Comunicado *s* comunicado, aviso, informação.

Comunicar *v* comunicar, informar, participar, ligar.
Comunicativo *adj* comunicativo, contagioso.
Comunidad *s* comunidade.
Comunión *s* comunhão, harmonia.
Comunismo *s* comunismo.
Comunista *adj* comunista.
Comunitario *adj* comunitário.
Con *prep* com, em, sobre, de.
Conato *s* esforço, empenho.
Concatenar *v* concatenar, encadear, ligar.
Cóncavo *s* concavidade; *adj* côncavo.
Concebir *v* conceber, gerar, inventar, elaborar.
Conceder *v* conceder, dar, ceder, permitir, deferir.
Concejo *s* conselho, Distrito Municipal.
Concentración *s* concentração, meditação, reunião.
Concentrado *adj* concentrado.
Concentrar *v* concentrar, centralizar.
Concéntrico *adj* concêntrico.
Concepción *s* concepção, geração.
Concepto *s* conceito, opinião, pensamento.
Conceptuar *v* conceituar, pensar, avaliar.
Concernir *v* concernir.
Concertar *v* consertar, ajustar, combinar, concordar.
Concertista *s* concertista, solista.
Concesión *s* concessão, permissão, licença.
Concha *s* concha.
Conchabar *v* conchavar, unir, ajuntar, ligar.
Conciencia *s* consciência, convicção, justiça.
Concierto *s* concerto, acordo.
Conciliábulo *s* conciliábulo.
Conciliación *s* conciliação, acordo, acomodação.
Conciliar *v* conciliar, harmonizar, combinar.
Concilio *s* concílio.
Concisión *s* concisão, brevidade, síntese.
Conciso *adj* conciso, compacto, resumido.
Cónclave *s* conclave, junta, reunião.
Concluir *v* concluir, terminar, acabar, arrematar.
Conclusión *s* conclusão, consequência, fim, dedução.
Concomitancia *s* concomitância, simultaneidade.
Concordancia *s* concordância, conformidade, consonância.
Concordar *v* concordar, conciliar, acertar, condizer.
Concordia *s* concórdia, paz, harmonia.
Concretar *v* concretizar, combinar, determinar.
Concreto *adj* concreto, determinado.
Concubina *s* concubina.
Concupiscencia *s* concupiscência, sensualidade.
Concurrencia *s* concorrência, afluência.
Concurrente *adj* concorrente, rival.
Concurrido *adj* concorrido.
Concurrir *v* concorrer, cooperar, ajudar.
Concursar *v* concursar, participar de concurso.
Concurso *s* concurso, assistência, afluência.
Conde *s* conde.
Condecoración *s* condecoração.
Condecorar *v* condecorar, agraciar.
Condenación *s* condenação, sentença, censura, reprovação.
Condenado *adj* condenado.
Condenar *v* condenar, castigar, reprovar.
Condensación *s* condensação, resumo.
Condensador *adj* condensador.
Condensar *v* condensar, reduzir.
Condesa *s* condessa.
Condescendencia *s* condescendência, consentimento.
Condescender *v* condescender, consentir.
Condescendiente *adj* condescendente.
Condición *s* condição, categoria, índole, caráter.
Condicional *adj* condicional.
Condicionamiento *s* condicionamento.

Condicionar *v* condicionar, regular, acondicionar.
Condigno *adj* condigno, adequado.
Condimentación *s* condimentação, tempero.
Condimentar *v* condimentar, temperar.
Condimento *s* condimento, tempero.
Condiscípulo *s* condiscípulo.
Condolencia *s* condolência, pêsames.
Condolerse *v* condoer-se, compadecer-se.
Condominio *s* condomínio.
Cóndor *s* condor.
Conducción *s* condução, transporte, transmissão, guia.
Conducir *v* conduzir, dirigir, levar, transportar, orientar.
Conducta *s* conduta, procedimento.
Conductividad *s* condutividade.
Conductivo *adj* condutor.
Conducto *s* conduto, cano, tubo, via, canal.
Conductor *adj* condutor, chefe, guia, motorista.
Conectar *v* acionar, ligar aparelho.
Conejillo *s* coelhinho, cobaia, porquinho-da-índia.
Conejo *s* coelho.
Conexión *s* conexão, nexo, ligação.
Conexo *adj* conexo, ligado.
Confabulación *s* confabulação, trama.
Confabular *v* confabular, tramar.
Confección *s* confecção, acabamento.
Confeccionar *v* confeccionar, fabricar, produzir roupas.
Confederación *s* confederação, liga, coligação, pacto.
Confederar *v* confederar, coligar.
Conferencia *s* conferência, palestra, discurso, entrevista.
Conferenciar *v* conferenciar, discursar.
Conferir *v* conferir, administrar, examinar, conceder.
Confesar *v* confessar, revelar.
Confesión *s* confissão, declaração, revelação.
Confesor *s* confessor.
Confeti *s* confete.
Confianza *s* confiança, segurança, firmeza, crédito.
Confiar *v* confiar, crer, revelar, depositar.
Confidencia *s* confidência.
Configurar *v* configurar.
Confín *s* confim.
Confinado *adj* confinado, desterrado.
Confinar *v* confinar, limitar, desterrar.
Confirmación *s* confirmação, certeza, aprovação.
Confirmar *v* confirmar, certificar, aprovar.
Confiscación *s* confisco.
Confiscar *v* confiscar, expropriar.
Confitado *adj* confeitado.
Confitar *v* confeitar.
Confite *s* confeito.
Confitería *s* confeitaria.
Conflagración *s* conflagração.
Conflagrar *v* conflagrar, guerrear.
Conflicto *adj* conflito, luta, embate, desordem.
Confluencia *s* confluência, concorrência, convergência.
Confluir *v* concluir, convergir.
Conformación *s* conformação, configuração.
Conformar *v* conformar, ajustar, convir, resignar-se.
Conformidad *s* conformidade, semelhança.
Conformismo *s* conformismo.
Confort *s* conforto, comodidade.
Confortable *adj* confortável, cômodo.
Confortador *adj* confortador, reconfortante.
Confratenizar *v* confraternizar.
Confrontación *s* confrontação.
Confrontar *v* confrontar, enfrentar.
Confundir *v* confundir, enganar, equivocar, atrapalhar, errar.
Confusión *s* confusão, alteração, transtorno.
Confuso *adj* confuso, desordenado, misturado.
Congelación *s* congelamento.
Congelador *s* congelador, frigorífico.

Congelar *v* congelar, gelar.
Congénere *adj* congênere.
Congeniar *v* simpatizar, harmonizar.
Congénito *adj* congênito, inato.
Congestión *s* congestão.
Congestionar *v* congestionar.
Conglomerado *s* conglomerado.
Conglomerar *v* conglomerar, juntar-se, reunir.
Congoja *s* desmaio, fadiga, angústia.
Congraciar *v* congraciar, reconciliar, adular.
Congratulación *s* congratulação.
Congratular *v* congratular, felicitar.
Congregación *s* congregação, assembleia.
Congregar *v* congregar, reunir, unir, juntar.
Congresista *s* congressista.
Congreso *s* congresso, assembleia.
Congruencia *s* congruência.
Congruente *adj* congruente, harmonioso.
Conjetura *s* conjetura, hipótese.
Conjeturar *v* conjeturar.
Conjugación *s* conjugação.
Conjugar *v* conjugar.
Conjunción *s* conjunção.
Conjuntivitis *s* conjutivite.
Conjuntivo *adj* conjuntivo.
Conjunto *s* conjunto, equipe, coleção; *adj* conjunto, unido, ligado, próximo.
Conjura *s* conjuração, conspiração.
Conjurar *v* conjurar, conspirar.
Conllevar *v* ajudar, tolerar.
Conmemoración *s* comemoração, recordação.
Conmemorar *v* comemorar, festejar, lembrar.
Conmigo *pron* comigo.
Conminar *v* ameaçar, exigir.
Conmiseración *s* comiseração, dó, pena, compaixão.
Conmoción *s* comoção, abalo.
Conmover *v* comover, perturbar, emocionar-se.
Conmutación *s* comutação.
Conmutar *v* comutar, trocar, permutar.
Connivencia *s* conivência, cumplicidade.
Connivente *adj* conivente, cúmplice.
Connotación *s* conotação.
Cono *s* cone; FIG cone de luz.
Conocedor *adj* conhecedor.
Conocer *v* conhecer, saber, perceber, entender.
Conocido *adj* conhecido.
Conocimiento *s* conhecimento.
Con que *conj* com que, de modo que.
Conquista *s* conquista.
Conquistador *adj* conquistador.
Conquistar *v* conquistar, dominar, subjugar.
Consagración *s* consagração, devoção.
Consagrar *v* consagrar, sagrar, devotar, dedicar-se.
Consanguíneo *adj* consaguíneo.
Consciente *adj* consciente.
Consecución *s* consecução, obtenção.
Consecuencia *s* consequência, resultado.
Consecuente *adj* consequente, coerente.
Consecutivo *adj* consecutivo, imediato.
Conseguir *v* conseguir, obter, alcançar, adquirir.
Consejo *s* conselho, advertência.
Consenso *s* consenso.
Consentido *adj* consentido, mimado.
Consentimiento *s* consentimento, permissão.
Consentir *v* consentir, permitir, condescender.
Conserje *s* zelador.
Conserva *s* conserva.
Conservador *adj* conservador.
Conservar *v* conservar, guardar.
Conservatorio *s* conservatório.
Considerable *adj* considerável, estimável.
Consideración *s* consideração, estima.
Considerar *v* considerar, apreciar, estimar.
Consignación *s* consignação.
Consignar *v* consignar, confiar, depositar.
Consigo *pron* consigo.
Consiguiente *adj* conseguinte.
Consistencia *s* consistência.

Consistente *adj* consistente, estável, duradouro.
Consistir *v* consistir, fundar-se, basear-se.
Consola *s* console, móvel de sala.
Consolación *s* consolação, consolo, alívio, conforto.
Consolar *v* consolar, aliviar, reanimar.
Consolidar *v* consolidar, fortalecer, estabilizar.
Consonancia *s* consonância, concordância.
Consonante *adj* consoante.
Consonar *v* consoar, concordar, rimar.
Consorcio *s* consórcio, associação.
Consorte *s* consorte, cônjuge.
Conspicuo *adj* conspícuo, ilustre, notável.
Conspiración *s* conspiração, conjuração, trama.
Conspirador *adj* conspirador, conjurado.
Conspirar *v* conspirar, tramar, conjurar.
Constancia *s* constância, firmeza, empenho.
Constante *adj* constante, firme, assíduo.
Constar *v* constar, consistir.
Constatación *s* constatação.
Constatar *v* constatar, comprovar.
Constelación *s* constelação.
Consternación *s* consternação, tristeza, desolação.
Consternar *v* consternar, desolar, entristecer.
Constipado *adj* constipado, resfriado.
Constitución *s* constituição, composição.
Constitucional *adj* constitucional.
Constituir *v* constituir, estabelecer, organizar, compor.
Constituyente *adj* constituinte.
Constreñimiento *s* constrangimento.
Constreñir *v* constranger.
Construcción *s* construção, edificação.
Constructor *adj* construtor.
Construir *v* construir, erigir.
Consuelo *s* consolo, alívio.
Cónsul *s* cônsul.
Consulado *s* consulado.
Consulta *s* consulta.
Consultar *v* consultar, deliberar.
Consultor *s* consultor.
Consultorio *s* consultório.
Consumación *s* consumação, conclusão, fim.
Consumar *v* consumar, completar, terminar, acabar.
Consumidor *adj* consumidor.
Consumir *v* consumir, acabar, desgastar.
Consumo *s* consumo, gasto.
Contabilidad *s* contabilidade, cálculos, contas comerciais.
Contable *adj* contável; *s* contador.
Contacto *s* contato.
Contado *adj* contado, escasso, narrado.
Contagiar *v* contagiar, propagar, transmitir doença.
Contaminación *s* contaminação, contágio, infecção.
Contaminar *v* contaminar, contagiar, infeccionar.
Contar *v* contar, calcular, computar, narrar, dizer.
Contemplación *s* contemplação.
Contemplar *v* contemplar, admirar, examinar.
Contemplativo *adj* contemplativo.
Contemporáneo *adj* contemporâneo.
Contemporizar *v* contemporizar, transigir.
Contención *s* contenção, litígio.
Contender *v* contender, disputar.
Contener *v* conter, encerrar, incluir, abranger, coagir.
Contenido *adj* contido, moderado; *s* conteúdo, assunto.
Contentar *v* contentar, satisfazer, agradar.
Contento *adj* contente, satisfeito, alegre; *s* contentamento, alegria.
Contestar *v* contestar, responder, convir.
Contexto *s* contexto.
Contienda *s* debate, luta, disputa.
Contigo *pron* contigo.
Contiguo *adj* contíguo, vizinho, próximo.
Continente *s* continente; *adj* moderado.
Contingencia *s* contingência.

Continuar *v* continuar, prosseguir, prolongar, durar.
Continuidad *s* continuidade.
Contorcerse *v* contorcer-se, dobrar-se.
Contornar *v* contornar.
Contorno *s* contorno, perímetro, redor, circuito.
Contorsión *s* contorsão.
Contra *prep* contra, diante de, em oposição a.
Contrabajo *s* contrabaixo.
Contrabandista *s* contrabandista.
Contrabando *s* contrabando, fraude.
Contracción *s* contração.
Contráctil *adj* contrátil.
Contradecir *v* contradizer, desmentir, contrariar.
Contradicción *s* contradição, objeção.
Contradictorio *adj* contraditório.
Contraer *v* contrair, apertar, encolher, restringir.
Contraespionaje *s* contraespionagem.
Contrahecho *adj* contrafeito, contrariado, aleijado.
Contraindicar *v* contraindicar.
Contramaestre *s* contramestre.
Contramarcha *s* contramarcha, retrocesso, marcha-à-ré.
Contraofensiva *s* contraofensiva.
Contraorden *s* contraordem.
Contrapartida *s* contrapartida.
Contrapeso *s* contrapeso, compensação.
Contraponer *v* contrapor, confrontar, opor.
Contraposición *s* contraposição, confronto.
Contraproducente *adj* contraproducente.
Contrapunto *s* contraponto.
Contrariar *v* contrariar, contradizer.
Contrariedad *s* contrariedade, desgosto, adversidade.
Contrario *adj* contrário, oposto, adverso.
Contrarrevolución *s* contrarrevolução.
Contrasentido *s* contrassenso, absurdo.
Contraseña *s* contrassenha.
Contrastar *v* contrastar, afrontar, opor.
Contraste *s* contraste, oposição.
Contrata *s* contrato, ajuste.
Contratar *v* contratar, negociar, estipular.
Contratiempo *s* contratempo, acidente, contrariedade.
Contrato *s* contrato, ajuste, convenção.
Contravenir *v* contravir.
Contribución *s* contribuição, tributo, imposto.
Contribuir *v* contribuir, cooperar, ajudar.
Contribuyente *adj* contribuinte.
Contrición *s* contrição, arrependimento.
Control *s* controle.
Controlar *v* controlar, fiscalizar.
Controvertir *v* controverter, rebater, contestar.
Contubernio *s* convivência.
Contumaz *adj* contumaz, rebelde.
Contundente *adj* contundente.
Contundir *v* contundir, bater, moer.
Conturbar *v* conturbar, perturbar.
Contusión *s* contusão.
Convalecer *v* convalescer, restabelecer-se.
Convalidar *v* convalidar, revalidar.
Convencer *v* convencer, persuadir.
Convencimiento *s* convencimento, convicção.
Convención *s* convenção, acordo, ajuste, congresso.
Convencional *adj* convencional.
Conveniente *adj* conveniente.
Convenio *s* convênio, ajuste, arranjo.
Convenir *v* convir, concordar, condizer.
Conventillo *s* cortiço.
Convento *s* convento, mosteiro.
Converger *v* convergir, convir, concordar.
Conversar *v* conversar, falar.
Convertir *v* converter, mudar, transformar.
Convexo *adj* convexo, abaulado.
Convicción *s* convicção, certeza.
Convicto *adj* convicto, convencido.
Convidado *adj* convidado.
Convidar *v* convidar, oferecer.
Convincente *adj* convincente, eloquente.
Convite *s* convite.
Convivencia *s* convivência, convívio.
Convivir *v* conviver.

Convocar *v* convocar, citar.
Convulsión *s* convulsão.
Conyugal *adj* conjugal.
Cónyuge *s* cônjuge.
Coñac *s* conhaque.
Cooperar *v* cooperar, colaborar.
Cooperativa *s* cooperativa.
Coordinación *s* coordenação.
Coordinar *v* coordenar, ajustar, classificar.
Copa *s* copa, taça, cálice, troféu.
Copetín *s* drinque, aperitivo.
Copia *s* cópia, reprodução, imitação, plágio, fraude.
Copiar *v* copiar, reproduzir, imitar, transcrever.
Copioso *adj* copioso, abundante, farto.
Copla *s* copla, estrofe, quadra.
Copo *s* floco de neve, porção de fio (lã, algodão).
Coproducción *s* coprodução.
Cópula *s* cópula, coito, união sexual.
Coqueluche *s* coqueluche.
Coquetería *s* galanteria.
Coraje *s* coragem, ânimo.
Coral *s* coral, cobra coral.
Coraza *s* couraça.
Corazón *s* coração; FIG sensibilidade.
Corbata *s* gravata.
Corbeta *s* corveta.
Corchete *s* colchete (gancho de metal), sinal ortográfico.
Corcho *s* casca, cortiça de árvore, rolha.
Corcova *s* corcova, corcunda.
Cordel *s* cordel, barbante.
Cordero *s* cordeiro; FIG pessoa bondosa.
Cordial *adj* cordial, afetuoso, sincero.
Cordialidad *adj* cordialidade.
Cordillera *s* cordilheira.
Cordón *s* cordão, cabo.
Cordura *s* juízo, prudência.
Coreano *adj* coreano.
Coreografía *s* coreografia.
Coreógrafo *s* coreógrafo.
Córnea *s* córnea.
Corneta *s* corneta.
Coro *s* coro, canto de muitas vozes.
Corola *s* corola.
Corona *s* coroa, auréola, grinalda.
Coronación *s* coroação.
Coronar *v* coroar, premiar.
Coronario *adj* coronário.
Coronel *s* coronel.
Corpiño *s* corpinho, sutiã, espartilho.
Corporación *s* corporação, comunidade, associação.
Corporal *adj* corporal, material físico.
Corporativo *adj* corporativo.
Corpóreo *adj* corpóreo, material.
Corpulencia *s* corpulência.
Corpulento *adj* corpulento, encorpado.
Corpúsculo *s* corpúsculo.
Corral *s* curral.
Correa *s* correia.
Corrección *s* correção, retificação, emenda, revisão.
Correctivo *adj* corretivo.
Correcto *adj* correto, alinhado, fino.
Corredor *s* corredor, pessoa que corre.
Corregir *v* corrigir, emendar, melhorar.
Correlación *s* correlação.
Correo *s* correio, carteiro.
Correr *v* correr, passar.
Correspondencia *s* correspondência.
Corresponder *v* corresponder, retribuir, equivaler.
Corretear *v* vadiar.
Corrida *s* corrida, tourada.
Corriente *s* corrente, correnteza; *adj* corrente, habitual, usual.
Corroborar *v* corroborar, fortalecer, fortificar.
Corroer *v* corroer, roer, desgastar.
Corromper *v* corromper, subornar, depravar, apodrecer.
Corrosión *s* corrosão.
Corrosivo *adj* corrosivo.
Corrupción *s* corrupção, putrefação, degeneração.
Corrupto *adj* corrupto, corrompido.
Corruptor *s* corruptor.
Corsario *s* corsário, pirata.
Corsé *s* espartilho, corpete.
Cortacircuitos *s* corta-circuitos, fusível.

Cortadera *s* talhadeira.
Cortado *adj* cortado, talhado, interrompido.
Cortadura *s* corte, incisão, retalhos.
Cortafrío *s* cinzel.
Cortante *adj* cortante, afiado.
Cortapapeles *s* corta-papel.
Cortar *v* cortar, talhar.
Corte *s* corte, talho.
Cortejar *v* cortejar.
Cortejo *s* cortejo, acompanhamento.
Cortés *adj* cortês, atencioso, educado.
Cortesano *adj* cortesão.
Cortesía *s* cortesia, educação, polidez.
Corteza *s* cortiça, casca.
Cortijo *s* granja, construção rústica.
Cortina *s* cortina.
Corto *adj* curto, breve, escasso, deficitário.
Cortocircuito *s* curto-circuito.
Cortometraje *s* curtametragem.
Corva *s* curva, a dobra do joelho.
Corvo *adj* curvo, curvado, arqueado.
Corzo *s* veado, corça.
Cosa *s* coisa, objeto, elemento.
Cosecha *s* colheita, safra.
Cosechadora *s* colheitadeira.
Cosechar *v* colher.
Coseno *s* cosseno, cosseno.
Coser *v* coser, costurar, juntar, prender.
Cosmético *adj* cosmético.
Cósmico *adj* cósmico.
Cosmonauta *s* cosmonauta.
Cosmonave *s* cosmonave.
Cosmopolita *s* cosmopolita.
Cosmos *s* cosmos, universo.
Cosquillas *s* cócegas.
Costa *s* custo, preço, despesa, margem, litoral.
Costado *s* costado, flanco.
Costanera *s* ladeira, encosta.
Costar *v* custar, valer.
Costarriqueño *adj* costa-riquenho.
Coste *s* custo, preço.
Costear *v* custear, costear.
Costilla *s* costela, costeleta.
Costo *s* custo.
Costoso *adj* custoso, caro, trabalhoso.
Costumbre *s* costume, hábito.
Costura *s* costura.
Costurero *s* costureiro.
Cotidiano *adj* cotidiano.
Cotizar *v* cotar, taxar, cotizar.
Coto *s* limite, cerrado.
Cotorra *s* periquito.
Coxis *s* cóccix.
Coyote *s* coiote.
Coyuntura *s* conjuntura, junta, articulação.
Coz *s* coice; FIG grosseria.
Cráneo *s* crânio.
Crápula *s* crápula.
Cráter *s* cratera, boca.
Creación *s* criação, invenção.
Creador *s* criador, inventor.
Crear *v* criar, gerar, produzir, compor.
Crecer *v* crescer, prosperar, subir, aumentar.
Crecida *s* enchente (de rio).
Crecimiento *s* crescimento, aumento, desenvolvimento.
Credencial *adj* credencial, alvará.
Crédito *s* crédito, consideração.
Credo *s* credo.
Crédulo *adj* crédulo, ingênuo.
Creencia *s* crença, fé.
Creer *v* crer, acreditar.
Crema *s* creme, nata.
Cremación *s* cremação, incineração.
Cremallera *s* cremalheira, zíper, fecho ecler.
Crematorio *s* crematório.
Cremoso *adj* cremoso.
Crepitar *v* crepitar.
Crepúsculo *s* crepúsculo, ocaso.
Crespo *adj* crespo, franzido.
Cresta *s* crista (de aves), cume (de montanhas), crista (de onda).
Cretino *adj* cretino, idiota, estúpido.
Cretona *s* cretone.
Creyente *adj* crente.
Cría *s* cria, criação, criança pequena, ninhada.
Criada *s* criada, empregada doméstica.

Criado *adj* educado.
Crianza *s* criação, educação.
Criar *v* criar, produzir, gerar.
Criatura *s* criatura, ser, indivíduo.
Criba *s* crivo, peneira grande.
Crimen *s* crime, delito grave.
Criminoso *adj* criminoso, réu.
Crin *s* crina.
Crío *s* criança pequena.
Criollo *adj* crioulo, mestiço.
Cripta *s* cripta, gruta, caverna.
Crisálida *s* crisálida.
Crisantemo *s* crisântemo.
Crisis *s* crise.
Crisma *s* crisma.
Crispar *v* crispar, enrugar, franzir.
Cristal *s* cristal, vidro.
Cristiandad *s* cristandade.
Cristianizar *v* cristianizar.
Cristiano *adj* cristão.
Criterio *s* critério.
Crítica *s* crítica, apreciação.
Criticar *v* criticar, apreciar, julgar.
Cromar *v* cromear.
Cromosoma *s* cromossoma.
Crónica *s* crônica, narração.
Crónico *adj* crônico, permanente.
Cronista *s* cronista.
Cronología *s* cronologia.
Cronometrar *v* cronometrar.
Cronómetro *s* cronômetro.
Croqueta *s* croquete, almôndega, bolinho de carne.
Croquis *s* esboço, croqui.
Cruce *s* cruzamento, encruzilhada.
Crucial *adj* crucial, decisivo.
Crucificar *v* crucificar, torturar.
Crucifijo *s* crucifixo.
Crudeza *s* crueza, crueldade.
Crujido *s* rangido, estalo.
Crujir *v* ranger.
Crustáceo *s* crustáceo.
Cruz *s* cruz.
Cruzar *v* cruzar, atravessar.
Cuaderno *s* caderno, caderneta.
Cuadra *s* quadra, quarteirão.
Cuadrado *adj* quadrado.
Cuadrante *s* quadrante.
Cuadrar *v* quadrar, quadricular.
Cuadrilátero *adj* quadrilátero.
Cuadrilla *s* quadrilha.
Cuadro *s* quadro, painel.
Cuadrúpedo *adj* quadrúpede.
Cuadruplicar *v* quadruplicar.
Cuajada *s* coalhada.
Cuajado *adj* coalhado.
Cuajar *v* coalhar, coagular.
Cuajo *s* coalho, coágulo.
Cual *pron* qual.
Cualesquier *pron* quaisquer.
Cualidad *s* qualidade, índole, natureza.
Cualquier *pron* qualquer.
Cuán *adv* quão, quanto.
Cuando *adv* quando, no tempo em que, depois que.
Cuantía *s* quantia, quantidade.
Cuantitativo *adj* quantitativo.
Cuanto *adv* quanto.
Cuarentena *s* quarentena.
Cuaresma *s* quaresma.
Cuartear *v* esquartejar, dividir.
Cuartel *s* quartel, quarta parte.
Cuarteto *s* quarteto.
Cuarto *adj* quarto.
Cuarzo *s* quartzo.
Cuaternario *adj* quaternário.
Cuatrimestre *s* quadrimestre.
Cuatro *num* quatro.
Cuba *s* cuba, tina, tonel.
Cubano *adj* cubano.
Cubículo *s* cubículo.
Cubierta *s* coberta, cobertor, colcha, tampa, telhado.
Cubierto *adj* coberto; *s* talheres, serviço de mesa.
Cubil *s* covil, antro.
Cubismo *s* cubismo.
Cúbito *s* cúbito.
Cubo *s* cubo, balde.
Cubrir *v* cobrir, tapar, ocultar, encobrir, abrigar, fecundar.
Cucaracha *s* barata.
Cuchara *s* colher.
Cucharada *s* colherada.

Cucharilla *s* colherzinha, colherinha.
Cuchichear *v* cochichar.
Cuchilla *s* cutelo, machadinha.
Cuchillo *s* faca.
Cuchitril *s* pocilga.
Cuclillas *adv* cócoras.
Cuello *s* pescoço, colo, gargalo.
Cuenca *s* concha, órbita (dos olhos), vale (entre montanhas), bacia (de rio).
Cuenco *s* tigela.
Cuenta *s* conta, cálculo.
Cuentagotas *s* conta-gotas.
Cuento *s* conto, narração, fábula.
Cuerda *s* corda.
Cuerno *s* corno, chifre.
Cuero *s* couro.
Cuerpo *s* corpo, tronco.
Cuervo *s* corvo.
Cuesta *s* costa, ladeira, declive.
Cuestión *s* questão, pergunta.
Cuestionario *s* questionário.
Cueva *s* cova, gruta, antro.
Cuidado *s* cuidado.
Cuidadoso *adj* cuidadoso, solícito, atencioso.
Cuidar *v* cuidar, conservar, guardar.
Culata *s* culatra, anca, traseiro.
Culebra *s* cobra.
Culinario *adj* culinário.
Culminante *adj* culminante.
Culminar *v* culminar.
Culpa *s* culpa, falta, delito.
Culpado *adj* culpado.
Culpar *v* culpar, recriminar.
Cultivar *v* cultivar, lavrar (a terra), aperfeiçoar.
Cultivo *s* cultivo.
Culto *adj* culto, cultivado; *s* culto, cerimônia religiosa.
Cultura *s* cultura, cultivo.
Cultural *adj* cultural.
Cumbre *s* cúmulo, auge.
Cumpleaños *s* aniversário.
Cumplido *adj* completo, longo, abundante, polido.
Cumplimentar *v* cumprimentar.
Cumplir *v* cumprir, observar, completar.
Cúmulo *s* cúmulo, multidão.
Cuna *s* berço; FIG Pátria.
Cundir *v* estender, ocupar, propagar-se.
Cuña *s* cunha.
Cuñado *s* cunhado.
Cuño *s* cunho, marca.
Cuota *s* quota.
Cupo *s* quota.
Cupón *s* cupom.
Cúpula *s* cúpula, abóbada.
Cura *s* cura, sacerdote, pároco, padre.
Curandero *s* curandeiro.
Curar *v* curar, sanar, sarar.
Curia *s* cúria.
Curiosear *v* xeretar, bisbilhotar.
Curiosidad *s* curiosidade.
Curioso *adj* curioso, indiscreto.
Cursar *v* cursar, frequentar, estudar.
Cursi *adj* ridículo.
Curso *s* curso, direção, carreira.
Curtir *v* curtir, preparar as peles, bronzear.
Curva *s* curva.
Curvar *v* curvar.
Curvatura *s* curvatura, arqueamento.
Cúspide *s* cúspide.
Custodia *s* custódia, guarda.
Custodiar *v* custodiar, guardar, vigilar.
Cutáneo *adj* cutâneo.
Cutis *s* cútis.
Cuyo *pron* cujo, do qual.
Czar *s* czar.

dD

D quinta letra do alfabeto espanhol; D 500 em algarismos romanos.
Dable *adj* possível, praticável.
Dactilografía *s* datilografia.
Dactilógrafo *s* datilógrafo.
Dádiva *s* dádiva, donativo, presente.
Dado *s* dado, cubo.
Daga *s* adaga, punhal.
Dalia *s* dália.
Dálmata *adj* dálmata.
Daltonismo *s* daltonismo.
Dama *s* dama, senhora.
Damasco *s* damasco.
Damnificado *adj* danificado.
Damnificar *v* danificar, avariar.
Danés *adj* dinamarquês.
Dantesco *adj* dantesco.
Danza *s* dança.
Danzar *v* dançar, bailar.
Danzarín *adj* dançarino, bailarino.
Dañar *v* danificar, estragar, avariar.
Dañino *adj* daninho, prejudicial.
Daño *adj* dano, prejuízo.
Dañoso *adj* danoso, pernicioso, nocivo.
Dar *v* dar, confiar, entregar, conferir, outorgar.
Dardo *s* dardo.
Dársena *s* doca, dique.
Data *s* data.
Datar *v* datar, debitar.
Dátil *s* tâmara.
Dato *s* dado, indicação, antecedente, base, documento.
De *s* nome da letra d, *prep* indica procedência.
Deán *s* deão.
Debacle *s* desastre, caos.
Debajo *adv* debaixo, embaixo, sob.
Debate *s* debate, discussão.
Debatir *v* debater, discutir, altercar, contestar.
Debelar *v* debelar, vencer, conter.
Deber *s* dever, obrigação, incumbência.
Debido *adj* devido, merecido.
Débil *adj* débil, fraco.
Debilidad *s* debilidade, fraqueza.
Debilitar *v* debilitar, enfraquecer.
Débito *s* débito, dívida.
Debut *s* estreia.
Debutante *adj* debutante, principiante.
Debutar *v* debutar, estrear.
Década *s* década.
Decadencia *s* decadência, declínio, atraso.
Decadente *adj* decadente.
Decaer *v* decair, diminuir, declinar, abater-se.
Decálogo *s* decálogo.
Decanato *s* decanato.
Decano *s* decano.
Decantación *s* decantação.
Decapitar *v* decapitar.
Decasílabo *s* decassílabo.
Decena *s* dezena.
Decencia *s* decência, honestidade, decoro, modéstia.
Decenio *s* decênio.
Decente *adj* decente, honesto, conveniente.
Decepción *s* decepção, desilusão.
Decepcionar *v* decepcionar, desiludir.
Decibelio *s* decibel.
Decidido *adj* decidido, resoluto.
Decidir *v* decidir, resolver, determinar.
Decimal *adj* decimal.
Décimo *num* décimo.

Decir *v* dizer, enunciar, falar, assegurar, narrar.
Decisión *s* decisão, sentença, resolução, coragem.
Declamación *s* declamação, discurso.
Declamar *v* declamar, recitar.
Declaración *s* declaração, manifestação, confissão.
Declarar *v* declarar, manifestar.
Declinación *s* declinação, inclinação, declive.
Declinar *v* declinar, decair, pender.
Declive *s* declive, descida.
Decolorante *adj* descolorante.
Decolorar *v* descorar, desbotar.
Decomisar *v* confiscar.
Decorado *adj* decorado, ornamentado.
Decorador *s* decorador.
Decorar *v* decorar, enfeitar, condecorar.
Decorativo *adj* decorativo.
Decoro *s* decoro, dignidade, decência.
Decrecer *v* decrescer, diminuir, baixar.
Decrépito *adj* decrépito, senil.
Decretar *v* decretar, deliberar, resolver, ordenar.
Decreto *s* decreto, decisão, resolução.
Decurso *s* decurso, duração.
Dedicación *s* dedicação, devoção, consagração.
Dedicar *v* dedicar, consagrar, oferecer, aplicar-se.
Dedicatoria *s* dedicatória.
Dedillo *s* dedinho.
Dedo *s* dedo.
Deducción *s* dedução, conclusão, abatimento, diminuição.
Deducir *v* deduzir, concluir, diminuir, abater.
Defecación *s* defecação, dejeção.
Defecar *v* defecar, evacuar.
Defectivo *adj* defectivo, defeituoso, imperfeito.
Defecto *s* defeito, imperfeição, erro, vício, mancha.
Defectuoso *adj* defeituoso, imperfeito.
Defender *v* defender, proteger, socorrer, amparar.
Defensa *s* defesa, amparo, abrigo, auxílio.
Defensiva *s* defensiva.
Defensor *adj* defensor, protetor.
Deferencia *s* deferência, atenção.
Deferente *adj* deferente, respeitoso.
Deferir *v* deferir, conceder, acatar.
Deficiencia *s* deficiência, falta.
Deficiente *adj* deficiente.
Déficit *s* déficit.
Deficitario *adj* deficitário.
Definición *s* definição, decisão.
Definir *v* definir, determinar, enunciar, decidir.
Definitivo *adj* definitivo.
Deflación *s* deflação.
Deflagar *v* deflagar, desencadear.
Deforestación *s* deflorestamento, desmatamento.
Deforestar *v* deflorestar, desmatar.
Deformación *s* deformação.
Deformar *v* deformar, alterar.
Deformidad *s* deformidade.
Defraudar *v* defraudar, furtar, despojar.
Defunción *s* falecimento, morte.
Degeneración *s* degeneração, decadência, aviltamento.
Degenerar *v* degenerar, decair, declinar.
Deglución *s* deglutição, ingestão.
Deglutir *v* deglutir, ingerir, engolir.
Degollación *s* degolação.
Degollar *v* degolar, decapitar.
Degradable *adj* degradável.
Degradante *adj* degradante, humilhante.
Degradar *v* degradar, humilhar, aviltar.
Degustación *s* degustação.
Dehesa *s* devesa, pastagem.
Deidad *s* deidade, divindade.
Dejadez *s* preguiça, negligência, desleixo.
Dejar *v* deixar, abandonar, omitir, tolerar.
Delación *s* delação, denúncia, acusação.
Delantal *s* avental.
Delante *adv* diante, em frente, defronte, frente a.
Delantera *s* dianteira, fachada.
Delantero *adj* dianteiro.
Delatar *v* delatar, enunciar, acusar.
Delator *s* delator, denunciante, acusador.

Delegación *s* delegação, missão.
Delegado *adj* delegado, enviado, encarregado.
Delegar *v* delegar, incumbir.
Deleitar *v* deleitar, deleitar-se.
Deleite *s* deleite, encanto, prazer sensual.
Deletrear *v* soletrar.
Delfín *s* delfim.
Delgadez *s* magreza.
Delgado *adj* delgado, magro, fino, tênuo, delicado.
Deliberación *s* deliberação, decisão.
Deliberar *v* deliberar, decidir.
Delicadeza *s* delicadeza, suavidade, cortesia, fragilidade.
Delicado *adj* delicado, suave, meigo, amável.
Delicia *s* delícia, deleite, encanto.
Delicioso *adj* delicioso, excelente.
Delimitar *v* delimitar, demarcar.
Delincuencia *s* delinquência.
Delincuente *adj* delinquente.
Delineante *s* delineador, projetista.
Delinear *v* delinear, delimitar, esboçar.
Delinquir *v* delinquir.
Delirar *v* delirar, devanear.
Delirio *s* delírio, devaneio, desordem.
Delito *s* delito, crime.
Delta *s* delta.
Demacrarse *v* consumir-se, extenuar-se.
Demagogia *s* demagogia.
Demagógico *adj* demagógico.
Demagogo *adj* demagogo.
Demanda *s* demanda, petição, requerimento.
Demandar *v* demandar, pedir, rogar, exigir.
Demarcar *v* demarcar, delimitar, assinalar.
Demás *adj* demais, outro; *adv* além disso.
Demasía *s* demasia, excesso.
Demasiado *adj* demasiado, excessivo.
Demencia *s* demência, loucura.
Demente *adj* demente, louco, imbecil.
Demiurgo *s* demiurgo.
Democracia *s* democracia.
Demócrata *adj* democrata.
Democrático *adj* democrático.
Democratizar *v* democratizar.
Demografía *s* demografia.
Demoler *v* demolir, derrubar, desmantelar, destruir.
Demoníaco *adj* demoníaco.
Demonio *s* demônio, diabo.
Demora *s* demora, atraso.
Demorar *v* demorar, retardar.
Demostrar *v* demonstrar, manifestar.
Denegación *s* denegação, recusa.
Denegar *v* denegar, negar, recusar.
Denigrar *v* denegrir.
Denodado *adj* impetuoso, ousado.
Denominar *v* denominar, nomear, chamar, distinguir.
Denotar *v* denotar, anunciar, indicar.
Densidad *s* densidade, espessura.
Denso *adj* denso, espesso, compacto.
Dentado *adj* dentado.
Dentadura *s* dentadura, dentadura postiça.
Dentar *v* dentar, dentear.
Dentición *s* dentição.
Dentífrico *s* dentifrício.
Dentista *s* dentista.
Dentro *adv* dentro.
Denuesto *s* afronta, insulto.
Denuncia *s* denúncia, delação, acusação.
Denunciar *v* denunciar, acusar, noticiar, declarar.
Deparar *v* deparar, proporcionar, conceder.
Departamento *s* departamento, apartamento.
Depauperar *v* depauperar, debilitar.
Dependencia *s* dependência, subordinação.
Depender *v* depender, subordinar-se.
Dependiente *adj* dependente, empregado, subordinado.
Depilación *s* depilação.
Depilar *v* depilar.
Depilatorio *adj* depilatório.
Deplorable *adj* deplorável, lamentável.
Deplorar *v* deplorar, lamentar, lastimar.

Deponer *v* depor, destituir, separar, evacuar, defecar.
Deportación *s* deportação, exílio.
Deportar *v* deportar, exilar, banir.
Deporte *s* esporte, recreação.
Deportista *adj* esportista.
Deportivo *adj* esportivo.
Deposición *s* deposição, destituição, exoneração, evacuação.
Depositar *v* depositar, entregar, confiar, colocar.
Depósito *s* depósito.
Depravación *s* depravação, perversão.
Depravado *adj* depravado, viciado, corrompido.
Depreciar *v* depreciar, desvalorizar.
Depredación *s* depredação.
Depredar *v* depredar, saquear.
Depresión *s* depressão.
Depresivo *adj* depressivo, deprimente.
Deprimir *v* deprimir, humilhar, rebaixar.
Deprisa *adv* depressa, rapidamente.
Depurar *v* depurar, limpar, purificar.
Derecha *s* direita, destra, mão direita.
Derecho *adj* reto, igual, justo, legítimo.
Deriva *s* deriva.
Derivar *v* derivar.
Dermatitis *s* dermatite.
Dermatología *s* dermatologia.
Dermatólogo *s* dermatologista.
Dérmico *adj* dérmico.
Dermis *s* derme.
Derogar *v* derrogar, anular, destruir.
Derramar *v* derramar, verter, entornar, transbordar.
Derrame *s* derramamento.
Derredor *s* derredor, contorno.
Derretir *v* derreter, descongelar.
Derribar *v* derrubar, desmantelar.
Derrochar *v* esbanjar, desperdiçar, dissipar.
Derroche *s* esbanjamento, desperdício.
Derrotar *v* derrotar, arruinar, destruir.
Derrotero *s* roteiro, caminho, via, rumo.
Derrotismo *s* derrotismo, pessimismo.
Derruir *v* derruir, destruir, desmoronar, arruinar.
Derrumbar *v* derrubar, despencar.
Derrumbe *s* despenhadeiro, precipício, derrubada.
Desabastecer *v* desabastecer, desprover.
Desabotonar *v* desabotoar, desabrochar.
Desabrido *adj* desabrido, tempestuoso, áspero, severo.
Desabrir *v* desaminar, temperar mal.
Desabrochar *v* desabrochar, abrir.
Desacatar *v* desacatar, desobedecer, afrontar.
Desacato *s* desacato, desobediência, escândalo.
Desacelerar *v* desacelerar.
Desaconsejar *v* desaconselhar, dissuadir.
Desacoplar *v* separar, desajustar.
Desacordar *v* desacordar, desafinar, destoar.
Desacostumbrar *v* desacostumar.
Desacreditar *v* desacostumar.
Desacuerdo *s* desacordo, discórdia, desarranjo.
Desafiar *v* desafiar, provocar.
Desafinar *v* desafinar, destoar.
Desafío *s* desafio, provocação.
Desafortunado *adj* desafortunado, desventurado, infeliz.
Desafuero *s* desaforo, atrevimento.
Desagradar *v* desagradar, desgostar.
Desagradecer *v* não agradecer.
Desagradecido *adj* ingrato, mal-agradecido.
Desagrado *s* desagrado, desgosto, descontentamento.
Desagraviar *v* desagravar, vingar.
Desagravio *s* desagravo, reparação.
Desaguar *v* desaguar.
Desagüe *s* desaguamento.
Desahogar *v* desafogar, aliviar, desabafar.
Desahogo *s* desafogo, alívio.
Desahuciar *v* desesperançar.
Desahucio *s* despejo (de inquilino).
Desairar *v* desprezar, humilhar.
Desajustar *v* desajustar, desnivelar, desconcertar.
Desalentar *v* desalentar, desanimar, desconsolar.

Desaliñar *v* desalinhar, desarranjar.
Desalmado *adj* desalmado, malvado, cruel.
Desalojar *v* desalojar, expulsar.
Desamarrar *v* desamarrar, soltar.
Desamparar *v* desamparar, abandonar.
Desangrar *v* tirar o sangue.
Desanimar *v* desanimar, desencorajar.
Desánimo *s* desânimo, desalento, abatimento.
Desapacible *adj* desagradável.
Desaparecer *v* desaparecer, sumir.
Desapegar *v* desapegar.
Desaprobrar *v* desaprovar.
Desaprovechar *v* desperdiçar.
Desarmar *v* desarmar, desmantelar.
Desarraigar *v* desarraigar, desenraizar.
Desarreglar *v* desregrar, desordenar.
Desarrollar *v* desenvolver, estender.
Desarrollo *s* desenvolvimento, progresso.
Desarticular *v* desarticular, deslocar.
Desasear *v* encardir, sujar.
Desasir *v* soltar, largar, desprender.
Desasosegar *v* desassossegar, inquietar.
Desastre *s* desastre, fatalidade.
Desatar *v* desatar, soltar, desamarrar.
Desatascar *v* desentupir, desatolar.
Desatender *v* desatender, desconsiderar.
Desatinar *v* desatinar.
Desatino *s* desatino, loucura.
Desautorizar *v* desautorizar.
Desavenir *v* discordar, indispor.
Desayunar *v* desjejum, tomar o café da manhã.
Desbancar *v* desbancar, despejar.
Desbandar *v* debandar.
Desbarajuste *s* desordem, desarranjo.
Desbaratar *v* desbaratar, arruinar.
Desbarrar *v* esbarrar, descarrilar.
Desbastar *v* desbastar, diminuir.
Desbloquear *v* desbloquear.
Desbordar *v* transbordar.
Desbravar *v* desbravar.
Descabellar *v* descabelar, despentear.
Descabezar *v* decapitar.
Descalabro *s* descalabro, dano.
Descalificar *v* desqualificar, desclassificar.
Descalzar *v* descalçar.
Descaminar *v* desencaminhar, extraviar.
Descampado *adj* descampado, despovoado.
Descansar *v* descansar, tranquilizar, repousar, sossegar.
Descanso *s* descanso, repouso, quietude, sossego, alívio.
Descarado *adj* descarado, atrevido, insolente.
Descargar *v* descarregar, esvaziar.
Descarnar *v* descarnar.
Descaro *s* descaramento, insolência, atrevimento.
Descarriar *v* descarrilar, desencaminhar.
Descarrilar *v* descarrilar, sair do trilho.
Descartar *v* descartar, excluir.
Descasar *v* descasar, separar-se.
Descascarar *v* descascar.
Descendencia *s* descendência, linhagem.
Descender *v* descender, descer.
Descendiente *adj* descendente, sucessor.
Descenso *s* descenso, descensão.
Descentralización *s* descentralização.
Descentralizar *v* descentralizar, descentrar.
Descentrar *v* descentrar, descentralizar.
Descerrar *v* descerrar, abrir.
Descifrar *v* decifrar, interpretar.
Desclavar *v* desencravar, despregar.
Descocado *adj* descarado, atrevido, ousado.
Descoco *s* descaramento, atrevimento, desplante.
Descodificar *v* decodificar.
Descolgar *v* desprender, arriar.
Descollar *v* sobressair.
Descolonizar *v* descolonizar.
Descolorido *adj* descolorido, desbotado.
Descombrar *v* desentulhar, desobstruir.
Descomedido *adj* descomedido, desproporcional.
Descompasado *adj* descompassado.
Descomponer *v* decompor, desordenar, apodrecer.
Descomposición *s* decomposição, putrefação.

Descompostura *s* descompostura, desalinho.
Descompuesto *adj* descomposto, desarranjado.
Descomunal *adj* descomunal, enorme, colossal.
Desconcertar *v* desconcertar, perturbar, embaraçar.
Desconcierto *s* desconcerto, desarranjo.
Desconectar *v* desligar, desvincular.
Desconfiado *adj* desconfiado, receoso.
Desconfianza *s* desconfiança, suspeita.
Desconfiar *v* desconfiar, suspeitar, recear.
Descongelar *v* descongelar.
Descongestionar *v* descongestionar.
Desconocer *v* desconhecer, ignorar.
Desconsideración *s* desconsideração.
Desconsolar *v* desconsolar, desolar.
Desconsuelo *s* desconsolo.
Descontaminar *v* descontaminar.
Descontar *v* descontar, abater, deduzir.
Descontento *adj* descontente, descontentamento.
Descorazonar *v* desacorçoar, desalentar, desencorajar.
Descorchar *v* tirar a rolha, abrir (garrafa).
Descorrer *v* retroceder, retornar.
Descortés *adj* descortês, grosseiro.
Descortesía *s* descortesia, grosseria.
Descoser *v* descosturar.
Descote *s* decote.
Descoyuntar *v* desconjuntar.
Descrédito *s* descrédito, desonra.
Descreído *adj* descrente, incrédulo.
Describir *v* descrever, narrar, explicar.
Descuartizar *v* esquartejar, despedaçar.
Descubierta *s* descoberta, descobrimento, revelação.
Descubierto *adj* descoberto, destampado.
Descubrir *v* descobrir, achar.
Descuento *s* desconto, abatimento.
Descuidar *v* descuidar.
Descuido *s* descuido, negligência.
Desde *prep* desde, a partir de.
Desdecir *v* desdizer, negar.
Desdén *s* desdém, indiferença.
Desdeñar *v* desdenhar, descuidar, desprezar.
Desdicha *s* desdita, infortúnio.
Desdichado *adj* desventurado, infeliz.
Desdoblar *v* desdobrar.
Deseable *adj* desejável.
Desear *v* desejar, querer, aspirar.
Desechar *v* desprezar, excluir.
Desembarazar *v* desembaraçar, desocupar, livrar.
Desembarazo *s* desembaraço, desenvoltura, agilidade.
Desembarcar *v* desembarcar.
Desembocar *v* desembocar, entrar, desaguar.
Desembolsar *v* desembolsar.
Desembrollar *v* desembrulhar.
Desempacar *v* desempacotar.
Desempaquetar *v* desembrulhar.
Desempatar *v* desempatar.
Desempeñar *v* desempenhar, executar, exercitar.
Desempeño *s* desempenho, interpretação.
Desempleado *adj* desempregado.
Desempleo *s* desemprego.
Desempolvar *s* desempoeirar.
Desencadenar *v* desencadear, desprender.
Desencajar *v* desencaixar.
Desencajonar *v* desencaixotar, desembalar.
Desencaminar *v* desencaminhar.
Desencantar *v* desencantar, desiludir.
Desencanto *s* desencanto, desilusão.
Desenchufar *v* desligar, desconectar.
Desencuadernar *v* desencadernar.
Desenfadar *v* desenfadar, distrair, alegrar.
Desenfado *s* desenfado, distração.
Desenfrenar *v* desenfrear.
Desenganchar *v* desenganchar, desprender, soltar.
Desengañar *v* desenganar, desiludir.
Desengaño *s* desengano, desilusão.
Desenlace *s* desenlace.
Desenlazar *v* desenlaçar.

Desenredar *v* desenredar, desembaraçar.
Desenrollar *v* desenrolar.
Desenroscar *v* desenroscar.
Desentenderse *v* desentender-se, desinteressar-se.
Desenterrar *v* desenterrar.
Desentonar *v* desentoar, desafinar.
Desentrañar *v* desentranhar.
Desentumecer *v* desentorpecer.
Desenvoltura *s* desenvoltura, desembaraço.
Desenvolver *v* desembrulhar, esclarecer.
Desenvolvimiento *s* desenvolvimento, desenvolver.
Desenvuelto *adj* desenvolto, desembaraçado.
Deseo *s* desejo, vontade, apetite.
Desequilibrar *v* desequilibrar.
Desequilibrio *s* desequilíbrio.
Desertar *v* desertar, abandonar.
Desertor *adj* desertor.
Desesperar *v* desesperar.
Desestimar *v* desprezar, menosprezar, desconsiderar.
Desfachatez *s* desfaçatez, descaramento.
Desfalcar *v* desfalcar, reduzir.
Desfallecer *v* desfalecer, desmaiar.
Desfasar *v* defasar.
Desfavorable *adj* desfavorável.
Desfigurar *v* desfigurar.
Desfiladero *s* desfiladeiro.
Desfilar *v* desfilar.
Desfile *s* desfile.
Desfloración *s* defloramento.
Desflorar *v* deflorar; FIG desonrar.
Desgajar *v* escachar, desgalhar, despedaçar.
Desgana *s* inapetência; FIG tédio.
Desganar *v* aborrecer, perder o apetite.
Desgarrar *v* rasgar, dilacerar, esfarrapar.
Desgarro *s* rompimento, ruptura, dilaceração.
Desgastar *v* desgastar.
Desglosar *v* separar, suprimir folhas de um impresso.
Desgobernar *v* desgovernar.
Desgracia *s* desgraça, infelicidade, desventura, azar.
Desgraciado *adj* desgraçado, infeliz, desventurado.
Desgraciar *v* desgraçar, desagradar, estragar.
Desgranar *v* debulhar, descaroçar.
Desgrasar *v* desengordurar, desensebar, desengraxar.
Desgreñar *v* desgrenhar, despentear, descabelar-se.
Desguace *s* desmantelamento.
Desguarnecer *v* desguarnecer.
Deshabitar *v* desabitar, despovoar.
Deshacer *v* desfazer, desmanchar.
Desharrapado *adj* esfarrapado.
Deshecho *adj* desfeito.
Deshelar *v* degelar, descongelar.
Desheredar *v* deserdar.
Deshidratar *v* desidratar.
Deshielo *s* degelo, descongelamento.
Deshilachar *v* desfiar.
Deshilar *v* desfiar, desfibrar.
Deshinchar *v* arrancar.
Deshojar *v* desfolhar.
Deshonestidad *adj* desonestidade.
Deshonra *s* desonra.
Deshuesar *v* desossar, descaroçar.
Deshumanizar *v* desumanizar.
Desidia *s* indolência.
Desierto *adj* deserto, desabitado, despovoado.
Designar *v* designar, apontar.
Desigual *adj* desigual, diferente, variável.
Desigualar *v* desigualar.
Desigualdad *s* desigualdade, diferença.
Desilusión *s* desilusão, desengano, desencanto.
Desilusionar *v* desiludir, desenganar, desencantar.
Desinencia *s* desinência.
Desinfectar *v* desinfetar, sanear.
Desinflar *v* desinflar.
Desintegrar *v* desintegrar, decompor.
Desinterés *s* desinteresse, indiferença.
Desinteresarse *v* desinteressar-se.

Desistir *v* desistir, ceder, abandonar, deixar.
Desleal *adj* desleal, infiel, traidor.
Deslenguado *adj* desbocado.
Desligar *v* desligar, desamarrar.
Deslindar *v* deslindar.
Desliz *s* deslize, escorregão; FIG erro.
Deslizar *v* deslizar, escorregar.
Deslucido *adj* opaco, fosco, sem brilho.
Deslumbrar *v* deslumbrar, ofuscar, estontear.
Desmán *s* desmando, abuso.
Desmandar *v* desmandar, debandar.
Desmantelamiento *s* desmantelamento.
Desmantelar *v* desmantelar, desbaratar.
Desmayar *v* desmaiar, desfalecer.
Desmayo *s* desmaio.
Desmedido *adj* desmedido, desmesurado.
Desmejorar *v* piorar.
Desmembrar *v* desmembrar.
Desmentir *v* desmentir; FIG dividir.
Desmenuzar *v* esmiuçar, esmigalhar.
Desmerecer *v* desmerecer.
Desmesurado *adj* desmesurado, excessivo.
Desmilitarizar *v* desmilitarizar.
Desmontar *v* desmontar, desbravar, apear.
Desmoralizar *v* desmoralizar.
Desmoronar *v* desmoronar, derrubar, demolir.
Desnatar *v* desnatar.
Desnaturalizar *v* desnaturalizar.
Desnivel *s* desnível, desigualdade.
Desnuclearizar *v* desnuclearizar.
Desnudar *v* desnudar, despir, despojar.
Desnudez *s* nudez.
Desnudo *adj* nu, desnudo, despido.
Desnutrición *s* desnutrição.
Desnutrir *v* desnutrir.
Desobedecer *v* desobedecer, desrespeitar.
Desobediencia *s* desobediência, indisciplina.
Desocupar *v* desocupar, deixar, abandonar.
Desodorante *adj* desodorante.
Desoír *v* não ouvir, não entender.
Desolación *s* desolação.
Desollar *v* esfolar.
Desorbitar *v* exorbitar, exagerar.
Desorden *s* desordem, confusão.
Desordenar *v* desordenar, desarranjar, desarrumar.
Desorganizar *v* desorganizar, perturbar, desordenar.
Desorientar *v* desorientar, desnortear.
Desovar *v* desovar.
Despabilar *v* espevitar, avivar.
Despachar *v* despachar, expedir.
Despacho *s* despacho, decisão, escritório.
Despachurrar *v* esmagar.
Despacio *adv* devagar, lentamente, silenciosamente.
Despacito *adv* devagarinho.
Despampanante *adj* espantoso, deslumbrante.
Desparejo *s* desigual, díspar.
Desparramar *v* esparramar, espalhar, desperdiçar.
Despavorido *adj* apavorado.
Despechado *adj* despeitado.
Despecho *s* despeito, irritação.
Despedazar *v* despedaçar, partir.
Despedida *s* despedida.
Despedir *v* despedir, lançar, expulsar.
Despegar *v* separar, decolar.
Despeinar *v* despentear.
Despejar *v* despejar, esvaziar, desocupar; FIG esclarecer.
Despellejar *v* esfolar, pelar.
Despensa *s* despensa.
Despeñadero *s* despenhadeiro, precipício.
Despeñar *v* despenhar, precipitar, atirar.
Desperdiciar *v* desperdiçar, esbanjar.
Desperdicio *s* desperdício, esbanjamento.
Desperdigar *v* separar, esparramar.
Desperezarse *v* espreguiçar-se.
Desperfecto *s* defeito leve, imperfeição.
Despersonalizar *v* despersonalizar.
Despertador *s* despertador.
Despertar *v* despertar, acordar.
Despiadado *adj* desumano, despiedado, despiedoso.

Despilfarrar *v* esbanjar, desperdiçar.
Despilfarro *s* esbanjamento, dissipação, desordem.
Despistar *v* despistar, desorientar, desinformar.
Desplante *s* desplante, descaramento.
Desplazar *v* descolar, mudar.
Desplegar *v* despregar, desenrolar, estender.
Desplomar *v* desaprumar, desabar.
Despoblar *v* despovoar.
Despojar *v* despojar, espoliar, expropriar.
Despojo *s* despojo, espólio.
Desportillar *v* lascar, fender.
Desposar *v* desposar, casar.
Desposeer *v* desempossar, expropriar.
Desposorio *s* esponsais.
Déspota *s* déspota, tirano.
Despotismo *s* despotismo, tirania.
Despreciable *adj* desprezível, vergonhoso.
Despreciar *v* desprezar, menosprezar.
Despreciativo *adj* depreciativo, ofensivo.
Desprecio *s* desprezo, menosprezo, desdém.
Desprender *v* desprender, desengatar.
Despreocuparse *v* despreocupar-se.
Desprestigiar *v* desprestigiar, desacreditar.
Desprevenido *s* desprevenido, descuidado.
Desproporción *s* desproporção.
Despropósito *s* despropósito, disparate.
Desproveer *v* desprover, despojar.
Después *adv* depois, após, atrás.
Despuntar *v* despontar, aparecer, sobressair.
Desquiciar *v* desengonçar, alterar, desordenar.
Desquitar *v* desforrar, vingar-se.
Desquite *s* desforra, vingança.
Destacar *v* destacar, separar.
Destajo *s* empreitada.
Destapar *v* destapar, descobrir.
Destartalado *adj* desarranjado, descomposto, desproporcionado.
Destellar *v* cintilar, faiscar.
Destemplar *v* destemperar, perturbar.
Desteñir *v* desbotar.
Desterrar *v* desterrar, degredar, exilar.
Destetar *v* desmamar.
Destiempo *adv* fora de tempo.
Destierro *s* desterro, exílio.
Destilar *v* destilar, filtrar, gotejar.
Destilería *s* destilaria.
Destinar *v* destinar, designar, dedicar.
Destino *s* destino, fatalidade.
Destituir *v* destituir.
Destornillador *s* chave de fenda.
Destornillar *v* desaparafusar.
Destreza *s* destreza, habilidade, jeito.
Destripar *v* estripar.
Destronar *v* destronar, depor.
Destrozar *v* destroçar, despedaçar, destruir.
Destructor *adj* destruidor.
Destruir *v* destruir, arruinar, desfazer.
Desunión *s* desunião.
Desunir *v* desunir, separar, desatar.
Desuso *adj* desuso.
Desvaído *adj* desbotado.
Desvalido *adj* desvalido, desamparado.
Desvalijar *v* roubar.
Desvalorizar *v* desvalorizar.
Desván *s* desvão.
Desvanecer *v* desvanecer, apagar, desmaiar.
Desvariar *v* desvairar, delirar.
Desvelar *v* desvelar, tirar o sono.
Desvelo *s* desvelo, cuidado, zelo.
Desvencijar *v* desvencilhar, separar.
Desventaja *s* desvantagem.
Desventura *s* desventura, infelicidade.
Desvergüenza *s* sem vergonhice.
Desvestir *v* despir.
Desviar *v* desviar, afastar, apartar.
Desvincular *v* desvincular.
Desvirtuar *v* desvirtuar, deturpar.
Detall *loc adv* a varejo.
Detallar *v* detalhar, esmiuçar.
Detalle *s* detalhe, minúcia, pormenor.
Detectar *v* detectar, descobrir.
Detective *s* detetive.
Detener *v* deter, prender, impedir, reter.
Detenido *adj* detido, preso.

Detergente *s* detergente.
Deteriorar *v* deteriorar, apodrecer, estragar.
Deterioro *s* deterioração, estrago.
Determinación *s* determinação.
Determinar *v* determinar, estabelecer, assentar, decidir.
Detestable *adj* detestável, abominável.
Detestar *v* detestar, condenar, repelir.
Detonar *v* detonar, estourar, explodir.
Detractor *v* detrator.
Detrás *adv* detrás, atrás.
Detrimento *s* detrimento, prejuízo, dano.
Detrito *s* detrito, resíduo.
Deuda *s* dívida, débito.
Deudo *s* parente, parentesco.
Deudor *s* devedor.
Devaluar *v* desvalorizar, depreciar.
Devaneo *s* devaneio, sonho.
Devastar *v* devastar, arruinar, assolar, destruir.
Devenir *v* suceder, acontecer.
Devoción *s* devoção, dedicação, zelo.
Devolver *v* devolver, restituir.
Devorar *v* devorar, consumir, comer.
Devoto *adj* devoto, afeiçoado.
Deyección *s* dejeção, defecação.
Día *s* dia.
Diabetes *s* diabete.
Diablo *s* diabo, demônio.
Diabólico *adj* diabólico.
Diácono *s* diácono.
Diadema *s* diadema, tiara.
Diáfano *adj* diáfano, transparente.
Diafragma *s* diafragma.
Diagnosticar *v* diagnosticar.
Diagrama *s* diagrama, esquema.
Dialecto *s* dialeto.
Dialético *adj* dialético.
Dialogar *v* dialogar, conversar.
Diálogo *s* diálogo, conversa, colóquio.
Diamante *s* diamante.
Diámetro *s* diâmetro.
Diapositiva *s* diapositivo, *slide*.
Diario *adj* diário; *s* jornal, periódico.
Diarrea *s* diarreia.
Diáspora *s* diáspora, dispersão.
Diástole *s* diástole.
Dibujante *adj* desenhista.
Dibujar *v* desenhar.
Dibujo *s* desenho.
Dicción *s* dicção.
Diccionario *s* dicionário.
Dicha *s* fortuna, felicidade, sorte.
Dicho *s* dito, sentença.
Dichoso *adj* ditoso, feliz, bem-aventurado.
Diciembre *s* dezembro.
Dictado *s* ditado.
Dictador *s* ditador, déspota.
Dictadura *s* ditadura.
Dictamen *s* ditame.
Dictar *v* ditar, ordenar, mandar.
Didáctica *s* didática.
Diente *s* dente.
Diéresis *s* diérese.
Diésel *s* diesel.
Diestro *adj* destro, direito, hábil.
Dieta *s* dieta, regime alimentar.
Dietario *s* agenda.
Dietético *adj* dietético.
Diez *num* dez.
Diezmar *v* pagar dízimo.
Difamar *v* difamar, caluniar.
Diferencia *s* diferença, diversidade.
Diferencial *adj* diferencial.
Diferenciar *v* diferenciar, distinguir, discordar.
Diferente *adj* diferente, desigual, diverso.
Diferir *v* diferir, demorar, adiar.
Difícil *adj* difícil, custoso, trabalhoso, arriscado.
Dificultad *s* dificuldade, embaraço, transtorno.
Dificultar *v* dificultar.
Difteria *s* difteria.
Difundir *v* difundir, espalhar, propagar.
Difunto *adj* defunto, falecido, morto.
Difusión *s* difusão, divulgação.
Digerir *v* digerir, engolir.
Digestión *s* digestão.
Digital *adj* digital.
Dígito *s* dígito.
Dignarse *v* dignar-se, condescender.

Dignidad *s* dignidade.
Dignificar *v* dignificar, honrar, enobrecer.
Digno *adj* digno, merecedor, honesto.
Digresión *s* digressão.
Dilación *s* demora, atraso.
Dilapidar *v* dilapidar, esbanjar, desperdiçar.
Dilatación *s* dilatação, ampliação.
Dilatar *v* dilatar, estender, alongar, demorar, retardar.
Dilema *s* dilema.
Diletante *s* diletante.
Diligencia *s* diligência, prontidão, agilidade, pressa, carruagem.
Dilucidar *v* elucidar, esclarecer.
Diluir *v* diluir, dissolver.
Diluvio *s* dilúvio.
Dimensión *s* dimensão, medida, tamanho.
Diminutivo *adj* diminutivo.
Diminuto *adj* diminuto, pequeno, minúsculo.
Dimisión *s* demissão, renúncia, exoneração.
Dimitir *v* demitir, exonerar.
Dinamarqués *adj* dinamarquês.
Dinámica *s* dinâmica.
Dinamita *s* dinamite.
Dínamo *s* dínamo.
Dinastía *s* dinastia.
Dinero *s* dinheiro.
Dinosaurio *s* dinossauro.
Dios *s* Deus.
Diosa *s* deusa.
Diploma *s* diploma.
Diplomacia *s* diplomacia.
Diptongo *s* ditongo.
Diputado *s* deputado.
Dique *s* dique, açude, doca.
Dirección *s* direção, rumo.
Directo *adj* direto, reto.
Director *adj* diretor.
Directriz *s* diretriz.
Dirigir *v* dirigir, guiar, conduzir, governar.
Discente *adj* discente.
Discernimiento *s* discernimento.
Disciplina *s* disciplina, obediência.
Discípulo *s* discípulo, aluno.
Disco *s* disco.
Díscolo *adj* rebelde, indócil.
Disconforme *adj* desconforme, inconformado.
Discontinuo *adj* descontínuo, interrompido.
Discordancia *s* discordância, divergência.
Discoteca *s* discoteca.
Discreción *s* discrição, reserva.
Discrepar *v* discrepar, divergir.
Discreto *adj* discreto, reservado.
Discriminar *v* discriminar, distinguir, separar.
Disculpa *s* desculpa.
Disculpar *v* desculpar, perdoar.
Discurrir *v* discorrer.
Discurso *s* discurso.
Discusión *s* discussão, debate, polêmica.
Discutir *v* discutir, debater.
Disecar *v* dissecar.
Diseminar *v* disseminar, semear, espalhar.
Disensión *s* dissensão, oposição, contradição.
Disentería *s* disenteria, diarreia.
Disentir *v* dissentir, discrepar, discordar.
Diseñar *v* desenhar.
Diseño *s* desenho.
Disertar *v* dissertar, discorrer.
Disfraz *s* disfarce, fantasia.
Disfrazar *v* disfarçar, encobrir, mentir, fantasiar.
Disfrutar *v* desfrutar, aproveitar.
Disgregar *v* desagregar, dispersar.
Disgustar *v* desgostar, aborrecer, magoar.
Disgusto *s* desgosto, aborrecimento.
Disidencia *s* dissidência.
Disimular *v* dissimular, esconder, encobrir, ocultar.
Disimulo *s* dissimulação, encobrimento.
Disipar *v* dissipar, consumir, devorar, esbanjar.
Dislate *s* dislate, disparate.
Dislexia *s* dislexia.
Dislocar *v* deslocar, mexer.

Disminuir *v* diminuir, reduzir, abater, minguar.
Disociar *v* dissociar, separar, desagregar.
Disolución *s* dissolução, desagregação.
Disolvente *adj* solvente.
Disolver *v* dissolver, diluir.
Disonancia *s* dissonância, desarmonia.
Disonar *v* destoar, discrepar.
Dispar *adj* díspar, desigual.
Disparada *s* disparada, correria, fuga precipitada.
Disparar *v* disparar, atirar (com arma de fogo).
Disparatar *v* desatinar, desvairar.
Disparate *s* disparate, despropósito, desatino, absurdo.
Disparidad *s* disparidade, desigualdade.
Disparo *s* disparo, tiro.
Dispendio *s* dispêndio, consumo, despesa.
Dispensar *v* dispensar, dar, desculpar.
Dispensario *s* dispensário.
Dispepsia *s* dispepsia.
Dispersar *v* dispersar, separar, espalhar.
Displicencia *s* displicência.
Disponer *v* dispor, arrumar, coordenar, preparar.
Dispuesto *adj* disposto, hábil, apto, animado.
Disputa *s* disputa, luta, debate, controvérsia.
Disputar *v* disputar, lutar, debater.
Distancia *s* distância.
Distanciar *v* distanciar, afastar.
Distender *v* distender, afastar.
Distinguir *v* distinguir, honrar, avistar.
Distinto *adj* distinto, diferente.
Distorsión *s* distorsão.
Distorsionar *v* distorcer.
Distracción *s* distração, recreação.
Distraer *v* distrair, divertir.
Distribuir *v* distribuir, dividir.
Distrito *s* distrito, circunscrição.
Disturbio *s* distúrbio, desordem, tumulto.
Disuadir *v* dissuadir, desviar.
Disyuntor *s* disjuntor, interruptor.
Diurético *adj* diurético.
Diurno *adj* diurno.
Divagar *v* divagar.
Diván *s* divã, sofá.
Divergencia *s* divergência, discórdia.
Divergir *v* divergir, discordar.
Diversidad *s* diversidade, diferença, variedade.
Diversificar *v* diversificar, variar.
Diversión *s* diversão, distração, passatempo.
Diverso *adj* diverso, diferente.
Divertir *v* divertir, recrear, alegrar, entreter.
Dividir *v* dividir, partir, cortar.
Divindad *s* divindade.
Divino *adj* divino, maravilhoso.
Divisa *s* divisa, lema.
Divisar *v* divisar, perceber, entrever.
División *s* divisão.
Divisor *s* divisor.
Divorciar *v* divorciar.
Divulgar *v* divulgar, expandir.
Do *s* dó, primeira nota da escala.
Dobladillo *s* prega, bainha, franzido (em roupa).
Doblado *adj* dobrado, duplicado, amarrotado.
Doblaje *s* dublagem.
Doblar *v* dobrar, duplicar, dublar, mudar de direção, inclinar.
Doble *adj* dobro, duplo, falso, fingido.
Doblegar *v* dobrar, torcer, amolecer.
Doblez *s* dobra, vinco; FIG falsidade.
Docena *s* dúzia.
Docente *s* docente.
Dócil *adj* dócil, suave, submisso.
Docto *s* douto, sábio, ilustrado.
Doctor *s* doutor, médico.
Doctrina *s* doutrina, norma, disciplina.
Documentación *s* documentação.
Documental *adj* documental; *s* documentário.
Documentar *v* documentar, fundamentar, comprovar.
Documento *s* documento, prova, confirmação.
Dogma *s* dogma.

Dólar *s* dólar.
Dolencia *s* doença, indisposição, mal, achaque.
Doler *v* doer, padecer.
Dolo *s* dolo, fraude, engano.
Dolor *s* dor, mágoa, pesar.
Doloroso *adj* doloroso, lamentável.
Doloso *adj* doloso, fraudulento.
Domador *s* domador.
Domar *v* domar, domesticar.
Domeñar *v* dominar, submeter, reprimir.
Domesticar *v* domesticar, amansar.
Doméstico *adj* doméstico.
Domiciliar *v* domiciliar.
Domicilio *s* domicílio, residência.
Dominar *v* dominar, sujeitar, subjugar, conquistar.
Domingo *s* domingo.
Dominguero *adj* domingueiro.
Dominicano *adj* dominicano.
Dominio *s* domínio, posse, propriedade.
Dominó *s* dominó.
Don *s* dom, dádiva, qualidade.
Donación *s* doação.
Donaire *s* elegância, graça, gentileza.
Donar *v* doar, presentear.
Donativo *s* donativo, doação, oferta, esmola.
Doncella *s* donzela.
Donde *adv* onde.
Dondequiera *adv* onde quer que seja.
Doña *s* dona, senhora, proprietária.
Dorado *adj* dourado.
Dorar *v* dourar.
Dormilón *adj* dorminhoco, preguiçoso.
Dormir *v* dormir, repousar, pernoitar.
Dormitar *v* cochilar.
Dorso *s* dorso, costas.
Dos *num* dois.
Dosificar *v* dosar.
Dosis *s* dose, dosagem.
Dotación *s* dotação.
Dotar *v* dotar, prover.
Dote *s* dote.
Draga *s* draga.
Dragar *v* dragar.
Dragón *s* dragão.
Drama *s* drama.
Dramático *adj* dramático.
Dramaturgia *s* dramaturgia.
Drástico *adj* drástico, violento.
Drenaje *s* drenagem.
Droga *s* droga.
Drogadicto *adj* drogado, viciado.
Droguería *s* drogaria.
Dromedario *s* dromedário.
Dualidad *s* dualidade.
Ducha *s* ducha, chuveiro.
Dúctil *adj* dúctil, flexível.
Duda *s* dúvida, incerteza, suspeita.
Dudar *v* duvidar, desconfiar, suspeitar.
Dudoso *adj* duvidoso, incerto.
Duelo *s* duelo, dó, lastima, pena.
Duende *s* duende.
Dueño *s* dono, proprietário.
Dulce *adj* doce, brando, grato; *s* doce.
Dulcificar *v* adoçar.
Dulzón *adj* adocicado, enjoativo.
Dulzura *s* doçura.
Duna *s* duna.
Dúo *s* duo.
Duodeno *s* duodeno.
Duplicar *v* duplicar, copiar, dobrar.
Duplo *adj* duplo, dobro.
Duque *s* duque.
Durabilidad *s* durabilidade.
Duradero *adj* duradouro, resistente.
Durante *adv* durante; *conj* enquanto.
Durar *v* durar, persistir, viver.
Durazno *s* pêssego.
Dureza *s* dureza, solidez.
Duro *adj* duro, sólido, consistente, forte.

e E

E sexta letra do alfabeto espanhol; *conj* e (usada diante de palavras iniciadas com i ou hi).
Ebanista *s* ebanista, marceneiro, entalhador.
Ébano *s* ébano.
Ebrio *adj* ébrio, embriagado, bêbado.
Ebullición *s* ebulição, efervescência.
Eccema *s* eczema.
Echar *v* jogar, lançar, atirar, arremessar, jogar fora, exalar, expulsar, projetar (filme), seguir (carreira), calcular, entregar, repartir.
Ecléctico *adj* eclético, versátil.
Eclesiástico *adj* eclesiástico.
Eclipsar *v* eclipsar.
Eclipse *s* eclipse.
Eclosión *s* eclosão, explosão.
Eco *s* eco.
Ecografía *s* ecografia.
Ecología *s* ecologia.
Ecológico *adj* ecológico.
Economato *s* cooperativa de consumo, varejão.
Economía *s* economia, moderação, conjunto de bens.
Economizar *v* economizar, poupar, acumular, juntar, guardar.
Ecosistema *s* ecossistema.
Ecuación *s* equação.
Ecuador *s* equador.
Ecuánime *adj* equânime, imparcial.
Ecuatorial *adj* equatorial.
Ecuatoriano *adj* equatoriano.
Ecuestre *adj* equestre.
Ecuménico *adj* ecumênico.
Edad *s* idade, período, era.
Edema *s* edema, inchaço.
Edén *s* éden, paraíso.
Edición *s* edição, impressão, publicação.
Edicto *s* édito, edital, ordem, decreto.
Edificación *s* edificação, construção.
Edificante *adj* edificante, instrutivo.
Edificar *v* edificar, construir.
Edificio *s* edifício, prédio, construção.
Editar *v* editar, publicar, divulgar.
Editor *s* editor.
Editorial *adj* editorial, artigo em jornal; *s* editora.
Edredón *s* edredom, acolchoado.
Educación *s* educação, instrução, ensino, delicadeza, polidez.
Educar *v* educar, instruir, dirigir, ensinar.
Edulcorante *adj* adoçante.
Efectivamente *adv* efetivamente.
Efectivo *adj* efetivo, real, verdadeiro; *s* dinheiro.
Efecto *s* efeito, resultado.
Efectuar *v* efetuar, realizar, concretizar.
Efemérides *s* efeméride, almanaque.
Efervescencia *s* efervescência, ebulição.
Eficacia *s* eficácia, energia, eficiência.
Efigie *s* efígie, imagem, figura.
Efímero *adj* efêmero, passageiro.
Efluvio *s* eflúvio, emanação, fragrância.
Efusión *s* efusão, desafogo.
Egipcio *adj* egípcio.
Egocéntrico *adj* egocêntrico.
Egoísta *s* egoísta, individualista.
Eje *s* eixo.
Ejecución *s* execução, realização, aplicação.
Ejecutar *v* executar, empreender, realizar, cumprir pena de morte.
Ejemplar *adj* exemplar.

Ejemplo *s* exemplo, modelo, demonstração.
Ejercer *v* exercer, praticar, exercitar.
Ejercitar *v* exercitar, treinar, exercer.
Ejército *s* exército.
Ejido *s* exido, baldio.
El *art* o, artigo definido do gênero masculino e singular.
Él *pron* ele, pronome pessoal da terceira pessoa, masculino singular.
Elaborar *v* elaborar, preparar, criar.
Elasticidad *s* elasticidade, maleabilidade, flexibilidade.
Elección *s* eleição, votação, escolha.
Elector *adj* eleitor.
Electoral *adj* eleitoral.
Electricidad *s* eletricidade.
Electrificar *v* eletrificar.
Electrizante *adj* eletrizante.
Electrocardiograma *s* eletrocardiograma.
Electrochoque *s* eletrochoque.
Electrocutar *v* eletrocutar.
Electrodo *s* eletrodo.
Electrodoméstico *adj* eletrodoméstico.
Electrógeno *adj* eletrógeno.
Electrólisis *s* eletrólise.
Electrón *s* elétron.
Electrostática *s* eletrostática.
Elefante *s* elefante.
Elefantíasis *s* elefantíase.
Elegancia *s* elegância, distinção, nobreza.
Elegante *adj* elegante, distinto, nobre.
Elegía *s* elegia.
Elegido *adj* eleito, escolhido.
Elegir *v* eleger, escolher, nomear.
Elemental *adj* elementar, necessário, principal, óbvio.
Elemento *s* elemento, essência, fundamento, matéria.
Elenco *s* elenco.
Elevador *adj* elevador.
Elevar *v* elevar, exaltar, aumentar, erguer.
Eliminar *v* eliminar, suprimir, tirar, separar, excluir.
Elipse *s* elipse, curva.
Elite *s* elite.
Elixir *s* elixir.
Ella *pron* ela, feminino de ele.
Ello *pron neutro* isso, isto.
Ellos, ellas *pron* eles, elas.
Elocución *s* elocução.
Elocuencia *s* eloquência.
Elocuente *adj* eloquente, expressivo.
Elogiar *v* elogiar, louvar, aclamar.
Elogio *s* elogio, louvor, aplauso.
Eludir *v* iludir, enganar.
Emanar *v* emanar, gerar, proceder.
Emancipar *v* emancipar, libertar, livrar.
Embadurnar *v* lambuzar, besuntar, untar, sujar.
Embajada *s* embaixada.
Embajador *s* embaixador.
Embalaje *s* embalagem, empacotamento, encaixotamento.
Embalar *v* embalar, empacotar, embrulhar.
Embaldosar *v* ladrilhar, pavimentar.
Embalsamar *v* embalsamar, mumificar.
Embalse *s* estagnação, represa, açude.
Embarazar *v* embaraçar, impedir, atrapalhar, entravar, engravidar.
Embarcación *s* embarcação, embarque.
Embarcar *v* embarcar.
Embargar *v* embargar, impedir, reter.
Embarque *s* embarque.
Embarrancar *v* atolar, encalhar.
Embarrar *v* embarreirar, barrar.
Embarullar *v* embaralhar, atrapalhar, confundir, desordenar.
Embate *s* embate, choque, golpe.
Embaucar *v* embromar, enganar, iludir.
Embeber *v* embeber, empapar, encharcar.
Embelesar *v* embelezar, encantar.
Embellecer *v* embelezar, ornamentar, enfeitar.
Embestir *v* investir, avançar.
Embetunar *v* betumar.
Emblema *s* emblema, símbolo, insígnia.
Embobar *v* embevecer, distrair, enlevar.
Embocadura *s* embocadura, foz (de rio), bocal (de instrumento).
Embocar *v* embocar.
Embolia *s* embolia, coagulação (do sangue).

Émbolo *s* êmbolo.
Embolsar *v* embolsar, guardar.
Emborrachar *v* embriagar, embebedar.
Emborronar *v* borrar, rabiscar.
Emboscada *s* emboscada, cilada, armadilha.
Emboscar *v* emboscar, esconder.
Embotamiento *s* embotamento, entorpecimento.
Embotar *v* embotar, entorpecer.
Embotellado *adj* engarrafado.
Embotellar *v* engarrafar, encurralar, congestionar o trânsito.
Embozar *v* embuçar.
Embozo *s* embuço.
Embragar *v* engrenar, embrear, atar.
Embrague *s* embreagem.
Embravecer *v* enfurecer, irritar.
Embriagador *adj* embriagador, inebriante.
Embriagar *v* embriagar, embebedar.
Embriaguez *s* embriaguez, bebedeira.
Embrión *s* embrião.
Embrionario *adj* embrionário.
Embrollar *v* embrulhar, confudir, emaranhar, desnortear.
Embrollo *s* embrulho, confusão, rolo.
Embromar *v* embromar, enganar, gracejar, zombar, caçoar, troçar.
Embrujar *v* encantar, enfeitiçar.
Embrutecer *v* embrutecer, entorpecer.
Embuchado *s* embutido, chouriço.
Embudo *s* funil.
Embuste *s* embuste, engano, mentira.
Embutido *s* embutido, chouriço; *adj* encaixado, incrustado.
Emerger *v* emergir, subir.
Emigrar *v* emigrar.
Eminencia *s* eminência, superioridade, excelência.
Eminente *adj* eminente, elevado, excelente.
Emisario *s* emissário, mensageiro.
Emisión *s* emissão, emanação, ejaculação.
Emisor *adj* emissor.
Emisora *s* emissora, estação de rádio.
Emitir *v* emitir, lançar.
Emocional *adj* emocional.
Emocionante *adj* emocionante, impressionante, comovente.
Emocionar *v* emocionar, comover, abalar, impressionar.
Emotividad *s* emotividade, emoção.
Emotivo *adj* emotivo, comovente, emocionante.
Empachar *v* fartar.
Empacho *s* embaraço, vergonha.
Empadronamiento *s* recenseamento, alistamento.
Empajar *v* empalhar.
Empalagar *v* enjoar, cansar.
Empalagoso *adj* enjoativo, fastidioso.
Empalizar *v* estacar.
Empanada *s* empanada, empada, pastel.
Empanar *v* empanar.
Empantanar *v* alagar.
Empañar *v* enfaixar (criança), trocar fraldas, empanar.
Empapar *v* empapar, embeber, encharcar.
Empapelar *v* empapelar, embrulhar, forrar, revestir (com papel).
Empaque *s* empacotamento.
Empaquetador *s* empacotador.
Empaquetar *v* empacotar.
Emparedado *adj* preso; *s* sanduíche de presunto.
Emparedar *v* emparedar, enclausurar, prender, isolar.
Emparejar *v* emparelhar, nivelar, igualar.
Emparentar *v* aparentar, contrair parentesco.
Empastar *v* empastar, encadernar, obturar (dentes).
Empatar *v* empatar, igualar.
Empate *s* empate, igualdade, equilíbrio.
Empecinarse *v* obstinar-se, teimar.
Empedernido *adj* empedernido, insensível.
Empedrado *s* pavimento de pedras, piso; *adj* empedrado, empelotado.
Empedrar *v* calçar, pavimentar.
Empeine *s* baixo-ventre, púbis, peito do pé.

Empellón *s* empurrão.
Empeñar *v* empenhar, endividar.
Empeño *s* empenho, constância, tenacidade.
Empeorar *v* piorar, agravar.
Empequeñecer *v* diminuir, reduzir, minguar, encolher.
Emperador *s* imperador, monarca.
Empero *conj* mas, porém, todavia.
Emperrarse *v* obstinar-se, teimar.
Empezar *v* começar, principiar, iniciar.
Empinar *v* empinar, empertigar.
Empírico *adj* empírico, prático.
Empirismo *s* empirismo.
Emplastar *v* emplastar, lambuzar.
Emplasto *s* emplastro, unguento.
Emplazar *v* marcar prazo, marcar um lugar.
Empleado *s* empregado, funcionário.
Emplear *v* empregar, ocupar, destinar.
Empleo *s* emprego, cargo, colocação.
Emplomar *v* chumbar, soldar.
Emplumar *v* emplumar.
Empobrecer *v* empobrecer.
Empollar *v* empolhar, chocar (ovos), incubar.
Emponzañador *adj* envenenador, daninho.
Emponzoñar *v* envenenar.
Emporio *s* empório, entreposto, centro comercial.
Empotrar *v* embutir, encravar.
Emprendedor *adj* empreendedor.
Emprender *v* empreender.
Empresa *s* empresa, empreendimento.
Empresarial *adj* empresarial.
Empréstito *s* empréstimo.
Empujar *v* empurrar, impelir, pressionar.
Empujón *v* empurrão, embate.
Empuñar *v* empunhar, obter, conseguir.
Emular *v* emular, rivalizar, competir.
Émulo *s* êmulo, rival, competidor.
Emulsión *s* emulsão.
En *prep* em, indica lugar, tempo, modo.
Enagua *s* anágua, combinação.
Enajenar *v* alienar, alhear, enlouquecer, transferir.
Enaltecer *v* enaltecer, exaltar.
Enamorado *adj* enamorado, apaixonado.
Enamorar *v* enamorar, apaixonar, encantar, cortejar.
Enanismo *s* nanismo.
Enano *s* anão.
Enarbolar *v* arvorar, içar, hastear.
Enardecer *v* avivar, excitar, inflamar.
Encabezar *v* encabeçar, liderar.
Encadenar *v* encadear, acorrentar, prender.
Encajar *v* encaixar, ajustar.
Encaje *s* encaixe, junta.
Encajonar *v* encaixotar.
Encalar *v* caiar, branquear.
Encallar *v* encalhar, encruar.
Encalmarse *v* acalmar-se, amainar.
Encamar *v* acamar, deitar, estender.
Encaminar *v* encaminhar, dirigir, endereçar, enveredar.
Encandilar *v* deslumbrar, ofuscar, alucinar.
Encanecer *v* encanecer.
Encanijar *v* definhar, enfraquecer.
Encantador *adj* encantador, amável, aprazível.
Encantar *v* encantar, seduzir, cativar.
Encanto *s* encanto, atrativo, agrado, encantamento.
Encapotarse *v* encapotar-se, ocultar.
Encapricharse *v* obstinar-se, teimar.
Encaramar *v* encarapitar.
Encarar *v* encarar, enfrentar.
Encarcelar *v* encarcerar, prender, aprisionar.
Encarecer *v* encarecer, exagerar.
Encargado *adj* encarregado, gerente.
Encargar *v* encarregar, pedir, recomendar.
Encargo *s* encargo, obrigação.
Encariñarse *v* afeiçoar-se.
Encarnado *adj* encarnado, vermelho.
Encarnar *v* encarnar.
Encarnizar *v* encarniçar, enfurecer.
Encarrilar *v* encarrilhar, pôr nos trilhos.
Encartar *v* proscrever, banir.
Encasillar *v* enquadrar, classificar.

Encasquetar *v* encasquetar, obstinar, teimar.
Encastillar *v* encastelar, fortificar com castelos.
Encausar *v* processar.
Encefálico *adj* encefálico.
Encefalitis *s* encefalite.
Encéfalo *s* encéfalo.
Encelar *v* enciumar.
Encendedor *s* acendedor.
Encender *v* acender, incendiar.
Encendido *adj* aceso, inflamado, afogueado, ruborizado.
Encerado *s* encerado, oleado, quadro-negro.
Enceradora *s* enceradeira.
Encerar *v* encerar.
Encerrar *v* encerrar, fechar, prender, incluir.
Encerrona *s* retiro, armadilha.
Enchapado *adj* chapeado, revestido com chapas.
Encharcar *v* encharcar, empapar.
Enchufado *adj* ligado, conectado.
Enchufar *v* conectar, ligar na eletricidade.
Enchufe *s* tomada elétrica, ligação, conexão.
Encía *s* gengiva.
Encíclica *s* encíclica, carta papal.
Enciclopedia *s* enciclopédia.
Encierro *s* clausura, prisão.
Encima *adv* em cima, demais, além disso.
Encina *s* azinheiro.
Encinta *adj* grávida.
Enclaustrar *v* enclausurar, prender.
Enclavar *v* cravar, pregar, encravar.
Enclenque *adj* adoentado, doentio.
Encoger *v* encolher, contrair, diminuir, reduzir.
Encolar *v* colar, grudar.
Encolerizar *v* encolerizar, irritar, enfurecer, indignar.
Encomendar *v* encomendar, incumbir, confiar.
Encomiar *v* louvar, elogiar, gabar.
Encomienda *s* encomenda, encargo.
Encomio *s* encômio, louvor, grande elogio.
Enconar *v* inflamar, irritar, exasperar.
Encono *s* aversão, ódio, rancor.
Encontrar *v* encontrar, achar.
Encontronazo *s* encontrão, choque, empurrão.
Encopetado *adj* presunçoso, esnobe.
Encorchar *v* arrolhar, tapar com rolha.
Encorvar *v* encurvar, curvar.
Encrespar *v* encrespar, arrepiar (cabelos e penas).
Encrucijada *s* encruzilhada.
Encrudecer *v* encruar, encruecer.
Encuadernación *s* encadernação.
Encuadernar *v* encadenar.
Encuadrar *v* enquadrar, limitar, emoldurar.
Encuartelar *v* aquartelar.
Encubrir *v* encobrir, ocultar, dissimular.
Encuentro *s* encontro, choque, embate, rixa, oposição.
Encuesta *s* enquete, pesquisa, averiguação.
Encuestador *s* pesquisador.
Encumbrar *v* elevar, louvar, enaltecer.
Endeble *adj* débil, fraco, frágil.
Endemia *s* endemia.
Endémico *adj* endêmico, frequente.
Endemoniado *adj* endiabrado, infernal.
Enderezar *v* endereçar, dirigir, endireitar.
Endeudarse *v* endividar-se.
Endibia *s* escarola.
Endiosar *v* endeusar, divinizar.
Endocardio *s* endocárdio.
Endocrino *adj* endócrino.
Endocrinólogo *s* endocrinologista.
Endosar *v* endossar.
Endulzar *v* adoçar, suavizar.
Endurecer *v* endurecer.
Enebro *s* zimbro.
Enemigo *adj* inimigo, contrário, adversário.
Enemistad *s* inimizade.
Enemistar *v* indispor, brigar.
Energético *adj* energético, revigorante.
Energía *s* energia, vigor.

Enérgico *adj* enérgico, forte.
Energúmeno *s* energúmeno, imbecil.
Enero *s* janeiro.
Enervar *v* enervar, debilitar, enfraquecer.
Enfadar *v* enfadar, incomodar, aborrecer, irritar.
Enfado *s* enfado, aborrecimento.
Enfangar *v* enlamear, sujar de lama.
Énfasis *s* ênfase.
Enfático *adj* enfático.
Enfermar *v* adoecer.
Enfermedad *s* enfermidade, doença.
Enfermería *s* enfermaria.
Enfermero *s* enfermeiro.
Enfermo *adj* enfermo, doente.
Enfilar *v* enfiar, enfileirar.
Enflaquecer *v* enfraquecer, debilitar, minguar.
Enfocar *v* enfocar, focalizar.
Enfrascar *v* enfrascar, engarrafar.
Enfrentar *v* enfrentar, defrontar.
Enfrente *adv* em frente, diante, defronte.
Enfriar *v* esfriar, arrefecer.
Enfurecer *v* enfurecer, irritar.
Engalanar *v* ornamentar, enfeitar.
Enganchar *v* enganchar, engatar.
Enganche *s* engate.
Engañar *v* enganar, iludir, distrair, ludibriar, mentir.
Engaño *s* engano, fraude, farsa, mentira.
Engarce *s* engrenagem.
Engarzar *v* engastar, encadear, eriçar.
Engastar *v* engastar, encravar.
Engatusar *v* bajular, adular, seduzir.
Engendrar *v* engendrar, gerar, produzir.
Engendro *s* feto, aborto, embrião.
Englobar *v* englobar.
Engomar *v* engomar.
Engordar *v* engordar, encorpar, cevar.
Engorde *s* engorda.
Engorro *s* embaraço, impedimento.
Engranaje *s* engrenagem.
Engranar *v* engrenar, entrosar, encadear.
Engrandecer *v* engrandecer, elevar, exagerar.
Engrasar *v* engordurar, engraxar, lubrificar.
Engreír *v* envaidecer, elevar-se, afeiçoar, inflar-se.
Engrescar *v* incitar, atiçar.
Engrillar *v* algemar, agrilhoar.
Engrosar *v* engrossar, engordar.
Engrudo *s* grude, cola.
Engullir *v* engolir, deglutir, devorar.
Enhebrar *v* enfiar a linha na agulha.
Enhorabuena *s* felicitação, parabéns.
Enigma *s* enigma, charada.
Enjabonar *v* ensaboar.
Enjalbegar *v* caiar, branquear.
Enjambre *s* enxame.
Enjaular *v* enjaular, engaiolar.
Enjuagar *v* enxaguar, bochechar.
Enjugar *v* enxugar, secar.
Enjuiciar *v* julgar, ajuizar.
Enjuto *adj* enxuto, seco, magro, delgado.
Enlace *s* enlace, união, ligação, conexão.
Enladrillar *v* ladrilhar, pavimentar.
Enlatar *v* enlatar.
Enlazar *v* enlaçar, laçar (animais).
Enloquecer *v* enlouquecer, endoidar.
Enlosar *v* lajear.
Enlucir *v* revestir com gesso, estucar.
Enlutar *v* enlutar.
Enmaderar *v* emadeirar, madeirar.
Enmarañar *v* emaranhar, enredar.
Enmarcar *v* emoldurar.
Enmascarado *adj* mascarado.
Enmascarar *v* mascarar, disfarçar, encobrir.
Enmendar *v* emendar, corrigir.
Enmienda *s* emenda, correção.
Enmohecer *v* embolorar, mofar.
Enmudecer *v* emudecer, calar.
Ennegrecer *v* enegrecer, denegrir.
Ennoblecer *v* enobrecer, elevar, realçar, dignificar.
Enojar *v* enojar, desgostar, indignar, incomodar, aborrecer.
Enojo *s* nojo, ofensa, injúria, cólera.
Enología *s* enologia.
Enorgullecer *v* orgulhar.
Enormidad *s* enormidade, grandeza.
Enrabiar *v* irritar, enfurecer, encolerizar.
Enraizar *v* enraizar, arraigar.

Enramada *s* ramada.
Enrarecer *v* rarear, escassear.
Enrasar *v* nivelar, igualar.
Enredadera *s* trepadeira.
Enredar *v* enredar, entrelaçar, emaranhar.
Enredo *s* enredo, entrelaçamento.
Enrejado *s* grade, gradeado.
Enrejar *v* gradear.
Enrevesado *adj* arrevesado.
Enriquecer *v* enriquecer, prosperar.
Enrojecer *v* incandescer, avermelhar.
Enrolar *v* arrolar, alistar.
Enrollar *v* enrolar, envolver.
Enroscar *v* enroscar, torcer.
Ensalada *s* salada.
Ensalivar *v* salivar.
Ensalzar *v* elogiar, louvar.
Ensamblar *v* encaixar, embutir, entalhar.
Ensanchar *v* alargar, dilatar, ampliar, inchar.
Ensanche *s* alargamento, dilatação.
Ensangrentar *v* ensanguentar.
Ensartar *v* espetar, enfiar (numa agulha), trespassar.
Ensayar *v* ensaiar, treinar, experimentar, exercitar, preparar.
Ensayo *s* ensaio, exame, dissertação, treinamento.
Enseguida *adv* em seguida, logo depois.
Ensenada *s* enseada, angra.
Enseña *s* insígnia, divisa.
Enseñanza *s* ensino, doutrina.
Enseñar *v* ensinar, educar, instruir, adestrar.
Enseres *s* móveis, utensílios.
Ensimismarse *v* ensimesmar-se, abstrair-se, concentrar-se.
Ensombrecer *v* escurecer, sombrear.
Ensopar *v* ensopar, embeber, encharcar.
Ensordecer *v* ensurdecer.
Ensortijado *adj* cacheado, encaracolado, crespo.
Ensortijar *v* encrespar, frisar.
Ensuciar *v* sujar, emporcalhar, manchar.
Ensueño *s* sonho, fantasia, ilusão.
Entablar *v* entabular, dispor, preparar.
Entallar *v* entalhar, esculpir, gravar.
Entarimado *s* soalho de tábua.
Entarimar *s* assoalhar.
Ente *s* ente, ser.
Entender *v* entender, compreender.
Entendido *s* entendido, perito.
Enterado *adj* inteirado, informado.
Enterar *v* inteirar, informar.
Enteritis *s* enterite.
Enternecer *v* enternecer, comover.
Entero *adj* inteiro.
Enterrar *v* enterrar, sepultar.
Entibar *v* escorar.
Entibiar *v* enfraquecer, amornar.
Entierro *s* enterro, sepulcro, túmulo.
Entoldar *v* toldar.
Entonación *s* entonação, tom.
Entonar *v* entoar, cantar, harmonizar.
Entonces *adv* então.
Entontecer *v* estontear, desvairar.
Entornar *v* entornar, inclinar.
Entorpecer *v* entorpecer, paralisar.
Entrada *s* entrada, ingresso, introdução.
Entrambos *adj* ambos, os dois.
Entrante *adj* entrante.
Entraña *s* entranha, víscera.
Entrañable *adj* profundo, íntimo, afetuoso.
Entrañar *v* entranhar, penetrar, dedicar-se, unir-se.
Entrar *v* entrar, introduzir, ingressar, invadir, ocupar.
Entre *prep* entre, no meio.
Entreabir *v* entreabrir.
Entreacto *s* entreato, intervalo.
Entrecano *adj* grisalho.
Entrecomillar *v* aspar, aspear.
Entrecortado *adj* entrecortado.
Entrecruzar *v* entrecruzar, cruzar.
Entredicho *s* interdição, proibição, dificuldade.
Entrega *s* entrega, restituição, dedicação.
Entregar *v* entregar, restituir, dar, depositar.
Entrelazar *v* entrelaçar, entrançar.
Entrelínea *s* entrelinha.

Entremedias *adv* entrementes, entretanto.
Entremés *s* aperitivo, peça teatral em um ato.
Entremeter *v* intrometer.
Entremezclar *v* misturar, mesclar.
Entrenador *s* treinador, preparador.
Entrenar *v* treinar, preparar, ensaiar.
Entreoír *v* entreouvir, ouvir de relance.
Entrepaño *s* entrepano, prateleira.
Entresacar *v* escolher, desbastar, podar.
Entresuelo *s* sobreloja.
Entretanto *adv* entretanto.
Entretener *v* entreter, divertir.
Entrevista *s* entrevista.
Entristecer *v* entristecer, causar tristeza.
Entrometer *v* intrometer-se.
Entrometido *adj* intrometido.
Entroncar *v* entroncar.
Entronizar *v* entronizar, colocar no trono.
Entubar *v* entubar.
Entuerto *s* torto, agravo, injúria, ofensa.
Entumecer *v* impedir, entorpecer, embaraçar.
Entupir *v* entupir, tapar, obstruir.
Enturbiar *v* tornar turvo, turvar.
Entusiasmar *v* entusiasmar.
Entusiasmo *s* entusiasmo, arrebatamento.
Enumeración *s* enumeração, cômputo, descrição, exposição.
Enumerar *v* enumerar, contar.
Enunciación *s* enunciação.
Enunciado *adj* enunciado, definição.
Enunciar *v* enunciar, declarar, expressar.
Envainar *v* embainhar.
Envalentonar *v* alentar, encorajar.
Envanecer *v* envaidecer.
Envasar *v* envasilhar, envasar, engarrafar.
Envase *s* vasilha, vasilhame, invólucro, envoltório.
Envejecer *v* envelhecer.
Envenenar *v* envenenar.
Envergadura *s* envergadura.
Envés *s* invés, avesso, revés.
Enviado *s* enviado, mensageiro.
Enviar *v* enviar, mandar, expedir.
Enviciar *v* viciar, corromper.
Envidia *s* inveja, ciúme.
Envidiar *v* invejar, cobiçar, desejar.
Envilecer *v* envilecer, aviltar.
Envío *s* envio, remessa.
Enviudar *s* enviuvar.
Envoltorio *s* envoltório, invólucro.
Envolver *v* envolver, embrulhar, enrolar.
Enzarzar *v* enredar, discordar, discutir, brigar.
Enzima *s* enzima.
Epicentro *s* epicentro.
Epidemia *s* epidemia.
Epidémico *adj* epidêmico, contagioso.
Epidermis *s* epiderme.
Epígrafe *s* epígrafe, inscrição.
Epilepsia *s* epilepsia.
Epílogo *s* epílogo, conclusão, final.
Episcopal *adj* episcopal.
Episódico *adj* episódico, secundário.
Episodio *s* episódio.
Epístola *s* epístola, carta.
Epitafio *s* epitáfio, inscrição tumular.
Epitelio *s* epitélio.
Época *s* época, era, período.
Epopeya *s* epopeia.
Equidad *s* equidade, retidão.
Equidistante *adj* equidistante.
Equilátero *adj* equilátero.
Equilibrado *adj* equilibrado.
Equilibrar *v* equilibrar, harmonizar, compensar, contrabalançar.
Equilibrio *s* equilíbrio.
Equimosis *s* equimose, contusão.
Equino *s* equino.
Equipaje *s* equipagem, bagagem, tripulação.
Equipar *v* equipar, prover.
Equiparable *adj* equiparável, comparável.
Equiparar *v* equiparar, igualar.
Equipo *s* equipe.
Equitación *s* equitação.
Equitativo *adj* equitativo.
Equivalencia *s* equivalência.
Equivaler *v* equivaler, corresponder.
Equivocar *v* equivocar, errar, confundir.

Equívoco *adj* equívoco, confusão, engano, trocadilho.
Era *s* era, época, eira, canteiro.
Erario *s* erário, tesouro público.
Erección *s* ereção, tensão.
Erecto *adj* ereto; rígido, teso, levantado.
Eremita *s* eremita, ermitão.
Erguir *v* erguer, levantar, endireitar.
Erigir *v* erigir, erguer.
Erisipela *s* erisipela.
Erizar *v* eriçar, arrepiar, encrespar.
Erizo *s* ouriço.
Ermita *s* ermida, capela.
Erosión *s* erosão, corrosão.
Erótico *adj* erótico, sensual.
Erradicación *s* erradicação.
Errante *adj* errante, nômade.
Errar *v* errar, faltar, equivocar, vaguear.
Errata *s* errata.
Erróneo *adj* errôneo, equivocado.
Error *s* erro, engano, equívoco.
Eructar *v* arrotar.
Eructo *s* arroto.
Erudición *s* erudição, saber.
Erupción *s* erupção, explosão.
Esbelto *adj* esbelto, elegante.
Esbozar *v* esboçar, delinear.
Esbozo *s* esboço, ensaio, anteprojeto, resumo.
Escabeche *s* escabeche, conserva de vinagre.
Escabroso *adj* escabroso, acidentado, de difícil resolução.
Escabullirse *v* escapar, escapulir.
Escala *s* escala, escada de mão.
Escalar *v* escalar, subir.
Escaldar *v* escaldar.
Escalera *s* escada.
Escalofrío *s* calafrio, arrepio.
Escalón *s* degrau, escalão, grau, categoria.
Escalonar *v* escalonar, distribuir.
Escama *s* escama.
Escamar *v* escamar.
Escamotear *v* escamotear, esconder.
Escampar *v* abrir (um espaço), desanuviar (o céu).
Escanciar *v* servir vinho.
Escandalizar *v* escandalizar.
Escándalo *s* escândalo, tumulto, alvoroço.
Escapada *s* escapada.
Escapar *v* escapar, fugir, omitir.
Escaparate *s* vitrine.
Escapatoria *s* escapatória, escapadela.
Escarabajo *s* escaravelho.
Escaramujo *s* caramujo.
Escarbar *s* escavar, palitar os dentes.
Escarcha *s* orvalho da noite, neve.
Escarlata *s* escarlate, cor vermelha muito viva.
Escarmentar *v* escarmentar, castigar, punir.
Escarnio *s* escárnio, menosprezo, zombaria.
Escarola *s* escarola.
Escarpa *s* escarpa, ladeira.
Escarpado *adj* escarpado, íngreme.
Escasear *v* escassear, faltar.
Escasez *s* escassez, falta.
Escaso *adj* escasso, raro, limitado.
Escatimar *v* regatear, pechinchar.
Escayola *s* estuque.
Escena *s* cena, palco.
Escenario *s* cenário, palco.
Escenografía *s* cenografia.
Escepticismo *s* ceticismo.
Escéptico *adj* cético, incrédulo, indiferente.
Escisión *s* cisão, rompimento, separação, dissidência.
Esclarecer *v* esclarecer.
Esclavitud *s* escravidão, servidão.
Esclavizar *v* escravizar.
Esclavo *s* escravo, cativo.
Esclerosis *s* esclerose.
Esclusa *s* eclusa, comporta.
Escoba *s* vassoura.
Escobar *v* varrer.
Escobón *s* escovão.
Escocedura *s* coceira, comichão, ardência.
Escocer *v* arder, queimar.
Escocés *adj* escocês.
Escoger *v* escolher, preferir.

Escolar *adj* escolar.
Escollo *s* escolho, obstáculo, perigo, risco.
Escolta *s* escolta, acompanhamento.
Escoltar *v* escoltar, acompanhar, proteger.
Escombro *s* escombro, entulho.
Esconder *v* esconder, ocultar, encobrir.
Escondite *s* esconderijo.
Escoria *s* escória, restos.
Escorpión *s* escorpião.
Escote *s* decote.
Escotilla *s* escotilha.
Escozor *s* ardência.
Escribano *s* escrivão, tabelião, escriturário.
Escribir *v* escrever, redigir.
Escritor *s* escritor, autor, redator.
Escritorio *s* escrivaninha, escritório.
Escrúpulo *s* escrúpulo, zelo.
Escrupuloso *adj* escrupuloso, cuidadoso, rigoroso.
Escrutinio *s* escrutínio, apuração de votos.
Escuadra *s* esquadra, esquadro.
Escuadrón *s* esquadrão.
Escuálido *adj* esquálido, fraco, magro.
Escuchar *v* escutar, ouvir, atender.
Escudar *v* amparar, defender.
Escudo *s* escudo.
Escudriñar *v* esquadrinhar.
Escuela *s* escola.
Escueto *adj* descoberto, livre.
Esculpir *v* esculpir.
Escultura *s* escultura.
Escupidera *s* escarradeira, penico.
Escupir *v* cuspir, escarrar.
Escurridor *s* escorredor.
Escurrir *v* escorrer, coar.
Esdrújulo *adj* esdrúxulo, proparoxítono.
Ese *pron* esse.
Esencia *s* essência.
Esencial *adj* essencial, fundamental.
Esfera *s* esfera, bola, âmbito, círculo, órbita.
Esférico *adj* esférico, redondo.
Esfinge *s* esfinge.
Esfínter *s* esfíncter.
Esforzar *v* esforçar, reforçar.
Esfumar *v* esfumar, atenuar a cor.
Esgrima *s* esgrima.
Eslabón *s* elo.
Eslavo *adj* eslavo.
Esmaltar *v* esmaltar.
Esmalte *s* esmalte.
Esmeralda *s* esmeralda.
Esmerar *v* esmerar.
Esmero *s* esmero, cuidado, zelo.
Esnob *adj* esnobe.
Eso *pron neutro* isso.
Esófago *s* esôfago.
Esotérico *adj* esotérico.
Espabilar *v* espertar, avivar.
Espaciar *v* espaçar, espacejar.
Espacio *s* espaço, extensão, demora.
Espacioso *adj* espaçoso, amplo, dilatado, vasto.
Espada *s* espada.
Espaldas *s* costas.
Espantajo *s* espantalho.
Espantar *v* espantar, assustar, amedrontar.
Espanto *s* espanto, susto, pavor, fantasma.
Español *adj* espanhol.
Esparadrapo *s* esparadrapo.
Esparcir *v* esparzir, derramar, espairecer.
Espárrago *s* aspargo.
Espasmo *s* espasmo.
Espátula *s* espátula.
Especia *s* especiaria.
Especial *adj* especial.
Especialidad *s* especialidade, particularidade.
Especialista *s* especialista.
Especie *s* espécie, classe, qualidade.
Especificar *v* especificar, explicar, declarar.
Espectáculo *s* espetáculo, diversão, representação teatral.
Espectador *adj* espectador, observador.
Espectro *s* espectro, sombra, imagem.
Especular *s* especular.
Espejismo *s* miragem.
Espejo *s* espelho.
Espeleólogo *s* espeleólogo.

Espeluznante *adj* horrível, horripilante.
Espera *s* espera, calma, paciência.
Esperanza *s* esperança, confiança, expectativa.
Esperar *v* esperar, aguardar.
Esperma *s* esperma, sêmen.
Espermatozoide *s* espermatozoide.
Esperpento *s* espantalho, desatino, absurdo.
Espesar *v* espessar, engrossar, condensar.
Espeso *adj* espesso, grosso, denso.
Espesor *s* espessura, grossura, densidade.
Espesura *s* espessura, solidez.
Espetar *v* espetar, cravar.
Espía *s* espião.
Espiar *v* espiar, espreitar.
Espiga *s* espiga.
Espigón *s* espigão, ferrão.
Espina *s* espinho, espinha (de peixe).
Espinaca *s* espinafre.
Espinazo *s* espinha dorsal, coluna vertebral.
Espinoso *adj* espinhoso.
Espionaje *s* espionagem.
Espiral *s* espiral.
Espirar *v* expirar, respirar.
Espíritu *s* espírito.
Espléndido *adj* esplêndido, magnífico, brilhante.
Esplendor *s* esplendor, nobreza, brilho.
Espliego *s* alfazema.
Espolear *v* esporear.
Esponja *s* esponja.
Esponjoso *adj* esponjoso.
Esponsales *s* esponsais, noivado.
Espontáneo *adj* espontâneo, natural, voluntário.
Esporádico *adj* esporádico, ocasional.
Esposado *adj* casado, algemado.
Esposas *s* algemas.
Esposo *s* esposo, cônjuge.
Espuela *s* espora.
Espuma *s* espuma.
Espumadera *s* espumadeira, escumadeira.
Espumoso *adj* espumoso.
Espúreo *adj* espúrio, ilegítimo.
Esqueje *s* galho, muda (de planta).
Esqueleto *s* esqueleto.
Esquema *s* esquema, projeto, plano.
Esquí *s* esqui.
Esquiador *s* esquiador.
Esquife *s* esquife, ataúde, caixão.
Esquila *s* sineta, chocalho.
Esquilar *v* tosquiar.
Esquimal *adj* esquimó.
Esquina *s* esquina.
Esquirol *s* esquilo.
Esquivar *v* esquivar, evitar, fugir.
Esquivo *adj* esquivo, arisco, arredio.
Estabilidad *s* estabilidade, segurança.
Estabilizar *v* estabilizar.
Estable *adj* estável, firme.
Establecer *v* estabelecer, ordenar, decretar, fundar.
Establo *s* estábulo.
Estaca *s* estaca.
Estacada *s* estacada.
Estación *s* estação, período, temporada, posto policial.
Estacionar *v* estacionar, parar.
Estadio *s* estádio.
Estadista *s* estadista.
Estadístico *adj* estatístico.
Estado *s* estado, situação, classe, governo.
Estafa *s* logro, fraude.
Estafar *v* lograr, roubar.
Estafeta *s* estafeta, carteiro, mensageiro.
Estallar *v* estalar, fender, estourar, estralar, explodir.
Estallido *s* estalido, estouro.
Estampa *s* estampa.
Estampado *adj* estampado, impresso.
Estampar *v* estampar, imprimir.
Estampido *s* estampido, detonação.
Estancar *v* estancar, deter, vedar.
Estancia *s* habitação, estância, fazenda, casa de campo.
Estanciero *s* fazendeiro.
Estanco *adj* estanque; *s* tabacaria, depósito.
Estandarte *s* estandarte, bandeira.
Estanque *s* tanque, reservatório de água, lago artificial.

Estante *adj* parado, fixo.
Estaño *s* estanho.
Estar *v* estar.
Estatal *adj* estatal, estadual.
Estático *adj* estático, imóvel.
Estatua *s* estátua.
Estatura *s* estatura, altura.
Estatuto *s* estatuto.
Este *pron* este; *s* este, leste, oriente.
Estelar *adj* estelar, sideral.
Estenografía *s* estenografia.
Estepa *s* estepe.
Estera *s* esteira (de junco ou vime).
Estereofónico *adj* estereofônico.
Estereoscopio *s* estereoscópio.
Estéril *adj* estéril, árido, impotente, inútil.
Esterilizar *v* esterilizar, tornar estéril.
Esternón *s* esterno.
Estertor *s* estertor.
Esteta *s* esteta.
Estético *adj* estético, belo.
Estiaje *s* estiagem, estio, seca.
Estibador *s* estivador, carregador (de navio).
Estiércol *s* esterco, estrume.
Estigma *s* estigma, marca, sinal.
Estilar *v* usar, costumar, praticar.
Estilete *s* estilete.
Estilizar *v* estilizar.
Estilo *s* estilo, modo, maneira, fórmula.
Estima *s* estima, apreço, consideração.
Estimado *adj* estimado, considerado, bem-visto.
Estimular *v* estimular, incitar, excitar, avivar.
Estímulo *s* estímulo, incentivo, excitação.
Estío *s* estio, verão.
Estipendio *s* estipêndio, soldo, remuneração, pagamento.
Estipular *v* estipular, ajustar, convir, combinar.
Estirado *adj* estirado, esticado.
Estirar *v* estirar, esticar, estender, crescer (crianças).
Estirpe *s* estirpe, linhagem, descendência.
Estival *adj* estival.
Estofado *adj* estofado, alinhado; *s* guisado (de carne ou peixe).
Estofar *v* estofar, acolchoar.
Estómago *s* estômago.
Estopa *s* estopa, tecido grosseiro.
Estorbar *v* estorvar, dificultar, atravancar, embaraçar, molestar.
Estorbo *s* estorvo, embaraço, dificuldade.
Estornudar *v* espirrar.
Estornudo *s* espirro.
Estrábico *adj* estrábico, vesgo.
Estrado *s* estrado, sala de visitas, palanque.
Estrafalario *adj* extravagante.
Estrago *s* estrago, dano, prejuízo, ruína, deterioração.
Estrangular *v* estrangular, sufocar.
Estraperlista *s* atravessador, intermediário.
Estratagema *s* estratagema.
Estrategia *s* estratégia.
Estrato *s* estrato, camada, classe social.
Estrechar *v* estreitar, apertar, diminuir, reduzir.
Estrella *s* estrela.
Estremecer *v* estremecer, abalar, sacudir.
Estrenar *v* estrear, debutar, inaugurar.
Estreñimiento *s* obstrução, prisão de ventre.
Estrépito *s* estrépito, estrondo.
Estría *s* estria, sulco.
Estribar *v* estribar, apoiar.
Estribo *s* estribo, apoio, fundamento.
Estridente *adj* estridente, agudo.
Estrofa *s* estrofe.
Estropajo *s* bucha, esfregão.
Estropear *v* estropiar, estragar, deformar, deteriorar.
Estructura *s* estrutura, composição.
Estruendo *s* estrondo, estrépito.
Estrujar *v* espremer, tirar o sumo, apertar, esmagar.
Estuche *s* estojo, caixa.
Estuco *s* estuque.
Estudiante *adj* estudante, escolar; *s* aluno.
Estudiar *v* estudar, aprender, examinar.

Estudio *s* estúdio, gabinete.
Estufa *s* estufa, fogão, braseiro, aquecedor.
Estupefacto *adj* estupefato, espantado, assombrado.
Estupendo *adj* estupendo, admirável, extraordinário.
Estupidez *s* estupidez.
Estúpido *adj* estúpido, burro, bruto.
Estupor estupor.
Estuprar *v* estuprar, deflorar, violentar.
Etapa *s* etapa, período.
Éter *s* éter.
Eternizar *v* eternizar, prolongar, perpetuar, imortalizar.
Eterno *adj* eterno, indestrutível, infinito, interminável.
Ético *adj* ético, moral.
Etimología *s* etimologia.
Etíope *adj* etíope.
Etiqueta *s* etiqueta, rótulo, marca, formalidade, cerimonial.
Etnia *s* etnia, raça, nação.
Eucalipto *s* eucalipto.
Eucaristía *s* eucaristia.
Eufemismo *s* eufemismo.
Eufonía *s* eufonia.
Euforia *s* euforia, bem-estar, alegria, otimismo.
Eunuco *adj* castrado.
Europeo *adj* europeu.
Eutanasia *s* eutanásia.
Evacuación *s* evacuação, saída, retirada, ejeção, excreção.
Evacuar *v* evacuar, abandonar, despejar, esvaziar, defecar, excretar.
Evadir *v* evadir, escapar, fugir.
Evaluar *v* avaliar, valorizar, medir, estimar.
Evangelio *s* evangelho.
Evangelista *s* evangelista, catequista.
Evaporar *v* evaporar, dissipar.
Evasión *s* evasão, fuga.
Evasivo *adj* evasivo, vago, ambíguo.
Evasor *adj* evasor, fugitivo.
Evento *s* evento, acontecimento, imprevisto, fato, episódio.
Eventual *adj* eventual, casual, ocasional.
Evidencia *s* evidência, certeza, clareza.
Evidente *adj* evidente, claro, indiscutível.
Evitar *v* evitar, impedir.
Evocar *v* evocar, chamar, lembrar, recordar.
Evolucionar *v* evolucionar, evoluir, avançar.
Exacerbar *v* exacerbar, agravar, irritar.
Exacitud *s* exatidão, perfeição, pontualidade.
Exacto *adj* exato, perfeito, correto, pontual, rigoroso.
Exagerado *adj* exagerado, excessivo, fabuloso, descomunal.
Exagerar *v* exagerar, ampliar, agravar, exorbitar.
Exaltado *adj* exaltado, frenético, desvairado.
Exaltar *v* exaltar, engrandecer, elevar, realçar.
Examen *s* exame, análise, controle.
Examinar *v* examinar, interrogar, observar, investigar.
Exangüe *adj* exangue, débil, pálido.
Exánime *adj* exânime, desfalecido, desmaiado.
Exasperar *v* exasperar, irritar, excitar.
Excavación *s* escavação.
Excavar *v* escavar, cavar.
Excedencia *s* excedência, excesso, sobra.
Exceder *v* exceder, ultrapassar.
Excelencia *s* excelência, perfeição.
Excelente *adj* excelente, magnífico.
Excelso *adj* excelso, ilustre, sublime.
Excéntrico *adj* excêntrico, extravagante, original, esquisito.
Excepción *s* exceção, privilégio, desvio.
Excepcional *adj* excepcional, extraordinário, excêntrico.
Excepto *adv* exceto, com exceção de, menos, fora, salvo.
Excesivo *adj* excessivo, demasiado, desmedido.
Exceso *s* excesso, o que sai dos limites.
Excipiente *s* excipiente.
Excitable *adj* excitável.

Excitación *s* excitação, exaltação, agitação, alvoroço.
Excitar *v* excitar, estimular, agitar, animar.
Exclamación *s* exclamação, brado de prazer, raiva ou ódio.
Exclamar *v* exclamar, gritar, bradar.
Excluir *v* excluir, expulsar, dispensar, demitir.
Exclusive *adv* exclusive, exclusivamente.
Exclusividad *s* exclusividade.
Exclusivo *adj* exclusivo, restrito.
Excomulgar *v* excomungar, amaldiçoar.
Excrecencia *s* excrescência, saliência.
Excreción *s* excreção, eliminação.
Excremento *s* excremento, fezes.
Excretar *v* excretar, evacuar, dejetar, expelir.
Exculpación *s* desculpa, escusa.
Exculpar *v* desculpar, escusar.
Excursión *s* excursão, passeio.
Excusa *s* escusa, desculpa, pretexto.
Excusable *adj* desculpável.
Excusar *v* escusar, desculpar, evitar, eximir-se.
Execrable *adj* execrável, detestável, odioso, abominável.
Exención *s* isenção, franquia.
Exento *adj* isento, livre, imune, desobrigado.
Exequias *s* exéquias, funerais.
Exhalación *s* exalação, cheiro, odor.
Exhalar *v* exalar, expelir, emanar, evaporar-se.
Exhaustivo *adj* exaustivo, cansativo.
Exhausto *adj* exausto, cansado, esgotado.
Exhibir *v* exibir, mostrar, apresentar, expor.
Exhortación *s* exortação, discurso, reprimenda.
Exhortar *v* exortar, induzir.
Exhumación *s* exumação.
Exhumar *v* exumar, desenterrar.
Exigencia *s* exigência.
Exigente *adj* exigente, rigoroso.
Exigir *v* exigir, reclamar.
Exiguo *adj* exíguo, escasso, pequeno.
Exilado *adj* exilado, banido, expulso, desterrado.
Exilio *s* exílio, desterro.
Eximio *adj* exímio, excelente, ótimo.
Eximir *v* eximir, isentar, franquear, excusar.
Existencia *s* existência.
Existir *v* existir, viver, ser.
Éxito *s* êxito, sucesso, final, resultado.
Éxodo *s* êxodo, saída, emigração de um povo.
Exoneración *s* exoneração, demissão, dispensa, saída.
Exonerar *v* exonerar, demitir, dispensar.
Exorbitante *adj* exorbitante, excessivo, astronômico.
Exorcismo *s* exorcismo.
Exotérico *adj* esotérico.
Exótico *adj* exótico, estranho, diferente.
Expandir *v* expandir, dilatar, espalhar, divulgar.
Expansión *s* expansão.
Expansionarse *v* expandir-se, desabafar.
Expansivo *adj* expansivo, comunicativo, extrovertido.
Expatriar *v* expatriar, desterrar, exilar, emigrar.
Expectativa *s* expectativa.
Expectorar *v* expectorar, escarrar.
Expediente *s* expediente, despacho, iniciativa.
Expedir *v* expedir, enviar, despachar.
Expeler *v* expelir, expulsar.
Expender *v* vender a varejo, gastar.
Expendio *s* venda a varejo.
Expensas *s* expensas, gastos.
Experiencia *s* experiência, prática, conhecimento.
Experimento *s* experimento, ensaio, pesquisa.
Experto *adj* experimentado, perito.
Expiar *v* expiar, reparar, remir.
Expiración *s* expiração.
Expirar *v* expirar, morrer.
Explanada *s* esplanada.
Explayar *v* espraiar, estender.
Explicación *s* explicação, esclarecimento.

Explicar *v* explicar, esclarecer.
Explícito *adj* explícito, evidente, claro, expresso.
Exploración *s* exploração, pesquisa, investigação.
Explorar *v* explorar, investigar, registrar.
Explosión *s* explosão, detonação, eclosão.
Expoliar *v* espoliar, depredar, expropriar.
Exponer *v* expor, explicar, narrar, exibir.
Exportar *v* exportar.
Exposición *s* exposição.
Expresar *v* expressar, exprimir, manifestar.
Expresión *s* expressão, fisionomia, gesto.
Exprimir *v* espremer, apertar, exprimir, expressar, manifestar.
Expropiar *v* expropriar, desapropiar.
Expuesto *adj* exposto, descoberto.
Expulsar *v* expulsar, banir, expelir.
Expurgar *v* expurgar, purificar, limpar.
Exquisito *adj* excelente, delicioso, muito agradável.
Extasiarse *v* extasiar-se.
Extender *v* estender, dilatar, esticar, aumentar.
Extensión *s* extensão, ampliação, aumento, alcance.
Extenuar *v* estenuar, debilitar, enfraquecer.
Exterior *adj* exterior, externo, aparente.
Exteriorizar *v* exteriorizar, expor, manifestar.
Exterminar *v* exterminar, eliminar, destruir, arruinar.
Extermínio *s* extermínio, destruição, eliminação.
Externar *v* externar, manifestar.
Externo *adj* externo.
Extinción *s* extinção, extermínio.
Extinguir *v* extinguir, acabar, consumir, liquidar.
Extirpar *v* extirpar, arrancar, extrair.
Extorsionar *v* extorquir, usurpar, chantagear.
Extracción *s* extração, origem.
Extracto *s* extrato, resumo.
Extralimitarse *v* exceder-se, exagerar.
Extranjero *adj* estrangeiro.
Extrañar *v* estranhar, exilar, deportar.
Extraño *adj* estranho, diferente, esquisito.
Extraordinario *adj* extraordinário, inacreditável, fantástico.
Extraterrestre *adj* extraterrestre.
Extravagante *adj* extravagante, singular, raro.
Extravasarse *v* extravasar, transbordar.
Extraviado *adj* extraviado, perdido.
Extraviar *v* extraviar, desencaminhar; FIG perverter-se.
Extremar *v* extremar, esmerar-se.
Extremidad *s* extremidade, extremo, limite.
Extremo *adj* extremo, último, excessivo.
Exuberancia *s* exuberância, abundância, fartura, vigor.
Eyacular *v* ejacular, expelir.

f F

F sétima letra do alfabeto espanhol.
Fa *s* fá, quarta nota da escala musical.
Fabada *s* guisado com feijão e carne de porco.
Fábrica *s* fábrica, edifício.
Fabricación *s* fabricação.
Fabricar *v* fabricar, produzir, construir, inventar.
Fábula *s* fábula, ficção, boato, rumor, mexerico.
Fabuloso *adj* fabuloso, falso.
Faca *s* facão, punhal.
Facción *s* facção, partido, feição.
Faceta *s* faceta, face, superfície.
Facial *adj* facial.
Fácil *adj* fácil, simples, dócil, volúvel.
Facilitar *v* facilitar, auxiliar, entregar, favorecer, fornecer.
Facineroso *adj* facinoroso, delinquente, malvado.
Factor *s* fator, feitor, administrador.
Factoría *s* feitoria, oficina.
Factura *s* fatura, nota fiscal, relação de mercadorias.
Facultad *s* faculdade, capacidade, aptidão, escola superior.
Facultar *v* facultar, facilitar, permitir, conceder.
Fada *s* fada, maga, feiticeira.
Fado *s* fado, canção popular portuguesa.
Faena *s* faina, tarefa, atividade.
Faisán *s* faisão.
Faja *s* faixa, cinta, tira.
Fajo *s* feixe, molho.
Falacia *s* falácia, engano, mentira.
Falange *s* falange.
Falda *s* saia, fralda, sopé (de montanha).
Fallar *v* falhar, faltar.
Fallecer *v* falecer, acabar, morrer.
Fallido *adj* falido, fracassado, frustrado.
Fallo *s* falha.
Falo *s* falo, pênis.
Falsear *v* falsear, falsificar, deturpar, adulterar.
Falsedad *s* falsidade, deslealdade, engano, mentira.
Falso *adj* falso, fingido, dissimulado, adulterado, artificial.
Falta *s* falta, ausência, defeito, culpa leve.
Faltar *v* faltar, falhar, acabar.
Fama *s* fama, reputação, notoriedade.
Famélico *adj* famélico, faminto, esfomeado.
Familia *s* família, raça, prole.
Familiar *adj* familiar, habitual, comum, íntimo.
Familiarizar *v* familiarizar, habituar.
Famoso *adj* famoso, célebre, notável.
Fan *s* fã, admirador.
Fanático *adj* fanático, entusiasta, apaixonado.
Fanfarronear *v* fanfarronear, contar vantagem.
Fango *s* lodo, lama.
Fantasear *v* fantasiar, inventar, delirar, devanear.
Fantasía *s* fantasia, imaginação, capricho.
Fantasma *s* fantasma, visão.
Fantoche *s* fantoche, títere.
Faraón *s* faraó.
Fardel *s* saco de provisões.
Fardo *s* fardo, pacote, embrulho, trouxa.
Faringe *s* faringe.
Fariseo *adj* fariseu.
Farmacia *s* farmácia, drogaria.

Faro *s* farol (de torre).
Farol *s* farol, lanterna.
Farsa *s* farsa, burla, trapaça.
Fascículo *s* fascículo.
Fascinar *v* fascinar, encantar, atrair, seduzir.
Fase *s* fase, ciclo, etapa, mudança.
Fastidiar *v* fastidiar, aborrecer, chatear.
Fastidio *s* fastio, tédio, repugnância.
Fatal *adj* fatal, trágico, inevitável.
Fatiga *s* fadiga, cansaço, debilidade.
Fatigar *v* fatigar, cansar, incomodar.
Fatuo *adj* fátuo, fantasioso, vão.
Fauna *s* fauna.
Favor *s* favor, ajuda, socorro, proteção.
Favorecer *v* favorecer, ajudar, auxiliar.
Faz *s* face, rosto, cara, lado.
Fe *s* fé, confiança, certeza.
Fealdad *s* fealdade, feiura.
Febrero *s* fevereiro.
Fecha *s* data, dia.
Fechar *v* datar.
Fécula *s* fécula.
Fecundar *v* fecundar, gerar, fertilizar.
Fecundizar *v* fecundar, fertilizar.
Federación *s* federação.
Felicidad *s* felicidade, satisfação, contentamento, alegria.
Felicitar *v* felicitar, cumprimentar, saudar.
Feliz *adj* feliz, satisfeito, contente.
Femenino *adj* feminino.
Fémur *s* fêmur.
Fenecer *v* fenecer, concluir, falecer, morrer.
Fenómeno *s* fenômeno, sucesso extraordinário.
Feo *adj* feio, desagradável.
Féretro *s* féretro, ataúde, caixão.
Feria *s* feira, folga, féria, descanso.
Fermentar *v* fermentar, azedar.
Ferocidad *s* ferocidade, crueldade.
Férreo *adj* férreo, tenaz, duro, inflexível.
Ferrocarril *s* ferrovia, estrada-de-ferro.
Fertilizante *adj* fertilizante, adubo.
Fertilizar *v* fertilizar, adubar, fecundar.
Fervor *adj* fervor, ardor, ebulição, fervura, dedicação.
Festejar *v* festejar, homenagear.
Festejo *s* festejo.
Festín *s* festim.
Festival *s* festival.
Festividad *s* festividade, festa, solenidade.
Fetidez *s* fetidez, mau cheiro, empestamento.
Feto *s* feto, embrião.
Feudalismo *s* feudalismo.
Fiambre *s* fiambre, frios.
Fianza *s* fiança, abono, penhor, garantia.
Fiar *v* fiar, aliançar, abonar, confiar.
Fibra *s* fibra, filamento.
Ficción *s* ficção, fábula, simulação, invenção.
Ficha *s* ficha.
Fidedigno *adj* fidedigno, confiável.
Fidelidad *s* fidelidade, lealdade, firmeza.
Fiebre *s* febre.
Fiel *adj* fiel, leal, seguro.
Fiera *s* fera, bicho, animal selvagem.
Fiero *adj* feroz, terrível, violento.
Fiesta *s* festa, comemoração.
Figura *s* figura, cara, rosto estátua, aparência.
Figurar *v* figurar, fingir, aparentar, simbolizar.
Fijeza *s* fixidez, segurança.
Fijo *adj* fixo, firme, pregado.
Fila *s* fila, fileira, ordem.
Filamento *s* filamento.
Filantropía *s* filantropia, beneficência.
Filatelia *s* filatelia.
Filete *s* filé (de carne ou peixe), filete, fio delgado, friso.
Filiación *s* filiação, origem.
Filigrana *s* filigrana.
Film *s* filme, película.
Filo *s* fio, corte, gume.
Filología *s* filologia.
Filón *s* filão, veio, fonte.
Filosofía *s* filosofia.
Filtrar *v* filtrar, coar.
Filtro *s* filtro, coador, poção.
Fimosis *s* fimose.

Fin *adv* último, dar fim, acabar.
Finado *adj* finado, defunto, morto.
Final *s* final, fim, desfecho; *adj* definitivo, último.
Finalidad *s* finalidade.
Finalizar *v* finalizar, concluir, terminar.
Financiar *v* financiar.
Financiero *adj* financeiro.
Finanzas *s* finanças.
Finca *s* propriedade rural, granja.
Fingir *v* fingir, simular, mentir, falsear.
Finlandés *adj* finlandês.
Fino *adj* fino, delicado, elegante, delgado, hábil.
Finura *s* finura, astúcia, delicadeza.
Firma *s* firma, assinatura, empresa comercial.
Firmamento *s* firmamento, céu.
Firmar *v* firmar, assinar.
Firme *adj* firme, estável, constante.
Fiscal *adj* fiscal, interventor eleitoral.
Fiscalizar *v* fiscalizar, vigiar, controlar.
Fisiología *s* fisiologia.
Fisioterapeuta *s* fisioterapeuta.
Fisonomía *s* fisionomia, aspecto, aparência.
Fístula *s* fístula, úlcera.
Fisura *s* fissura, fenda, ulceração.
Flácido *adj* flácido, fraco, débil, mole.
Flaco *adj* fraco, débil, frouxo, magro.
Flagelar *v* flagelar, castigar.
Flagelo *s* flagelo, castigo, chicote.
Flamante *adj* flamejante, reluzente, resplandecente, novo.
Flamear *v* flamejar, brilhar, reluzir.
Flan *s* flã, pudim de caramelo.
Flanco *s* flanco, costado.
Flaquear *v* fraquejar, enfraquecer, decair.
Flaqueza *s* fraqueza, debilidade, fragilidade.
Flauta *s* flauta.
Flebitis *s* flebite.
Flecha *s* flecha, seta.
Fleco *s* franja (de tecido).
Flema *s* escarro; FIG lentidão, indiferença.
Flequillo *s* franja (de cabelo).
Fletar *v* fretar, alugar um veículo ou embarcação.
Flexibilidad *s* flexibilidade, elasticidade, maleabilidade.
Flexible *adj* flexível, elástico, maleável.
Flojo *adj* frouxo, mole, fraco, débil, indolente.
Flor *s* flor.
Flora *s* flora.
Floración *s* floração.
Florecer *v* florescer.
Floresta *s* floresta, mata.
Flota *s* frota.
Flotar *v* flutuar, boiar.
Fluctuar *v* oscilar, ondular, duvidar, hesitar.
Fluir *v* fluir, derivar, brotar.
Flujo *s* fluxo, influxo, corrente, corrimento, preamar.
Fluvial *adj* fluvial.
Fobia *s* fobia.
Foca *s* foca.
Foco *s* foco, centro, ponto de irradiação.
Fofo *adj* fofo, macio, brando.
Fogón *s* fogão, lareira, fornalha.
Fogoso *adj* fogoso, ardente, impetuoso.
Folio *s* fólio, folha (de livro, caderno).
Folklore *s* folclore.
Folleto *s* folheto, impresso.
Follón *adj* frouxo, mole, preguiçoso, confusão.
Fomentar *v* fomentar, promover.
Fonda *s* hospedaria, estalagem, taberna.
Fondo *s* fundo, profundidade.
Fonética *s* fonética.
Fontanería *s* encanamento, canalização.
Fontanero *s* encanador.
Forajido *s* foragido, fugitivo.
Forastero *adj* forasteiro, estranho.
Forcejear *v* resistir, contradizer.
Forestal *adj* florestal.
Forjar *s* forja, ferraria.
Forma *s* forma, figura, feitio, aparência, molde.
Formación *s* formação, composição.
Formalidad *adj* formalidade, seriedade, compostura.

Formalizar *v* formalizar, concretizar.
Formar *v* formar, construir, ordenar, criar.
Formato *s* formato, feito.
Formidable *adj* formidável, espantoso.
Fórmula *s* fórmula, regra, praxe.
Foro *s* foro, fórum.
Forraje *s* forragem, pasto.
Forrar *v* forrar, poupar (dinheiro).
Forro *s* forro, revestimento.
Fortalecer *v* fortalecer, consolidar.
Fortaleza *s* fortaleza.
Fortificar *v* fortificar, fortalecer.
Fortuito *adj* fortuito, casual.
Fortuna *s* fortuna, sorte, destino.
Forzar *v* forçar, violentar, violar, obrigar.
Forzudo *adj* vigoroso, forçudo.
Fosa *s* fossa, cova, cavidade.
Fósforo *s* fósforo, palito ou pavio.
Fósil *adj* fóssil.
Foso *s* fosso, escavação, vala, alçapão (no teatro).
Fotografía *s* fotografia.
Fotografiar *v* fotografar.
Fracasar *v* fracassar, falhar, malograr.
Fracaso *s* fracasso, frustração, infortúnio.
Fracción *s* fração, parte, porção.
Fraccionar *v* fracionar, dividir, fragmentar, repartir.
Fractura *s* fratura, quebra, ruptura.
Fragancia *s* fragrância, aroma suave, perfume.
Fragante *adj* fragrante, perfumado, cheiroso.
Frágil *adj* frágil, inconsistente.
Fragilidad *s* fragilidade, delicadeza.
Fragmento *s* fragmento, parte, porção.
Fragor *s* fragor, estrondo, estrépito.
Fraile *s* frade.
Frambuesa *s* framboesa.
Francés *adj* francês.
Franciscano *adj* franciscano.
Franco *adj* franco, generoso, livre, expansivo.
Franela *s* flanela.
Franja *s* franja, galão.
Franquear *v* franquear, libertar, livrar, desimpedir.
Franqueo *s* franquia, alforria.
Franqueza *s* franqueza, privilégio, sinceridade.
Frasco *s* frasco, recipiente.
Frase *s* frase.
Fraternidad *s* fraternidade, irmandade, harmonia.
Fraternizar *v* confraternizar.
Fraude *s* fraude, engano.
Fray *s* frei, frade.
Freático *adj* freático.
Frecuencia *s* frequência.
Frecuentar *v* frequentar, repetir, conviver, conversar.
Frecuente *adj* frequente, repetido, assíduo, usual, comum.
Fregar *v* esfregar, friccionar.
Freír *v* fritar, frigir.
Frenar *v* frear, brecar.
Frenesí *s* frenesi, exaltação.
Freno *s* freio, breque.
Frente *s* testa, rosto, semblante; *adv* em frente, de frente.
Fresa *s* morango.
Fresco *adj* fresco, arejado, viçoso.
Frescura *s* frescura, desembaraço.
Frialdad *s* frieza, frigidez.
Frígido *adj* frígido, frio.
Frigorífico *s* frigorífico.
Frijol *s* feijão.
Frío *adj* frio, gélido, frígido.
Frisar *v* frisar, esfregar, calhar.
Friso *s* friso, faixa, filete, barra.
Fritada *s* fritada, fritura.
Fritar *v* fritar, frigir.
Frito *s* fritura; *adj* frito.
Frívolo *adj* frívolo, fútil, superficial.
Frondosidad *s* frondosidade.
Frontal *adj* frontal.
Frontera *s* fronteira.
Frotar *v* esfregar, friccionar.
Fructificar *v* frutificar.
Frugal *adj* frugal, moderado, sóbrio, modesto.
Fruncir *v* franzir, enrugar, preguear.

Fruta *s* fruta, fruto.
Fuego *s* fogo, lume, labareda.
Fuelle *s* fole.
Fuente *s* fonte, manancial, chafariz, travessa (para servir comida).
Fuera *adv* fora, além de, exteriormente.
Fuerte *adj* forte, resistente, enérgico, violento.
Fuerza *s* força, resistência, energia, solidez.
Fuga *s* fuga, escape, saída.
Fugar *v* fugir, esquivar-se.
Fulano *s* fulano, uma pessoa qualquer.
Fulgor *s* fulgor, esplendor, brilho.
Fulminar *v* fulminar, bombardear, aniquilar.
Fumar *v* fumar, fumegar.
Función *s* função, exercício, cargo, solenidade.
Funcionar *v* funcionar, trabalhar, estar em exercício, estar aberto.
Funcionario *s* funcionário público.
Funda *s* capa, invólucro, bolsa.
Fundamental *adj* fundamental, principal, essencial.
Fundamento *s* fundamento, princípio, base.
Fundar *v* fundar, edificar, erigir, inaugurar.
Fundición *s* fundição.
Fundir *v* fundir, derreter, desfazer, arruinar.
Fúnebre *adj* fúnebre, triste.
Funeral *s* funeral, velório.
Funesto *adj* desventura, tristeza, nocivo.
Furgón *s* furgão.
Furia *s* fúria, ira, cólera.
Furor *s* furor, fúria, cólera, ira.
Furtivo *adj* furtivo, clandestino.
Fusil *s* fuzil, espingarda.
Fusión *s* fusão, fundição, liga, mistura.
Fustigar *v* fustigar, açoitar.
Fútbol *s* futebol.
Futilidad *s* futilidade, leviandade, vaidade.
Futuro *s* futuro, porvir; *adj* vindouro, próximo.

g G

G *s* oitava letra do alfabeto espanhol.
Gabán *s* capote, sobretudo.
Gabardina *s* gabardina, sobretudo, capa de chuva.
Gabinete *s* gabinete, camarim, escritório, ministério.
Gacela *s* gazela.
Gaceta *s* gazeta, jornal, periódico.
Gafas *s* óculos.
Gaita *s* gaita.
Gajo *s* galho, ramo, chifre.
Gala *s* gala, festa, ornamento.
Galán *s* galã, ator principal.
Galante *adj* galante, bonito, gentil.
Galanteo *s* galanteio, corte.
Galápago *s* cágado, tartaruga.
Galardón *s* galardão.
Galardonar *v* galardoar.
Galaxia *s* galáxia.
Galería *s* galeria (em edifício, mina, teatro), corredor.
Galgo *s* galgo.
Galicismo *s* galicismo, francesismo.
Gallardía *s* galardia, elegância, gentileza.
Gallego *adj* galego.
Galleta *s* biscoito, bolacha.
Gallina *s* galinha.
Gallinero *s* galinheiro.
Gallo *s* galo.
Galo *adj* gaulês.
Galopar *v* galopar.
Galope *s* galope.
Galvanizar *v* galvanizar.
Gama *s* gama, escala musical.
Gamberro *adj* libertino, grosseiro.
Gameto *s* gameta.
Gamo *s* gamo, veado.
Gamuza *s* camurça (animal, pele).
Gana *s* gana, vontade, desejo.
Ganadería *s* rebanho, gado.
Ganado *s* gado.
Ganancia *s* ganância, ganho, lucro.
Ganar *v* ganhar, conquistar, vencer, adquirir.
Ganchillo *s* crochê, agulha de crochê.
Gancho *s* gancho, engate.
Gandul *adj* vagabundo.
Ganga *s* escória.
Gangrena *s* gangrena.
Gansada *s* asneira, besteira.
Ganso *s* ganso.
Ganzúa *s* gazua.
Gañir *v* ganir, grasnar (aves).
Garabato *s* gancho de ferro, rabisco.
Garaje *s* garagem, estacionamento.
Garantía *s* garantia, penhor, fiança, aval.
Garantizar *v* garantir, assegurar, abonar.
Garbanzo *s* grão-de-bico.
Garbo *s* garbo, graça, elegância.
Garboso *adj* garboso, elegante.
Garfio *s* gancho de ferro.
Gargajo *s* escarro.
Garganta *s* garganta, desfiladeiro.
Gárgaras *s* gargarejo.
Gárgola *s* gárgula, cano.
Garita *s* guarita.
Garito *s* casa de jogo clandestino.
Garra *s* garra.
Garrafa *s* garrafão.
Garrapata *s* carrapato.
Garrote *s* garrote.
Gárrulo *adj* falador, tagarela.
Gas *s* gás.
Gasa *s* gaze.
Gaseosa *s* gasosa, refrigerante; *adj* gasosa.
Gasoil *s* gasóleo.

Gasolina *s* gasolina.
Gasolinera *s* posto de gasolina.
Gasómetro *s* gasômetro.
Gastar *v* gastar, usar, consumir.
Gasto *s* gasto, consumo, despesa.
Gástrico *s* gástrico.
Gastritis *s* gastrite.
Gastronomía *s* gastronomia.
Gata *s* gata.
Gatear *v* engatinhar, trepar, subir.
Gatillo *s* gatilho.
Gato *s* gato, macaco (para levantar peso, de carro).
Gaucho *s* gaúcho.
Gaveta *s* gaveta.
Gavilán *s* gavião.
Gavilla *s* feixe (de cana, ervas).
Gaviota *s* gaivota.
Gazpacho *s* gaspacho, sopa fria.
Géiser *s* gêiser.
Geisha *s* gueixa.
Gel *s* gel.
Gelatina *s* gelatina.
Gélido *adj* gelado, gélido.
Gema *s* gema.
Gemelo *adj* gêmeo; *s* binóculos, abotoaduras.
Gemido *s* gemido, lamentação.
Géminis *s* gêmeos.
Gemir *v* gemer, suspirar.
Gendarme *s* gendarme, guarda, policial.
Genealogía *s* genealogia, estirpe, linhagem.
Generación *s* geração, sucessão.
General *adj* geral.
Generalidad *s* generalidade, maioria.
Generalizar *v* generalizar, difundir, divulgar, propagar.
Generar *v* gerar, engendrar.
Género *s* gênero, ordem, classe, mercadorias.
Generoso *adj* generoso, desprendido, nobre.
Génesis *s* gênese, origem.
Genético *adj* genético.
Genialidad *s* genialidade.
Genio *s* gênio, índole, caráter, talento.
Genital *adj* genital.
Genocidio *s* genocídio.
Gente *s* gente, população, povo.
Gentileza *s* gentileza, amabilidade.
Gentío *s* multidão.
Gentuza *s* gentinha, plebe, ralé.
Genuino *adj* genuíno, puro, natural, legítimo.
Geografía *s* geografia.
Geología *s* geologia.
Geometría *s* geometria.
Geranio *s* gerânio.
Gerente *s* gerente, administrador.
Geriatra *s* geriatra.
Germánico *adj* germânico.
Germen *s* germe, embrião.
Germinar *v* germinar, brotar.
Gerundio *s* gerúndio.
Gestación *s* gestação, gravidez.
Gesticular *v* gesticular.
Gestión *s* gestão, administração, gerência.
Gestionar *v* administrar, negociar.
Gesto *s* gesto, fisionomia, expressão, careta.
Giba *s* corcova, corcunda.
Gigante *adj* gigante, enorme, descomunal.
Gigantesco *adj* gigantesco.
Gimnasia *s* ginástica.
Gimnasio *s* ginásio, centro de esportes.
Ginebra *s* genebra (bebida alcoólica).
Gineceo *s* gineceu.
Ginecología *s* ginecologia.
Ginecólogo *s* ginecologista.
Gira *s* excursão, passeio, viagem de lazer.
Girar *v* girar, circular, percorrer.
Girasol *s* girassol.
Giro *s* giro, rotação, rodeio.
Gis *s* giz.
Gitano *adj* cigano.
Glacial *adj* glacial, gelado.
Glaciar *s* glaciar, geleira.
Glande *s* glande.
Glándula *s* glândula.
Glandular *adj* glandular.
Glicerina *s* glicerina.

Global *adj* global, total.
Globo *s* globo, esfera, bola, balão.
Glóbulo *s* glóbulo.
Gloria *s* glória, fama, renome.
Glorieta *s* pracinha, caramanchão.
Glorificar *v* glorificar, enaltecer, exaltar, honrar.
Glosa *s* glosa, comentário, crítica.
Glotón *adj* glutão, comilão.
Glotonería *s* voracidade.
Glucosa *s* glicose.
Gluten *s* glúten.
Glúteo *adj* glúteo.
Gobernador *s* governador.
Gobernar *v* governar, dirigir, administrar.
Gobierno *s* governo, ordem, regra, autoridade, regime.
Goce *s* gozo, prazer, proveito.
Gol *s* gol.
Goleada *s* goleada.
Golf *s* golfe.
Golfo *adj* vadio, vagabundo; *s* golfo.
Golondrina *s* andorinha.
Golosina *s* guloseima, gulodice.
Goloso *adj* guloso, glutão, voraz.
Golpe *s* golpe, pancada, choque.
Golpear *v* golpear, bater, espancar.
Goma *s* borracha.
Gomería *s* borracharia.
Gomoso *adj* gomoso, borrachento.
Góndola *s* gôndola.
Gonorrea *s* gonorreia, blenorragia.
Gordo *adj* gordo, obeso, corpulento.
Gordura *s* gordura, adiposidade.
Gorgorito *s* trinado.
Gorila *s* gorila.
Gorjeo *s* gorjeio, trinado.
Gorra *s* gorra, barrete.
Gorro *s* gorro.
Gorrón *adj* parasita, aproveitador.
Gota *s* gota, pingo.
Gotear *v* gotejar, pingar, destilar.
Gotera *s* goteira.
Gótico *adj* gótico.
Gozar *v* gozar, possuir.
Gozne *s* dobradiça, gonzo.
Gozo *s* gozo, prazer.
Grabado *s* imagem, gravura.
Grabar *v* gravar (imagem ou som).
Gracejo *s* gracejo, graça, brincadeira.
Gracia *s* graça, atrativo, benefício, favor.
Grada *s* degrau, banco, arquibancada.
Gradación *s* gradação.
Grado *s* grau.
Graduar *v* graduar, classificar, colar grau.
Gráfico *adj* gráfico.
Grafología *s* grafologia.
Gragea *s* drágea.
Gramática *s* gramática.
Gramo *s* grama.
Gramófono *s* gramofone, fonógrafo.
Gran *adj* grão, principal.
Grana *s* grão, semente, escarlate (cor).
Granada *s* romã, granada.
Granate *s* grená, vinho (cor), granada.
Grande *adj* grande, vasto, extenso.
Grandeza *s* grandeza, extensão, importância, fortuna.
Grandiosidad *s* grandiosidade, suntuosidade.
Granear *v* semear, granular.
Granero *s* celeiro, tulha.
Granito *s* granito.
Granizar *v* chover granizo.
Granizo *s* granizo.
Granja *s* granja, sítio.
Granjear *v* granjear, adquirir, obter.
Granjero *s* granjeiro, agricultor.
Grano *s* grão, semente.
Granuja *s* uva desbagoada.
Grapa *s* grampo, gancho.
Grapadora *s* grampeador.
Grapar *v* grampear, prender, fixar (com grampos).
Grasa *s* gordura, sebo.
Graso *adj* gordurento.
Gratificación *s* gratificação, retribuição.
Gratificar *v* gratificar, recompensar, retribuir.
Gratinar *v* gratinar, dourar.
Gratis *adv* grátis, gratuitamente.
Grato *adj* grato, agradecido, reconhecido, agradável.
Gratuito *adj* gratuito, arbitrário.

Grava *s* cascalho, areia grossa.
Gravamen *s* encargo, carga, ônus.
Gravar *v* agravar, oprimir, sobrecarregar, onerar, pesar.
Grave *adj* grave, pesado, sério, difícil, solene, perigoso.
Gravedad *s* gravidade, importância, intensidade.
Gravidez *s* gravidez, gestação.
Gravitación *s* gravitação, atração.
Gravitar *v* gravitar, mover-se, descansar um corpo sobre outro.
Gravoso *adj* oneroso, pesado, incômodo.
Graznido *s* grasnido.
Gregario *adj* gregário, agregado.
Gremio *s* grêmio, associação.
Greña *s* grenha, cabelos desgrenhados.
Gresca *s* barulho, algazarra, briga, rixa.
Grey *s* grei, rebanho.
Griego *adj* grego.
Grieta *s* greta, fenda.
Grifo *s* grifo, torneira.
Grillo *s* grilo.
Gripe *s* gripe.
Gris *adj* cor cinza.
Grisáceo *adj* cinzento, acinzentado.
Grisú *s* gás metano.
Gritar *v* gritar, bradar, berrar.
Gritería *s* gritaria, algazarra.
Grito *s* grito, brado, berro.
Grosería *s* grosseria, vulgaridade.
Grosor *s* grossura, espessura.
Grotesco *adj* grotesco, ridículo, extravagante.
Grúa *s* guincho, guindaste.
Grueso *adj* grosso, encorpado, rude, denso, estúpido, grosseiro.
Gruñido *s* grunhido, rosnado.
Gruñir *v* grunhir, rosnar.
Grupa *s* garupa.
Grupo *s* grupo, conjunto de pessoas ou coisas.
Gruta *s* gruta, caverna.
Guadaña *s* foice.
Guajiro *s* camponês cubano.
Gualdo *adj* amarelo, de cor de ouro.
Guanaco *s* guanaco.
Guano *s* adubo para a terra.
Guantazo *s* bofetada.
Guante *s* luva.
Guapo *adj* guapo, valente, elegante.
Guaraní *adj* guarani.
Guarapo *s* garapa.
Guarda *s* guarda, proteção, tutela.
Guardacoches *s* guardador de carros.
Guardaespaldas *s* guarda-costas.
Guardameta *s* goleiro.
Guardapolvo *s* guarda-pó, avental.
Guardar *v* guardar, proteger, defender, vigiar.
Guardarropa *s* guarda-roupa, armário.
Guardia *s* guarda, custódia.
Guardián *s* guardião.
Guarecer *v* amparar, acolher, socorrer.
Guarida *s* guarida, esconderijo.
Guarismo *s* algarismo, número.
Guarnecer *v* guarnecer, enfeitar, ornar, equipar.
Guarnición *s* guarnição.
Guarro *s* porco, suíno.
Guasa *s* brincadeira sem graça, zombaria.
Guatemalteco *adj* guatemalteco.
Guayaba *s* goiaba.
Guayabo *s* goiabeira.
Guedeja *s* juba, cabeleira.
Guerra *s* guerra, luta.
Guerrear *v* guerrear, lutar, combater.
Guerrilla *s* guerrilha.
Guía *s* guia, líder, cicerone.
Guiar *v* guiar, conduzir, dirigir, encaminhar, orientar.
Guija *s* seixo, pedrinha, pedregulho.
Guijarro *s* calhau, pedra.
Guijo *s* cascalho.
Guillotina *s* guilhotina.
Guinda *s* altura dos mastros (barco).
Guindilla *s* pimenta-malagueta.
Guiñapo *s* farrapo, trapo.
Guiñar *v* piscar os olhos.
Guiño *s* piscada.
Guión *s* guia, estandarte, roteiro.
Guipar *v* ver, notar, bater os olhos.
Guirnalda *s* guirlanda.
Guisado *s* guisado, refogado.

Guisante *s* ervilha.
Guisar *v* guisar, refogar, cozinhar.
Guiso *s* guisado.
Guitarra *s* violão, guitarra elétrica.
Gula *s* gula, gulodice.
Gurú *s* guru.
Gusano *s* verme, lombriga.
Gustar *v* gostar, saborear, degustar, agradar.
Gusto *s* gosto, sabor, paladar, prazer, satisfação, simpatia.
Gutural *adj* gutural.

hH

H *s* nona letra do alfabeto espanhol.
Haba *s* fava.
Habanera *s* habanera ou havanera, dança originária de Havana.
Habano *adj* havano, havanês, pertencente a Havana, diz-se do tabaco.
Haber *s* bens, riqueza; *v* auxiliar, ter, possuir, existir, acontecer, ocorrer.
Habichuela *s* feijão, planta.
Hábil *adj* hábil, apto, capaz.
Habilidad *s* habilidade, capacidade, talento.
Habilitar *v* habilitar, prover, proporcionar.
Habitable *adj* habitável.
Habitación *s* habitação, residência, moradia, aposento.
Habitante *adj* habitante.
Habitar *v* habitar, morar, viver, residir.
Hábito *s* hábito, maneira de ser, costume, traje, vestimenta.
Habitual *adj* habitual, frequente.
Habituar *v* habituar, acostumar.
Habla *s* fala, língua, idioma.
Hablador *adj* falador, conversador, tagarela.
Habladuría *s* falatório, mexerico.
Hablar *v* falar, dizer, declarar, contar.
Hacendado *adj* rico, abastado.
Hacendoso *adj* trabalhador, solícito.
Hacer *v* fazer, criar, produzir, realizar, preparar, executar.
Hacha *s* tocha, machado.
Hacia *prep* para, em direção a.
Hacienda *s* fazenda, capital, bens.
Hacinamiento *s* aglomeração, ajuntamento.
Hacinar *v* amontoar, empilhar.
Hada *s* fada.
Hado *s* fado, destino.
Hagiografía *s* hagiografia (vida dos santos).
Haitiano *adj* haitiano.
Halagador *adj* adulador, bajulador.
Halagar *v* afagar, acariciar, adular, agradar.
Halago *s* afago, carinho, adulação.
Halcón *s* falcão.
Hálito *s* hálito, bafo, alento, fôlego.
Hall *s* hall, vestíbulo.
Hallar *v* achar, encontrar.
Hallazgo *s* achado, descobrimento.
Halo *s* halo, auréola.
Hamaca *s* maca, rede.
Hambre *s* fome.
Hambriento *adj* faminto, esfomeado.
Hangar *s* hangar, abrigo (para aviões).
Haragán *adj* folgazão, preguiçoso.
Harapiento *adj* esfarrapado, maltrapilho.
Harapo *s* farrapo, trapo, andrajo.
Harem *s* harém.
Harina *s* farinha.
Harinero *adj* farináceo.
Harinoso *adj* farinhento.
Hartar *v* fartar, satisfazer um desejo.
Harto *adj* farto, saciado, abundante.
Hasta *prep* até; *conj* até, mesmo.
Hastiar *v* aborrecer, enfastiar.
Hastío *s* fastio, tédio.
Hatajo *s* atalho, pequeno rebanho.
Hato *s* roupa de uso diário, rebanho, manada.
Haya *s* faia.
Haz *s* feixe (de cana, palha, de raios luminosos).
Haz *s* face, cara.

Hazaña *s* façanha, proeza.
Hebilla *s* fivela.
Hebra *s* fibra, fio, filamento.
Hebreo *adj* hebreu, israelita, judeu.
Hecatombe *s* hecatombe, matança, carnificina, catástrofe.
Hechicería *s* feitiçaria, magia, bruxaria.
Hechicero *s* feiticeiro, mago, bruxo.
Hechizar *v* enfeitiçar, encantar.
Hechizo *s* feitiço, encantamento; *adj* fingido, artificial, postiço.
Hecho *s* feito, fato, ação; *adj* acostumado, habituado, maduro.
Hectárea *s* hectare.
Heder *v* feder, exalar.
Hediondo *adj* hediondo, repugnante, nojento.
Hedonismo *s* hedonismo.
Hedor *s* fedor, mau cheiro.
Hegemonía *s* hegemonia, supremacia.
Helada *s* geada.
Heladera *s* geladeira.
Heladería *s* sorveteria.
Helado *adj* gelado, congelado; *s* sorvete.
Helar *v* gelar, congelar.
Hélice *s* hélice.
Helicóptero *s* helicóptero.
Helipuerto *s* heliporto.
Hematíe *s* hemácia, glóbulo vermelho.
Hematoma *s* hematoma, tumor.
Hembra *s* fêmea, mulher.
Hemeroteca *s* hemeroteca, biblioteca de periódicos.
Hemiciclo *s* semicírculo.
Hemiplejía *s* hemiplegia.
Hemisferio *s* hemisfério.
Hemofilia *s* hemofilia.
Hemoglobina *s* hemoglobina.
Hemorragia *s* hemorragia.
Hemorroide *s* hemorroidas.
Henchido *adj* cheio, preenchido, satisfeito.
Henchir *v* encher, preencher, inchar, estofar.
Hendedura *s* fenda, rachadura, incisão.
Hendir *v* fender, rachar, abrir.
Henil *s* palheiro, depósito de feno.
Heno *s* feno, erva ceifada.
Hepático *adj* hepático.
Hepatitis *s* hepatite, inflamação no fígado.
Heráldico *adj* heráldico, relativo a brasão.
Heraldo *s* arauto, mensageiro.
Herbario *adj* herbário.
Herbicida *s* herbicida.
Herbívoro *s* herbívoro.
Hercúleo *adj* hercúleo, forte.
Heredad *s* herdade, propriedade rúral, bens.
Heredado *adj* herdado, abastado, rico.
Heredar *v* herdar, receber, suceder, constituir como herdeiro.
Heredero *adj* herdeiro, sucessor.
Hereditario *adj* hereditário.
Hereje *s* herege, herético.
Herejía *s* heresia.
Herencia *s* herança, legado, sucessão de bens.
Herida *s* ferida, chaga.
Herido *adj* ferido.
Herir *v* ferir, atacar, golpear.
Hermafrodita *s* hermafrodita, bissexual.
Hermanar *v* irmanar, igualar, uniformizar.
Hermanastro *s* meio irmão.
Hermandad *s* irmandade, fraternidade, grande amizade.
Hermano *s* irmão, leigo.
Hermético *adj* hermético, fechado.
Hermosear *v* embelezar.
Hermoso *adj* formoso, belo, bonito, esplêndido.
Hermosura *s* formosura, beleza.
Hernia *s* hérnia.
Héroe *s* herói, protagonista.
Heroico *adj* heroico, ousado.
Heroína *s* heroína (substância química), droga, personagem feminina de destaque.
Heroísmo *s* heroísmo.
Herpes *s* herpes.
Herradura *s* ferradura.
Herramienta *s* ferramenta.

Herrar *v* ferrar, marcar com ferro, pôr ferradura.
Herrería *s* ferraria (ofício e estabelecimento de ferreiro).
Herrero *s* ferreiro.
Herrumbrar *v* enferrujar.
Herrumbre *s* ferrugem.
Hervido *adj* fervido, cozido.
Hervir *v* ferver, fervilhar, borbulhar.
Hervor *s* fervor, fervura.
Heterodoxia *s* heterodoxia.
Heterogéneo *adj* heterogêneo, misturado.
Heterosexual *adj* heterossexual.
Hexagonal *adj* hexagonal.
Hez *s* fezes, sedimento, borra, excremento.
Hiato *s* hiato.
Hibernación *s* hibernação.
Hibernar *v* hibernar.
Híbrido *adj* híbrido.
Hidalgo *s* fidalgo, nobre, aristocrata.
Hidalguía *s* fidalguia, nobreza, aristocracia.
Hidratación *s* hidratação.
Hidratar *v* hidratar.
Hidráulico *adj* hidráulico.
Hidroavión *s* hidroavião.
Hidrofobia *s* hidrofobia, raiva.
Hidrógeno *s* hidrogênio.
Hidrografía *s* hidrografia.
Hidromiel *s* hidromel.
Hidrosfera *s* hidrosfera.
Hidroterapia *s* hidroterapia.
Hiedra *s* hera, trepadeira.
Hiel *s* fel, bílis, adversidades.
Hielo *s* gelo.
Hiena *s* hiena.
Hierba *s* erva, pasto, pastagens.
Hierbabuena *s* hortelã, menta.
Hierro *s* ferro.
Higa *s* figa.
Hígado *s* fígado.
Higiene *s* higiene, limpeza, asseio.
Higiénico *adj* higiênico, limpo, asseado.
Higo *s* figo.
Higrometría *s* higrometria.
Higuera *s* figueira.
Hijastro *s* enteado.
Hijo *s* filho.
Hijuela *s* valeta, canalete, tira, pedaço.
Hila *s* fileira, alinhamento, fila.
Hilacha *s* fiapo.
Hilado *adj* fiado.
Hilar *v* fiar, tecer.
Hilaridad *s* hilaridade, graça, algazarra.
Hilera *s* fileira, fila, alinhamento, ordem.
Hilo *s* fio, fibra, filamento.
Hilván *s* alinhavo.
Hilvanado *adj* alinhavado.
Himen *s* hímen.
Himno *s* hino, cântico.
Hincapié *s* insistência.
Hincar *v* fincar, cravar.
Hinchar *v* inchar, encher, inflar, estufar, avolumar.
Hinchazón *s* inchaço.
Hinojo *s* funcho, joelho, erva-doce.
Hipérbole *s* hipérbole, exagero.
Hipermercado *s* supermercado.
Hipersensible *adj* hipersensível.
Hipertensión *s* hipertensão, pressão alta.
Hipertrofia *s* hipertrofia.
Hípico *adj* hípico, equino.
Hipnosis *s* hipnose.
Hipnotizar *v* hipnotizar, produzir a hipnose.
Hipo *s* soluço.
Hipocondria *s* hipocondria, melancolia.
Hipocresía *s* hipocrisia, deslealdade, fingimento, falsidade.
Hipodérmico *adj* hipodérmico.
Hipódromo *s* hipódromo.
Hipopótamo *s* hipopótamo.
Hipoteca *s* hipoteca, penhora.
Hipotecar *v* hipotecar, penhorar.
Hipótesis *s* hipótese.
Hirviente *adj* fervente.
Hispánico *adj* hispânico.
Hispano *adj* hispano.
Hispanoamericano *adj* hispano-americano.
Histérico *adj* histérico.
Histerismo *s* histerismo.

Historia *s* história, narração.
Historiador *s* historiador.
Histórico *adj* histórico.
Hocico *s* focinho.
Hogar *s* lareira, fogueira.
Hogaza *s* fogaça, (pão italiano).
Hoguera *s* fogueira, labareda.
Hoja *s* folha, pétala, lâmina.
Hojalata *s* lata, folha-de-flandres.
Hojalatero *s* funileiro.
Hojaldre *s* folhado, massa folhada.
Hojear *v* folhear.
Hola! *interj* olá!, alô!, olé!
Holandés *adj* holandês.
Holgado *adj* folgado, desocupado, abonado.
Holganza *s* folga, descanso, repouso.
Holgar *v* folgar, descansar, divertir-se.
Holgura *s* folga, diversão, largura, desaperto.
Hollar *v* pisar, calçar.
Hollín *s* fuligem.
Holocausto *s* holocausto, genocídio.
Hombre *s* homem, varão, indivíduo.
Hombrera *s* ombreira.
Hombro *s* ombro, espádua.
Homenaje *s* homenagem.
Homeopatía *s* homeopatia.
Homeopático *adj* homeopático.
Homicida *adj* homicida, assassino.
Homicidio *s* homicídio, assassinato.
Homogéneo *adj* homogêneo, idêntico.
Homólogo *adj* homólogo, similar.
Homónimo *adj* homônimo, pessoas ou coisas que têm o mesmo nome.
Homosexual *adj* homossexual.
Honda *s* funda, estilingue.
Hondo *adj* fundo, profundo.
Hondonada *s* depressão, terreno baixo.
Hondura *s* profundidade.
Hondureño *adj* hondurenho.
Honestidad *s* honestidade, decoro, decência.
Hongo *s* fungo, cogumelo.
Honor *s* honra, dignidade, fama, reputação.
Honorable *adj* respeitável, honrado.
Honorario *adj* honorário, remuneração.
Honorífico *adj* honorífico.
Honra *s* honra, dignidade, respeito.
Honradez *s* honradez, probidade, integridade.
Honrado *adj* honrado, honesto, íntegro.
Hora *s* hora, momento.
Horario *s* horário.
Horca *s* forca, forquilha.
Horchata *s* orchata.
Horizonte *s* horizonte.
Horma *s* fôrma, molde.
Hormiga *s* formiga.
Hormigón *s* concreto.
Hormigonera *s* betoneira.
Hormigueo *s* formigamento, comichão.
Hormiguero *s* formigueiro.
Hormona *s* hormônio.
Hormonal *adj* hormonal.
Hornada *s* fornada.
Hornalla *s* fornalha, forno de fábrica.
Hornear *v* assar (no forno).
Hornillo *s* fogareiro, fogão pequeno.
Horno *s* forno, fornalha.
Horóscopo *s* horóscopo.
Horquilla *s* forquilha, grampo (de cabelo), bifurcação.
Horrendo *adj* horrendo, medonho.
Hórreo *s* celeiro.
Horrible *adj* horrível, medonho, atroz.
Horror *s* horror, aversão.
Horrorizar *v* horrorizar, apavorar, horrorizar.
Horroroso *adj* horroroso, medonho, pavoroso.
Hortaliza *s* hortaliça, verdura.
Hortensia *s* hortênsia.
Horticultor *s* horticultor.
Horticultura *s* horticultura.
Hosco *adj* áspero, intratável, fosco.
Hospedaje *s* hospedagem, alojamento.
Hospedar *v* hospedar, alojar.
Hospedería *s* hospedaria.
Hospicio *s* asilo.
Hospital *s* hospital.
Hospitalario *adj* hospitalar, hospitaleiro.
Hosquedad *s* aspereza.

Hostal *s* hospedaria, hotel.
Hostelería *s* hotelaria.
Hostelero *s* hoteleiro.
Hostería *s* hospedaria, estalagem, pensão.
Hostia *s* hóstia.
Hostigar *v* fustigar, açoitar.
Hostil *adj* hostil, inimigo, contrário.
Hostilidad *adj* hostilidade.
Hostilizar *v* hostilizar, maltratar, agredir.
Hotel *s* hotel.
Hotelero *adj* hoteleiro.
Hoy *adv* hoje.
Hoya *s* fossa, cova, sepultura.
Hoyo *s* cova, fossa, escavação.
Hoz *s* foice, garganta (entre montanhas), foz (de rio).
Hozar *v* fuçar, fossar.
Hucha *s* arca, baú, cofre.
Hueco *adj* oco, côncavo, vazio.
Huelga *s* greve, folga, férias.
Huelguista *s* grevista.
Huella *s* pegada, pisada, sinal, vestígio.
Huérfano *adj* órfão, desamparado.
Huero *adj* gorado, vazio, oco, insignificante.
Huerta *s* horta.
Hueso *s* osso.
Huésped *s* hóspede, anfitrião.
Hueste *s* hoste, tropa.
Huesudo *adj* ossudo.
Huevo *s* ovo, ova (de peixe).
Huido *s* fuga.
Huir *v* fugir, escapar, retirar-se.
Hulla *s* hulha, carvão.
Humanidad *s* humanidade, caridade, compaixão, humanidades, ciências humanas.
Humanismo *s* humanismo.
Humanitario *adj* humanitário, filantropo.
Humano *adj* humano, afável, benigno.
Humareda *s* fumarada, fumaça.
Humeante *adj* fumegante.
Humear *v* fumegar, fumar.
Humedad *s* umidade.
Humedecer *v* umedecer.
Húmedo *adj* úmido.
Húmero *s* úmero.
Humildad *s* humildade, modéstia.
Humillación *s* humilhação, vexame.
Humillar *v* humilhar, degradar.
Humo *s* fumo.
Humor *s* humor, disposição, jovialidade.
Humus *s* húmus, terra vegetal.
Hundimiento *s* afundamento, submersão, demolição.
Hundir *v* afundar, submergir.
Húngaro *adj* húngaro.
Huracán *s* furacão, tufão.
Huraño *adj* antissocial, intratável.
Hurgar *v* remexer, remover.
Hurgón *s* atiçador.
Hurtar *v* furtar, roubar.
Hurto *s* furto, coisa roubada.
Husmear *v* farejar, cheirar.
Huso *s* fuso.
Huy *interj* ui!, ai!.

i I

I *s* décima letra do alfabeto espanhol; I um em algarismos romanos.
Ibérico *adj* ibérico.
Ibero *adj* ibero, ibérico.
Iberoamericano *adj* ibero-americano.
Iceberg *s icebergue*.
Iconoclasta *adj* iconoclasta.
Iconografía *s* iconografia, descrição de imagens.
Ictericia *s* icterícia, cor amarela da pele produzida pela bílis.
Ida *s* ida, partida.
Idea *s* ideia, representação, fantasia.
Ideal *adj* ideal, imaginário, perfeito.
Idealismo *s* idealismo.
Idealizar *v* idealizar, fantasiar.
Idear *v* idealizar, projetar, engendrar, conceber.
Ídem *pron* idem, o mesmo.
Idéntico *adj* idêntico, igual.
Identidad *s* identidade, semelhança.
Identificar *v* identificar.
Ideología *s* ideologia.
Idilio *s* idílio.
Idioma *s* idioma, língua.
Idiomático *adj* idiomático.
Idiosincrasia *s* idiossincrasia, caráter.
Idiota *adj* idiota, ignorante.
Idiotez *s* idiotice, estupidez.
Idolatrar *v* idolatrar, adorar, venerar.
Ídolo *s* ídolo.
Idóneo *adj* idôneo, apto, capaz.
Iglesia *s* igreja (conjunto de fiéis, templo).
Iglú *s* iglu, casa de esquimó.
Ígneo *adj* ígneo, ardente.
Ignición *s* ignição, combustão.
Ignominia *s* ignomínia, afronta.
Ignorancia *s* ignorância, desconhecimento, incompetência.
Ignorante *adj* ignorante, inculto.
Ignorar *v* ignorar, desconhecer.
Igual *adj* igual, idêntico, equivalente.
Igualar *v* igualar, adequar, ajustar, combinar.
Igualdad *s* igualdade, paridade, equivalência.
Ilegal *adj* ilegal, ilícito.
Ilegalidad *s* ilegalidade.
Ilegible *adj* ilegível.
Ilegítimo *adj* ilegítimo, injusto.
Ileso *adj* ileso, intacto.
Iletrado *adj* iletrado, analfabeto.
Ilícito *adj* ilícito, ilegal.
Ilimitado *adj* ilimitado, infinito, incalculável.
Ilógico *adj* ilógico, absurdo.
Iluminar *v* iluminar, aclarar, esclarecer.
Ilusión *s* ilusão, engano, fantasia.
Ilusionar *v* iludir, enganar.
Ilusionista *adj* ilusionista.
Iluso *adj* iludido, enganado.
Ilusorio *adj* ilusório, enganoso, falso.
Ilustrar *v* ilustrar, esclarecer, educar, colocar gravuras.
Ilustre *adj* ilustre, célebre, notável.
Imagen *s* imagem, figura, representação.
Imaginación *s* imaginação, representação, fantasia.
Imaginar *v* imaginar, fantasiar, representar.
Imaginario *adj* imaginário, irreal.
Imán *s* ímã.
Imantar *v* imantar, magnetizar.
Imbécil *adj* imbecil, idiota, tonto.
Imbecilidad *s* imbecilidade.

Imborrable *adj* indelével.
Imbuir *v* imbuir, infundir, persuadir.
Imitación *s* imitação, cópia, arremedo, plágio.
Imitar *v* imitar, copiar, plagiar.
Impaciencia *s* impaciência, ansiedade, inquietação.
Impacientar *v* impacientar.
Impaciente *adj* impaciente, ansioso, nervoso, irritado.
Impactar *v* causar impacto, impressionar, chocar.
Impacto *s* impacto, choque, impressão intensa.
Impalpable *adj* impalpável.
Impar *adj* ímpar, único.
Imparcial *adj* imparcial.
Imparcialidad *s* imparcialidade, neutralidade.
Impartir *v* repartir, distribuir.
Impasible *adj* impassível, inalterado.
Impecable *adj* impecável, perfeito.
Impedido *adj* impedido, tolhido, vedado.
Impedimento *s* impedimento, obstáculo, empecilho.
Impedir *v* impedir, impossibilitar, obstruir, barrar.
Impeler *v* impelir, empurrar.
Impenetrable *adj* impenetrável, hermético.
Impensado *adj* impensado, imprevisto, súbito.
Imperar *v* imperar, dominar, governar.
Imperativo *adj* imperativo.
Imperceptible *adj* imperceptível.
Imperdible *v* imperdível.
Imperdonable *adj* imperdoável, condenável.
Imperecedero *adj* imorredouro, imperecível.
Imperfección *s* imperfeição, falha, deformação.
Imperfecto *adj* imperfeito, defeituoso.
Imperial *adj* Imperial, arrogante.
Imperialismo *s* imperialismo.
Imperialista *adj* imperialista.
Impericia *s* imperícia.
Imperio *s* império, poder, potência.
Imperioso *adj* imperioso, urgente, indispensável.
Impermeabilizar *v* impermeabilizar.
Impermeable *adj* impermeável; *s* capa de chuva.
Impersonal *adj* impessoal.
Impertinencia *s* impertinência, inconveniência, atrevimento.
Impertinente *adj* impertinente, audacioso.
Imperturbable *adj* imperturbável, impassível.
Ímpetu *s* ímpeto, violência, força.
Impetuoso *adj* impetuoso, violento, precipitado.
Impío *adj* ímpio, cruel, ateu.
Implacable *adj* implacável, imperdoável.
Implantación *s* implantação.
Implantar *v* implantar, estabelecer, inserir.
Implicación *s* implicação, cumplicidade.
Implicancia *s* implicância, impossibilidade, impedimento legal.
Implicar *v* implicar, comprometer, envolver, incluir.
Implícito *adj* implícito, subentendido.
Implorar *v* implorar, suplicar, rogar.
Imponente *adj* imponente, majestoso.
Imponer *v* impor, atribuir, doutrinar, obrigar.
Impopular *adj* impopular.
Importación *s* importação.
Importancia *s* importância, utilidade, valor.
Importante *adj* importante, considerável.
Importar *v* importar, interessar.
Importe *s* importância, custo, preço, valor.
Importunar *v* importunar, incomodar.
Importuno *adj* importuno, chato.
Imposibilidad *s* impossibilidade.
Imposibilitar *v* impossibilitar.
Imposible *adj* impossível, impraticável, incrível, insuportável.
Imposición *s* imposição, obrigação.
Impostor *adj* impostor.

Impostura *s* impostura.
Impotencia *s* impotência, incapacidade de fecundar ou conceber.
Impotente *adj* impotente, incapaz.
Impracticable *adj* impraticável, intransitável (rua e caminho).
Imprecación *s* imprecação, praga.
Imprecisión *s* imprecisão, indefinição.
Impreciso *adj* impreciso, confuso, vago, indeterminado.
Impregnar *v* impregnar, embeber, banhar.
Imprenta *s* imprensa, arte de imprimir, tipografia.
Imprescindible *adj* imprescindível.
Impresión *s* impressão, efeito, marca.
Impresionar *v* impressionar, comover, abalar.
Impreso *adj* impresso.
Impresor *s* impressor, tipógrafo.
Impresora *s* impressora.
Imprevisto *adj* imprevisto, repentino.
Imprimir *v* imprimir, gravar, editar, publicar, estampar.
Improbable *adj* improvável, incerto.
Ímprobo *adj* ímprobo, árduo, penoso, trabalhoso.
Improcedente *adj* improcedente, inadequado, ilógico.
Improductivo *adj* improdutivo, estéril.
Improperio *s* impropério, injúria.
Impropio *adj* impróprio, inoportuno, inadequado.
Improvisar *v* improvisar.
Improviso *adj* improvisado, repentino, súbito.
Imprudencia *s* imprudência, imprevisão.
Imprudente *adj* imprudente, imprevidente.
Impúdico *adj* impudico.
Impuesto *s* imposto, tributo, taxa.
Impugnación *s* impugnação, resistência.
Impugnar *v* impugnar, combater, contestar.
Impulsar *v* impulsionar, impelir, empurrar.
Impulsivo *adj* impulsivo, impetuoso.
Impulso *s* impulso, ímpeto, estímulo.
Impune *adj* impune.
Impunidad *s* impunidade, impureza.
Impureza *s* impureza, contaminação.
Impuro *adj* impuro, adulterado, contaminado.
Imputar *v* imputar delito ou ação.
Inaccesible *adj* inacessível.
Inaceptable *adj* inaceitável.
Inactividad *s* inatividade.
Inactivo *adj* inativo, ocioso, desocupado.
Inadecuado *adj* inadequado.
Inadmisible *adj* inadmissível.
Inagotable *adj* inesgotável, infinito.
Inaguantable *adj* insuportável, intolerável, insofrível.
Inalterable *adj* inalterável, impassível.
Inanición *s* inanição, debilidade, fome.
Inanimado *adj* inanimado, morto.
Inapetencia *s* inapetência, fastio, falta de apetite.
Inapreciable *adj* inapreciável, inestimável.
Inasequible *adj* inexequível, inatingível.
Inaudito *adj* inaudito, nunca ouvido.
Inauguración *s* inauguração, abertura.
Inaugurar *v* inaugurar, abrir, estrear.
Inca *adj* inca.
Incalculable *adj* incalculável.
Incandescente *adj* incandescente, ardente.
Incansable *adj* incansável.
Incapacidad *s* incapacidade.
Incapacitar *v* incapacitar, degradar.
Incapaz *adj* incapaz, inapto, incompetente.
Incautarse *v* expropriar, tomar posse de algo (o governo).
Incauto *adj* incauto, desprevenido.
Incendiar *v* incendiar, acender.
Incendio *s* incêndio, fogo.
Incensario *s* incensário, turíbulo.
Incertidumbre *s* incerteza, hesitação, dúvida.
Incesante *adj* incessante, contínuo, ininterrupto.
Incesto *s* incesto.

Incidente *adj* incidente; *s* incidente, episódio, ocorrência.
Incidir *v* incidir, sobrevir, acontecer.
Incienso *s* incenso.
Incierto *adj* incerto, duvidoso, dúbio.
Incineración *s* incineração.
Incinerar *v* incinerar, queimar.
Incisión *s* incisão, corte.
Incisivo *adj* incisivo, cortante.
Inciso *s* inciso.
Incitar *v* incitar, estimular, instigar.
Inclemencia *s* inclemência, rigor.
Inclinación *s* inclinação, reverência, propensão, declive.
Inclinar *v* inclinar, pender, curvar.
Incluir *v* incluir, abranger, conter, inserir.
Inclusa *s* orfanato, asilo (para crianças abandonadas).
Inclusion *s* inclusão.
Incógnito *adj* incógnito, desconhecido, anônimo.
Incoherencia *s* incoerência, desordem, discrepância.
Incoloro *adj* incolor.
Incólume *adj* incólume, ileso.
Incomodar *v* incomodar, importunar.
Incómodo *adj* incômodo, embaraçoso, importuno.
Incomparable *adj* incomparável, único.
Incompatible *adj* incompatível, contraditório.
Incompetencia *s* incompetência, incapacidade.
Incompleto *adj* incompleto, parcial.
Incomprensible *adj* incompreensível.
Incomunicar *v* incomunicar.
Inconcebible *adj* inconcebível, incrível, inexplicável.
Incondicional *adj* incondicional, absoluto, sem restrições.
Inconexo *adj* desconexo.
Inconfesable *adj* inconfessável.
Incongruente *adj* incongruente, impróprio.
Inconsciencia *s* inconsciência.
Inconsciente *adj* inconsciente.
Inconsecuente *adj* inconsequente.
Inconsistencia *s* inconsistência, inconstância, incerteza.
Inconsistente *adj* inconsistente, inconstante, volúvel.
Inconsolable *adj* inconsolável.
Inconstante *adj* inconstante, variável, incerto, volúvel.
Incontable *adj* incontável, numeroso, incalculável.
Incontestable *adj* incontestável, indiscutível, irrefutável.
Incontinencia *s* incontinência, excesso.
Inconveniencia *s* inconveniência, indelicadeza, grosseria.
Inconveniente *adj* inconveniente, impróprio, inoportuno, indelicado.
Incorporar *v* incorporar, unir, reunir, pôr em pé, tomar corpo.
Incorpóreo *adj* incorpóreo, imaterial, impalpável.
Incorrección *s* incorreção, defeito.
Incorrecto *adj* incorreto, imperfeito.
Incorregible *adj* incorrigível, indisciplinado, indócil, rebelde.
Incredulidad *s* incredulidade, descrença, desconfiança.
Incrédulo *adj* incrédulo, desconfiado, descrente.
Increíble *adj* incrível, fantástico, inacreditável.
Incrementar *v* incrementar, adicionar, acrescentar.
Increpar *v* insultar, repreender, acusar.
Incriminar *v* incriminar, acusar, recriminar, inculpar.
Incruento *adj* incruento, que não derramou sangue.
Incrustar *v* incrustar, encravar, inserir.
Incubadora *s* incubadora, chocadeira.
Incubar *v* incubar, chocar (ovos).
Inculcar *v* inculcar, encaixar.
Inculpar *v* inculpar, acusar, culpar.
Inculto *adj* inculto, agreste, ignorante, rude.
Incumbencia *s* incumbência, obrigação.
Incumbir *v* incumbir, encarregar.
Incumplido *adj* incumprido.

Incurable *adj* incurável.
Incurrir *v* incorrer, incidir.
Incursión *s* incursão, penetração.
Indagación *s* indagação, averiguação, investigação.
Indagar *v* indagar, perguntar, pesquisar.
Indebido *adj* indevido, inoportuno.
Indecencia *s* indecência, inconveniência, safadeza.
Indecente *adj* indecente, indecoroso, vergonhoso.
Indecible *adj* indizível, inefável, inexplicável.
Indeciso *adj* indeciso, hesitante, duvidoso, dúbio, indeterminado.
Indecoroso *adj* indecoroso, indecente.
Indefenso *adj* indefeso, desarmado.
Indefinido *adj* indefinido, vago.
Indeleble *adj* indelével, indestrutível.
Indelicadeza *s* indelicadeza, grosseria, inconveniência.
Indemne *adj* indene, ileso, incólume.
Indemnizar *v* indenizar, compensar, ressarcir, pagar.
Independencia *s* independência, autonomia, liberdade, emancipação.
Independiente *adj* independente, livre, autônomo, emancipado.
Indescifrable *adj* indecifrável.
Indescriptible *adj* indescritível.
Indeterminado *adj* indeterminado, irresoluto, indeciso.
Indiano *adj* indiano.
Indicar *v* indicar, sinalizar, esclarecer, demonstrar.
Indicativo *adj* indicativo, indicador.
Índice *s* índice, sinal, lista, catálogo.
Indicio *s* indício, sinal, vestígio.
Indiferencia *s* indiferença, negligência, frieza.
Indígena *adj* indígena, autóctone.
Indigencia *s* indigência, miséria, pobreza.
Indigente *adj* indigente, pobre, mendigo.
Indigestarse *v* não digerir.
Indigestión *s* indigestão.
Indignación *s* indignação, revolta, raiva.
Indignar *v* indignar, irritar, revoltar.
Indigno *adj* indigno, desprezível, indecoroso, desonesto.
Indio *s* índio.
Indirecto *adj* indireto.
Indisciplina *s* indisciplina, desordem, desobediência.
Indiscreción *s* indiscrição, imprudência, inconfidência.
Indiscreto *adj* indiscreto, imprudente.
Indiscutible *adj* indiscutível, incontestável.
Indisoluble *adj* indissolúvel.
Indispensable *adj* indispensável, necessário.
Indisponer *v* indispor, incomodar, irritar.
Indispuesto *adj* indisposto, adoentado.
Indistinto *adj* indistinto, confuso, vago, indefinido.
Individual *adj* individual, particular.
Individualizar *v* individualizar, particularizar.
Individuo *s* indivíduo, pessoa, membro (de sociedade ou corporação).
Indivisible *adj* indivisível.
Indócil *adj* indócil, rebelde.
Índole *s* índole, temperamento, natureza.
Indolente *adj* indolente, preguiçoso.
Indoloro *adj* indolor.
Indomable *adj* indomável.
Indómito *adj* indômito, indomável.
Inducir *v* induzir, instigar, incitar.
Indudable *adj* indubitável, incontestável, evidente.
Indulgencia *s* indulgência, clemência, piedade, benevolência.
Indultar *v* indultar, perdoar, absolver, anistiar.
Indulto *s* indulto, perdão, absolvição, anistia.
Indumentaria *s* indumentária, traje, roupa, vestuário.
Industria *s* indústria, habilidade, empresa.
Inédito *adj* inédito, original.
Inefable *adj* inefável, indizível.
Ineficacia *s* ineficácia, inutilidade, insuficiência.

Ineficaz *adj* ineficaz, inútil, insuficiente.
Ineludible *adj* ineludível.
Inepto *adj* inepto, incapaz, incompetente, tolo.
Inequívoco *adj* inequívoco, evidente, óbvio.
Inercia *s* inércia, falta de energia.
Inerte *adj* inerte, inativo, mole.
Inesperado *adj* inesperado, imprevisto.
Inestable *adj* instável, inconstante, variável.
Inestimable *adj* inestimável, incalculável.
Inevitable *adj* inevitável, infalível.
Inexactitud *s* inexatidão.
Inexacto *adj* inexato.
Inexcusable *adj* indescupável, imperdoável.
Inexistencia *s* inexistência.
Inexorable *adj* inexorável, implacável.
Inexperiencia *s* inexperiência.
Inexplicable *adj* inexplicável, obscuro.
Inexpresivo *adj* inexpressivo.
Infalible *adj* infalível, seguro, certo.
Infamar *v* difamar, desacreditar, denegrir.
Infame *adj* infame, vil, asqueroso.
Infamia *s* infâmia, desonra, maldade, baixeza.
Infancia *s* infância.
Infantil *adj* infantil.
Infarto *s* infarto, enfarte.
Infatigable *adj* infatigável, incansável.
Infatuar *v* enfatuar, inflar, envaidecer.
Infección *s* infecção, contaminação, contágio.
Infeccioso *adj* infeccioso, contagioso.
Infectar *v* infectar, contaminar.
Infecto *adj* infecto, infeccionado, contaminado.
Infelicidad *s* infelicidade, desgraça.
Infeliz *adj* infeliz, infausto, desventurado.
Inferior *adj* inferior, ordinário, comum.
Inferioridad *s* inferioridade.
Inferir *v* inferir.
Infernal *adj* infernal, horrível, medonho.
Infestar *v* infestar, assolar, empestar, contaminar.
Infidelidad *s* infidelidade, deslealdade, traição, adultério.
Infiel *adj* infiel, desleal, traidor, adúltero.
Infernillo *s* espiriteira, pequeno fogareiro (a álcool).
Infierno *s* inferno.
Infiltración *s* infiltração, penetração.
Infiltrar *v* infiltrar, penetrar.
Ínfimo *adj* ínfimo, último.
Infinidad *adj* infinidade, imensidade.
Infinito *adj* infinito, ilimitado.
Inflación *s* inflação.
Inflamable *adj* inflamável, de fácil combustão.
Inflamación *s* inflamação, ardor intenso.
Inflamar *v* inflamar, acender, incendiar, afoguear.
Inflar *v* inflar, inchar.
Inflexible *adj* inflexível, rígido, firme, obstinado.
Infligir *v* infligir, castigar.
Influencia *s* influência, poder.
Influir *v* influir, atuar, estimular, incutir.
Influjo *s* influxo.
Influyente *adj* influente, ascendente.
Información *s* informação, esclarecimento.
Informal *adj* informal, inconveniente, impontual.
Informalidad *s* informalidade, inconveniência.
Informar *v* informar, avisar, esclarecer.
Informativo *adj* informativo.
Informe *adj* disforme, irregular.
Infortunio *s* infortúnio, infelicidade, adversidade.
Infracción *s* infração, transgressão.
Infractor *s* infrator, contraventor.
Infraestructura *s* infraestrutura.
Infringir *v* infringir, transgredir.
Infundado *adj* infundado, improcedente.
Infundio *s* mentira, notícia falsa.
Infundir *v* infundir, incutir, inspirar (sentimentos).
Infusión *s* infusão, chá.
Infuso *adj* infuso.
Ingeniar *v* engenhar, maquinar.

Ingeniería *s* engenharia.
Ingeniero *s* engenheiro.
Ingenio *s* engenho, máquina, talento, habilidade.
Ingenioso *adj* engenhoso, criativo, inventivo.
Ingenuidad *s* ingenuidade, inexperiência, inocência.
Ingenuo *adj* ingênuo, inocente, sincero, franco.
Ingerir *v* injerir.
Ingestión *s* ingestão, deglutição.
Ingle *s* virilha.
Inglés *adj* inglês.
Ingobernable *adj* ingovernável.
Ingratitud *s* ingratidão.
Ingrato *adj* ingrato, desagradável.
Ingrediente *s* ingrediente, componente.
Ingresar *v* ingressar, entrar, internar-se (em hospital), alistar-se.
Ingreso *s* ingresso, entrada, admissão.
Inhábil *adj* inábil, inapto, incapaz.
Inhabilitar *v* desabilitar, desqualificar.
Inhabitable *adj* inabitável.
Inhalar *v* inalar, aspirar, absorver, cheirar.
Inherente *adj* inerente, inseparável.
Inhibición *s* inibição, impedimento.
Inhibir *v* inibir, suspender, bloquear.
Inhumación *s* inumação, enterramento, sepultamento.
Inhumar *v* inumar, enterrar, sepultar.
Iniciación *s* iniciação, admissão, introdução.
Inicial *adj* inicial, inaugural.
Iniciar *v* iniciar, começar, inaugurar, estrear, fundar, empreender.
Iniciativa *s* iniciativa, expediente.
Inicio *s* início, começo, princípio.
Inicuo *adj* iníquo, injusto, perverso.
Inimaginable *adj* inimaginável.
Ininteligible *adj* ininteligível, incompreensível.
Iniquidad *s* iniquidade, maldade, grande injustiça.
Injerencia *s* ingerência, intervenção.
Injertar *v* enxertar.
Injerto *s* enxerto.
Injuria *s* injúria, ultraje, ofensa.
Injuriar *v* injuriar, ultrajar, ofender.
Injusticia *s* injustiça, iniquidade.
Injusto *adj* injusto.
Inmaculado *adj* imaculado, puro, sagrado.
Inmanente *adj* imanente, inseparável.
Inmaterial *adj* imaterial, incorpóreo.
Inmaturo *adj* imaturo, infantil.
Inmediación *s* imediação, vizinhança, proximidade.
Inmediato *adj* imediato, vizinho, instantâneo.
Inmejorable *adj* que não se pode melhorar.
Inmensidad *s* imensidade, imensidão, vastidão, amplidão.
Inmenso *adj* imenso, vasto, ilimitado.
Inmersión *s* imersão, mergulho.
Inmerso *adj* imerso, submerso.
Inmigración *s* imigração.
Inmigrar *v* imigrar.
Inminente *adj* iminente, pendente.
Inmiscuir *v* imiscuir, misturar, intrometer.
Inmobiliaria *s* imobiliária.
Inmodesto *adj* vaidoso.
Inmolar *v* imolar, sacrificar.
Inmoral *adj* imoral, indecente, desonesto.
Inmortal *adj* imortal, eterno.
Inmortalizar *v* imortalizar.
Inmóvil *adj* imóvel, fixo, parado.
Inmovilismo *s* imobilismo.
Inmovilizado *s* imobilizado.
Inmovilizar *v* imobilizar, paralisar.
Inmueble *s* imóvel, propriedade, bens de raiz.
Inmundicia *s* imundície, sujeira, lixo.
Inmundo *adj* imundo, sujo, asqueroso.
Inmune *adj* imune, isento.
Inmunidad *s* imunidade, privilégio.
Inmunizar *v* imunizar.
Inmutable *adj* imutável, firme, inalterável.
Inmutar *v* transmudar, imutar.
Innato *adj* inato, inerente, congênito.
Innegable *adj* inegável, indiscutível.

Innoble *adj* ignóbil, vil, desprezível.
Innocuo *adj* inócuo.
Innovación *s* inovação, renovação.
Innovador *adj* inovador, renovador.
Innovar *v* inovar, renovar.
Innumerable *adj* inumerável, incontável, infinito.
Inocencia *s* inocência, pureza, ingenuidade, simplicidade.
Inocentada *s* ingenuidade, trote.
Inocente *adj* inocente, ingênuo.
Inocular *v* inocular, contagiar.
Inocuo *adj* inócuo, inofensivo.
Inodoro *adj* inodoro; *s* sanitário.
Inofensivo *adj* inofensivo, inocente.
Inolvidable *adj* inolvidável, inesquecível.
Inoperante *adj* inoperante, incompetente.
Inopia *s* pobreza, indigência.
Inopinado *adj* inopinado.
Inoportuno *adj* inoportuno, inconveniente.
Inorgánico *adj* inorgânico.
Inoxidable *adj* inoxidável.
Inquebrantable *adj* inquebrantável.
Inquietar *v* inquietar, perturbar, abalar.
Inquieto *adj* inquieto, excitado.
Inquietud *s* inquietação, preocupação, agitação.
Inquilino *adj* inquilino, arrendatário, locatário.
Inquina *s* aversão, má-vontade.
Inquirir *v* inquirir, perguntar, indagar, investigar.
Inquisición *s* inquisição, averiguação.
Inquisidor *s* inquisidor.
Insaciable *adj* insaciável, ávido.
Insalivación *s* insalivação.
Insalivar *v* insalivar.
Insalubre *adj* insalubre, doentio.
Insano *adj* insano, louco, demente.
Insatisfecho *adj* insatisfeito.
Inscribir *v* inscrever, gravar, registrar, filiar.
Inscripción *s* inscrição (letreiro, gravação), registro.
Inscrito *adj* inscrito, gravado, registrado.
Insecticida *s* inseticida.
Insecto *s* inseto.
Inseguro *adj* inseguro, instável, vacilante.
Inseminación *s* inseminação, fecundação.
Inseminar *v* inseminar, fecundar.
Insensatez *s* insensatez, loucura.
Insensato *adj* insensato.
Insensibilidad *adj* insensibilidade.
Insensibilizar *v* insensibilizar.
Insensible *adj* insensível, indiferente.
Inseparable *adj* inseparável, indivisível.
Inserción *s* inserção, introdução, inclusão.
Insertar *v* inserir, incluir, entremear.
Inservible *adj* inservível.
Insidia *s* insídia, cilada.
Insigne *adj* insigne, notável, famoso.
Insignia *s* insígnia, sinal, emblema.
Insignificancia *s* insignificância, ninharia, inutilidade.
Insignificante *adj* insignificante, medíocre.
Insinuación *s* insinuação, sugestão.
Insinuar *v* insinuar.
Insípido *adj* insípido.
Insistencia *s* insistência, perseverança, persistência.
Insistir *v* insistir, persistir, prosseguir.
Insociable *adj* insociável, esquivo.
Insolación *s* insolação.
Insolencia *s* insolência, atrevimento, audácia.
Insolente *adj* insolente, atrevido, grosseiro.
Insólito *adj* insólito, extraordinário, estranho.
Insoluble *adj* insolúvel.
Insolvencia *s* insolvência, falência.
Insolvente *adj* insolvente, falido.
Insomnio *s* insônia.
Insondable *adj* insondável, impenetrável.
Insoportable *adj* insuportável, intolerável.
Insostenible *adj* insustentável.
Inspección *s* inspeção, exame, vistoria.

Inspeccionar *v* inspecionar, examinar, vistoriar.
Inspector *adj* inspetor, fiscal.
Inspiración *s* inspiração.
Inspirar *v* inspirar.
Instalación *s* instalação.
Instalar *v* instalar, acomodar.
Instancia *s* instância.
Instantáneo *adj* instantâneo, súbito.
Instante *s* instante, momento.
Instar *v* instar, insistir, teimar.
Instauración *s* instauração.
Instaurar *v* instaurar, estabelecer, fundar.
Instigación *s* instigação.
Instigar *v* instigar.
Instilar *v* instilar.
Instintivo *adj* instintivo, espontâneo.
Instinto *s* instinto, impulso.
Institución *s* instituição, fundação, organização.
Institucional *adj* institucional.
Instituir *v* instituir, fundar, criar, estabelecer, constituir.
Instituto *s* instituto.
Instrucción *s* instrução, ensino, educação.
Instructor *s* instrutor.
Instruir *v* instruir, ensinar, orientar.
Instrumental *adj* instrumental.
Instrumental *s* conjunto de instrumentos.
Instrumento *s* instrumento.
Insubordinación *s* insubordinação, desacato, rebeldia, indisciplina.
Insubordinar *v* insubordinar, desacatar, rebelar-se.
Insuficiencia *s* insuficiência, escassez, deficiência, incapacidade.
Insuficiente *adj* insuficiente, incapaz, deficitário.
Insuflar *v* insuflar.
Insufrible *adj* insofrível.
Insulso *adj* insulso, insípido.
Insultar *v* insultar, ultrajar, ofender.
Insulto *s* insulto, ultraje, injúria, afronta.
Insuperable *adj* insuperável, invencível.
Insurgente *adj* rebelde.
Insurrección *s* insurreição, rebelião.
Insurrecto *adj* insurreto.
Insustituible *adj* insubstituível.
Intachable *adj* irrepreensível, perfeito.
Intacto *adj* intacto, ileso, inteiro.
Intangible *adj* intangível.
Integración *s* integração.
Integral *adj* integral, total.
Íntegramente *adv* integralmente, totalmente.
Integrar *v* integrar, participar.
Integridad *s* integridade, retidão, austeridade.
Íntegro *adj* íntegro, completo.
Intelecto *s* intelecto, inteligência.
Intelectual *adj* intelectual.
Inteligencia *s* inteligência.
Inteligente *adj* inteligente, esperto, sábio, culto.
Intemperancia *s* intemperança.
Intemperie *s* intempérie, tempestade.
Intempestivo *adj* intempestivo, inoportuno.
Intención *s* intenção, propósito.
Intencionado *adj* intencionado, deliberado.
Intendencia *s* intendência.
Intendente *s* intendente, administrador.
Intensidad *s* intensidade.
Intensificar *v* intensificar.
Intensivo *adj* intensivo, intenso.
Intenso *adj* intenso, enérgico.
Intentar *v* intentar, projetar.
Interacción *s* interação.
Intercalar *v* intercalar, interpor.
Intercambio *s* intercâmbio, troca.
Interceder *v* interceder, intervir, intermediar.
Interceptar *v* interceptar, interromper.
Interdición *s* interdição, proibição.
Interdicto *adj* interditado, interdito.
Interés *s* interesse, proveito, vantagem, atenção.
Interesado *adj* interessado.
Interesante *adj* interessante, atraente.
Interesar *v* interessar, atrair.
Interferencia *s* interferência.

Interferir *v* interferir, intervir.
Interino *adj* interino, temporário.
Interior *adj* interior, interno, íntimo.
Interjección *s* interjeição, exclamação.
Interlocutor *s* interlocutor.
Interludio *s* interlúdio.
Intermediar *v* intermediar, intervir.
Intermediario *adj* intermediário, mediador.
Intermedio *adj* mediano; *s* intermédio, intervalo.
Interminable *adj* interminável, infindável.
Internacional *adj* internacional.
Internado *adj* internado, hospitalizado.
Internar *v* internar.
Interno *adj* interno; *s* aluno interno, pessoa que vive em instituição.
Interpelar *v* interpelar.
Interplanetario *adj* interplanetário.
Interpolar *v* interpolar, alternar, intercalar.
Interponer *v* interpor, intervir, mediar.
Interpretación *s* interpretação.
Interpretar *v* interpretar, traduzir, esclarecer.
Intérprete *s* intérprete, tradutor.
Interrogación *s* interrogação, pergunta.
Interrogar *v* interrogar, perguntar, inquirir.
Interrogatorio *s* interrogatório, questionário.
Interrumpir *v* interromper, deter, impedir.
Interrupción *s* interrupção, suspensão.
Interruptor *s* interruptor (de luz, de aparelhos elétricos).
Intersección *s* intersecção.
Intertropical *adj* intertropical.
Interurbano *adj* interurbano.
Intervalo *s* intervalo, espaço.
Intervención *s* intervenção, intromissão.
Intervenir *v* intervir, examinar contas.
Interventor *s* interventor.
Intestino *s* intestino.
Intimación *s* intimação, notificação.
Intimar *v* intimar, notificar, tornar-se íntimo, familiarizar-se.
Intimidad *s* intimidade, familiaridade.
Intimidar *v* intimidar, atemorizar, assustar.
Íntimo *adj* íntimo, interior, cordial, amigo.
Intocable *adj* intocável, inacessível.
Intolerable *adj* intolerável.
Intolerancia *s* intolerância.
Intoxicación *s* intoxicação, envenenamento.
Intoxicar *v* intoxicar.
Intraducible *adj* intraduzível.
Intranquilidad *s* intranquilidade, inquietação.
Intranquilizar *v* intranquilizar, desassossegar, inquietar.
Intranquilo *adj* intranquilo, inquieto.
Intransferible *adj* intransferível, inalienável.
Intransigente *adj* intransigente, intolerante.
Intransitable *adj* intransitável.
Intransitivo *adj* intransitivo.
Intratable *adj* intratável, impraticável, rude, áspero.
Intrepidez *s* intrepidez, arrojo.
Intrépido *adj* intrépido, ousado.
Intriga *s* intriga, enredo, mexerico, fofoca.
Intrigante *adj* intrigante, bisbilhoteiro.
Intrigar *v* intrigar.
Intrincado *adj* intrincado, complicado, obscuro.
Intrínseco *adj* intrínseco, essencial.
Introducción *s* introdução, apresentação, admissão.
Introducir *v* introduzir, iniciar.
Intromisión *s* intromissão, ingerência.
Introspectivo *adj* introspectivo, introvertido.
Introversión *s* introversão, recolhimento.
Introvertido *adj* introvertido, introspectivo, fechado, absorto.
Intrusión *s* intrusão, intromissão.
Intruso *adj* intruso, intrometido.
Intubación *s* entubagem.

Intuición *s* intuição, pressentimento, percepção.
Intuir *v* intuir, pressentir.
Inundación *s* inundação, alagamento.
Inundar *v* inundar, alagar.
Inusitado *adj* inusitado, extraordinário.
Inútil *adj* inútil, desnecessário, ineficaz.
Inutilidad *s* inutilidade, incapacidade.
Inutilizar *v* inutilizar, anular, invalidar.
Invadir *v* invadir, ocupar.
Invalidar *v* invalidar, inutilizar.
Inválido *adj* inválido, doente, nulo.
Invariable *adj* invariável, constante, firme.
Invasión *s* invasão, incursão, propagação.
Invasor *s* invasor.
Invectiva *s* invectiva.
Invencible *adj* invencível, imbatível.
Invención *s* invenção.
Inventar *v* inventar, criar, descobrir.
Inventario *s* inventário.
Inventiva *s* inventiva, imaginação.
Invento *s* invento, invenção.
Inventor *s* inventor.
Invernada *s* invernada.
Invernar *v* hibernar.
Inverosímil *adj* inverossímil, inacreditável.
Inversión *s* inversão.
Inverso *adj* invertido, inverso, contrário.
Invertebrado *adj* invertebrado.
Invertir *v* inverter, investir (dinheiro, tempo).
Investigación *s* investigação, averiguação, pesquisa.
Investigar *v* investigar, averiguar.
Investir *v* investir, aplicar.
Inveterado *adj* inveterado, arraigado, muito antigo.
Invicto *adj* invicto, invencível, vitorioso.
Invierno *s* inverno.
Inviolable *adj* inviolável.
Invisible *adj* invisível.
Invitación *s* convite.
Invitado *s* convidado.
Invitar *v* convidar, pedir gentilmente, solicitar.
Invocar *v* invocar, chamar.
Involucrar *v* envolver, rechear.
Invulnerable *adj* invulnerável.
Inyección *s* injeção.
Inyectar *v* injetar.
Ir *v* ir, andar, passar.
Ira *s* ira, cólera, raiva, rancor.
Iris *s* íris.
Irisar *v* irisar, iriar.
Irlandés *adj* irlandês.
Ironía *adj* ironia, sarcasmo, zombaria.
Irónico *adj* irônico, gozador.
Irracional *adj* irracional.
Irradiar *v* irradiar, propagar.
Irreal *adj* irreal, imaginário.
Irrebatible *adj* irrebatível.
Irreconciliable *adj* irreconciliável.
Irrecusable *adj* irrecusável.
Irreductible *adj* irredutível.
Irreflexivo *adj* irreflexivo.
Irregular *adj* irregular, desigual.
Irremediable *adj* irremediável, inevitável.
Irreparable *adj* irreparável.
Irreprochable *adj* irrepreensível, impecável.
Irresistible *adj* irresistível.
Irrespetuoso *adj* desrespeitador, irreverente.
Irrespirable *adj* irrespirável.
Irresponsabilidad *s* irresponsabilidade.
Irresponsable *adj* irresponsável.
Irreverencia *s* irreverência.
Irrevocable *adj* irrevogável, irrevocável.
Irrigación *s* irrigação.
Irrisorio *adj* irrisório.
Irritar *v* irritar, encolerizar.
Irrumpir *v* irromper, invadir.
Irrupción *s* irrupção.
Isla *s* ilha.
Islámico *adj* islâmico.
Islamismo *s* islamismo.
Islandés *adj* islandês.
Isleño *adj* ilhéu.
Israelí *adj* israelita, hebreu, judeu.
Italiano *adj* italiano.
Itinerario *s* itinerário, caminho, roteiro.
Izar *v* içar, levantar, erguer.
Izquierdo *adj* esquerdo, canhoto, mão esquerda.

jJ

J *s* décima primeira letra do alfabeto espanhol.
Jabalí *s* javali.
Jabalina *s* azagaia, fêmea do javali.
Jabardillo *s* enxame; FIG multidão de insetos ou pássaros.
Jabato *s* javalizinho, porquinho-montês.
Jabón *s* sabão.
Jabonar *v* ensaboar.
Jaboncillo *s* sabonete, giz de alfaiate.
Jabonera *s* saboneteira.
Jabonoso *adj* saponáceo.
Jaca *s* faca, pônei.
Jacinto *s* jacinto.
Jacobino *adj* jacobino.
Jactancia *s* vaidade, arrogância.
Jactancioso *adj* vaidoso, arrogante.
Jactarse *v* jactar-se, vangloriar-se, gabar-se, ufanar-se.
Jaculatoria *s* jaculatória.
Jade *s* jade.
Jadeante *adj* ofegante, arquejante.
Jadear *v* arquejar, ofegar.
Jadeo *s* arquejo.
Jaez *s* jaez.
Jaguar *s* jaguar, onça pintada.
Jaguey *s* lago, tanque, poça.
Jalea *s* geleia.
Jalear *v* animar, aplaudir, incitar, açular (cães).
Jaleco *s* jaleco, jaqueta turca.
Jaleo *s* animação, algazarra.
Jalón *s* baliza.
Jalonar *v* limitar, alinhar.
Jamaiquino *adj* jamaicano.
Jamás *adv* jamais, nunca, em tempo algum.
Jamba *s* ombreira (de porta ou de janela).
Jamelgo *s* sendeiro, matungo.
Jamón *s* presunto, pernil defumado.
Japonés *adj* japonês.
Jaque *s* xeque, xeque-mate.
Jaqueca *s* enxaqueca.
Jarabe *s* xarope.
Jarana *s* algazarra, gritaria.
Jaranear *v* brigar, tumultuar.
Jardín *s* jardim.
Jardinera *s* jardineira, suporte para vasos e plantas.
Jardinería *s* jardinagem.
Jardinero *s* jardineiro.
Jarifo *adj* vistoso, bonito, enfeitado.
Jarra *s* jarra.
Jarrete *s* jarreta.
Jarro *s* jarro.
Jaspe *s* jaspe.
Jaula *s* jaula, gaiola; FIG prisão.
Jauría *s* matilha.
Javanés *adj* javanês.
Jazmín *s* jasmim.
Jefatura *s* chefatura.
Jefe *s* chefe, superior, líder.
Jeito *s* rede para pesca (de anchova e sardinha).
Jengibre *s* gengibre.
Jeque *s* xeque, governador muçulmano.
Jerarquía *s* hierarquia, classe, ordem.
Jerárquico *adj* hierárquico.
Jerga *s* jargão, linguagem difícil de se entender.
Jerigonza *s* gíria, linguagem difícil e confusa.
Jeringa *s* seringa.
Jeroglífico *s* hieróglifo.

castelhano

Jersey *s* casaquinho de malha, jérsei.
Jesuita *adj* jesuíta.
Jeta *s* beiços salientes, focinho de porco.
Jíbaro *adj* índio, camponês, rústico.
Jibia *s* siba.
Jícara *s* xícara, chávena.
Jilguero *s* pintassilgo.
Jinete *s* cavaleiro.
Jira *s* piquenique.
Jirafa *s* girafa.
Jirón *s* barra, debrum (de roupa), farrapo.
Jockey *s* jóquei.
Jocoso *adj* jocoso, engraçado, divertido.
Jocoyote *s* caçula, filho mimado.
Jopo *s* topete.
Jornada *s* jornada, caminho percorrido em um dia, viagem por terra.
Jornal *s* salário.
Jornalero *s* diarista, horista.
Joroba *s* corcunda, corcova.
Jorobar *v* importunar, molestar.
Jota *s* nome da letra jota, dança popular espanhola.
Joven *adj* jovem, moço.
Jovial *adj* jovial, alegre, brincalhão.
Jovialidad *s* jovialidade, alegria.
Joya *s* joia, prêmio.
Joyería *s* joalheria.
Joyero *s* joalheiro.
Juanete *s* joanete.
Jubilación *s* aposentadoria.
Jubilado *adj* aposentado.
Jubilar *v* aposentar.
Jubileo *s* jubileu.
Júbilo *s* júbilo, alegria.
Jubiloso *adj* jubiloso.
Jubón *s* gibão.
Judaísmo *s* judaísmo.
Judas *s* judas, traidor.
Judería *s* judiaria, bairro de judeus.
Judía *s* judia, feijão.
Judicatura *s* judicatura, exercício de julgar.
Judicial *adj* judicial, forense, legal.
Judío *adj* judeu, hebreu, semita.
Juego *s* jogo, diversão.
Juerga *s* diversão, brincadeira.
Jueves *s* quinta-feira.
Juez *s* juiz, árbitro.
Jugada *s* jogada.
Jugar *v* jogar.
Jugarreta *s* jogada mal feita.
Jugo *s* suco, sumo, seiva.
Jugoso *adj* suculento.
Juguete *s* brinquedo.
Juguetear *v* brincar.
Jugueteo *s* brincadeira, brinquedo.
Juguetería *s* loja de brinquedos.
Juguetón *adj* brincalhão, jovial.
Juicio *s* juízo, prudência, sensatez.
Julio *s* julho.
Jumento *s* jumento, asno.
Junco *s* junco, bengala.
Junio *s* junho.
Junior *adj* júnior.
Junta *s* junta, articulação, reunião, assembleia, congresso.
Juntar *v* juntar, unir, reunir.
Junto *adj* junto, unido, próximo.
Juntura *s* juntura, junção.
Jura *s* jura, juramento.
Jurado *s* jurado, júri, tribunal.
Juramentar *v* juramentar.
Juramento *s* juramento.
Jurar *v* jurar, declarar solenemente.
Jurídico *adj* jurídico, legal.
Jurisdicción *s* jurisdição, competência.
Jurisprudencia *s* jurisprudência.
Jurista *s* jurista.
Justicia *s* justiça, direito, equidade.
Justiciero *s* justiceiro.
Justificación *s* justificação, desculpa, defesa, álibi.
Justificar *v* justificar, provar.
Justipreciar *v* avaliar, fixar um preço justo.
Justo *adj* justo, imparcial.
Juvenil *adj* juvenil.
Juventud *s* juventude, mocidade.
Juzgado *s* juízo, tribunal.
Juzgar *v* julgar, deliberar, sentenciar, arbitrar.

k K

K *s* décima segunda letra do alfabeto espanhol.
Kan *s* cã (chefe supremo em certos países asiáticos).
Kantiano *adj* relativo a Kant, filósofo alemão, séc. XVIII.
Kéfir *s* leite fermentado artificialmente.
Kermess *s* quermesse.
Kerosén *s* querosene.
Kilo *s* quilo, quilograma.
Kilogramo *s* quilograma, quilo.
Kilometraje *s* quilometragem.
Kilométrico *adj* quilométrico.
Kilómetro *s* quilômetro.
Kilovatio *s* quilovate ou quilovátio.
Kimono *s* quimono.
Kiosco *s* quiosque.
Kirie *s* kirie (parte da missa); FIG chorar as pitangas.
Kurdo *adj* curdo.
Kuvaití *adj* quaitiano.

L

L *s* décima terceira letra do alfabeto espanhol; L 50 (em algarismo romano).
La *art* lá, sexta nota musical.
Lábaro *s* lábaro, estandarte, bandeira.
Laberíntico *adj* labiríntico; FIG confuso.
Laberinto *s* labirinto.
Labia *s* lábia, astúcia.
Labio *s* lábio.
Labor *s* lavor, trabalho, bordado, lavoura.
Laborar *v* trabalhar, lavrar, cultivar, bordar, costurar.
Laboratorio *s* laboratório.
Laborear *v* trabalhar, lavrar, escavar.
Laboreo *s* lavra, cultivo de terra, lavoura.
Laboriosidad *s* laboriosidade, afinco, apego ao trabalho.
Laborioso *adj* laborioso, trabalhoso, penoso, árduo, difícil.
Labra *s* lavra, lavoura.
Labrador *s* lavrador, agricultor.
Labranza *s* trabalho, lavoura, agricultura.
Labrar *v* lavrar (madeiras, metais), cultivar, roçar, arar (a terra), bordar, costurar.
Labriego *s* labrego, lavrador rústico.
Laca *s* laca, verniz duro, laquê, fixador (para cabelo), spray.
Lacayo *s* criado.
Lacerar *v* padecer, sofrer.
Lacio *adj* murcho, desbotado, liso (cabelo).
Lacón *s* presunto, pernil defumado.
Lacónico *adj* lacônico, conciso, breve.
Lacra *s* marca, cicatriz, sinal, vestígio.
Lacrar *v* contagiar, causar lesão, lacrar.
Lacre *s* lacre.
Lacrimal *adj* lacrimal.
Lacrimógeno *adj* lacrimogêneo.
Lacrimoso *adj* lacrimoso, choroso.
Lactación *s* lactação, amamentação.
Lactancia *s* lactação.
Lactante *adj* lactante.
Lactar *v* amamentar.
Lácteo *adj* lácteo, leitoso.
Lactosa *s* lactose, açúcar de leite.
Lacustre *adj* lacustre.
Ladeado *adj* inclinado, torcido, desviado.
Ladear *v* inclinar, desviar, inclinar-se.
Ladera *s* ladeira, encosta, declive.
Ladilla *s* piolho, chato.
Ladino *adj* ladino, esperto, astuto.
Lado *s* lado, costado, banda, face.
Ladrar *v* ladrar, latir.
Ladrido *s* latido.
Ladrillo *s* tijolo.
Ladrón *s* ladrão, gatuno, assaltante.
Lagar *s* lagar, onde se pisa a uva.
Lagarta *s* lagarta.
Lagartija *s* lagartixa.
Lagarto *s* lagarto.
Lago *s* lago.
Lágrima *s* lágrima, gota, pingo.
Lagrimoso *adj* lacrimoso, choroso.
Laguna *s* laguna, lacuna, vazio.
Laja *s* laje, banco de pedra.
Lama *s* lama, lodo, areia miúda, lhama (tecido), lama (sacerdote tibetano).
Lamaísmo *s* lamaísmo, seita do budismo tibetano.
Lamentable *adj* lamentável, deplorável.
Lamentación *s* lamentação.
Lamentar *v* lamentar, lastimar.
Lamento *s* lamento, queixa.
Lamer *v* lamber.
Lamido *adj* gasto, usado.

Lámina *s* lâmina, chapa, estampa, prancha gravada.
Laminado *adj* laminado, chapeado.
Laminar *v* laminar, chapear.
Lámpara *s* lâmpada, luminária, luz.
Lamparilla *s* lamparina.
Lampiño *adj* imberbe.
Lampión *s* lampião, lanterna grande.
Lana *s* lã.
Lance *s* lance, lançamento.
Lanceta *s* lanceta.
Lancha *s* lancha, barco, bote.
Landa *s* terreno baldio.
Langosta *s* gafanhoto, lagosta.
Langostin *s* lagostim.
Languidecer *v* enlanguescer, adoecer.
Languidez *s* languidez, apatia, abatimento, cansaço.
Lánguido *adj* lânguido, fraco, débil, cansado, abatido.
Lanilla *s* felpa, lã fina, penugem.
Lanolina *s* lanolina.
Lanudo *adj* lanoso, lanudo.
Lanza *s* lança.
Lanzacohetes *s* lança-foguetes.
Lanzallamas *s* lança-chamas.
Lanzamiento *s* lançamento.
Lanzar *v* lançar, arremessar, atirar.
Lapicero *s* lapiseira.
Lapidar *v* lapidar, talhar, facetar (pedras preciosas), matar a pedradas.
Lapidario *adj* lapidário.
Lápide *s* lápide, pedra com inscrição.
Lapislázuli *s* lápis-lazúli.
Lápiz *s* lápis.
Lapso *s* lapso, deslize.
Laqueado *adj* laqueado, envernizado com laca.
Lar *s* lareira, lar, casa própria.
Lardo *s* toucinho, banha, gordura animal.
Larga *s* calço.
Largar *v* largar, soltar, deixar, livrar.
Largo *adj* comprido, longo, extenso.
Largometraje *s* filme de longametragem.
Larguero *s* trave lateral (em construção).
Largueza *s* largueza.
Largura *s* comprimento.
Laringe *s* laringe.
Laringitis *s* laringite.
Larva *s* larva.
Lasca *s* lasca, fragmento, estilhaço.
Lascivia *s* lascívia, lúbrico.
Lascivo *adj* lascivo, voluptuoso, sensual, erótico.
Láser *s* laser.
Laso *adj* lasso, fatigado, cansado.
Lástima *s* lástima, lamento, compaixão.
Lastimar *v* lastimar, ferir, danificar.
Lastimero *adj* lastimoso, deplorável.
Lastimoso *adj* lastimoso, lamentável, deplorável.
Lastre *s* lastro.
Lata *s* lata (folha-de-flandres, vasilha), ripa (para telhado).
Latente *adj* latente, oculto, escondido.
Lateral *adj* lateral.
Látex *s* látex.
Latido *s* batimento do coração, batida, pulsação.
Latifundio *s* latifúndio.
Látigo *s* látego, chicote, açoite.
Latín *s* latim.
Latinidad *s* latinidade.
Latinizar *v* latinizar.
Latino *adj* latino.
Latinoamericano *adj* latinoamericano.
Latir *v* pulsar, bater, ganir, latejar.
Latitud *s* latitude, largura, extensão.
Lato *adj* extenso, amplo, dilatado.
Latón *s* latão.
Latoso *adj* chato, aborrecido, maçante.
Latrocinio *s* latrocínio, roubo, furto.
Laúd *s* alaúde.
Láudano *s* láudano, extrato de ópio.
Laudar *v* decidir, sentenciar, julgar.
Laudatorio *adj* laudatório.
Laudo *s* laudo, parecer.
Laureado *adj* laureado, premiado, homenageado.
Laurear *v* laurear, premiar, homenagear.
Laurel *v* louro.
Lava *s* lavagem, banho que se dá aos metais.

Lavable *adj* lavável.
Lavabo *s* lavabo, pia (de banheiro), lavatório.
Lavacoches *s* lavador de carros.
Lavadero *s* lavadouro, tanque.
Lavadora *s* lavadora, máquina de lavar roupa.
Lavanda *s* alfazema.
Lavandería *s* lavanderia.
Lavandero *s* lavadeiro.
Lavar *v* lavar, banhar, limpar, assear.
Lavativa *s* clister, seringa.
Lavavajillas *s* lava-louça, máquina de lavar pratos.
Laxante *adj* laxante, laxativo; *s* purgante.
Laxitud *s* lassitude, frouxeza.
Laxo *adj* laxo, lasso.
Lazada *s* laçada, laço (de fitas), nó corrediço.
Lazareto *s* hospital de isolamento, de quarentena.
Lazarillo *s* guia de cegos.
Lazo *s* laço, nó, armadilha.
Le *pron* O, ele.
Leal *adj* leal, fiel.
Lealdad *s* lealdade, sinceridade.
Lección *s* lição, aula, exposição.
Lechada *s* argamassa, emulsão.
Leche *s* leite, seiva (de vegetais).
Lechería *s* leiteria.
Lechero *adj* leiteiro, lácteo; *s* leiteiro.
Lecho *s* leito, cama, leito de rio.
Lechón *s* leitão.
Lechoso *adj* leitoso, lácteo.
Lechuga *s* alface.
Lechuza *s* coruja.
Lectivo *adj* letivo.
Lector *adj* leitor.
Lectura *s* leitura.
Leer *v* ler.
Legación *s* legação, missão diplomática.
Legado *s* legado.
Legajo *s* maço de papéis atados.
Legal *adj* legal, conforme a lei.
Legalizar *v* legalizar, legitimar, validar, autenticar.
Legaña *s* remela.
Legar *v* legar, deixar (de herança).
Legendario *adj* legendário.
Legible *adj* legível.
Legión *s* legião, multidão.
Legionario *adj* legionário.
Legislación *s* legislação.
Legislador *adj* legislador.
Legislar *v* legislar.
Legislatura *s* legislatura.
Legista *s* legista, jurista.
Legítima *s* legítima.
Legitimar *v* legitimar, reconhecer.
Legitimidad *s* legitimidade.
Legítimo *adj* legítimo, autêntico, verdadeiro.
Lego *adj* leigo, laico.
Legua *s* légua.
Legumbre *s* legume, hortaliça.
Leguminoso *adj* leguminoso.
Leíble *adj* legível.
Leído *adj* lido, erudito.
Lejanía *s* lonjura, distância.
Lejano *adj* longínquo, distante.
Lejía *s* lixívia.
Lejos *adv* longe, distante, remoto.
Lema *s* lema, divisa.
Lencería *s* roupa branca.
Lengua *s* língua, idioma, linguagem.
Lenguado *s* linguado.
Lenguaje *s* linguagem, língua, idioma.
Lengüeta *s* lingueta.
Lenitivo *adj* lenitivo, calmante.
Lente *s* lente, óculos.
Lenteja *s* lentilha, lente pequena.
Lentejuela *s* lantejoula.
Lentilla *s* lente de contato.
Lentitud *s* lentidão.
Lento *adj* lento, lerdo, vagaroso, demorado.
Leña *s* lenha.
Leñador *s* lenhador.
Leño *s* lenho, tronco de árvore cortado.
León *s* leão.
Leonino *adj* leonino.
Leopardo *s* leopardo.
Lepra *s* lepra.
Leprosería *s* leprosário.

Leproso *adj* leproso, lazarento.
Lerdo *adj* lerdo, lento.
Les *pron* lhes, a eles, a elas.
Lesbianismo *s* lesbianismo, homossexualismo feminino.
Lesbiano *adj* lésbico.
Lesión *s* lesão, dano.
Lesionar *v* lesar, prejudicar.
Letal *adj* letal, mortal, mortífero.
Letanía *s* litania.
Letárgico *adj* letárgico.
Letargo *s* letargia, torpor, indolência.
Letificar *v* causar alegria, júbilo, animação.
Letra *s* letra (forma de escrever, composição para música).
Letrado *adj* letrado, instruído, erudito, sábio, perito em leis.
Letrero *s* letreiro, inscrição, rótulo.
Letrilla *s* letrinha.
Letrina *s* latrina, privada, mictório.
Leucemia *s* leucemia.
Leucocito *s* leucócito, glóbulo branco do sangue.
Leudar *v* levedar, fermentar.
Leva *s* leva, saída, recrutamento, alistamento.
Levadizo *adj* levadiço.
Levadura *s* levedura.
Levantamiento *s* levantamento, revolta.
Levantar *v* levantar, alçar, erguer.
Levante *s* levante, nascente, oriente, leste, este.
Levantisco *adj* levantino.
Levar *v* levantar, fazer-se à vela, largar.
Leve *adj* leve, ligeiro, ágil.
Levita *s* sobrecasaca.
Levitación *s* levitação.
Léxico *s* léxico, dicionário, glossário, vocabulário.
Lexicografía *s* lexicografia.
Lexicología *s* lexicologia.
Ley *s* lei, decreto, norma, doutrina.
Leyenda *s* legenda, inscrição, fábula, novela, epígrafe.
Lía *s* fezes, borra.
Liar *v* ligar, amarrar, atar.
Libanés *adj* libanês.
Libar *v* libar, beber, provar um licor.
Libelo *s* libelo.
Libélula *s* libélula.
Liberación *s* liberação, quitação (dívida), libertação.
Liberal *adj* liberal, generoso, franco.
Liberalidade *s* liberalidade.
Liberalismo *s* liberalismo.
Liberalizar *v* liberalizar.
Liberar *v* liberar, libertar, desobrigar, emancipar.
Libertad *s* liberdade.
Libertar *v* libertar, livrar, soltar, eximir.
Libertinaje *s* libertinagem, devassidão, licenciosidade.
Libertino *adj* libertino.
Libidinoso *adj* libidinoso, erótico, lascivo.
Libido *s* libido.
Libio *adj* líbio.
Libra *s* libra (peso, moeda), signo do zodíaco.
Libranza *s* ordem de pagamento.
Librar *v* liberar, salvar, desembaraçar.
Libre *adj* livre, isento, solteiro, independente.
Librea *s* libré.
Librería *s* livraria, biblioteca.
Librero *s* livreiro.
Libreta *s* livrete, livro para apontamentos.
Libro *s* livro.
Licencia *s* licença, autorização, permissão.
Licenciado *adj* licenciado.
Licenciar *v* licenciar, liberar.
Licenciatura *s* licenciatura, grau de licenciado.
Licencioso *adj* licencioso.
Liceo *s* liceu, escola.
Licitación *s* licitação.
Licitar *v* licitar.
Lícito *adj* lícito, permitido por lei, justo, legal.
Licor *s* licor.
Licorera *s* licoreira, jarro (de cristal) para licores.

Licuable *adj* liquidificável.
Licuadora *s* liquidificador.
Licuar *v* liquidificar, tornar líquido.
Lid *s* lide, lida, luta, peleja.
Liebre *s* lebre.
Liendre *s* lêndea.
Lienzo *s* lenço, tecido pintado, fachada.
Liga *s* liga, faixa, cinta, coligação (de países, grupos).
Ligadura *s* ligadura.
Ligamento *s* ligamento, atadura.
Ligar *v* ligar, prender, misturar.
Ligereza *s* ligeireza, rapidez, prontidão.
Ligero *adj* ligeiro, veloz, rápido, ágil.
Lija *s* lixa.
Lijar *v* lixar, desbastar, raspar ou polir com lixa.
Lila *s* lilás (arbusto, flor e cor).
Liliáceo *adj* liliáceo.
Lima *s* lima (lima, ferramenta).
Limar *v* limar, desbastar ou polir com a lima.
Limbo *s* limbo.
Limitación *s* limitação, termo, fronteira, limites.
Limitar *v* limitar, demarcar, estreitar, encurtar, diminuir, reduzir.
Límite *s* limite, termo, fim, linha de demarcação.
Limítrofe *adj* limítrofe, contíguo.
Limo *s* limo, lodo.
Limón *s* limão.
Limonada *s* limonada, refresco de limão.
Limonero *adj* limoeiro.
Limosna *s* esmola.
Limosnear *v* esmolar, mendigar.
Limpiabotas *s* engraxate.
Limpiador *adj* limpador.
Limpiaparabrisas *s* limpador de para-brisas.
Limpiar *v* limpiar, tornar limpo.
Limpidez *s* limpidez, clareza.
Límpido *adj* limpo, claro, diáfano.
Limpieza *s* limpeza, esmero, perfeição.
Limpio *adj* limpo, asseado.
Linaje *s* linhagem, estirpe, ascendência.
Linaza *s* linhaça.
Lince *s* lince.
Linchamiento *s* linchamento.
Linchar *v* linchar, justiçar e executar sumariamente.
Lindar *v* confinar, demarcar, limitar.
Linde *s* limite, fronteira, divisa.
Lindero *adj* confinante, limítrofe, vizinho.
Lindo *adj* lindo, belo, formoso.
Línea *s* linha, regra, raia, faixa, fio de linho.
Linfa *s* linfa.
Lingote *s* lingote, barra de metal.
Lingüística *s* linguística.
Linimento *s* linimento, unguento, pomada para fricções.
Lino *v* linho (planta, fibra, tecido).
Linóleo *s* linóleo.
Linotipia *s* linotipo.
Linterna *s* lanterna, lampião, farol.
Lío *s* pacote, embrulho, maço.
Lipotimia *s* lipotimia.
Liquen *s* líquen.
Liquidación *s* liquidação, venda a preços baixos.
Liquidar *v* liquidar, vender barato, pagar, quitar.
Liquidez *s* liquidez, disponibilidade.
Líquido *s* líquido.
Lira *s* lira, moeda italiana.
Lírico *adj* lírico; *s* poesia lírica.
Lirio *s* lírio, açucena.
Lirismo *s* lirismo, poesia.
Lirondo *adj* limpo, puro, sem mistura.
Lis *s* flor de lis, planta irídea.
Lisiado *adj* aleijado, inválido.
Lisiar *v* aleijar, mutilar, ferir.
Liso *adj* liso, plano, macio, franco, sincero.
Lisonja *s* lisonja, adulação.
Lisonjear *v* lisonjear, adular.
Lista *s* listra, risca, tira, faixa, relação de nomes, catálogo.
Listado *adj* listrado, riscado.
Listo *adj* rápido, pronto, ágil, ligeiro, disposto, inteligente.
Listón *s* fita de seda, listel, sarrafo.

Lisura *s* lisura.
Litera *s* liteira, bicama, beliche.
Literal *adj* literal, textual.
Literario *adj* literário.
Literato *adj* literato.
Literatura *s* literatura, conjunto de obras.
Litigante *adj* litigante, contestador.
Litigar *v* demandar, entrar em litígio.
Litigio *s* litígio, disputa.
Litografía *s* litografia.
Litografiar *v* litogravar.
Litoral *s* litoral, costa.
Litosfera *s* litosfera.
Litro *s* litro.
Liturgia *s* liturgia, ritual.
Liviandad *v* leviandade.
Liviano *adj* leviano, leve, volúvel.
Lividez *s* lividez, palidez.
Lívido *adj* lívido.
Liza *s* liça, campo de batalha.
Ll *s* décima quarta letra do alfabeto espanhol.
Llaga *s* chaga, úlcera.
Llagar *v* ulcerar.
Llama *v* chama, labareda.
Llamada *s* chamada, telefonema.
Llamado *adj* chamado, denominado.
Llamador *s* chamador, botão da campainha.
Llamamiento *s* chamamento, chamada, convocação.
Llamar *v* chamar, convocar, invocar, nomear, denominar.
Llamarada *s* labareda, lampejo.
Llamativo *adj* chamativo, atraente.
Llameante *adj* chamejante, flamejante.
Llamear *v* flamejar, arder.
Llana *s* trolha, pá (de pedreiro).
Llanada *s* planície, planalto.
Llanero *s* habitante das planícies.
Llaneza *s* simplicidade, naturalidade.
Llano *adj* plano, raso.
Llanta *s* aro (de roda), couve de todo o ano.
Llantería *s* choradeira.
Llanto *s* choro, pranto, lágrimas.
Llanura *s* planície, lisura.
Llave *s* chave (de porta, de aparelhos, de enigmas).
Llavero *s* chaveiro, carcereiro.
Llegada *s* chegada, vinda.
Llegar *v* chegar, vir.
Llenar *v* encher, fartar, satisfazer.
Lleno *adj* cheio.
Llevadero *adj* suportável, tolerável.
Llevar *v* levar, conduzir, transportar, dirigir, usar, vestir, suportar, conseguir.
Llorar *v* chorar.
Lloriquear *v* choramingar, gemer.
Lloriqueo *s* choradeira.
Llorón *adj* chorão.
Lloroso *adj* choroso.
Llover *v* chover.
Llovizna *s* chuvisco, chuvisqueiro.
Lloviznar *v* chuviscar.
Lluvia *s* chuva.
Lluvioso *adj* chuvoso.
Lo *pron* o.
Loa *s* loa, elogio, louvor.
Lobato *s* lobo pequeno.
Lobo *s* lobo.
Lóbrego *adj* sombrio, tenebroso, escuro.
Lóbulo *s* lóbulo.
Locación *s* locação, aluguel.
Local *adj* local; *s* lugar, sítio.
Localidad *s* localidade, povoação, bilhete, entrada para um espetáculo.
Localismo *s* bairrismo.
Localizar *v* localizar, fixar, situar.
Locatario *s* locatário, arrendatário.
Loción *s* loção, lavagem, fricção.
Loco *adj* louco, demente, doido.
Locomoción *s* locomoção.
Locomotor *adj* locomotor; *s* locomotiva.
Locomotriz *s* locomotriz.
Locuacidad *s* loquacidade.
Locuaz *adj* loquaz, falador.
Locución *s* locução.
Locura *s* loucura, insensatez, disparate.
Locutor *s* locutor.
Lodazal *s* lodaçal, lamaçal, atoleiro.
Lodo *s* lodo, lama.
Logaritmo *s* logaritmo.
Logia *s* loja maçônica.

Lógico *adj* lógico, racional.
Logotipo *s* logotipo, marca.
Logrado *adj* obtido, conseguido.
Lograr *v* lograr, obter, conseguir.
Logrero *s* usurário, agiota.
Logro *s* lucro, ganho.
Loma *s* encosta, lombada.
Lombriz *s* lombriga, parasita, minhoca.
Lomo *s* lombo, dorso, espinhaço, lombada (de livro).
Lona *s* lona.
Longaniza *s* linguiça.
Longevidad *s* longevidade.
Longitud *s* longitude, comprimento, extensão.
Longitudinal *adj* longitudinal.
Lonja *s* fatia, talhada, pedaço, mercado municipal.
Loor *s* louvor, elogio.
Loro *s* louro, papagaio.
Los *pron* eles.
Losa *s* laje, pedra.
Lote *s* lote, porção, parte, conjunto de objetos similares.
Lotería *s* loteria, jogo de azar, loto, casa lotérica.
Loto *s* loto, planta, flor e fruto.
Loza *s* louça.
Lozanía *s* viço, frescor.
Lozano *adj* fresco, viçoso, frondoso.
Lubina *s* robalo, peixe.
Lubricante *adj* lubrificante.
Lubricar *v* lubrificar, untar.
Lúbrico *adj* lúbrico.
Lubrificar *v* lubrificar.
Lucero *s* luzeiro, astro brilhante.
Lucha *s* luta, combate.
Luchar *v* lutar, combater.
Lucidez *s* lucidez, clareza.
Lúcido *adj* lúcido, claro.
Lucido *adj* brilhante, vistoso, luzido.
Luciente *adj* reluzente, brilhante.
Luciérnaga *s* vagalume, pirilampo.
Lucimiento *s* luzimento, aplauso.
Lucir *s* luzir, reluzir, brilhar, iluminar.
Lucrarse *v* lucrar, ganhar.
Lucrativo *adj* lucrativo, vantajoso.
Lucro *s* lucro, ganho, proveito.
Luctuoso *adj* lutuoso.
Lucubración *s* lucubração, meditação.
Lucubrar *v* lucubrar, meditar.
Ludibrio *s* ludíbrio, zombaria.
Luego *adj* logo, em seguida; *conj* portanto.
Lugar *s* lugar, vila, aldeia, posto, povoado.
Lugarteniente *s* lugar-tenente.
Lúgubre *adj* lúgubre, triste, sombrio, melancólico.
Lujo *s* luxo, pompa.
Lujoso *adj* luxuoso.
Lujuria *s* luxúria, sensualidade, excesso.
Lujurioso *adj* luxurioso.
Lumbago *s* lumbago.
Lumbar *s* lombar.
Lumbrada *s* fogueira, labareda.
Lumbre *s* lume, luz, chama.
Lumbrera *s* fogaréu, corpo luminoso.
Luminaria *s* luminária.
Luminosidad *s* luminosidade.
Luminoso *adj* luminoso, brilhante, resplandecente.
Luna *s* lua.
Lunar *s* lunar; *adj* lunar.
Lunático *adj* lunático, louco.
Lunes *s* segunda-feira, segundo dia da semana.
Lunfardo *s* gíria argentina (na Argentina).
Lupa *s* lupa, lente de aumento.
Lúpulo *s* lúpulo.
Lusitano *adj* lusitano, português.
Luso *adj* luso, lusitano.
Lustrar *v* lustrar, polir, dar brilho.
Lustre *s* lustro, brilho.
Lustro *s* lustro, período de cinco anos.
Lustroso *adj* ilustre, reluzente.
Luterano *adj* luterano.
Luto *s* luto, pesar.
Luxación *s* luxação, deslocamento (de osso).
Luz *s* luz, claridade.

m M

M *s* décima quinta letra do alfabeto espanhol; M 1.000 em algarismos romanos.
Maca *s* machucado em fruta, nódoa, mancha, falha.
Macabro *adj* macabro, fúnebre.
Macaco *s* macaco, mono, símio, primata.
Macadán *s* macadame, paralelepípedo.
Macana *s* macana (arma ofensiva dos índios peruanos).
Macarrón *s* macarrão, massa.
Macarrónico *adj* macarrônico; FIG latim (ou outra língua) mal falado.
Macarse *v* apodrecer, macerar-se (frutas machucadas).
Macedonia *s* salada de frutas.
Macerar *v* macerar, amolecer.
Maceta *s* vaso de barro (para plantas), maceta (martelo), cabo de ferramentas.
Macetero *s* suporte de vasos.
Machacar *v* machucar, moer, esmagar, pisar.
Machacón *adj* maçador.
Machete *s* machete, sabre, facão.
Machihembrar *v* entalhar, embutir.
Machismo *s* machismo.
Machista *adj* machista.
Macho *adj* macho, masculino.
Machorra *adj* mulher estéril.
Machote *s* maço, malho.
Machucar *v* machucar, pisar, esmagar.
Macilento *adj* macilento, triste.
Macizo *adj* maciço.
Macrobiótico *adj* macrobiótico.
Macrocosmo *s* macrocosmo.
Mácula *s* mácula, nódoa.
Macuto *s* mochila de soldado.
Madeja *s* meada.
Madera *s* madeira, casco de cavalo.
Maderaje *s* madeirame, madeiramento.
Maderería *s* madeireira.
Maderero *s* madeireiro.
Madero *s* madeiro, viga, tronco.
Madrastra *s* madrasta.
Madre *s* mãe.
Madreperla *s* madrepérola.
Madreselva *s* madressilva.
Madrigal *s* madrigal, composição poética.
Madriguera *s* madrigueira, esconderijo.
Madrina *s* madrinha, protetora.
Madrugada *s* madrugada, aurora.
Madrugador *adj* madrugador.
Madrugar *v* madrugar.
Madurar *v* amadurecer.
Madurez *s* maturidade.
Maduro *adj* maduro.
Maestranza *s* oficina de artilharia.
Maestrazgo *s* mestrado.
Maestresala *s* mestre-sala.
Maestría *s* mestria, habilidade, professor.
Maestro *s* mestre, professor, educador.
Mafia *s* máfia.
Mafioso *adj* mafioso.
Magazine *s* magazine, revista ilustrada.
Magdalena *s* madalena (doce).
Magia *s* magia, encantamento.
Mágico *adj* mágico, maravilhoso, encantado, enfeitiçado.
Magisterio *s* magistério, cargo de professor.
Magistrado *s* magistrado, juiz.
Magistral *adj* magistral, perfeito.
Magistratura *s* magistratura.
Magnánimo *adj* magnânimo, generoso.
Magnate *s* magnata.
Magnesio *s* magnésio.

Magnético *adj* magnético.
Magnetismo *s* magnetismo.
Magnetizar *v* magnetizar.
Magneto *s* gerador de eletricidade.
Magnetofón *s* gravador.
Magnificar *v* magnificar, engrandecer, louvar, glorificar.
Magnificencia *s* magnificência, engrandecimento, glorificação.
Magnífico *adj* magnífico, esplêndido, excelente.
Magnitud *s* magnitude, grandeza, importância.
Magno *adj* magno, grande.
Magnolia *s* magnólia.
Mago *s* mago, feiticeiro.
Magro *adj* magro, delgado, enxuto.
Magulladura *s* machucado, contusão, ferida.
Magullamiento *s* machucado, ferimento.
Magullar *v* machucar, pisar, contundir.
Mahometano *adj* maometano.
Maíz *s* milho.
Majada *s* curral, esterco, manjedoura.
Majadería *s* tolice, baboseira, bobagem.
Majadero *adj* pateta, tolo, inoportuno; *s* maça, socador, pilão.
Majar *v* malhar, pisar, maçar.
Majestad *s* majestade, nobreza.
Majestuoso *adj* majestoso.
Majo *adj* vistoso, bem vestido, garrido.
Majuelo *s* espinheiro alvar, cardo branco.
Mal *adj* mau; *s* mal, desgraça, calamidade, doença; *adv* pouco, insuficiente.
Malabarismo *s* malabarismo.
Malacostumbrado *adj* mal-acostumado, mimado.
Malagradecido *adj* mal agradecido, ingrato.
Malaventura *s* desgraça, adversidade.
Malayo *adj* malaio.
Malbaratar *v* esbanjar, desperdiçar, dilapidar.
Malcomer *v* comer pouco e mal.
Malcriado *adj* malcriado.
Malcriar *v* malcriar, educar mal.
Maldad *s* maldade, ruindade.
Maldecir *v* maldizer, amaldiçoar.
Maldición *s* maldição.
Maldito *adj* maldito, mau.
Maleable *adj* maleável, flexível.
Maleante *adj* malfeitor, marginal.
Malear *v* estragar, danificar.
Maledicencia *s* maledicência, difamação.
Maleficio *s* malefício, prejuízo, feitiço.
Maléfico *adj* maléfico.
Malentendido *s* mal entendido.
Malestar *v* mal-estar, indisposição.
Maleta *s* mala.
Maletero *s* porta-malas.
Maletín *s* maleta, valise.
Malevolencia *s* malevolência.
Maleza *s* maleza, moita.
Malformación *s* má formação, defeito congênito.
Malgastar *v* desperdiçar, esbanjar.
Malhablado *adj* desbocado, atrevido.
Malhechor *adj* malfeitor.
Malherir *v* ferir gravemente.
Malhumorado *s* mal-humorado.
Malícia *s* malícia, maldade.
Malicioso *adj* malicioso, mau.
Maligno *s* maligno, maldoso, malicioso.
Malintecionado *adj* mal-intencionado.
Malla *s* malha (rede, roupa de ginástica).
Mallo *s* malho, martelo, malha (jogo).
Malo *adj* mau, nocivo, perverso, indisposto, doente, inferior, difícil, negativo.
Malograr *v* malograr, fracassar.
Malogro *s* malogro.
Maloliente *adj* fedorento, fétido.
Malparado *adj* maltratado.
Malquistar *v* indispor, antipatizar.
Malsano *adj* doentio, insalubre.
Malsonante *adj* que soa mal.
Malta *s* malte.
Maltratar *v* maltratar.
Maltrecho *adj* maltratado.
Malva *s* malva (planta, flor, cor).
Malvado *adj* malvado, perverso.
Malvender *v* vender a baixo preço.
Malversar *v* malversar, esbanjar, dilapidar.

Mama *s* mama, teta.
Mamá *s* mamãe, mãe.
Mamada *s* mamada.
Mamadera *s* mamadeira.
Mamar *v* mamar, chupar.
Mamarracho *s* figura defeituosa e ridícula, adorno mal feito.
Mamífero *s* mamífero.
Mampara *s* anteparo, biombo.
Mampostería *s* alvenaria (obra, ofício).
Mampostero *s* pedreiro.
Mamut *s* mamute, bebedeira.
Maná *s* maná, alimento milagroso.
Manada *s* manada.
Manantial *s* manancial, nascente, mina (d'água).
Manar *v* emanar (um líquido), brotar.
Mancar *v* mutilar, estropiar.
Mancebo *adj* mancebo, moço, jovem.
Mancha *s* mancha, nódoa, sinal, mácula.
Manchar *v* manchar, sujar, denegrir.
Mancilla *s* mancha, desonra.
Manco *adj* maneta.
Mancomunar *v* mancomunar, pactuar.
Manda *s* oferta, promessa, legado.
Mandado *s* mandado, ordem, recado.
Mandamiento *s* mandamento, preceito, ordem.
Mandar *v* mandar, ordenar.
Mandarín *s* mandarim.
Mandatario *s* mandatário.
Mandato *s* mandato, ordem, encargo.
Mandíbula *s* mandíbula, queixada.
Mandil *s* avental resistente.
Mandioca *s* mandioca.
Mando *s* mando, autoridade, chefia.
Mandolina *s* bandolim.
Mandril *s* mandril.
Manducar *v* manducar, comer.
Manecilla *s* ponteiro (de relógio ou de instrumento).
Manejar *v* manejar, governar, conduzir, dirigir.
Manejo *s* manejo, gerência.
Manera *s* maneira, modo, forma.
Manga *s* manga (de roupa, tubo, parte do eixo).
Manganesa *s* manganês.
Manglar *s* mangue.
Mango *s* manga (fruta), cabo, asa (de objetos).
Mangonear *v* vadiar.
Manguera *s* mangueira (de borracha).
Manía *s* mania, ideia fixa, birra.
Maníaco *adj* maníaco, louco.
Maniatar *v* manietar, algemar.
Maniático *adj* maníaco, louco.
Manicomio *s* manicômio, hospício.
Manicuro *s* manicure.
Manido *adj* murcho, passado.
Manifestación *s* manifestação.
Manifestar *v* manifestar.
Manifiesto *s* manifesto; *adj* expresso, visível.
Manija *s* cabo, punho (de objetos).
Manilargo *adj* mão aberta, generoso.
Manilla *s* bracelete, pulseira, algema.
Maniobra *s* manobra, operação manual.
Maniobrar *v* manobrar, movimentar.
Manipulación *s* manipulação.
Manipular *v* manipular.
Maniqueísmo *s* maniqueísmo.
Maniquí *s* manequim.
Manirroto *adj* esbanjador, perdulário.
Manivela *s* manivela.
Manjar *s* manjar.
Mano *s* mão, direção (no trânsito), pata dianteira, poder, mando.
Manojo *s* molho, feixe, maço (de flores).
Manómetro *s* manômetro.
Manosear *v* manusear, apalpar, tatear.
Manoseo *s* manuseio.
Manotazo *s* palmada.
Manotear *v* gesticular, dar palmadas.
Mansedumbre *s* mansidão, paciência.
Mansión *s* mansão, morada.
Manso *adj* manso, dócil, paciente, pacífico.
Manta *s* manta, cobertor.
Manteca *s* banha (de porco), gordura.
Mantecado *s* sorvete, bolo.
Mantel *s* toalha (de mesa, de altar).
Manteleria *s* jogo de toalhas de mesa e guardanapos.

Mantener *v* manter, prover, conservar.
Mantenimiento *s* manutenção, conservação, mantimento.
Manteo *s* mantel, capa usada pelos eclesiásticos.
Mantequilla *s* manteiga.
Mantilla *s* mantilha.
Manto *s* manto, capa.
Mantón *s* mantô, casaco, xale grande.
Manual *s* manual, compêndio; *adj* manual, caseiro, artesanal.
Manubrio *s* manivela, cabo, guidão.
Manufactura *s* manufatura.
Manuscrito *s* manuscrito.
Manutención *s* manutenção, conservação, sustento.
Manzana *s* maçã, pomo, casas geminadas.
Manzanilla *s* camomila, macela.
Maña *s* manha, destreza, habilidade, astúcia, mau costume.
Mañana *s* manhã; *adv* amanhã.
Mañoso *adj* manhoso.
Mapa *s* mapa.
Maqueta *s* maquete, modelo.
Maquiavélico *adj* maquiavélico.
Maquillador *s* maquiador.
Maquillaje *s* maquiagem, pintura.
Maquillar *v* maquiar, pintar, aplicar cosméticos.
Máquina *s* máquina.
Maquinar *v* maquinar, tramar.
Maquinaria *s* maquinaria, mecanismo.
Maquinista *s* maquinista.
Mar *s* mar.
Maraña *s* maranha, fios enredados.
Marasmo *s* marasmo, estagnação, apatia.
Maratón *s* maratona.
Maravilla *s* maravilha.
Maravillar *v* maravilhar, admirar, deslumbrar.
Maravilloso *adj* maravilhoso, admirável, extraordinário.
Marca *s* marca, sinal.
Marcado *adj* marcado, determinado.
Marcador *adj* marcador.
Marcaje *s* marcação.
Marcapasos *s* marcapasso.
Marcha *s* marcha, velocidade.
Marchante *adj* mercantil, traficante.
Marchar *v* marchar, andar, caminhar, funcionar.
Marchitar *v* murchar, enfraquecer.
Marchito *adj* murcho, pálido.
Marcial *adj* marcial, guerreiro.
Marco *s* marco (moeda, peso, medida), quadro, moldura, caixilho.
Marea *s* maré.
Marear *v* marear, governar.
Marear *v* dirigir (embarcação), enjoar, ficar mareado.
Marejada *s* marejada.
Maremoto *s* maremoto.
Mareo *s* enjoo, náusea.
Marfil *s* marfim, dentina.
Margarina *s* margarina.
Margarita *s* margarida.
Margen *s* margem, borda.
Marginado *adj* marginalizado, excluído.
Marginal *adj* marginal.
Marginar *v* deixar margens (ao escrever), escrever à margem, excluir-se.
Marido *s* marido, cônjuge, esposo.
Marihuana *s* marijuana, maconha.
Marimorena *s* tumulto, zona.
Marina *s* marinha, beira-mar.
Marinero *s* marinheiro, marujo.
Marino *adj* marinho, marinheiro.
Marioneta *s* marionete, fantoche.
Mariposa *s* mariposa, borboleta.
Mariquita *s* joaninha.
Mariscal *s* marechal.
Marisco *s* marisco (crustáceo ou molusco comestível).
Marisma *s* restinga.
Marital *adj* marital.
Marítimo *adj* marítimo.
Marjal *s* brejo, pântano, terreno pantanoso.
Marmita *s* marmita.
Mármol *s* mármore.
Marmota *s* marmota.
Maroma *s* corda grossa.
Marqués *s* marquês.

Marquesina *s* marquise, toldo.
Marquetería *s* marchetaria, incrustação.
Marranada *s* sujeira, porcaria.
Marrano *s* porco.
Marrar *v* errar, faltar.
Marrón *adj* marrom, cor castanha.
Marta *s* marta (animal, pele).
Martes *s* terça-feira, terceiro dia da semana.
Martillo *s* martelo, malho.
Martinar *v* martelar, bater com martelo.
Mártir *s* mártir, vítima.
Martirio *s* martírio, tortura, aflição, sacrifício.
Martirizar *v* martirizar, torturar, atormentar.
Marxismo *s* marxismo.
Marzo *s* março.
Mas *conj* mas, porém.
Más *adv* mais; *s* mais (sinal matemático).
Masa *s* massa, mistura, volume.
Masacrar *v* massacrar, matar, chacinar.
Masacre *s* massacre, matança, chacina, carnificina.
Masaje *s* massagem.
Masajista *s* massagista.
Mascar *v* mascar, mastigar.
Máscara *s* máscara, disfarce.
Mascota *s* mascote, amuleto.
Masculinidad *s* masculinidade, virilidade.
Masculino *adj* masculino, viril.
Mascullar *v* resmungar, falar entre-dentes.
Masificación *s* massificação.
Masificar *v* massificar.
Masilla *s* massa (de vidraceiro, para vedação).
Masivo *adj*, *s* massivo.
Masón *adj* maçom.
Masonería *s* maçonaria.
Masónico *adj* maçônico.
Masoquismo *s* masoquismo.
Masticación *s* mastigação.
Masticar *v* mastigar, mascar.
Mástil *s* mastro, haste.
Mastín *s* mastim, cão de guarda.
Mastodonte *s* mastodonte, trambolho.
Mastuerzo *s* mastruço.
Masturbación *s* masturbação.
Masturbar *v* masturbar.
Mata *s* mata, arvoredo.
Matadero *s* matadouro, abatedouro (de animais).
Matador *adj* toureiro; *adj*, *s* matador, assassino.
Matamoscas *s* mata-moscas.
Matanza *s* matança.
Matar *v* matar, eliminar, aniquilar, assassinar.
Matarratas *s* mata-rato.
Mate *adj* apagado, sem brilho; *s* mate, arbusto do Paraguai.
Matemáticas *s* matemática.
Matemático *adj*, *s* matemático, *adj* rigoroso, preciso.
Materia *s* matéria, substância.
Material *adj* material.
Materialismo *s* materialismo.
Materializar *v* materializar, tornar concreto.
Maternal *adj* maternal, materno.
Maternidad *s* maternidade (condição de mãe, hospital para parturientes).
Materno *adj* materno.
Matinal *adj* matinal, matutino.
Matiz *s* matiz, gradação (de cor), nuance.
Matizar *v* matizar, combinar (cores), colorir, realçar.
Matón *adj* valentão.
Matorral *s* mato, matorral.
Matraz *s* retorta, balão de vidro.
Matriarca *s* matriarca.
Matriarcado *s* matriarcado.
Matrícula *s* matrícula, inscrição, lista, identificação, placa.
Matricular *v* matricular, registrar, inscrever.
Matrimonio *s* matrimônio, casamento, união.
Matriz *s* matriz, madre, útero.
Matrona *s* matrona, mãe de família, parteira, comadre.
Matutino *adj* matutino, matinal.
Maullar *v* miar.

Maullido *s* miado.
Mausoleo *s* mausoléu, túmulo, sepulcro, tumba.
Maxilar *s* maxilar, mandíbula.
Máxime *adv* principalmente.
Máximo *adj* máximo, maior, melhor, superior.
Maya *adj* maia.
Mayar *v* miar.
Mayo *s* maio.
Mayonesa *s* maionese.
Mayor *adj* maior, superior (em qualidade, tamanho e número).
Mayoral *s* maioral, capataz.
Mayordomo *s* mordomo, administrador.
Mayoría *s* maioria, maior parte.
Mayoridad *s* maioridade.
Mayorista *s* atacadista.
Mayúsculo *adj* maiúsculo.
Maza *s* maça, clava, bate estacas.
Mazapán *s* maçapão, marzipã.
Mazmorra *s* masmorra, prisão subterrânea.
Mazo *s* maço, martelo de madeira, marreta, molho, feixe.
Mazorca *s* maçaroca (de milho).
Me *pron* me, mim.
Meada *s* mijada.
Meado *s* mijado.
Meandro *s* meandro.
Mear *v* mijar, urinar.
Mecánica *s* mecânica.
Mecánico *adj* mecânico, automático.
Mecanismo *s* mecanismo.
Mecanizar *v* mecanizar, automatizar.
Mecanografía *s* mecanografia, datilografia.
Mecanografiar *v* datilografar.
Mecanógrafo *adj* datilógrafo.
Mecedora *s* cadeira de balanço.
Mecenas *s* mecenas, protetor, patrocinador.
Mecer *v* mexer, agitar, balançar.
Mecha *s* mecha, pavio.
Mechero *s* isqueiro, acendedor.
Mechón *s* mecha, tufo (de lã, fios, de cabelos).
Medalla *s* medalha, insígnia.
Medallón *s* medalhão.
Media *s* média, metade, meia hora, meia comprida.
Mediación *s* mediação, intervenção.
Mediador *adj* mediador, interventor.
Medianero *adj* medianeiro, mediador.
Medianía *s* mediania.
Mediano *adj* mediano, medíocre, médio.
Medianoche *s* meia-noite.
Mediante *adj* mediante, que intermedia; *adv* mediante, por meio de.
Mediar *v* mediar, intermediar, advogar.
Mediato *adj* imediato, próximo.
Medicación *s* medicação.
Medicamento *s* medicamento, remédio.
Medicar *v* medicar, tratar.
Medicina *s* medicina.
Medicinal *adj* medicinal.
Medición *s* medição, medida.
Médico *s* médico.
Medida *s* medida.
Medieval *adj* medieval.
Medio *adj* médio, metade.
Mediocre *adj* medíocre.
Mediocridad *s* mediocridade.
Mediodía *s* meio-dia.
Medir *s* medir, avaliar, regular.
Meditabundo *adj* meditabundo, pensativo.
Meditación *s* meditação, reflexão.
Meditar *v* meditar, refletir.
Mediterráneo *adj* mediterrâneo.
Médium *s* médium, espiríta.
Medrar *v* crescer (plantas).
Medroso *adj* medroso, receoso.
Médula *s* medula.
Medusa *s* medusa.
Megalítico *s* megalítico.
Megalomanía *s* megalomania, mania de grandeza.
Mejicano *adj* mexicano.
Mejilla *s* bochecha, maçã do rosto.
Mejillón *s* mexilhão.
Mejor *adj* melhor, superior (em qualidade).

Mejora *s* melhora, aproveitamento, benefício.
Mejorana *s* mangerona.
Mejorar *v* melhorar, aperfeiçoar.
Mejoria *s* melhoria, alívio.
Mejunje *s* mistura (cosmético ou medicamento).
Melado *s* melado, cor do mel, xarope da cana-de-açúcar.
Melancolía *s* melancolia, tristeza, nostalgia.
Melar *v* melar, fabricar mel (a abelha).
Melaza *s* melaço.
Melena *s* melena, cabelo comprido, juba.
Melífluo *adj* melífluo, suave, doce demais.
Melindre *s* melindre (doce).
Melindres *s* melindres, modos afetados, trejeitos.
Melindroso *adj* melindroso, dengoso, delicado.
Melisa *s* melissa.
Mella *s* falha, mossa (no fio de instrumentos cortantes).
Mellizo *adj* gêmeo.
Melocotón *s* pêssego.
Melodía *s* melodia, composição, suavidade.
Melódico *adj* melódico, suave.
Melodioso *adj* melodioso, harmonioso.
Melodrama *s* melodrama, dramalhão.
Melómano *adj* melomaníaco, melômano.
Melón *s* melão.
Meloso *adj* meloso, melado, adocicado.
Membrana *s* membrana.
Membranoso *adj* membranoso.
Membrete *s* lembrete, anotação.
Membrillo *s* marmelo, doce de marmelada.
Memo *adj* estúpido, tonto, bobo, burro.
Memorable *adj* memorável, inesquecível.
Memorándum *s* memorando.
Memoria *s* memória, lembrança, recordação.
Memorial *s* memorial.
Memorización *s* memorização, recordação.
Menaje *s* utensílios e objetos (de uma casa).
Mención *s* menção, referência.
Mencionar *v* mencionar, aludir, indicar.
Mendicante *adj* mendicante, pedinte, mendigo.
Mendigar *v* mendigar, pedir esmola.
Mendigo *s* mendigo, pedinte.
Mendrugo *s* pedaço de pão duro.
Menear *v* menear, mover (de um lado para o outro).
Meneo *s* meneio.
Menester *s* mister, necessidade.
Menestra *s* minestra (carne com legumes cozidos).
Mengano *s* beltrano.
Mengua *s* míngua, diminuição.
Menguado *adj* minguado.
Menguante *adj* minguante, lua minguante.
Menguar *v* minguar, diminuir.
Menhir *s* menir.
Meninge *s* meninge.
Meningitis *s* meningite.
Menisco *s* menisco.
Menopausia *s* menopausa.
Menor *adj* menor (em tamanho, número), mínimo, mais novo (em idade).
Menos *adv* menos, exceto, salvo.
Menoscabar *v* menosprezar, diminuir.
Menoscabo *s* menoscabo.
Menospreciable *adj* desprezível.
Menospreciar *v* menosprezar, desprezar.
Menosprecio *s* menosprezo, desprezo, desdém.
Mensaje *s* mensagem, recado, notícia.
Mensajero *s* mensageiro.
Menstruación *s* menstruação.
Menstruar *v* menstruar.
Mensualidad *s* mensalidade, mesada, salário mensal.
Mensurable *adj* mensurável.
Menta *s* menta (planta, essência).
Mental *adj* mental, intelectual.
Mentalidad *s* mentalidade.
Mentar *v* memorar, lembrar.

Mente *s* mente, inteligência, vontade, pensamento.
Mentecato *adj* mentecapto.
Mentir *v* mentir, enganar.
Mentira *s* mentira, engano.
Mentiroso *adj* mentiroso.
Mentón *s* queixo, maxilar.
Mentor *s* mentor, guia, conselheiro.
Menú *s* menu, cardápio, minuta.
Menudear *v* amiudar, repetir.
Menudencia *s* minúcia, pequenez, ninharia.
Menudo *adj* miúdo, delgado, pequeno.
Meñique *s* dedo mindinho.
Meollo *s* miolo, migalha.
Mequetrefe *s* mequetrefe, homem metido.
Mercader *s* mercador, comerciante, negociante.
Mercadería *s* mercadoria.
Mercado *s* mercado, praça, comércio.
Mercancía *s* mercadoria.
Mercantil *adj* mercantil, comercial.
Merced *s* mercê, graça, favor, perdão.
Mercenario *adj* mercenário.
Mercería *s* armazém, armarinho.
Mercurio *s* mercúrio (substância, astro).
Merecedor *adj* merecedor.
Merecer *v* merecer.
Merecido *adj* merecido, devido.
Merecimiento *s* merecimento, mérito.
Merendar *v* merendar, lanchar.
Merendero *s* lugar onde se merenda.
Merengue *s* merengue, doce.
Meretriz *s* meretriz, prostituta.
Meridiano *adj* meridiano.
Meridional *adj* meridional, austral.
Merienda *s* merenda, lanche (da tarde), piquenique.
Merino *adj* merino (raça de carneiros).
Mérito *s* mérito, merecimento, valor.
Meritorio *adj* meritório, louvável.
Merluza *s* merluza, pescada.
Merma *s* diminuição, perda, descréscimo.
Mermar *v* diminuir, minguar.
Mermelada *s* marmelada, doce de fruta cozida.
Mero *adj* mero, puro, simples.
Merodear *s* vaguear, andar pelo campo, saquear.
Mes *s* mês, mensalidade, menstruação.
Mesa *s* mesa.
Mesar *v* arrepelar-se.
Meseta *s* metamar, meseta, planalto.
Mesiánico *adj* messiânico.
Mesnada *s* mesnada (leva de gente de guerra).
Mesón *s* estalagem, hospedaria, pousada.
Mestizaje *s* mestiçagem.
Mestizo *adj* mestiço.
Mesura *s* mesura, gravidade e compostura no rosto e porte, cortesia.
Meta *s* meta, limite.
Metabolismo *s* metabolismo.
Metafísica *s* metafísica.
Metáfora *s* metáfora, alegoria.
Metal *s* metal, latão.
Metálico *adj* metálico.
Metalúrgico *adj* metalúrgico.
Metamorfosis *s* metaformose.
Metano *s* metano, gás metano.
Meteorito *s* meteorito, aerólito.
Meteoro *s* meteoro.
Meteorología *s* meteorologia.
Meteorológico *adj* meteorológico.
Meter *v* meter, pôr, introduzir.
Meticuloso *adj* meticuloso, minucioso.
Metido *adj* metido, intrometido.
Metódico *adj* metódico.
Método *s* método, ordem, processo.
Metodología *s* metodologia.
Metraje *s* metragem (de um filme).
Metralla *s* metralha, estilhaços de bala.
Metralleta *s* metralhadora.
Métrico *adj* métrico.
Metro *s* metro.
Metrópoli *s* metrópole.
Metropolitano *adj* metropolitano.
Mezcla *s* mescla, mistura.
Mezclar *v* mesclar, misturar.
Mezquindad *s* mesquinharia.
Mezquino *adj* mesquinho.
Mezquita *s* mesquita.
Mí *pron* mim.

Mi *s* mi, terceira nota musical.
Mi, mis *pron* meu, minha, meus, minhas.
Miasma *s* miasma, emanação de mau cheiro.
Micción *s* micção, urina.
Mico *s* mico.
Microbiano *adj* microbiano.
Microbio *s* micróbio.
Microbiología *s* microbiologia.
Microfilme *s* microfilme.
Micrófono *s* microfone.
Microorganismo *s* micro-organismo.
Microscópico *adj* microscópico.
Microscopio *s* microscópio.
Miedo *s* medo, terror, receio, temor.
Miedoso *adj* medroso.
Miel *s* mel.
Miembro *s* membro.
Mientras *adv* enquanto, entretanto, durante.
Miércoles *s* quarta-feira, quarto dia da semana.
Mierda *s* merda, excremento, fezes, bosta.
Mies *s* messe, cereal maduro.
Miga *s* miolo (de pão), migalha.
Migaja *s* migalha, fragmento, restos, sobras.
Migar *v* esfarelar, esmigalhar (o pão).
Migración *s* migração.
Migraña *s* dor de cabeça.
Migratorio *adj* migratório.
Mijo *s* espécie de milho.
Mil *adj* mil.
Milagro *s* milagre.
Milenario *adj* milenário.
Milenio *s* milênio.
Milésimo *s* milésimo.
Milicia *s* milícia.
Miliciano *adj* miliciano.
Miligramo *s* miligrama.
Milímetro *s* milímetro.
Militante *adj* militante.
Militar *adj* militar.
Milla *s* milha.
Millar *s* milhar.
Millón *num* milhão.
Millonario *adj* milionário, muito rico.
Mimar *v* mimar, amimar, afagar, acariciar.
Mimbre *s* vime.
Mimbrera *s* vimeiro, vime.
Mimetismo *s* mimetismo.
Mímica *s* mímica, pantomima.
Mimo *s* mimo, carinho, ternura.
Mimoso *adj* mimoso, delicado, melindroso.
Mina *s* mina, olho-d'água, nascente.
Minar *v* minar (escavar, colocar explosivos).
Mineral *adj* mineral.
Mineralogía *s* mineralogia.
Minería *s* mineração, exploração de minérios.
Minero *adj* mineiro.
Miniatura *s* miniatura.
Minifalda *s* minissaia.
Minifundio *s* minifúndio.
Minimizar *v* minimizar.
Mínimo *adj* mínimo, o menor.
Ministerial *adj* ministerial.
Ministerio *s* ministério (cargo, organismo, edificío).
Ministro *s* ministro.
Minorar *v* minorar, diminuir, reduzir.
Minoría *s* minoria.
Minoridad *s* menoridade.
Minoritario *adj* minoritário.
Minucia *s* minúcia, ninharia, bagatela.
Minucioso *adj* minucioso.
Minúsculo *adj* minúsculo, miúdo.
Minusválido *adj* deficiente, inválido.
Minuta *s* minuta, rascunho, apontamento.
Minuto *s* minuto.
Miocardio *s* miocárdio.
Miope *adj* míope.
Miopía *s* miopia.
Mira *s* mira.
Mirada *s* olhada.
Mirador *s* mirante, varanda envidraçada.
Miramiento *s* concentração, olhada.
Mirar *v* mirar, olhar.
Mirilla *s* vigia, abertura na porta.
Mirlo *s* melro.

Mirón *adj* observador curioso, espectador (de jogo).
Misa *s* missa.
Misal *s* missal.
Misantropía *s* misantropia.
Misántropo *adj* misantropo.
Miscelánea *s* miscelânea, mistura.
Miserable *adj* miserável, desgraçado, infame.
Miseria *s* miséria, pobreza extrema, sordidez.
Misericordia *s* misericórdia, compaixão.
Mísero *adj* mísero.
Misil *s* míssil.
Misión *s* missão, encargo.
Misionero *s* missionário, evangelizador.
Misiva *s* missiva, carta, mensagem.
Mismo *adj* mesmo, semelhante, igual.
Misterio *s* mistério, enigma.
Misterioso *adj* misterioso.
Misticismo *s* misticismo.
Místico *adj* místico.
Mistificación *s* mistificação.
Mistificar *v* mistificar.
Mitad *s* metade, meio.
Mítico *adj* mítico.
Mitigar *v* mitigar, moderar.
Mitin *s* comício.
Mito *s* mito.
Mitología *s* mitologia.
Mitológico *adj* mitológico.
Mitomanía *s* mitomania.
Mitra *s* mitra.
Mixto *adj* misto, misturado, composto.
Mixtura *s* mistura, mescla.
Mobiliario *s* mobiliário, mobília.
Mocasín *s* mocassim.
Mocedad *s* mocidade, juventude.
Mochila *s* mochila.
Mochilero *s* mochileiro, que viaja com mochila.
Mocho *adj* mocho, sem ponta.
Moción *s* moção.
Moco *s* muco, ranho (de nariz).
Mocoso *adj* mucoso, ranhento.
Moda *s* moda, maneira de vestir, uso, costume, voga.
Modales *s* maneira de ser.
Modalidad *s* modalidade, modo de ser.
Modelado *adj* modelado, moldado.
Modelar *v* modelar, moldar, contornar.
Modelo *s* modelo, exemplo, imagem, molde, norma, regra, representação.
Moderación *s* moderação.
Moderado *adj* moderado, comedido.
Moderar *v* moderar, regular, regrar.
Modernismo *s* modernismo.
Modernista *adj* modernista.
Modernizar *v* modernizar, atualizar.
Moderno *adj* moderno, recente, atual.
Modestia *s* modéstia, humildade, simplicidade.
Modesto *adj* modesto, humilde, simples.
Módico *adj* módico, moderado.
Modificar *v* modificar, alterar.
Modismo *s* modismo (no falar), idiotismo.
Modisto *s* modista, costureiro.
Modo *s* modo, maneira de ser, método.
Modorra *s* modorra, sonolência, apatia, indolência.
Modoso *adj* moderado, de boas maneiras, cortês, respeitoso.
Modular *v* modular, passar de um tom a outro.
Módulo *s* módulo, medida, parte.
Mofa *s* mofa, zombaria, escárnio, gozação.
Mofar *v* mofar, zombar, escarnecer.
Moflete *s* bochecha grande e carnuda.
Mogollón *s* intrometido; FIG grande quantidade, montão.
Mohín *s* gesto, trejeito, careta.
Mohíno *adj* mofino, triste, desgostoso.
Moho *s* mofo, bolor, ferrugem, azinhavre.
Mohoso *adj* bolorento, mofado, mofento.
Mojadura *s* molhadura.
Mojama *s* atum seco salgado.
Mojar *v* molhar, umedecer.
Moje *s* molho, tempero.
Mojigato *adj* hipócrita, fingido, dissimulado, falso beato.
Mojón *s* baliza, marco.
Molde *s* molde, matriz, modelo, forma.

Moldeable *adj* moldável, flexível, maleável.
Moldear *v* moldar.
Moldura *s* moldura, caixilho.
Mole *s* mole, corpo maciço e de grandes dimensões.
Molécula *s* molécula.
Molecular *adj* molecular.
Moler *v* moer, triturar, espremer, reduzir a pó.
Molestar *v* molestar, incomodar, ofender.
Molestia *s* moléstia, incômodo, fadiga.
Molicie *s* moleza, brandura.
Molienda *s* moenda, moinho.
Molinero *adj* moleiro.
Molinete *s* molinete, catavento.
Molino *s* moinho.
Molleja *s* moela.
Mollera *s* moleira, parte superior do crânio.
Mollete *s* pãozinho mole.
Molusco *s* molusco.
Momentáneo *adj* momentâneo, instantâneo.
Momento *s* momento, instante.
Momia *s* múmia.
Momificar *v* mumificar, embalsamar.
Monacal *adj* monacal, monástico.
Monacato *s* monacato.
Monada *s* macacada, macaquice.
Monaguillo *s* coroinha.
Monarca *s* monarca, rei.
Monarquía *s* monarquia, coroa, reino.
Monárquico *adj* monárquico.
Monastério *s* mosteiro, convento.
Monda *s* exumação.
Mondadientes *s* palito de dentes.
Mondar *v* limpar, purificar, podar, descascar, cortar o cabelo.
Mondo *adj* limpo, livre de coisas supérfluas.
Mondongo *s* mondongo.
Moneda *s* moeda.
Monedero *s* moedeiro, carteira.
Monería *s* macaquice.
Monetario *adj* monetário.
Monigote *s* fantoche.
Monitor *s* monitor.
Monja *s* monja, freira.
Monje *s* monge, frade, frei.
Mono *adj* bonito, gracioso, delicado; *s* mono, macaco.
Monobloque *adj* monobloco.
Monocorde *s* monocórdio, de uma só corda.
Monócromo *adj* monocromo, que tem uma só cor.
Monóculo *s* monóculo.
Monocultivo *s* monocultura.
Monogamia *s* monogamia.
Monógamo *adj* monógamo, casado com uma só mulher.
Monografía *s* monografia.
Monográfico *adj* monográfico.
Monograma *s* monograma.
Monolítico *adj* monolítico, feito de uma só peça.
Monólogo *s* monólogo, solilóquio.
Monomanía *s* monomania, ideia fixa.
Monomio *s* monómio.
Monopétalo *s* monopétalo, que tem uma só pétala.
Monopolio *s* monopólio, exclusividade.
Monopolizar *v* monopolizar, açambarcar.
Monosílabo *adj* monossílabo.
Monoteísmo *s* monoteísmo.
Monotonía *s* monotonia.
Monótono *adj* monótono.
Monserga *s* algaravia, linguagem confusa.
Monstruo *s* monstro.
Monstruosidad *s* monstruosidade.
Monstruoso *adj* monstruoso, disforme, exagerado.
Monta *s* montante, total, importância, valor.
Montacargas *s* elevador de carga.
Montaje *s* montagem.
Montante *s* suporte, reforço.
Montaña *s* montanha.
Montañés *adj* montanhês.
Montañismo *s* montanhismo, alpinismo.
Montañoso *adj* montanhoso.

Montar *v* montar, subir, armar (aparelho), encenar (espetáculo).
Monte *s* monte, montanha.
Montería *s* montaria, caça.
Montés *adj* montês.
Montón *s* montão, acumulação desordenada.
Montuoso *adj* montanhoso.
Montura *s* cavalgadura, arreios.
Monumental *adj* monumental, grandioso.
Monumento *s* monumento, estátua, obra arquitetônica.
Monzón *s* monção.
Moño *s* rolo de cabelo, laço de fitas.
Moquear *s* segregar muco ou ranho.
Moquero *s* lenço para assoar o nariz.
Moqueta *s* carpete.
Mora *s* amora, demora, atraso.
Morada *s* morada, habitação, residência.
Morado *adj* arroxeado.
Moral *adj* moral.
Moraleja *s* moral da história, lição.
Moralidad *s* moralidade, moral.
Moralista *s* moralista, puritano.
Moralizar *v* moralizar, corrigir.
Morar *v* morar, habitar, residir.
Morbidez *s* morbidez, languidez.
Mórbido *adj* mórbido, doentio.
Morbo *s* morbo, doença.
Morboso *adj* morboso.
Morcilla *s* morcela, espécie de chouriço.
Mordacidad *s* mordacidade.
Mordaz *adj* mordaz.
Mordaza *s* mordaça.
Mordedura *s* mordedura, dentada.
Morder *v* morder, dar dentadas.
Mordisco *s* dentada, mordida leve.
Mordisquear *v* morder levemente, mordiscar.
Moreno *adj* moreno, escuro.
Morfina *s* morfina.
Morfinómano *adj* morfinômano, viciado em morfina.
Morfología *s* morfologia.
Moribundo *adj* moribundo.
Morir *v* morrer, falecer.
Moro *adj* mouro, muçulmano.
Morondo *adj* pelado, sem pêlos.
Moroso *adj* moroso, lento, vagaroso.
Morral *s* embornal, mochila para provisões.
Morrillo *s* cachaço (dos animais), seixo.
Morriña *s* tristeza, melancolia.
Morro *s* morro, monte, rochedo.
Morsa *s* morsa, leão marinho.
Mortadela *s* mortadela.
Mortaja *s* mortalha.
Mortal *adj* mortal, fatal, perigoso.
Mortalidad *s* mortalidade.
Mortandad *s* mortandade.
Mortecino *adj* mortiço, apagado.
Mortero *s* morteiro, concreto (para construção).
Mortífero *adj* mortífero.
Mortificar *v* mortificar, castigar.
Mortuorio *adj* mortuário.
Mosaico *s* mosaico (pavimento feito de ladrilho colorido).
Mosca *s* mosca.
Moscatel *adj* moscatel (uva, vinho).
Moscovita *adj* moscovita.
Mosquitera *s* mosquiteiro, cortinado.
Mosquito *s* mosquito.
Mostaza *s* mostarda.
Mosto *s* mosto, suco das uvas.
Mostrador *s* mesa, prateleira, balcão.
Mostrar *v* mostrar, expor, exibir.
Mostrenco *adj* bens sem dono conhecido.
Mote *s* mote, apelido.
Motejar *v* apelidar, zombar.
Motel *s* motel, hotel (de estrada).
Motín *s* motim, tumulto, arruaça.
Motivar *v* motivar, originar, causar, determinar.
Motivo *s* motivo, origem, causa.
Motocicleta *s* motocicleta, moto.
Motor *s* motor.
Motorizar *v* motorizar, mecanizar.
Motriz *s* motriz, motora.
Movedizo *adj* movediço.
Mover *v* mover, movimentar, agitar, mexer.
Movible *adj* móvel, mutável.

Móvil *adj* móvel, instável, removível.
Movilizar *v* mobilizar.
Movimiento *s* movimento.
Mozo *adj* moço, jovem, garçom; *s* criada, empregada doméstica.
Muchacho *s* rapaz, moço ou moça que servem como criados.
Muchedumbre *s* multidão.
Mucho *adj* muito, numeroso, abundante.
Mucosidad *s* mucosidade.
Mucoso *adj* mucoso.
Muda *s* muda, mudança.
Mudar *v* mudar, deslocar, transferir, renovar, variar, converter.
Mudez *s* mudez, mutismo.
Mudo *adj* mudo, calado, silencioso.
Mueble *s* móvel, mobília.
Mueca *s* trejeito.
Muela *s* mó, pedra (de moinho, de amolar), molar (dente).
Muelle *adj* mole, brando, delicado, suave; *s* mola (de metal).
Muerte *s* morte, falecimento.
Muerto *adj* morto, falecido, extinto.
Muesca *s* entalhe,encaixe.
Muestra *s* amostra, modelo, exemplo.
Muestrario *s* mostruário.
Muestreo *s* amostragem.
Mugido *s* mugido.
Mugir *v* mugir.
Mugre *s* imundície, sujeira.
Mugriento *adj* sujo, ensebado, imundo.
Mujer *s* mulher, senhora, esposa, cônjuge.
Mujeriego *adj* mulherengo.
Muladar *s* muladar.
Mulato *adj* mulato, moreno.
Muleta *s* muleta.
Mullir *v* abrandar, amaciar.
Mulo *s* mulo.
Multa *s* multa.
Multar *v* multar.
Multicolor *adj* multicor, colorido.
Multicopista *s* máquina para tirar cópias.
Multiforme *adj* multiforme.
Multinacional *adj* multinacional.
Múltiple *adj* múltiplo, complexo, variado.
Multiplicación *s* multiplicação.
Multiplicador *s* multiplicador.
Multiplicar *v* multiplicar.
Multiplicidad *s* multiplicidade.
Múltiplo *adj* múltiplo.
Multitud *s* multidão.
Mundano *adj* mundano.
Mundial *adj* mundial.
Mundo *s* mundo, globo terrestre.
Munición *s* munição.
Municipal *adj* municipal.
Municipalidad *s* municipalidade, câmara municipal, município.
Município *s* município.
Muñeco *s* fantoche, boneco, munheca, pulso.
Muñón *s* coto.
Mural *adj* mural.
Muralla *s* muralha, muro que protege uma fortaleza.
Murciélago *s* morcego.
Murga *s* banda de músicos ambulantes.
Murmullo *s* murmúrio, sussurro.
Murmuración *s* murmúrio, falação, maledicência.
Murmurar *v* murmurar, sussurrar.
Muro *s* muro, parede.
Musa *s* musa.
Muscular *adj* muscular.
Musculatura *s* musculatura.
Músculo *s* músculo.
Musculoso *adj* musculoso, robusto, forte.
Muselina *s* musselina.
Museo *s* museu.
Musgo *s* musgo, limo.
Música *s* música.
Musical *adj* musical.
Musitar *v* mussitar.
Muslo *s* coxa.
Mustio *adj* melancólico, triste, murcho.
Musulmán *adj* muçulmano.
Mutable *adj* mutável.
Mutación *s* mutação, mudança.
Mutilación *s* mutilação.
Mutilar *v* mutilar, cortar uma parte do corpo.

Mutismo *s* mutismo.
Mutualidad *s* mutualidade.
Mutuamente *adv* mutuamente.
Mutuo *adj* mútuo.
Muy *adv* muito, bastante.
Muzárabe *adj* moçárabe.

n N

N *s* décima sexta letra do alfabeto espanhol; MAT n, expoente indeterminado.
Nabo *s* nabo.
Nácar *s* nácar, madrepérola.
Nacarado *adj* nacarado.
Nacer *v* nascer, sair (dente, pelo, pena), aparecer (astro), brotar (folhas, flores).
Nacido *adj* nascido.
Naciente *adj* nascente; *s* oriente, este, leste.
Nacimiento *s* nascimento.
Nación *s* nação.
Nacional *adj* nacional.
Nacionalidad *s* nacionalidade.
Nacionalismo *s* nacionalismo.
Nacionalizar *v* nacionalizar.
Nada *s* nada, a não existência, coisa nula; *pron* nada, coisa nenhuma, não.
Nadar *v* nadar, flutuar.
Nadería *s* bagatela, nada.
Nadie *pron* ninguém.
Nafta *s* nafta, gasolina.
Naftalina *s* naftalina.
Nailon *s* náilon.
Naipe *s* carta (de baralho).
Nalga *s* nádega, traseiro.
Nana *s* nana, acalanto.
Nao *s* nau, nave, navio.
Napa *s* napa, pele de cabra curtida.
Napalm *s* napalm.
Naranja *s* laranja; *adj* alaranjado.
Naranjada *s* laranjada, suco de laranja.
Naranjado *adj* alaranjado.
Narcisismo *s* narcisismo.
Narcótico *adj* narcótico.
Narcotizar *v* narcotizar, entorpecer, anestesiar.
Nardo *s* nardo, planta amarilídea.
Nariz *s* nariz, narina.
Narración *s* narração, narrativa.
Narrar *v* narrar, contar, referir.
Narrativo *adj* narrativo.
Nasa *s* cesto, samburá.
Nasal *adj* nasal.
Nasalización *s* nasalização.
Nata *s* nata, creme.
Natación *s* natação.
Natal *adj* natal, referente ao nascimento.
Natalicio *adj* natalício; *s* aniversário.
Natalidad *s* natalidade.
Natividad *s* Natal.
Nativo *adj* nativo, natural.
Natural *adj* natural.
Naturaleza *s* natureza.
Naturalidad *s* naturalidade, normalidade.
Naturalismo *s* naturalismo.
Naturalizar *v* naturalizar.
Naufragar *v* naufragar, soçobrar, ir a pique.
Naufragio *s* naufrágio.
Náufrago *adj* náufrago.
Náusea *s* náusea, enjoo, ânsia.
Nauseabundo *adj* nauseabundo, nojento, repugnante.
Náutico *adj* náutico.
Navaja *s* navalha.
Navajada *s* navalhada.
Naval *adj* naval.
Nave *s* nave, navio, nau.
Navegable *adj* navegável.
Navegante *adj* navegante, navegador.
Navegar *v* navegar.
Navidad *s* Natal, dia de Natal, nascimento de Jesus.
Naviero *s* barqueiro, armador; *adj* naval.

Navío *s* navio, embarcação grande.
Nazi *adj* nazista.
Nazismo *s* nazismo.
Neblina *s* neblina, nevoeiro, cerração.
Nebulosa *s* nebulosa.
Necedad *s* necedade.
Necesario *adj* necessário.
Necesidad *s* necessidade.
Necesitar *v* necessitar, precisar, carecer.
Necio *adj* néscio, estúpido.
Necrofilia *s* necrofilia.
Necrología *s* necrologia.
Necrópolis *s* necrópole, cemitério.
Necropsia *s* necrópsia, autópsia.
Necrosis *s* necrose, gangrena.
Néctar *s* néctar.
Nefando *adj* nefando, abominável.
Nefasto *adj* nefasto, funesto.
Nefrítico *adj* nefrítico.
Negación *s* negação.
Negado *adj* negado.
Negar *v* negar, recusar.
Negativo *adj* negativo.
Negligencia *s* negligência, abandono, desmazelo.
Negociar *v* negociar, comerciar.
Negocio *s* negócio, transação comercial.
Negro *adj* negro, preto, escuro.
Negrura *s* negrura, negritude.
Nene *s* nenê, bebê, criancinha.
Nenúfar *s* nenúfar.
Neoclasicismo *s* neoclassicismo.
Neófito *adj* neófito.
Neolatino *adj* neolatino.
Neolítico *adj* neolítico.
Neologismo *s* neologismo.
Neón *s* neón.
Neonato *adj* recém-nascido.
Nepotismo *s* nepotismo, favoritismo.
Nervio *s* nervo, fibra.
Nerviosismo *s* nervosismo.
Nervioso *adj* nervoso.
Neto *adj* claro, límpido, líquido.
Neumático *adj* pneumático, pneu.
Neumonía *s* pneumonia.
Neuralgia *s* nevralgia.
Neurálgico *adj* nevrálgico.
Neurastenia *s* neurastenia, nervosismo.
Neurología *s* neurologia.
Neurólogo *s* neurologista.
Neurona *s* neurônio, célula nervosa.
Neurosis *s* neurose.
Neurótico *adj* neurótico.
Neutral *adj* neutro, imparcial.
Neutralidad *s* neutralidade, imparcialidade.
Neutralizar *v* neutralizar.
Neutro *adj* neutro.
Neutrón *s* nêutron.
Nevada *s* nevada.
Nevado *adj* nevado.
Nevar *v* nevar, alvejar.
Nevera *s* geladeira, frigorífico.
Neviscar *v* neviscar, cair pouca neve.
Nexo *s* nexo, ligação, vínculo, elo.
Ni *conj* nem, também não.
Nicaragüense *adj* nicaraguense.
Nicho *s* nicho, vão, pequena cavidade.
Nicotina *s* nicotina.
Nidada *s* ninhada.
Nido *s* ninho.
Niebla *s* névoa, nevoeiro.
Nieto *s* neto.
Nieve *s* neve.
Nihilismo *s* niilismo.
Ninfa *s* ninfa.
Ninfómana *s* ninfomaníaca.
Ningún *pron* nenhum.
Ninguno *pron*, *adj* nenhum, nulo, ninguém.
Niñez *s* infância, meninice.
Niño *s* menino, criança.
Níquel *s* níquel.
Niquelado *adj* niquelado.
Nirvana *s* nirvana.
Nitidez *s* nitidez, clareza, limpidez.
Nítido *adj* nítido, claro, límpido.
Nitrato *s* nitrato.
Nitrogenado *adj* nitrogenado.
Nitrógeno *s* nitrogênio.
Nitroglicerina *s* nitroglicerina, dinamite.
Nivel *s* nível, instrumento para verificar a altura, prumo.

Nivelar *v* nivelar, medir, aplainar, aprumar.
Níveo *adj* níveo, branco, alvo.
No *adv* não.
Nobiliario *adj* nobiliário.
Noble *adj* nobre, elevado.
Nobleza *s* nobreza.
Noche *s* noite.
Nochebuena *s* véspera de Natal.
Noción *s* noção, ideia, conhecimento.
Nocivo *adj* nocivo, prejudicial, pernicioso.
Nocturno *adj* noturno.
Nodriza *s* nutriz, ama-de-leite.
Nogal *s* nogueira.
Nómada *adj* nômade, andarilho.
Nombradía *s* renome, reputação.
Nombramiento *s* nomeação.
Nombrar *v* nomear.
Nombre *s* nome.
Nomenclatura *s* nomenclatura, lista, catálogo, terminologia.
Nómina *s* lista de nomes, relação de funcionários.
Nonagenario *adj* nonagenário.
Nono *adj* nono.
Nordeste *s* nordeste.
Nórdico *adj* nórdico.
Norma *s* norma, regra, princípio.
Normal *adj* normal, regular, ordinário.
Normalizar *v* normalizar.
Noroeste *s* noroeste.
Norte *s* norte.
Nos *pron* nos, nós.
Nosotros *pron* nós.
Nostalgia *s* nostalgia, tristeza, saudade.
Nostálgico *adj* nostálgico, saudoso, triste, melancólico.
Nota *s* nota, marca, sinal, anotação, apontamento.
Notable *adj* notável.
Notar *v* notar, perceber, observar, reparar.
Notaría *s* cartório.
Notario *s* notário, escriturário, tabelião.
Noticia *s* notícia, informação, informe.
Noticiar *v* noticiar, dar notícia de, comunicar.
Noticiario *s* noticiário.
Notificar *v* notificar, intimar, informar.
Notorio *adj* notório, conhecido, público.
Novatada *s* trote, recepção aos calouros.
Novato *adj* novato, calouro, principiante, recém-chegado.
Novecientos *num* novecentos.
Novedad *s* novidade, notícia, mudança, fato recente.
Novel *adj* novel, noviço.
Novela *s* novela, fantasia, enredo, romance.
Novelar *v* compor ou escrever novelas.
Novelista *s* novelista, autor de novelas e romances.
Novena *s* novena, rezas durante nove dias.
Noveno *adj* nono.
Noventa *num* noventa.
Noviazgo *s* noivado.
Noviciado *s* noviciado.
Noviembre *s* novembro.
Novillo *s* novillo, bezerro.
Novio *s* noivo.
Nubarrón *s* nuvem grande e densa, separada das outras.
Nube *s* nuvem.
Nublado *adj* nublado.
Nublar *v* nublar.
Nuca *s* nuca.
Nuclear *adj* nuclear.
Núcleo *s* núcleo.
Nudillo *s* nódulo, articulação (dos dedos).
Nudismo *s* nudismo.
Nudista *s* nudista.
Nudo *s* nó, laço, laçada.
Nuera *s* nora.
Nuestro *pron* nosso.
Nueva *s* nova, novidade, notícia.
Nueve *num* nove.
Nuevo *adj* novo, recente, moderno.
Nuez *s* noz.
Nulidad *s* nulidade.
Nulo *adj* nulo, sem valor, incapaz.
Numerar *v* numerar.

Número *s* número, quantidade, algarismo, cifra.
Numeroso *adj* numeroso, abundante, em grande quantidade.
Numismática *s* numismática.
Nunca *adv* nunca, jamais.
Nuncio *s* núncio, mensageiro.
Nupcias *s* núpcias, bodas, casamento.
Nutria *s* lontra.
Nutrición *s* nutrição, alimentação, sustento.
Nutrido *adj* nutrido, alimentado.
Nutrir *v* nutrir, alimentar.
Nutritivo *adj* nutritivo, alimentício.
Ñ *s* décima sétima letra dos alfabeto espanhol.
Ñaco *s* biscoito doce de farinha de milho.
Ñame *s* inhame.
Ñandú *s* ema, avestruz.
Ñandutí *s* tecido finíssimo feito pelas mulheres do Paraguai.
Ñaña *s* ama-seca, babá.
Ñañigo *adj* negros cubanos filiados a uma sociedade secreta.
Ñaque *s* montão ou conjunto de coisas inúteis e ridículas.
Ñeque *adj* valente, forte.
Ñiquiñaque *s* pessoa ou coisa desprezível, bagulho.
Ñoñería *s* bobeira, tolice.
Ñoño *adj* tonto, bobo.
Ñu *s* nhu (espécie de antílope).
Ñudo *s* nu, despido, pelado.

oO

O *s* décima oitava letra do alfabeto espanhol.
Oasis *s* oásis.
Obcecación *s* obsessão, teimosia.
Obcecar *v* obcecar, teimar.
Obedecer *v* obedecer, cumprir ordens, acatar.
Obediencia *s* obediência.
Obelisco *s* obelisco, monumento.
Obertura *s* abertura, introdução musical.
Obesidad *s* obesidade, gordura excessiva.
Obeso *adj* obeso, muito gordo.
Óbice *s* óbice, obstáculo.
Obispado *s* bispado, diocese.
Obispo *s* bispo.
Óbito *s* óbito, falecimento.
Objeción *s* objeção, contestação.
Objetar *v* objetar, opor, contestar.
Objetivo *adj* objetivo.
Objeto *s* objeto.
Oblea *s* obreia.
Oblicuo *adj* oblíquo, inclinado, torto.
Obligación *s* obrigação, dever.
Obligar *v* obrigar, exigir, determinar.
Obra *s* obra, ato, ação.
Obrar *v* realizar, fazer, construir.
Obrero *s* operário, trabalhador.
Obsceno *adj* obsceno, indecente, indecoroso.
Obscurecer *v* obscurecer, escurecer.
Obscuridad *s* escuridão.
Obsequiar *v* obsequiar, presentear.
Obsequio *s* obséquio, presente, dádiva.
Observación *s* observação, atenção.
Observar *v* observar, estudar, examinar, olhar, reparar.
Observatorio *s* observatório.
Obsesión *s* obsessão.
Obsoleto *adj* obsoleto, antiquado, arcaico.
Obstáculo *s* obstáculo, empecilho.
Obstante *adj* obstante.
Obstar *v* obstar, impedir.
Obstinación *s* obstinação.
Obstinarse *v* obstinar-se, teimar, persistir.
Obstruir *v* obstruir, impedir, tapar.
Obviar *v* evitar, afastar.
Ocasional *adj* ocasional, inesperado, imprevisto, eventual.
Ocasionar *v* ocasionar, causar, motivar.
Ocaso *s* ocaso, pôr-do-sol.
Occidental *adj* ocidental.
Occidente *s* ocidente, oeste.
Oceánico *adj* oceânico.
Océano *s* oceano, mar.
Ocho *num* oito.
Ocio *s* ócio, preguiça, tempo livre.
Ocioso *adj* ocioso, inútil.
Ocluir *v* obstruir, fechar.
Ocre *s* ocre.
Octavilla *s* folha pequena (de papel).
Octogenario *adj* octogenário.
Octubre *s* outubro.
Ocular *adj* ocular, ótico.
Oculista *s* oculista, oftalmologista.
Ocultar *v* ocultar, esconder.
Ocultismo *s* ocultismo.
Oculto *adj* oculto, escondido, misterioso.
Ocupación *s* ocupação, emprego.
Ocupante *adj* ocupante.
Ocupar *v* ocupar (cargo, emprego), utilizar, usar, empregar.
Ocurrencia *s* ocorrência.
Ocurrir *v* ocorrer, acontecer, suceder.
Oda *s* ode.

Odiar *v* odiar, abominar, detestar.
Odio *s* ódio, ira, aversão, rancor.
Odioso *adj* odioso, detestável.
Odisea *s* odisseia.
Odontología *s* odontologia.
Odontólogo *s* dentista.
Odre *s* odre.
Oeste *s* oeste, ocidente, poente, ocaso.
Ofender *v* ofender, injuriar.
Ofensa *s* ofensa, agravo, afronta, injúria.
Ofensivo *adj* ofensivo, agressivo, abusivo.
Oferta *s* oferta, oferecimento, donativo, proposta.
Oficial *adj* oficial.
Oficina *s* escritório, departamento.
Oficinista *s* funcionário público, empregado.
Ofidio *s* ofídio.
Ofrecer *v* oferecer, ofertar, dar, presentear.
Ofrecimiento *s* oferecimento.
Ofrenda *s* oferenda, presente, dádiva.
Oftalmología *s* oftalmologia.
Oftalmólogo *s* oftalmologista.
Ofuscación *s* ofuscação, ofuscamento.
Ofuscar *v* ofuscar, escurecer, obscurecer.
Oíble *adj* audível.
Oído *s* ouvido, audição.
Oír *v* ouvir, escutar.
Ojal *s* casa (de botão), furo, buraco.
Ojalá *interj* oxalá!, Deus permita!
Ojeada *s* olhada.
Ojear *v* olhar por alto, dar uma olhada.
Ojera *s* olheiras.
Ojeriza *s* ojeriza, antipatia, aversão, má-vontade.
Ojete *s* ilhós.
Ojiva *s* ogiva.
Ojo *s* olho, órgão da visão.
Ola *s* onda (do mar, de frio), vaga.
Olé *interj* olé!, viva!.
Oleada *s* onda grande, vagalhão.
Oleaginoso *adj* oleaginoso, oleoso.
Óleo *s* óleo, azeite.
Oleoducto *s* oleoduto.
Oler *v* cheirar, farejar, exalar.
Olfatear *v* farejar.
Olfativo *adj* olfativo.
Olfato *s* olfato, cheiro, faro.
Oligarquía *s* oligarquia.
Oligofrenia *s* oligofrenia.
Olimpíada *s* olimpíada.
Olímpico *adj* olímpico.
Olimpo *s* olimpo, morada dos deuses gregos.
Oliva *s* azeitona.
Olivo *s* oliveira, oliva.
Olla *s* panela, caldeirada, cozido.
Olmo *s* olmeiro, olmo, ulmeiro.
Olor *s* olor, aroma, cheiro.
Oloroso *adj* oloroso, perfumado.
Olvidar *v* olvidar, esquecer.
Olvido *s* olvido, esquecimento.
Ombligo *s* umbigo.
Ombú *s* umbuzeiro, árvore do norte do Brasil.
Omisión *s* omissão, falta.
Omiso *adj* omisso, descuidado.
Omitir *v* omitir, excluir, esconder.
Ómnibus *s* ônibus.
Omnipotencia *s* onipotência.
Omnipresencia *s* onipresença.
Omnisciencia *s* onisciência.
Omnívoro *adj* onívoro.
Omóplato *s* omoplata.
Once *num* onze.
Oncología *s* oncologia.
Oncólogo *s* oncologista.
Onda *s* onda, ondulação.
Ondear *v* ondear, ondular, fazer ondas.
Ondulación *s* ondulação.
Ondulado *adj* ondulado, frisado, crespo.
Ondular *v* ondular, frisar, encrespar.
Oneroso *adj* oneroso, dispendioso, pesado.
Onírico *adj* onírico.
Onomástico *adj* onomástico.
Onomatopeya *s* onomatopeia.
Ontología *s* ontologia.
Onza *s* onça (antiga moeda, animal).
Opacidad *s* opacidade.
Opción *s* opção, escolha.
Ópera *s* ópera.
Operación *s* operação.

Operar *v* operar.
Operario *s* operário, trabalhador.
Operatorio *adj* operatório.
Opinar *v* opinar, entender, considerar.
Opinión *s* opinião, juízo, julgamento.
Opio *s* ópio.
Oponente *adj* oponente, opositor.
Oponer *v* opor, contrapor, impedir, obstar.
Oportunidad *s* oportunidade, ocasião, conjuntura.
Oportunismo *s* oportunismo.
Oportunista *adj* oportunista.
Oportuno *adj* oportuno, conveniente, adequado.
Oposición *s* oposição, resistência, obstáculo.
Opositor *s* opositor.
Opresión *s* opressão.
Oprimir *v* oprimir, reprimir.
Oprobio *s* opróbrio, ignomínia, afronta.
Optar *v* optar, escolher, preferir.
Optativo optativo, facultativo.
Óptica *s* óptica.
Optimismo *s* otimismo.
Óptimo *adj* ótimo, excelente.
Opuesto *adj* oposto, contrário.
Opugnar *v* opugnar.
Opulencia *s* opulência, abundância, riqueza.
Opulento *adj* opulento, farto, abundante.
Opúsculo *s* opúsculo, folheto.
Oración *s* oração, reza.
Orador *s* orador, pregador.
Oral *adj* oral, verbal.
Orangután *s* orangotango.
Orar *v* orar, falar em público.
Oratorio *adj* oratório, eloquente.
Orbe *s* mundo, universo.
Órbita *s* órbita, trajetória.
Orden *s* ordem, regra, norma.
Ordenación *s* ordenação.
Ordenado *adj* ordenado, organizado, metódico.
Ordenador *s* ordenador, arrumador, computador.
Ordenamiento *s* ordem, coordenação, prescrição.
Ordenanza *s* ordenança, estatuto, lei.
Ordenar *v* ordenar, mandar, dispor.
Ordeñar *v* ordenhar, tirar leite.
Ordinal *adj* ordinal.
Ordinario *adj* ordinário, habitual, comum, rotineiro.
Orear *v* arejar, refrescar.
Orégano *s* orégano.
Oreja *s* orelha.
Orfanato *s* orfanato, asilo.
Orfandad *s* orfandade.
Orfebrería *s* ourivesaria.
Orfeón *s* orfeão.
Organigrama *s* organograma.
Organismo *s* organismo.
Organización *s* organização.
Organizar *v* organizar, coordenar, arrumar, dispor, ordenar.
Órgano *s* órgão (instrumento, parte de um ser vivo), peça, meio (para realizar algo).
Orgasmo *s* orgasmo, prazer.
Orgía *s* orgia, bacanal.
Orgullo *s* orgulho, arrogância, vaidade, desdém, satisfação.
Orgulloso *adj* orgulhoso, vaidoso, arrogante.
Oriental *adj* oriental.
Orientar *v* orientar, dirigir, guiar.
Oriente *s* oriente, este, leste, nascente.
Orificio *s* orifício, buraco, abertura.
Origen *s* origem, princípio, começo.
Original *adj* original.
Originar *v* originar, causar, provocar, motivar.
Originario *adj* originário, proveniente.
Orilla *s* borda, beira, orla, margem.
Orina *s* urina.
Orinal *s* urinol, penico.
Orinar *v* urinar.
Oriundo *adj* oriundo, originário, procedente, proveniente.
Ornamental *adj* ornamental.
Ornamento *s* ornamento, enfeite, adorno.

Oro *s* ouro.
Orografía *s* orografia.
Orondo *adj* bojudo.
Orquesta *s* orquestra.
Orquestación *s* orquestração.
Ortiga *s* urtiga.
Ortodoxia *s* ortodoxia.
Ortodoxo *adj* ortodoxo, dogmático.
Ortografía *s* ortografia.
Ortopedia *s* ortopedia.
Ortopédico *adj* ortopédico.
Oruga *s* larva, lagarta.
Orujo *s* bagaço, resíduo (de frutas prensadas), aguardente.
Orvallar *v* orvalhar.
Orvallo *s* orvalho.
Orza *s* talha, vasilha de barro.
Orzuelo *s* terçol.
Os *pron* vós.
Osadía *s* ousadia, atrevimento, audácia.
Osado *adj* ousado, atrevido, decidido.
Osar *v* ousar, atrever-se, empreeender.
Osario *s* ossário.
Oscilar *v* oscilar, balançar.
Óseo *adj* ósseo, de osso.
Osificar *v* ossificar.
Ósmosis *s* osmose.
Oso *s* urso.
Ostensible *adj* ostensivo, manifesto, visível.
Ostensivo *adj* ostensivo.
Ostentación *s* ostentação, exibição, luxo.
Ostentar *v* ostentar, alardear, exibir.
Ostra *s* ostra.
Ostracismo *s* ostracismo, desterro.
Otear *v* observar, explorar, investigar.
Otomano *adj* otomano, turco.
Otoñal *adj* outonal.
Otoño *s* outono.
Otorgar *v* outorgar, dar, conceder, doar.
Otorrinolaringólogo *s* otorrinolaringologista.
Otro *adj* outro.
Otrosí *adv* outrossim, ademais, além disso.
Ovación *s* ovação.
Ovacionar *v* ovacionar, aplaudir.
Oval *adj* oval.
Óvalo *s* oval, curva geométrica.
Ovario *s* ovário.
Oveja *s* ovelha.
Ovillo *s* novelo.
Ovíparo *adj* ovíparo.
Ovulación *s* ovulação.
Ovular *adj* ovular.
Óvulo *s* óvulo.
Oxidable *adj* oxidável.
Oxigenación *s* oxigenação.
Oxigenado *adj* oxigenado.
Oxigenar *v* oxigenar.
Oxígeno *s* oxigênio.
Oyente *adj* ouvinte.
Ozono *s* ozônio.

pP

P *s* décima nona letra do alfabeto espanhol.
Pabellón *s* pavilhão, tenda ou barraca, edifício isolado.
Pabilo *s* pavio, mecha.
Paca *s* paca (roedor), fardo, pacote.
Pachorra *s* pachorra, fleuma, indolência.
Paciencia *s* paciência, calma.
Paciente *adj* paciente, doente, comedido, calmo.
Pacificar *v* pacificar, acalmar.
Pacífico *adj* pacífico, calmo, tranquilo.
Pacifismo *s* pacifismo.
Pactar *v* pactuar, combinar, negociar.
Pacto *s* pacto, acordo, convenção, contrato.
Padecer *v* padecer, suportar, tolerar, sofrer.
Padecimiento *s* padecimento, sofrimento.
Padrastro *s* padrasto.
Padre *s* pai.
Padrinazgo *s* apadrinhamento.
Padrino *s* padrinho.
Padrón *s* padrão, recenseamento.
Paella *s* paella (prato tipíco).
Paga *s* paga, pagamento.
Pagador *s* pagador, tesoureiro.
Pagaduría *s* pagadoria.
Paganismo *s* paganismo.
Pagano *adj* pagão, gentio.
Pagar *v* pagar, retribuir, remunerar.
Página *s* página.
Paginación *s* paginação, numeração (de páginas).
Paginar *v* paginar, enumerar as páginas.
Pago *s* pagamento, recompensa, prêmio; *loc adv* extensão determinada de terras ou herdades, em especial de vinhedos ou olivais.
Pagoda *s* pagode, templo de Oriente.
País *s* país, região.
Paisaje *s* paisagem, panorama.
Paisajista *s* paisagista.
Paisano *adj* patrício, compatriota, camponês.
Paja *s* palha, canudo.
Pajar *s* palheiro.
Pajarera *s* gaiola, viveiro de aves.
Pájaro *s* pássaro, passarinho.
Paje *s* pajem, criado, acompanhante.
Pajilla *s* canudo, canudinho.
Pajizo *adj* palhiço, feito de palha.
Pala *s* pá, raquete, pala.
Palabra *s* palavra, vocábulo.
Palacete *s* palacete, mansão.
Palaciego *adj* palaciano.
Palacio *s* palácio, residência real, solar.
Paladar *s* paladar, palato, céu da boca.
Paladear *v* saborear, degustar.
Paladín *s* paladino.
Paladino *adj* público, evidente, notório, comum.
Palafito *s* palafita.
Palanca *s* alavanca, barra.
Palangana *s* bacia, tina.
Palco *s* camarote, balcão (em teatro).
Palenque *s* palanque, terreno cercado (para festas e solenidades).
Paleografía *s* paleografia.
Paleolítico *adj* paleolítico.
Paleontología *s* paleontologia.
Palestino *adj* palestino.
Palestra *s* palestra.

Paleta *s* paleta, colher (de pedreiro), pá (de hélice).
Paletó *s* paletó, sobretudo.
Paleto *s* homem grosseiro.
Paliar *v* paliar, atenuar, dissimular.
Paliativo *adj* paliativo.
Palidecer *v* empalidecer.
Palidez *s* palidez.
Pálido *adj* pálido, apagado, descorado.
Palillero *s* paliteiro.
Palillo *s* vareta, palito, baqueta.
Paliza *s* sova, surra, pancadaria.
Palma *s* palma, folha da palmeira, palma da mão.
Palmada *s* palmada, aplauso.
Palmario *adj* claro, evidente.
Palmatoria *s* palmatória, castiçal.
Palmear *v* aplaudir, bater palmas.
Palmera *s* palmeira.
Palmito *s* palmito.
Palmo *s* palmo (medida de comprimento).
Palo *s* pau, madeira, cajado.
Paloma *s* pomba.
Palomar *s* pombal.
Palpable *adj* palpável.
Palpar *v* apalpar, tatear.
Palpitar *v* palpitar, latejar, bater.
Paludismo *s* paludismo.
Pampa *s* pampa, planície sul-americana.
Pan *s* pão, massa.
Pana *s* veludo (tecido).
Panadería *s* padaria.
Panadero *s* padeiro.
Panal *s* panal, favo de mel.
Panameño *adj* panamenho.
Páncreas *s* pâncreas.
Panda *s* panda, urso panda.
Pandereta *s* tamborim, pandeiro pequeno.
Pandero *s* pandeiro.
Pandilla *s* bando, grupo, turma.
Panecillo *s* pãozinho.
Panegírico *s* panegírico, elogio.
Panel *s* painel.
Pánfilo *adj* lento, mole, vagaroso.
Panfleto *s* panfleto, folheto.
Pánico *s* pânico, pavor, medo.
Panorama *s* panorama, vista, paisagem.
Panorámico *adj* panorâmico.
Pantalón *s* calças.
Pantalla *s* tela (para projeção de imagens).
Pantano *s* pântano.
Pantanoso *adj* pantanoso.
Panteísmo *s* panteísmo.
Panteón *s* panteão.
Pantera *s* pantera.
Pantomima *s* pantomima.
Pantorrilla *s* pantorrilha, barriga da perna.
Pantuflo *s* pantufa, partufo.
Panza *s* pança, barriga, ventre, bojo (de vasilha).
Pañal *s* cueiro, fralda.
Paño *s* pano, tecido, tela.
Pañoleta *s* lenço, echarpe feminina.
Pañuelo *s* lenço (de nariz).
Papa *s* papa, Sumo Pontífice.
Papá *s* papai, pai.
Papada *s* papada, queixo duplo.
Papagayo *s* papagaio, arara.
Papel *s* papel, folha.
Papeleo *s* tramitação de papéis.
Papelera *s* cesto para papéis, fábrica de papel.
Papelería *s* papelaria.
Papeleta *s* papeleta, cédula.
Papelón *s* papelão, papel rídiculo.
Papera *s* papeira.
Papilla *s* mingau, sopa cremosa, papinha para crianças.
Papiro *s* papiro.
Papo *s* papo, papada, bócio.
Paquete *s* pacote, embrulho, maço (de papéis).
Paquetería *s* quinquilharia, miudeza.
Par *adj* par, igual, número par.
Para *prep* para.
Parabién *s* parabéns, felicitação.
Parábola *s* parábola.
Parabrisas *s* para-brisas.
Paracaídas *s* paraquedas.
Paracaidismo *s* paraquedismo.

Paracaidista *s* paraquedista.
Parachoques *s* para-choques.
Parada *s* parada, paragem.
Paradero *s* parada, paradeiro, moradia.
Paradigma *s* paradigma, modelo, exemplo.
Parado *adj* parado, tímido, vagaroso, lento, desocupado, desempregado.
Paradoja *s* paradoxo.
Paradójico *adj* paradoxal.
Parador *s* estalagem, albergue.
Parafina *s* parafina.
Parafrasear *v* parafrasear.
Paraguas *s* guarda-chuva.
Paraguayo *adj* paraguaio.
Paraíso *s* paraíso, éden.
Paraje *s* paragem, parada.
Paralelo *adj* paralelo, similar.
Parálisis *s* paralisia.
Paralítico *adj* paralítico.
Paralizar *v* paralisar.
Parámetro *s* parâmetro.
Paramilitar *adj* paramilitar.
Páramo *s* terreno deserto, local ermo.
Parangón *s* comparação.
Paraninfo *s* paraninfo, padrinho, salão nobre.
Paranoia *s* paranoia, delírio, loucura.
Paranormal *adj* paranormal, fora do normal.
Parapeto *s* parapeito, proteção.
Parar *v* parar, deter, fixar.
Pararrayos *s* para-raios.
Parasicología *s* parapsicologia.
Parasitario *adj* parasitário.
Parásito *s* parasita.
Parasol *s* guarda-sol, sombrinha.
Parcela *s* parcela, porção pequena.
Parcelar *v* parcelar, dividir.
Parche *s* emplastro, emenda.
Parcial *adj* parcial, incompleto.
Parcialidad *s* parcialidade, partido.
Parco *adj* parco, moderado.
Pardo *adj* pardo, escuro, sombrio.
Parecer *s* parecer, opinião; *v* parecer, opinar, pensar.
Parecido *adj* parecido, semelhante, similar, análogo.
Pared *s* parede, muro, tabique.
Pareja *s* parelha, par, casal.
Parejo *adj* similar, semelhante.
Parentesco *s* parentesco, vínculo.
Paréntesis *s* parêntese.
Paridad *s* paridade, semelhança.
Pariente *adj* parente, parecido.
Parir *v* parir, dar à luz.
Parlamentar *v* parlamentar, falar, propor.
Parlamentario *s* parlamentário.
Parlamento *s* parlamento, assembleia.
Parlanchín *adj* falador, tagarela.
Parlar *v* falar, tagarelar, fofocar.
Parloteo *s* falatório, fofoca.
Paro *s* interrupção, parada, desemprego.
Parodia *s* paródia, imitação, gozação.
Parodiar *v* parodiar, imitar.
Paroxismo *s* paroxismo, excitação, acesso.
Parpadear *v* pestanejar, piscar.
Párpado *s* pálpebra.
Parque *s* parque, jardim.
Parqué *s* parquete, assoalho trabalhado, taco.
Parquedad *s* sobriedade, moderação, austeridade.
Parra *s* parreira, videira.
Párrafo *s* parágrafo, alínea.
Parranda *s* pândega, festa, folia.
Parricidio *s* parricídio.
Parrilla *s* grelha de ferro (para assar), botija.
Párroco *s* pároco, cura, sacerdote.
Parroquia *s* paróquia, freguesia, igreja.
Parroquiano *s* paroquiano.
Parsimonia *s* parcimônia, moderação.
Parsimonioso *adj* parcimonioso, moderado.
Parte *s* parte, porção, seção, pedaço.
Partero *s* parteiro, obstetra.
Partición *s* partição, partilha.
Participación *s* participação, aviso.
Participar *v* participar, comunicar, avisar, notificar.
Participio *s* particípio.

Partícula *s* partícula, fragmento.
Particular *adj* particular, próprio, peculiar, singular, individual.
Partida *s* partida, saída.
Partidario *adj* partidário, adepto.
Partido *adj* partido, repartido, dividido; *s* partido, agremiação, proveito, vantagem.
Partir *v* partir, dividir, repartir, desfazer, provir, sair.
Partitura *s* partitura.
Parto *s* parto.
Parturienta *s* parturiente.
Parvulario *s* jardim-de-infância.
Párvulo *adj* inocente, pequeno.
Pasa *s* passa, fruta seca.
Pasadizo *s* corredor, passagem estreita de casa.
Pasado *adj* passado, decorrido.
Pasaje *s* passagem (de trem, de avião).
Pasajero *adj* passageiro, transitório; *s* viajante.
Pasaporte *s* passaporte.
Pasar *v* passar, conduzir, mudar (de grupo, de opinião).
Pasarela *s* passarela, ponte pequena.
Pasatiempo *s* passatempo, diversão, entretenimento.
Pascua *s* páscoa.
Pase *s* passe, licença, permissão.
Pasear *v* passear.
Paseo *s* passeio, excursão.
Pasillo *s* corredor, passagem estreita.
Pasión *s* paixão, perturbação.
Pasional *adj* passional, exaltado.
Pasividad *s* passividade, inatividade.
Pasivo *adj* passivo, inativo.
Pasmado *adj* pasmado.
Pasmar *v* pasmar, espantar, admirar-se.
Paso *s* passo, passada.
Pasquín *s* pasquim, escrito anônimo, panfleto.
Pasta *s* pasta, massa, massa comestível, capa de livro.
Pastar *v* pastar.
Pastel *s* pastel, torta, empada, lápis (de tons claros).
Pastelería *s* pastelaria.
Pasteurización *s* pasteurização, esterilização do leite.
Pastilla *s* pastilha, pedaço, barra (de sabão, de chocolate).
Pasto *s* pasto, pastagem.
Pastor *s* pastor, guardador de rebanhos.
Pastorear *v* pastorear.
Pastosidad *s* pastosidade.
Pastoso *adj* pastoso, viscoso.
Pata *s* pata (perna de animal, fêmea do pato), pé (de móvel).
Patada *s* patada, pegada.
Patalear *v* espernear, bater o pé.
Patán *adj* caipira, homem rude.
Patata *s* batata.
Paté *s* patê, pasta (de fígado de animal).
Patear *v* chutar, bater o pé (em sinal de protesto).
Patentar *v* patentear, registrar.
Patente *adj* patente, evidente, claro, óbvio.
Paternalismo *s* paternalismo.
Paternidad *s* paternidade.
Paterno *adj* paterno, paternal.
Patético *adj* patético, comovente, tocante.
Patilla *s* costeletas, suíças.
Patín *s* patim.
Pátina *s* pátina, tom suave (dos quadros antigos).
Patinaje *s* patinação.
Patinar *v* patinar, deslizar com patins, derrapar, resvalar.
Patio *s* pátio, área, recinto descoberto de um edifício.
Pato *s* pato.
Patógeno *adj* patógeno, patogênico.
Patología *s* patologia.
Patraña *s* patranha, mentira, tapeação.
Patria *s* pátria.
Patriarca *s* patriarca, título eclesiástico.
Patrimonio *s* patrimônio, herança, bens de família.
Patriota *s* patriota.
Patriotismo *s* patriotismo.
Patrocinador *adj* patrocinador.

Patrocinar *v* patrocinar, favorecer.
Patrón *s* patrono, protetor, amo, patrão.
Patrulla *s* patrulha, ronda, vigilância.
Patrullar *v* patrulhar, rondar, vigiar.
Paulatino *adj* paulatino, lento, gradual.
Pausa *s* pausa, intervalo, lentidão.
Pauta *s* pauta, guia, norma (de conduta), risco, linha (em papel).
Pautar *v* pautar, riscar linhas.
Pavesa *s* faísca, fagulha.
Pavimentar *v* pavimentar, calçar.
Pavimento *s* pavimento, piso, calçamento.
Pavo *s* peru.
Pavón *s* pavão.
Pavonear *v* pavonear-se.
Pavor *s* pavor, medo, terror.
Pavoroso *adj* pavoroso, terrível.
Payaso *s* palhaço, bobalhão.
Paz *s* paz, tranquilidade.
Peaje *s* pedágio, tarifa.
Peana *s* base, pedestal.
Peatón *s* pedestre.
Peca *s* sarda, pinta.
Pecado *s* pecado, falta.
Pecar *v* pecar, faltar, errar, ofender.
Pecera *s* aquário.
Pecho *s* peito, tórax, seio (de mulher).
Pechuga *s* peituga.
Pectoral *adj* peitoral.
Pecuario *adj* pecuário.
Peculiar *adj* peculiar, particular, privativo, especial.
Peculiaridad *s* peculiaridade, particularidade.
Peculio *s* pecúlio, fazenda, cabedal, bens.
Pedagogía *s* pedagogia, educação.
Pedagogo *s* pedagogo, educador, mestre, professor.
Pedal *s* pedal (de piano, de bicicleta, de máquina).
Pedalear *v* pedalar.
Pedante *adj* pedante.
Pedazo *s* pedaço, parte, porção.
Pederasta *s* pederasta, homossexual.
Pederastia *s* pederastia, abuso sexual contra crianças.
Pedestal *s* pedestal, suporte.
Pedestre *adj* pedestre, rasteiro, ordinário.
Pediatra *s* pediatra.
Pediatría *s* pediatria.
Pedido *s* pedido, encomenda, petição.
Pedigüeño *adj* pedinchão.
Pedir *v* pedir, rogar, desejar.
Pedo *s* peido, pum, gás (intestinal).
Pedrada *s* pedrada.
Pedregoso *adj* pedregoso, irregular, acidentado (terreno).
Pedrero *s* pedreiro, canteiro (de obras).
Pedrisco *s* pedra graúda, granizada.
Pega *s* colagem.
Pegajoso *adj* pegajoso, contagioso.
Pegamento *s* cola, grude.
Pegar *v* pegar, colar, grudar, unir, atar, agarrar, contagiar.
Peinado *adj* penteado.
Peinar *v* pentear.
Peine *s* pente (de cabelo, de tear), peito do pé.
Peineta *s* pente convexo (de enfeite).
Peladilla *s* amêndoa confeitada, pedrinha.
Pelado *adj* pelado, nu.
Pelagatos *s* pobre diabo, morto de fome.
Pelaje *s* pelagem, pelo ou lã (de animal).
Pelar *v* pelar, descascar, arrancar (cabelos, penas, casca), depenar.
Peldaño *s* degrau.
Pelea *s* peleja, luta, batalha, briga, combate.
Pelear *v* pelejar, combater, lutar (duas pessoas), brigar.
Pelele *s* boneco de pano.
Peletería *s* peleteria, comércio de peles finas.
Pelícano *s* pelicano.
Película *s* película, fita cinematográfica, filme.
Peligro *s* perigo, risco, insegurança.
Peligroso *adj* perigoso.
Pelirrojo *adj* ruivo.
Pellejo *s* pele (do ser humano, das frutas), couro.

Pelliza *s* jaqueta ou casaco (com forro de pele).
Pellizcar *v* beliscar, pinçar.
Pellizco *s* beliscão, pitada.
Pelo *s* pelo, cabelo, penugem.
Pelón *adj* pelado, raspado, careca.
Pelota *s* pelota, bola.
Pelotera *s* rixa, briga, confusão, bate-boca.
Pelotilla *s* bolinha, pelotinha.
Peluca *s* peruca, cabeleira postiça.
Peludo *adj* peludo, cabeludo.
Peluquería *s* cabeleireira, barbearia.
Peluquero *s* cabeleireiro, barbeiro.
Pelusa *s* penugem, lanugem.
Pelvis *s* pélvis, bacia.
Pena *s* pena, castigo, punição, tormento, dó, compaixão, aflição, desgosto.
Penacho *s* penacho, cocar.
Penal *s* penitenciária, prisão.
Penalista *s* advogado, criminalista.
Penalizar *v* penalizar, castigar.
Pendencia *s* pendência, divergência, desavença.
Pender *v* pender, dependurar-se.
Pendiente *adj* pendente, dependurado, suspenso; *s* brinco, pingente, ladeira, declive.
Pendón *s* pendão, bandeira, estandarte.
Péndulo *s* pêndulo.
Pene *s* pênis, falo, genital masculino.
Penetración *s* penetração.
Penetrante *adj* penetrante, profundo.
Penetrar *v* penetrar, entrar, invadir.
Península *s* península.
Penitencia *s* penitência, castigo, expiação.
Penitenciaría *s* penitenciária, prisão, presídio.
Penitenciario *s* penitenciário, presidiário.
Penoso *adj* penoso, árduo, trabalhoso, difícil.
Pensado *adj* pensado, refletido.
Pensador *s* pensador.
Pensamiento *s* pensamento.
Pensar *v* pensar, refletir, meditar.
Pensión *s* pensão, hospedaria, casa de hóspedes.
Pensionado *s* pensionato, internato, aposentado.
Pensionista *s* pensionista, hóspede, aluno interno (em colégio).
Pentágono *s* pentágono.
Pentagrama *s* pentagrama.
Pentecostés *s* pentecostes.
Penúltimo *adj* penúltimo.
Penumbra *s* penumbra, sombra, meia-luz.
Penuria *s* penúria, escassez.
Peña *s* penha, penedo, pedra, rocha.
Peñasco *s* penhasco, rocha, rochedo.
Peón *s* peão, trabalhador não especializado.
Peonza *s* piorra, pitorra.
Peor *adj* pior.
Pepinillo *s* pepino em conserva.
Pepino *s* pepino.
Pepita *s* semente (de fruta), pepita.
Pequeño *adj* pequeno.
Pera *s* pera.
Percal *s* percal, tecido de algodão.
Percance *s* percalço, contratempo.
Percatarse *v* precatar, prevenir.
Percebe *s* perceba, marisco marinho.
Percha *s* cabide, vara de madeira.
Percibir *v* perceber, receber, recolher.
Percusión *s* percussão.
Percutir *v* percutir.
Perder *v* perder, desperdiçar.
Perdición *s* perdição, perda.
Pérdida *s* perda, prejuízo, dano.
Perdido *adj* perdido.
Perdigón *s* perdigão.
Perdiz *s* perdiz.
Perdón *s* perdão.
Perdonar *v* perdoar, desculpar.
Perdulario *adj* perdulário, gastador.
Perdurar *v* perdurar, subsistir.
Perecer *v* perecer, morrer, acabar.
Peregrinación *s* peregrinação.
Peregrinar *v* peregrinar, viajar.
Peregrino *s* peregrino, viajante.
Perejil *s* salsa, salsinha.

Perenne *adj* perene.
Pereza *s* preguiça, lentidão.
Perezoso *adj* preguiçoso.
Perfección *s* perfeição.
Perfeccionar *v* aperfeiçoar.
Perfecto *adj* perfeito.
Perfidia *s* perfídia.
Pérfido *adj* pérfido.
Perfil *s* perfil, contorno.
Perfilado *adj* afilado, perfeito.
Perfilar *v* perfilar.
Perforación *s* perfuração.
Perforar *v* perfurar, furar, abrir, esburacar.
Perfumar *v* perfumar, aromatizar.
Perfume *s* perfume, aroma, fragância, cheiro agradável.
Perfumería *s* perfumaria.
Pergamino *s* pergaminho.
Pericardio *s* pericárdio.
Pericia *s* perícia, habilidade, destreza.
Periferia *s* periferia, contorno.
Periférico *adj* periférico.
Perilla *s* barbicha.
Perímetro *s* perímetro, contorno.
Periódico *adj* periódico.
Periodismo *s* periodismo, jornalismo.
Periodista *s* jornalista.
Período *s* período, espaço de tempo, ciclo menstrual.
Peripecia *s* peripécia, imprevisto.
Periquito *s* periquito, louro.
Periscopio *s* periscópio.
Perito *s* perito, expert, conhecedor.
Perjudicar *v* prejudicar.
Perjuicio *s* prejuízo, dano, desvantagem, perda.
Perjurar *v* perjurar, abjurar.
Perla *s* pérola.
Permanecer *v* permanecer, ficar, continuar.
Permanencia *s* permanência, duração.
Permanente *adj* permanente, duradouro, estável.
Permeable *adj* permeável.
Permisivo *adj* permissivo, tolerante.
Permiso *s* permissão, licença.
Permitir *v* permitir, consentir.
Permuta *s* permuta, troca, intercâmbio.
Permutar *v* permutar, trocar, intercambiar.
Pernear *v* espernear.
Pernicioso *adj* pernicioso, nocivo.
Pernil *s* pernil, coxa (de animal).
Pernio *s* dobradiça, gonzo.
Pernoctar *v* pernoitar.
Pero *conj* porém, mas.
Perol *s* tacho, vasilha de metal.
Peroné *s* perônio.
Perorata *s* arenga, discurso enfadonho.
Perpendicular *adj* perpendicular.
Perpetrar *v* perpetrar, cometer, executar.
Perpetuar *v* perpetuar, imortalizar, eternizar.
Perpetuo *adj* perpétuo, eterno.
Perplejidad *s* perplexidade, incerteza, espanto.
Perplejo *adj* perplexo, surpreso, espantado.
Perro *s* cão, cachorro.
Persecución *s* perseguição.
Perseguir *v* perseguir, seguir.
Perseverante *adj* perseverante, persistente.
Perseverar *v* perseverar, persistir.
Persiana *s* persiana.
Persignar *v* persignar.
Persistencia *s* persistência, insistência.
Persistir *v* persistir, insistir.
Persona *s* pessoa, indivíduo.
Personaje *s* personagem, pessoa notável, figura de ficção.
Personal *adj* pessoal.
Personalidad *s* personalidade.
Personalizar *v* personalizar, personificar, indivualizar.
Personarse *v* apresentar-se pessoalmente.
Personificar *v* personificar, personalizar.
Perspectiva *s* perspectiva.
Perspicaz *adj* perspicaz.
Persuadir *v* persuadir, convencer, induzir.
Pertenecer *v* pertencer.
Pértiga *s* pértiga, vara comprida, varapau.

Pertinaz *adj* pertinaz, obstinado, persistente.
Pertinente *adj* pertinente, concernente.
Pertrechar *v* prover.
Pertrechos *s* apetrechos.
Perturbación *s* perturbação, distúrbio.
Perturbar *v* perturbar, transtornar.
Perversión *s* perversão, corrupção.
Perverso *adj* perverso, depravado.
Pervertir *v* perverter, viciar, depravar, corromper.
Pesa *s* peso (peça de balança).
Pesadilla *s* pesadelo.
Pesado *adj* pesado, obeso.
Pesadumbre *s* peso.
Pésame *s* pêsame, condolência, pesar.
Pesar *s* pesar, dor, mágoa, desgosto; *v* pesar, ponderar, padecer.
Pesaroso *adj* pesaroso, arrependido.
Pesca *s* pesca, pescaria.
Pescadero *s* peixeiro.
Pescadilla *s* pescadinha.
Pescado *s* pescado, peixe.
Pescador *s* pescador.
Pescar *v* pescar.
Pescuezo *s* pescoço (dos animais).
Pesebre *s* curral, presépio, estrebaria, manjedoura.
Peseta *s* peseta, unidade monetária espanhola.
Pesimismo *s* pessimismo.
Pesimista *adj* pessimista.
Pésimo *adj* péssimo, horrível.
Peso *s* peso.
Pespuntear *v* pespontar.
Pesquería *s* pesca, pescaria.
Pesquero *adj* pescador.
Pesquisa *s* pesquisa, indagação, informação.
Pesquisar *v* pesquisa.
Pestaña *s* pestana.
Pestañear *v* pestanejar.
Peste *s* peste.
Pesticida *s* pesticida.
Pestilencia *s* pestilência.
Pestillo *s* fecho.
Petaca *s* charuteira, tabaqueira.
Pétalo *s* pétala.
Petardo *s* petardo.
Petición *s* pedido, petição, súplica, requerimento, demanda.
Petrificar *v* petrificar, empedernir.
Petróleo *s* petróleo.
Petrolero *s* petroleiro.
Petulancia *s* petulância, atrevimento.
Petulante *adj* petulante, descarado, insolente.
Peyorativo *adj* pejorativo, negativo.
Pez *s* peixe.
Pezón *s* mamilo, bico do seio.
Pezuña *s* úngula.
Piadoso *adj* piedoso, bondoso, devoto.
Pianista *s* pianista.
Piano *s* piano.
Piar *v* piar.
Pica *s* lança.
Picadero *s* picadeiro.
Picadillo *s* picadinho (de carne ou peixe).
Picado *adj* picado, furado.
Picador *s* picador, domador de cavalos, toureiro que atiça o touro.
Picadura *s* picada, mordida (de inseto).
Picaflor *s* beija-flor, colibri.
Picante *adj* picante, temperado, ardido.
Picaporte *s* trinco (de porta), maçaneta.
Picar *v* picar, ferir, furar, bicar, morder (inseto).
Picardía *s* picardia, baixeza, velhacaria, astúcia.
Pícaro *adj* pícaro, astuto, patife.
Pichón *s* pombinho implume.
Pico *s* pico, cume (de montanha), bico (de ave), picareta.
Picor *s* pico, piquete, sabor ácido.
Picota *s* pelourinho.
Picotada *s* picada, bicada.
Picotear *v* picar, bicar.
Picudo *adj* bicudo.
Pie *s* pé, pata, base, árvore, final (de página).
Piedad *s* piedade.
Piedra *s* pedra.
Piel *s* pele, derme, couro, casca (de frutas).

Pienso *s* penso.
Pierna *s* perna.
Pieza *s* peça.
Pigmentación *s* pigmentação.
Pigmentar *v* pigmentar, colorir.
Pigmeo *adj* pigmeu.
Pijama *s* pijama.
Pila *s* pilha, pia, monte, bateria.
Pilar *s* pilar, coluna, baliza.
Píldora *s* pílula, drágea.
Pillaje *s* pilhagem, saque, roubo.
Pillar *v* pilhar, saquear, roubar.
Pillo *adj* velhaco.
Pilón *s* pia grande, tanque, pilão.
Pilotaje *s* pilotagem.
Pilotar *v* pilotar, dirigir, conduzir.
Pilote *s* piloti, coluna de concreto, estaca.
Piloto *s* piloto.
Piltrafa *s* pelanca, frangalhos.
Pimienta *s* pimenta.
Pimiento *s* pimentão.
Pimpollo *s* pimpolho, talo novo (de planta), broto.
Pinacoteca *s* pinacoteca.
Pinar *s* pinhal.
Pincel *s* pincel.
Pinchar *v* picar, furar, estimular.
Pinchazo *s* picada, alfinetada.
Pinche *s* ajudante de cozinheiro.
Pincho *s* ponta aguda.
Pingajo *s* frangalho.
Pingüe *adj* gordo, gorduroso.
Pingüino *s* pinguim.
Pino *s* pinheiro.
Pinta *s* pinta, mancha, sinal.
Pintado *adj* pintado, colorido.
Pintar *v* pintar, desenhar, colorir.
Pintor *s* pintor.
Pintoresco *adj* pitoresco.
Pintura *s* pintura, desenho.
Pinzas *s* pinça, tenaz.
Piña *s* pinha, ananás.
Piñón *s* pinhão (semente do pinheiro), roda dentada de engrenagem.
Piojo *s* piolho.
Pionero *adj* pioneiro.
Pipa *s* pipa, tonel, cachimbo.
Pipeta *s* pipeta, tubo de vidro.
Piqueta *s* picareta.
Piquete *s* piquete, grupo de soldados.
Pira *s* pira, fogueira.
Pirámide *s* pirâmide.
Piraña *s* piranha, peixe voraz.
Pirata *s* pirata, corsário, clandestino.
Piratear *v* piratear, roubar.
Piratería *s* pirataria, saque.
Pirómano *adj* pirômano, piromaníaco.
Piropo *s* requebro, lisonja.
Pirueta *s* pirueta, salto.
Piscina *s* piscina.
Piso *s* piso, solo, pavimento.
Pisotear *v* calcar, pisotear, espezinhar.
Pisotón *s* pisão, pisada.
Pista *s* pista, rastro, sinal, vestigío.
Pistola *s* pistola, revólver.
Pistón *s* pistom, êmbolo.
Pita *s* piteira.
Pitar *v* apitar, assobiar.
Pitido *s* assobio, silvo.
Pitillo *s* cigarro.
Pito *s* apito, assobio.
Pivote *s* pivô, apoio.
Pizarra *s* ardósia, quadro-negro, lousa.
Pizca *s* pingo, pouquinho.
Placa *s* placa, lâmina, chapa de metal.
Pláceme *s* felicitações, parabéns, congratulações.
Placenta *s* placenta.
Placer *s* prazer, contentamento, satisfação, gozo; *v* aprazer, agradar.
Plácido *adj* plácido, sossegado, tranquilo.
Plaga *s* praga, calamidade.
Plagado *adj* ferido, castigado.
Plagiar *v* plagiar, copiar, piratear.
Plagio *s* plágio, cópia, pirataria.
Plan *s* plano, projeto, ideia.
Plana *s* plaina (de pedreiro), lauda, folha de papel.
Plancha *s* prancha, lâmina, chapa, ferro (de passar roupa).
Planchar *v* passar roupa.
Planeador *s* planador.
Planear *v* planejar, fazer planos.
Planeta *s* planeta.

Planetario *s* planetário.
Planicie *s* planície.
Planificación *s* planificação, planejamento.
Planificar *v* planificar, planejar.
Planisfério *s* planisfério.
Plano *adj* plano, liso, raso.
Planta *s* planta, vegetal.
Plantación *s* plantação, cultivo.
Plantar *v* plantar, semear, fixar (num terreno).
Plantear *v* delinear, traçar, estabelecer.
Plantilla *s* palmilha, molde.
Plantón *s* plantão.
Plañidero *adj* chorão, queixoso.
Plañir *v* carpir, chorar.
Plaqueta *s* plaqueta, lajota (de cerâmica).
Plasma *s* plasma.
Plasmar *v* plasmar, criar, modelar.
Plástico *adj* plástico, elástico, moldável; *s* plástico.
Plata *s* prata.
Plataforma *s* plataforma.
Plátano *s* bananeira, banana, plátano.
Platea *s* plateia.
Plateado *adj* prateado.
Platear *v* pratear.
Plática *s* conversa, palestra.
Platillo *s* pires, prato pequeno.
Platino *s* platina.
Plato *s* prato.
Playa *s* praia.
Plaza *s* praça.
Plazo *s* prazo.
Plazoleta *s* pracinha, largo.
Plebe *s* plebe, gente humilde.
Plebeyo *adj* plebeu.
Plebiscito *s* plebiscito.
Plegar *v* pregar, preguear.
Plegaria *s* prece, rogo, súplica.
Pleitear *v* pleitear, demandar.
Pleito *s* pleito, disputa.
Plenario *adj* plenário, pleno, completo.
Plenilunio *s* plenilúnio, lua-cheia.
Plenitud *s* plenitude, totalidade.
Pleno *adj* pleno, cheio, inteiro, completo.
Pleonasmo *s* pleonasmo, redundância.
Pletórico *adj* pletórico, abundante, repleto.
Pleura *s* pleura.
Pliego *s* folha (de papel), carta, documento.
Pliegue *s* prega, dobra, vinco, ruga.
Plisar *v* preguear, plissar, franzir.
Plomada *s* prumo, sonda.
Plomo *s* chumbo.
Pluma *s* pluma, pena, plumagem.
Plumaje *s* plumagem.
Plúmbeo *adj* cor de chumbo, pesado.
Plumero *s* espanador, penacho.
Plural *adj* plural, múltiplo.
Pluralidad *s* pluraridade, multiplicidade.
Plusvalía *s* maior valor, mais-valia.
Pluvial *adj* pluvial.
Pluviómetro *s* pluviômetro.
Pluvioso *adj* pluvioso, chuvoso.
Población *s* povoação, população, povoado.
Poblado *s* povoado, povoação.
Poblador *adj* povoador, colono.
Poblar *v* povoar.
Pobre *adj* pobre, indigente, pedinte.
Pobreza *s* pobreza, indigência, necessidade, miséria.
Pocilga *s* pocilga, chiqueiro, curral.
Poción *s* poção, beberagem.
Poco *adj* pouco, escasso, limitado; *adv* breve, brevemente, em pequena quantidade.
Poda *s* poda, corte, desbastamento.
Podar *v* podar, cortar, desbastar.
Poder *s* poder, potência; *v* poder, ter autoridade, ter meios.
Poderío *s* poderio, domínio, vigor, bens.
Podredumbre *s* podridão, perversão.
Podrido *adj* podre, apodrecido, putrefato, estragado.
Poema *s* poema.
Poesía *s* poesia.
Poeta *s* poeta.
Poético *adj* poético.
Polar *adj* polar.
Polarizar *v* polarizar.
Polea *s* polia, roldana.

Polémico *adj* polêmico.
Polemizar *v* polemizar, discutir, debater.
Polen *s* pólen.
Policía *s* polícia.
Policial *adj* policial.
Policlínica *s* policlínica.
Policromo *adj* policromo.
Poliéster *s* poliéster.
Polifonía *s* polifonia.
Poligamia *s* poligamia.
Polígamo *s* polígamo.
Políglota *s* poliglota.
Polígono *s* polígono.
Polígrafo *s* polígrafo, multicopiador.
Polilla *s* traça.
Polimorfismo *s* polimorfismo, mudança de forma.
Polinización *s* polinização.
Polinizar *s* polinizar, fecundar (a flor).
Polinomio *s* polinômio.
Polisílabo *adj* polissílabo.
Politécnico *adj* politécnico.
Politeísmo *s* politeísmo.
Política *s* política.
Político *adj* político, cortês, astuto.
Polivalente *adj* polivalente.
Póliza *s* apólice, título (de contrato), documento.
Polizón *s* vagabundo, passageiro clandestino.
Polla *s* franga, galinha nova.
Pollada *s* ninhada, criação.
Pollería *s* avícola, comércio de aves.
Pollero *s* galinheiro, criador de aves.
Pollo *s* pinto, frango, galo.
Polo *s* polo, extremidade.
Polonés *s* polaco.
Polución *s* poluição, ejaculação.
Polvareda *s* poeirada, poeirão.
Polvo *s* pó, poeira.
Pólvora *s* pólvora.
Polvoriento *adj* poeirento, empoeirado.
Polvorín *s* polvorim, polvorinho.
Polvorizar *v* polvilhar, pulverizar.
Pomada *s* pomada.
Pomar *s* pomar, horto.
Pómez *s* pedra-pomes.
Pomo *s* pomo, frasco, vidro pequeno.
Pompa *s* pompa, aparato, ostentação, fausto.
Pomposo *adj* pomposo, solene, vaidoso.
Pómulo *s* maçã do rosto.
Poncho *s* poncho, manto.
Ponderación *s* ponderação, equilíbrio, reflexão.
Ponderar *v* ponderar, refletir.
Poner *v* pôr, colocar, dispor, estabelecer, atribuir, depositar, incluir, situar.
Poniente *s* poente, ocidente.
Pontificado *s* pontificado, papado.
Pontífice *s* pontífice, papa.
Ponzoña *s* peçonha, veneno.
Ponzoñoso *adj* peçonhento, venenoso.
Popa *s* popa, parte posterior do barco, ré.
Populacho *s* populacho.
Popular *adj* popular.
Popularizar *v* popularizar.
Populoso *adj* populoso, povoado.
Por *prep* por, indica causa, meio, estado, tempo.
Porcelana *s* porcelana, louça fina.
Porcentaje *s* porcentagem, percentagem.
Porche *s* alpendre, coberto (na entrada de edifícios).
Pordiosear *v* esmolar, mendigar.
Pordiosero *adj* mendigo, molambento.
Porfía *s* disputa, obstinação.
Porfiar *s* instar, insistir, teimar, disputar.
Pormenor *s* pormenor, detalhe.
Pormenorizar *v* pormenorizar, detalhar.
Pornografía *s* pornografia.
Pornográfico *adj* pornográfico.
Poro *s* poro.
Poroso *adj* poroso, permeável.
Porqué *s* porquê.
Porque *conj* porque.
Porquería *s* porcaria, lixo, sujeira.
Porra *s* porrete, bastão, cacete, martelo grande.
Porrón *s* moringa.
Portada *s* fachada, frontispício, página de rosto (de livro).
Portador *s* portador.
Portaequipaje *s* porta-malas, bagageiro.

Portaestandarte *s* porta-estandarte, porta-bandeira.
Portafolio *s* pasta (para papéis).
Portal *s* portal, pórtico, saguão.
Portamonedas *s* porta-moedas (níqueis).
Portaplumas *s* porta-penas, caneta.
Portar *v* levar, trazer.
Portarretratos *s* porta-retratos.
Portátil *adj* portátil.
Portaviones *s* porta-aviões.
Portavoz *s* porta-voz.
Portazo *s* batida da porta.
Porte *s* porte, transporte, comportamento, atitude, franquia postal.
Portear *v* portar, levar, conduzir, transportar.
Portento *s* portento, prodígio.
Portentoso *adj* portentoso, singular, estranho.
Portería *s* portaria, saguão.
Portero *s* porteiro.
Pórtico pórtico, galeria com arcadas.
Portón *s* portão.
Portorriqueño *adj* porto-riquenho.
Portuario *adj* portuário.
Portugués *adj* português, lusitano.
Porvenir *s* porvir, futuro.
Posada *s* moradia, morada, casa, estalagem, pousada.
Posaderas *s* nádegas.
Posar *v* posar, descansar, repousar.
Posdata *s* pós-escrito.
Poseedor *adj* possuidor.
Poseer *v* possuir, ter, usufruir.
Posesión *s* possessão, posse, usufruto, gozo.
Posesivo *adj* possessivo.
Poseso *adj* possesso, endemoninhado.
Posibilidad *s* possibilidade, facilidade, eventualidade.
Posibilitar *v* possibilitar, tornar possível.
Posible *adj* possível.
Posición *s* posição, postura, categoria, condição social.
Positivismo *s* positivismo.
Positivo *adj* positivo, afirmativo.
Poso *s* sedimento (de um líquido).
Posología *s* posologia.
Posponer *s* pospor, pôr, depois.
Postal *adj* postal; *s* cartão postal.
Poste *s* poste.
Postergar *v* postergar, adiar.
Posteridad *s* posteridade.
Posterior *adj* posterior.
Postila *s* apostila.
Postín *s* vaidade, presunção.
Postizo *adj* postiço, artificial, falso.
Postoperatorio *adj* pós-operatório.
Postración *s* prostração, abatimento, enfraquecimento.
Postrar *v* prostrar, debilitar, enfraquecer.
Postre *s* sobremesa.
Postrero *adj* póstero, último, derradeiro.
Postrimería *s* último período, últimos anos da vida.
Postulación *s* postulação.
Postular *v* postular, pedir, solicitar.
Póstumo *adj* póstumo.
Postura *s* postura, atitude, posição.
Potable *adj* potável, bebível.
Potaje *s* caldo, sopa.
Potasio *s* potássio.
Pote *s* pote, vaso (de barro, metal).
Potencia *s* potência, vigor, força.
Potencial *adj* potencial.
Potencialidad *s* potencial, potencialidade.
Potenciar *v* potencializar.
Potentado *s* potentado.
Potente *adj* potente, forte, eficaz, vigoroso.
Potestad *s* potestade, potência.
Potingue *s* xarope (medicinal), creme, pomadas em geral.
Potranca *s* potranca, égua nova.
Potro *s* potro.
Poyo *s* banco fixo de pedra, madeira.
Pozo *s* poço.
Pozuelo *s* poço pequeno, pocinho.
Práctica *s* prática, experiência, costume.
Practicable *adj* praticável, fácil.
Practicante *adj* praticante, ajudante.

Practicar *v* praticar, exercitar, usar, exercer.
Pradera *s* pradaria.
Prado *s* prado, relva, pastagem.
Pragmático *adj* pragmático.
Preámbulo *s* preâmbulo, rodeio, cerimônia.
Prebenda *s* prebenda.
Precario *adj* precário, inseguro, incerto.
Precaución *s* precaução, cuidado, cautela.
Precaver *v* precaver, prevenir.
Precavido *s* precavido, previdente.
Precedente *s* precedente, antecedente.
Preceder *v* preceder, anteceder.
Precepto *s* preceito, mandato, ordem.
Preceptor *s* preceptor, mestre.
Preces *s* preces, orações.
Preciado *adj* prezado, estimado.
Preciar *v* apreciar, prezar, estimar.
Precintar *v* atar, cingir.
Precio *s* preço, valor.
Precioso *adj* precioso, valioso, magnífico.
Precipicio *s* precipício, despenhadeiro.
Precipitación *s* precipitação.
Precipitado *adj* precipitado.
Precipitar *v* precipitar, acelerar.
Precisar *v* precisar, determinar, fixar, obrigar, força, calcular.
Preciso *adj* preciso, necessário, indispensável, pontual, fixo, exato, determinado.
Preclaro *adj* preclaro, esclarecido, brilhante.
Precocidad *s* precocidade.
Preconcebir *v* preconceber.
Preconizar *v* preconizar, recomendar.
Precoz *adj* precoce, prematuro, antecipado.
Precursor *adj* precursor, antecessor.
Predecesor *adj* predecessor, precursor, antecessor.
Predecir *v* predizer, prognosticar.
Predestinar *v* predestinar.
Predeterminar *v* predeterminar.
Predicado *s* predicado.
Predicar *v* pregar, aconselhar.
Predicción *s* predição, prognóstico.
Predilección *s* predileção, preferência.
Predilecto *adj* predileto, preferido.
Predio *s* prédio, imóvel.
Predisponer *v* predispor, dispor, preparar.
Predisposición *s* predisposição.
Predispuesto *adj* predisposto.
Predominación *s* predominação.
Predominancia *s* predominância, predominação.
Predominante *adj* predominante.
Predominar *v* predominar, prevalecer, preponderar.
Predominio *s* predomínio, poder, superioridade.
Preelegir *v* eleger antecipadamente.
Preeminente *adj* preeminente, superior.
Preexistir *v* preexistir.
Prefacio *s* prefácio, prólogo.
Preferencia *s* preferência, prioridade.
Preferir *v* preferir.
Prefijar *v* prefixar, determinar, assinalar.
Prefijo *adj* prefixo.
Pregón *s* pregão, divulgação, proclamação.
Pregonar *v* apregoar, divulgar.
Pregonero *adj* pregoeiro.
Pregunta *s* pergunta, interrogação.
Preguntar *v* perguntar, interrogar, indagar, questionar.
Prehistoria *s* pré-história.
Prejuicio *s* prejuízo, prejulgamento.
Prejuzgar *v* prejulgar.
Prelación *s* prelação, preferência.
Prelado *s* prelado.
Preliminar *adj* preliminar.
Preludio *s* prelúdio, introdução, iniciação.
Prematuro *adj* prematuro, temporão.
Premeditación *s* premeditação.
Premeditado *adj* premeditado.
Premeditar *v* premeditar.
Premiar *v* premiar, remunerar.
Premio *s* prêmio, recompensa.
Premolar *s* pré-molar.
Premonición *s* premonição, pressentimento.

Premura *s* pressa, urgência, apuro, instância.
Prenatal *adj* pré-natal.
Prenda *s* prenda, penhor, objeto, joia, móvel, peça de vestuário.
Prendar *v* amar, cativar, gostar muito.
Prender *v* prender, pegar, agarrar, sujeitar.
Prensa *s* prensa, máquina de comprimir.
Prensar *v* prensar, comprimir, apertar.
Prenunciar *v* prenunciar.
Preñado *adj* prenhe, carregado.
Preñar *v* prenhar, fecundar, engravidar.
Preñez *s* prenhez, gravidez.
Preocupación *s* preocupação, inquietação, cuidado.
Preocupar *v* preocupar, inquietar.
Preparación *s* preparação, preparo, conhecimento.
Preparar *v* preparar, prevenir, dispor.
Preponderancia *s* preponderância, predomínio.
Preponderar *v* preponderar, predominar.
Preposición *s* preposição.
Prepotente *adj* prepotente, poderoso.
Prepucio *s* prepúcio.
Prerrogativa *s* prerrogativa, privilégio.
Presa *s* presa, objeto apreendido.
Presagiar *v* pressagiar, prever, pressentir.
Presagio *s* presságio, prevenção, pressentimento.
Prescindir *v* prescindir, renunciar.
Prescribir *v* prescrever.
Prescripción *s* prescrição.
Presencia *v* presença, existência.
Presenciar *v* presenciar, assistir.
Presentar *v* apresentar.
Presente *adj* presente, atual; *s* regalo, dádiva, tempo atual.
Presentimiento *s* pressentimento.
Presentir *v* pressentir, prever.
Preservar *v* preservar, cuidar, resguardar.
Preservativo *s* preservativo.
Presidencia *s* presidência, chefia.
Presidente *s* presidente, chefe de Estado, chefe, superior.
Presidio *s* presídio, prisão, penitenciária.
Presidir *v* presidir, dirigir, regular, superintender.
Presilla *s* presilha, laço, tira de tecido.
Presión *s* pressão.
Presionar *v* pressionar.
Preso *adj* preso, prisioneiro.
Prestación *s* préstimo.
Prestado *adj* emprestado.
Prestamista *s* pessoa que faz empréstimos.
Préstamo *s* empréstimo.
Prestar *v* emprestar, ajudar, auxiliar.
Presteza *s* presteza, rapidez, agilidade.
Prestigiar *v* prestigiar.
Prestigio *s* prestígio.
Presto *adj* pronto, disposto, rápido.
Presumido *adj* presumido, vaidoso.
Presumir *v* presumir, suspeitar.
Presuntuoso *adj* presumido, vaidoso.
Presuponer *v* pressupor.
Presupuesto *s* pressuposto, suposição, orçamento.
Presuroso *adj* pressuroso, pronto, ligeiro, veloz.
Pretender *v* pretender, desejar, aspirar.
Pretensión *s* pretensão, solicitação, direito invocado.
Preterir *v* preterir, excluir, omitir, pôr de lado.
Pretérito *adj* pretérito, passado.
Pretexto *s* pretexto, desculpa.
Pretil *s* mureta, parapeito.
Pretor *s* pretor, negrura das águas.
Prevalecer *v* prevalecer, predominar, sobressair, preponderar.
Prevaricar *v* prevaricar.
Prevenir *v* prevenir, prever, preparar.
Preventivo *adj* preventivo, previdente.
Prever *v* prever, pressupor, calcular.
Previo *adj* prévio, preliminar, antecipado.
Previsión *s* previsão, prever.
Previsor *adj* previdente, prudente.
Prima *s* prima, prêmio.
Primacía *s* primazia, excelência, superioridade.
Primario *adj* primário, principal, primitivo.

Primavera *s* primavera.
Primaveral *adj* primaveril.
Primero *adj* primeiro.
Primigenio *adj* primitivo, originário.
Primitivo *adj* primitivo.
Primo *adj* primeiro; *s* primo.
Primogénito *s* primogênito, filho mais velho.
Primor *s* primor, habilidade, esmero, perfeição.
Primordial *adj* primordial.
Princesa *s* princesa.
Principal *adj* principal, essencial.
Príncipe *s* príncipe.
Principiante *adj* principiante, novato, aprendiz.
Principiar *v* principiar, começar, iniciar.
Principio *s* princípio, começo, origem.
Pringar *v* besuntar, untar, engordurar.
Pringoso *adj* gordurento, ensebado.
Prior *s* prior.
Prioridad *s* prioridade, primazia.
Prisa *s* pressa, rapidez, presteza.
Prisión *s* prisão, cárcere, cadeia.
Prisionero *adj* prisioneiro.
Prisma *s* prisma.
Privación *s* privação.
Privar *v* privar, proibir, vedar, tomar, tirar.
Privilegiar *v* privilegiar.
Privilegio *s* privilégio, direito, vantagem, prioridade.
Proa *s* proa, dianteira.
Probabilidad *s* probabilidade, possibilidade.
Probable *adj* provável, possível.
Probar *v* provar, demonstrar, justificar, experimentar.
Probeta *s* proveta.
Probidad *s* probidade, integridade.
Problema *s* problema, questão.
Procaz *adj* procaz, insolente.
Procedencia *s* procedência, origem, proveniência.
Proceder *v* proceder, executar, originar.
Prócer *adj* prócero, alto, eminente, elevado.
Procesal *adj* processual.
Procesar *v* processar.
Procesión *s* processão, procedência, procissão, cortejo religioso.
Proceso *s* processo, seguimento, decurso.
Proclamar *v* proclamar, declarar, afirmar.
Procrear *v* procriar, gerar, produzir.
Procurar *v* procurar, investigar, buscar.
Prodigar *v* prodigalizar, dissipar, esbanjar, desperdiçar.
Prodigio *s* prodígio, maravilha.
Pródigo *adj* pródigo, esbanjador.
Producción *s* produção, produto, realização.
Producir *v* produzir, engendrar.
Productivo *adj* produtivo.
Producto *s* produto, resultado.
Proeza *s* proeza, façanha.
Profanar *v* profanar, aviltar, desonrar, macular.
Profano *adj* profano, leigo, secular.
Profecía *s* profecia.
Proferir *v* proferir, dizer, pronunciar, falar.
Profesar *v* professar, exercer, praticar.
Profesión *s* profissão.
Profesor *s* professor, mestre, educador.
Profesorado *s* professorado, corpo docente.
Profeta *s* profeta.
Profetizar *v* profetizar, prever, adivinhar.
Profiláctico *adj* profilático, preventivo.
Profilaxis *s* profilaxia, prevenção.
Pronosticar *v* prognosticar, prever, adivinhar.
Pronóstico *s* prognóstico, previsão.
Prontitud *s* prontidão, presteza, brevidade.
Pronto *adj* pronto, veloz, acelerado, rápido.
Pronunciación *s* pronunciação, pronúncia.
Pronunciamiento *s* pronunciamento.
Pronunciar *v* pronunciar, proferir, resolver.
Propaganda *s* propaganda.
Propagar *v* propagar, espalhar, difundir, divulgar.

Propalar *v* propalar, divulgar.
Propasar *v* ultrapassar.
Propensión *s* propensão; inclinação.
Propiciar *v* propiciar, proporcionar.
Propicio *adj* propício, favorável.
Propiedad *s* propriedade, direito.
Propietario *s* proprietário, dono, possuidor.
Propina *s* propina, gorjeta, gratificação.
Propinar *v* propinar.
Propio *adj* próprio, peculiar, exclusivo, conveniente.
Proponer *v* propor, oferecer.
Proporción *s* proporção, disposição.
Proporcional *adj* proporcional.
Proporcionar *v* proporcionar, facilitar, dispor, dar, fornecer.
Proposición *s* proposição.
Propósito *s* propósito, intenção, finalidade.
Propuesta *s* proposta.
Propuesto *adj* proposto, oferecido.
Propugnar *v* propugnar, defender.
Propulsar *v* propulsar, impelir.
Propulsión *s* propulsão, impulso.
Prórroga *s* prorrogação.
Prorrogable *adj* prorrogável, adiável.
Prorrogar *s* prorrogar, adiar, suspender.
Prorrumpir *v* prorromper, irromper.
Prosa *s* prosa.
Prosaico *adj* prosaico, trivial.
Proscribir *v* proscrever, banir, exilar, expulsar.
Proscrito *adj* proscrito, banido, expulso.
Proseguir *v* prosseguir, continuar.
Proselitismo *s* proselitismo.
Prosélito *s* prosélito, convertido a uma certa religião.
Prosodia *s* prosódia.
Prospecto *s* prospecto, programa.
Prosperar *v* prosperar, progredir.
Prosperidad *s* prosperidade, fortuna.
Próspero *adj* próspero, afortunado, venturoso.
Próstata *s* próstata.
Prosternarse *v* prostrar-se.
Prostíbulo *s* prostíbulo, bordel.
Prostitución *s* prostituição.
Prostituir *v* prostituir, corromper, degradar.
Prostituta *s* prostituta, rameira.
Protagonista *s* protagonista, personagem principal, astro, estrela.
Protección *s* proteção, amparo, ajuda, auxílio.
Proteccionismo *s* protecionismo.
Protector *adj* protetor, defensor.
Proteger *v* proteger, defender, guardar.
Proteína *s* proteína.
Prótesis *s* prótese.
Protestante *adj* protestante, luterano.
Protestantismo *s* protestantismo, calvinismo, luteranismo, anglicanismo.
Protestar *v* protestar.
Protesto *s* protesto.
Protocolo *s* protocolo, cerimonial diplomático.
Protoplasma *s* protoplasma.
Prototipo *s* protótipo, modelo, original.
Protuberancia *s* protuberância.
Provecho *s* proveito, utilidade, vantagem.
Provechoso *adj* proveitoso, útil.
Proveer *v* prover, abastecer.
Proveniente *adj* proveniente.
Provenir *v* provir, nascer, derivar, proceder.
Proverbial *adj* proverbial, notório.
Proverbio *s* provérbio, sentença, adágio.
Providencia *s* providência, prevenção.
Providencial *adj* providencial.
Provincia *s* província, divisão (territorial ou administrativa).
Provincial *adj* provincial.
Provinciano *adj* provinciano.
Provisional *adj* provisório.
Provisor *s* provedor, provisor.
Provocar *v* provocar, desafiar.
Proximidad *s* proximidade, vizinhança, cercania.
Próximo *adj* próximo, vizinho, contígüo, imediato.
Proyectar *v* projetar (imagens), lançar, arremessar, planejar, traçar.

Proyectil *s* projétil.
Proyectista *s* projetista.
Proyecto *s* projeto, plano, planta, desenhos e cálculos, intenção.
Prudencia *s* prudência, cautela, moderação.
Prudente *adj* prudente, cauteloso, moderado.
Prueba *s* prova, testemunho.
Psicoanálisis *s* psicanálise.
Psicología *s* psicologia.
Psicológico *adj* psicológico.
Psicópata *s* psicopata.
Psicosis *s* psicose.
Psicoterapia *s* psicoterapia.
Psique *s* psiquê, alma humana.
Psiquiatría *s* psiquiatria.
Psíquico *adj* psíquico.
Púa *s* puá, ponta de arame farpado, dente de pente, espinho.
Púber *adj* púbere.
Pubertad *s* puberdade, adolescência.
Pubis *s* púbis.
Publicación *s* publicação, edição.
Publicar *v* publicar, editar.
Publicidad *s* publicidade, divulgação.
Público *adj* público, notório, divulgado.
Puchero *s* panela, caçarola.
Pucho *s* ponta, resto, toco (de cigarro, de vela).
Púdico *adj* pudico, casto.
Pudiente *adj* poderoso, rico, abastado.
Pudor *s* pudor, recato, vergonha.
Pudrimiento *s* apodrecimento, podridão, putrefação.
Pudrir *v* apodrecer, corromper.
Pueblo *s* povo, povoação, vilarejo, plebe.
Puente *s* ponte.
Puerco *s* porco; *adj* sujo, imundo, vil.
Pueril *adj* pueril, infantil.
Puerro *s* porro, alho-porro.
Puerta *s* porta.
Puerto *s* porto, garganta, desfiladeiro.
Pues *conj* pois, já que, visto que.
Puesta *s* ocaso.
Puesto *s* posto, local, lugar, emprego, cargo.
Pugilista *s* pugilista, boxeador.
Pugna *s* pugna, luta, combate, briga.
Pugnar *v* pugnar, lutar, combater, brigar.
Pujanza *s* pujança, vigor, energia, força.
Pujar *v* puxar, aumentar o preço (em leilão).
Pulcro *adj* asseado, belo, elegante, limpo.
Pulga *s* pulga.
Pulgada *s* polegada.
Pulgar *s* polegar.
Pulidor *s* polidor, lustrador.
Pulimento *s* polimento.
Pulir *v* polir, lustrar, brunir.
Pulla *s* expressão obscena ou mordaz.
Pulmón *s* pulmão.
Pulmonía *s* pneumonia.
Pulpa *s* polpa.
Púlpito *s* púlpito, altar.
Pulpo *s* polvo.
Pulsación *s* pulsação.
Pulsar *v* pulsar, bater, palpitar, latejar.
Pulsera *s* pulseira, bracelete.
Pulso *s* pulso, força, vigor.
Pulular *v* pulular, brotar, abundar.
Pulverizar *v* pulverizar, reduzir a pó.
Punción *s* punção.
Punta *s* ponta, extremidade, princípio ou fim.
Puntada *s* ponto, furo de agulha.
Puntal *s* escora.
Puntapie *s* pontapé, chute.
Puntear *v* pontear, pontuar.
Puntera *s* ponteira, biqueira do calçado.
Puntería *s* pontaria.
Puntiagudo *adj* pontiagudo.
Puntillo *s* ninharia.
Puntilloso *adj* muito susceptível, exigente.
Punto *s* ponto, furo, sinal de pontuação, lugar determinado.
Puntuación *s* pontuação, conjunto de sinais ortográficos.
Puntual *adj* pontual, diligente, exato.
Puntualidad *s* pontualidade, exatidão, presteza.
Puntualizar *v* particularizar, aperfeiçoar.
Puntuar *v* pontuar, acentuar.

Punzar *v* punçar.
Puñado *s* punhado.
Puñal *s* punhal.
Puñalada *s* punhalada, golpe de punhal.
Puñetazo *s* porrada, murro, soco.
Puño *s* punho, mão fechada.
Pupila *s* pupila, órfã, menina do olho.
Pupilo *s* pupilo, hóspede, órfão.
Pupitre *s* carteira escolar.
Puposo *adj* que tem feridas nos lábios.
Puramente *adv* puramente, puro, com pureza.
Puré *s* purê, pasta.
Pureza *s* pureza.
Purga *s* purgação, purgativo.
Purgación *s* purgação, menstruação.
Purgante *adj* purgante, purgativo.
Purgar *v* purgar, limpar, purificar, expiar, pagar.
Purgatorio *s* purgatório.
Purificante *adj* purificante.
Purificar *v* purificar.
Purismo *s* purismo.
Puritanismo *s* puritanismo.
Puritano *adj* puritano.
Puro *adj* puro, sem mistura.
Púrpura *s* púrpura.
Purpurina *s* purpurina.
Purulencia *s* purulência.
Purulento *adj* purulento, que tem pus.
Pus *s* pus, secreção.
Pusilánime *adj* pusilânime, covarde.
Pústula *s* pústula.
Putrefacción *s* putrefação, apodrecimento.
Putrefacto *adj* putrefato, podre.
Putridez *s* podridão.
Puya *s* pua, ponta (de vara).
Puzzle *s* quebra-cabeças.

Q

Q *s* vigésima letra do alfabeto espanhol.
Que *pron* que, o qual.
Quebrada *s* quebrada, passagem entre montanhas.
Quebradillo *s* salto de sapato, salto alto.
Quebradizo *adj* quebradiço, frágil.
Quebrado *adj* quebrado, falido, despedaçado, acidentado (terreno).
Quebradura *s* abertura, fenda, ruptura.
Quebrantar *v* quebrar, rachar, fender.
Quebranto *s* quebra, rompimento, fraqueza, debilidade.
Quebrar *v* quebrar, partir, violar, dobrar, torcer.
Quechua *adj* quíchua.
Queda *s* toque de recolher, hora de recolher.
Quedar *v* ficar, restar, subsistir, permanecer, restar, terminar.
Quedito *adv* pausadamente.
Quedo *adj* calmo, quieto.
Quehacer *s* ocupação, trabalho, afazeres.
Queja *s* queixa, lamento.
Quejarse *v* queixar-se, lamentar-se.
Quejido *s* queixume, queixa, lamento, gemido.
Quejoso *adj* queixoso.
Quejumbroso *adj* lamuriento.
Quema *s* queima, incêndio.
Quemada *s* queimada.
Quemadura *s* queimadura.
Quemar *v* queimar, abrasar.
Quena *s* flauta ameríndia.
Querella *s* querela, discórdia.
Querencia *s* afeto, inclinação.
Querer *s* querer, ter carinho, amar, afeto.
Querido *adj* querido.
Quermese *s* quermesse, feira, festa popular.
Querosén *s* querosene.
Querubín *s* querubim, anjo.
Quesadilla *s* queijadinha, pastel de queijo.
Quesera *s* queijeira.
Quesería *s* queijaria, laticínio.
Queso *s* queijo.
Quetzal *s* ave americana.
Quevedos *s* óculos que se segura no nariz.
Quicio *s* gonzo (de porta ou janela).
Quiebra *s* quebra, rompimento.
Quien *pron* quem, o qual.
Quienquiera *pron* qualquer um, seja quem for.
Quieto *adj* quieto, calmo.
Quietud *s* quietude, sossego, tranquilidade, paz.
Quijada *s* queixada, mandíbula.
Quilatar *v* aquilatar, avaliar.
Quilate *s* quilate, unidade de peso para pedras preciosas.
Quilla *s* quilha (de embarcação).
Quilombo *s* choça, cabana campestre.
Quimera *s* quimera, fantasia, utopia.
Quimérico *adj* quimérico, fictício, imaginário.
Química *s* química.
Químico *adj* químico.
Quimono *s* quimono, túnica japonesa.
Quina *s* quinino, bingo.
Quincalla *s* quinquilharia.
Quincena *s* quinzena.
Quinta *s* quinta, chácara, casa de campo.
Quintal *s* quintal.
Quinteto *s* quinteto.

Quintuplicar *v* quintuplicar.
Quiñón *s* quinhão, porção.
Quiosco *s* quiosque.
Quirófano *s* sala de cirurgia, centro cirúrgico.
Quiromancia *s* quiromancia.
Quirúrgico *adj* cirúrgico.
Quisquilloso *adj* impertinente, rabugento, meticuloso.
Quiste *s* quisto, tumor.
Quitamanchas *s* tira manchas.
Quitar *v* tirar, resgatar, furtar, impedir, arrebatar, despojar.
Quizá *adv* quiçá, talvez, possivelmente.
Quórum *s* quorum.

r R

R *s* vigésima primeira letra do alfabeto espanhol.
Raba *s* isca de ovas de bacalhau.
Rabada *s* rabada, quarto traseiro dos animais abatidos.
Rabadán *s* rabadão, chefe dos pastores.
Rábano *s* rabanete.
Rabia *s* raiva, hidrofobia.
Rabiar *v* enraivecer, enfurecer-se.
Rabieta *s* raiva passageira.
Rabino *s* rabino.
Rabioso *adj* raivoso, irado, irritado, hidrófobo.
Rabo *s* rabo, cauda.
Racha *s* rajada, pé de vento, estilhaço de madeira.
Racial *adj* racial.
Racimo *s* cacho, penca.
Raciocinar *v* raciocinar, pensar.
Raciocinio *s* raciocínio.
Ración *s* ração, porção de alimento.
Racional *adj* racional.
Racionalidad *s* racionalidade.
Racionalismo *s* racionalismo.
Racionalización *s* racionalização.
Racionalizar *v* racionalizar.
Racionamiento *s* racionamento.
Racionar *v* racionar, limitar.
Racismo *s* racismo.
Racista *s* racista.
Rada *s* enseada, baía, porto abrigado.
Radar *s* radar.
Radiación *s* radiação, irradiação.
Radiactividad *s* radiatividade.
Radiactivo *adj* radiativo.
Radiador *s* radiador, aquecedor.
Radial *adj* radial.
Radiante *adj* radiante, brilhante, esplêndido.
Radiar *v* irradiar, brilhar, difundir, emitir por rádio.
Radical *adj* radical.
Radicalización *s* radicalização.
Radicalizar *v* radicalizar.
Radicar *v* radicar, enraizar, firmar, fixar.
Radio *s* raio (de círculo, de roda), osso do antebraço, rádio (aparelho), radiofusão.
Radío *adj* errante.
Radiodifusión *s* rádio-difusão.
Radioescucha *s* rádio-ouvinte.
Radiofonía *s* radiofonia.
Radiografía *s* radiografia.
Radiología *s* radiologia.
Radiólogo *s* radiologista.
Radioscopia *s* radioscopia.
Radioso *adj* radioso, esplendoroso.
Radioterapia *s* radioterapia.
Raedera *s* raspadeira, raspador.
Raer *v* raspar, rapar, cortar rente.
Ráfaga *s* rajada, lufada, pé de vento.
Raído *adj* raspado, puído, gasto, esgarçado.
Raíl *s* trilho de via férrea.
Raíz *s* raiz.
Raja *s* racha, fenda, greta, lasca.
Rajá *s* rajá, marajá.
Rajar *v* rachar, fender, abrir.
Ralea *s* espécie, gênero, qualidade.
Rallador *s* ralador (de cozinha).
Rallar *v* ralar.
Ralo *adj* ralo, pouco espesso.
Rama *s* ramo, galho.
Ramaje *s* ramagem.

Ramal *s* ramal, cabo, parte do principal (corda, linha, escada).
Rambla *s* leito natural das águas de chuva.
Ramera *s* rameira, prostituta.
Ramificación *s* ramificação.
Ramificar *v* ramificar, dividir.
Ramillete *s* ramalhete, buquê, pequeno ramo de flores.
Ramo *s* ramo, conjunto de flores, ramalhete.
Rampa *s* rampa, ladeira, plano inclinado.
Rana *s* rã.
Ranchero *s* rancheiro, fazendeiro.
Rancho *s* rancho, barracão, sítio, chácara, comida que se faz para muitos.
Rancio *adj* rançoso, velho.
Rango *s* classe, categoria, dignidade.
Ranura *s* ranhura, sulco, entalhe, encaixe.
Rapar *v* rapar, tosar rente.
Rapaz *adj* que rouba, de rapina; *s* rapaz, jovem.
Rapé *s* rapé.
Rapidez *s* rapidez, velocidade.
Rápido *adj* rápido, veloz, ligeiro.
Rapiña *s* rapina.
Raposa *s* raposa.
Raptar *v* raptar, sequestrar, roubar.
Rapto *s* rapto, roubo, sequestro.
Raqueta *s* raquete, palheta.
Raquítico *s* raquítico, débil, atrofiado.
Raro *adj* raro, incomum, extravagante.
Rasante *adj* rasante.
Rasar *v* rasar, roçar, raspar, igualar.
Rascacielos *s* arranha-céu.
Rascar *v* coçar, esfregar, arranhar.
Rasgado *adj* rasgado.
Rasgar *v* rasgar, romper, lacerar, arrancar.
Rasgo *s* rasgo, risco.
Rasguñar *v* arranhar.
Rasguño *s* arranhão.
Raso *adj* raso, plano, liso.
Raspa *s* pelo, fiado, espinha (de peixe).
Raspador *s* raspador, raspadeira.
Raspar *v* raspar, rapar, furtar.
Rasposo *adj* áspero.
Rastrear *v* rastrear, rastejar, indagar.
Rastreo *s* rastreamento.
Rastrero *adj* rasteiro.
Rastrillo *s* ancinho.
Rastro *s* rastro, pista, pegada.
Rastrojo *s* restolho.
Rasurar *v* barbear-se.
Rata *s* rato, ratazana.
Raticida *s* raticida, veneno para ratos.
Ratificación *s* ratificação, confirmação.
Ratificar *v* ratificar, confirmar.
Rato *s* momento, espaço curto de tempo.
Ratón *s* rato.
Ratonera *s* ratoeira.
Raudal *s* caudal, torrente.
Raudo *adj* impetuoso, violento, rápido, precipitado.
Raya *s* raia, risco, arraia, fronteira, risca (de cabelo).
Rayado *adj* rajado, riscado.
Rayar *v* raiar, riscar, confinar, limitar.
Rayo *s* raio, raio (de roda), faísca.
Raza *s* raça.
Razón *s* razão, raciocínio, motivo.
Razonable *adj* razoável, moderado, justo, aceitável.
Razonar *v* raciocinar, arrazoar, falar, discorrer.
Reacción *s* reação, resposta.
Reaccionar *v* reagir, resistir.
Reaccionario *adj* reacionário, conservador.
Reacio *adj* resistente, teimoso, desobediente.
Reactivar *v* reativar, reagir.
Reactivo *adj* reativo.
Reactor *s* reator.
Readaptación *s* readaptação.
Readaptar *v* readaptar.
Reajustar *v* reajustar.
Reajuste *s* reajuste.
Real *adj* real, existente, verdadeiro.
Realce *s* realce, destaque.
Realeza *s* realeza, majestade, soberania.
Realidad *s* realidade, verdade, veracidade, existência.
Realismo *s* realismo, monarquia.

Realista *adj* realista, monarquista.
Realizable *adj* realizável, factível.
Realizador *s* realizador, produtor (de cinema ou tevê).
Realizar *v* realizar, criar, fazer, produzir.
Realzar *v* realçar, salientar.
Reanimar *v* reanimar, reavivar, confortar.
Reanudar *v* retomar, continuar, reiniciar.
Reaparecer *v* reaparecer, retornar.
Rebajar *v* rebaixar, diminuir.
Rebanada *s* rabanada, fatia de pão.
Rebañar *v* recolher, arrebanhar.
Rebaño *s* rebanho, gado.
Rebasar *v* transbordar, ultrapassar.
Rebatir *v* rebater, repelir, rechaçar, redobrar, reforçar, deduzir, refutar.
Rebato *s* rebate, alarme, alerta.
Rebelarse *v* rebelar-se, sublevar-se, resistir.
Rebelde *adj* rebelde, desobediente, indócil.
Rebelión *s* rebelião, sublevação, insurreição.
Reblandecer *v* abrandar.
Rebobinar *v* rebobinar.
Rebosar *v* transbordar.
Rebotar *v* pular (várias vezes), rebater, ricochetear.
Rebozar *v* rebuçar.
Rebullir *v* reanimar-se, mover-se, bulir.
Rebuscar *v* rebuscar, florear.
Rebuzno *s* zurro.
Recadero *s* mensageiro, enviado, boy.
Recado *s* recado, mensagem, lembrança.
Recaer *v* recair, acontecer de novo.
Recaída *s* recaída.
Recalcar *v* recalcar, ajustar, sublinhar, encher.
Recalcitrante *adj* recalcitrante, teimoso.
Recalentar *v* reaquecer, esquentar demais, escaldar, excitar.
Recámara *s* antecâmara.
Recambio *s* recâmbio, troca.
Recapacitar *v* recapacitar, meditar, ponderar.
Recapitular *v* recapitular, repetir.
Recarga *s* recarga, sobrecarga.
Recargado *adj* recarregado, sobrecarregado.
Recargar *v* recarregar, sobrecarregar.
Recatado *adj* recatado, discreto.
Recatar *v* recatar, esconder, ocultar.
Recato *s* recato, cautela, reserva, honestidade, pudor.
Recaudación *s* arrecadação, recebimento.
Recaudar *v* arrecadar, cobrar (impostos, etc), assegurar.
Recaudo *s* cobrança, precaução, cuidado.
Recelar *v* recear, desconfiar, suspeitar, temer.
Recelo *s* receio, suspeita, desconfiança, dúvida.
Receloso *adj* receoso, desconfiado, medroso.
Recepción *s* recepção, admissão (em emprego, sociedade), festa.
Recepcionista *s* recepcionista.
Receptividad *s* receptividade, vulnerabilidade (a doenças).
Receptor *adj* receptor, aparelho de rádio.
Recesión *s* recessão.
Receta *s* receita, fórmula, prescrição médica.
Recetar *v* receitar, prescrever, ordenar, indicar, medicar.
Recetario *s* receituário, formulário.
Rechazar *v* rechaçar, repelir.
Rechazo *s* rechaço, repulsa, ressalto.
Rechifla *s* escárnio, mofa, zombaria.
Rechinar *v* chiar, ranger.
Rechoncho *adj* rechonchudo, gorducho.
Recibir *v* receber, cobrar, acolher, hospedar, aceitar, admitir.
Recibo *s* recibo, recebimento, quitação.
Reciclaje *s* reciclagem, reaproveitamento.
Recién *adj* recém, recente.
Reciente *adj* recente, novo, fresco.
Recinto *s* recinto, espaço limitado, âmbito.
Recio *adj* forte, vigoroso, duro (de gênio).
Recipiente *s* recipiente, vasilha, receptáculo.
Reciprocidad *s* reciprocidade, correspondência.

Recíproco *adj* recíproco, mútuo.
Recital *s* recital, concerto.
Recitar *v* recitar, declamar, narrar.
Reclamación *s* reclamação, protesto.
Reclamar *v* reclamar, exigir, reivindicar.
Reclame *s* propaganda comercial.
Reclamo *s* anúncio, propaganda, comercial, voz da ave (chamando outra).
Reclinar *v* reclinar, inclinar, encostar.
Recluir *v* encerrar, pôr em reclusão, isolar.
Recluso *adj* recluso, preso, prisioneiro.
Recluta *s* recruta.
Reclutar *v* recrutar, convocar, alistar.
Recobrar *v* recobrar, recuperar.
Recodo *s* ângulo, cotovelo, volta (de rio, estrada).
Recogedor *s* recolhedor, máquina de recolher, pá de lixo; *adj* acolhedor.
Recoger *v* recolher, apanhar, guardar, compilar.
Recogido *adj* recolhido, retirado.
Recogimiento *s* recolhimento.
Recolección *s* colheita, compilação, arrecadação.
Recolectar *v* colher, cobrar, arrecadar.
Recomendable *adj* recomendável.
Recomendar *v* recomendar, avisar, solicitar.
Recompensa *s* recompensa, indenização, prêmio.
Recompensar *v* recompensar, premiar, indenizar.
Recomponer *v* recompor, compor, reparar.
Reconcentrar *v* reconcentrar.
Reconciliar *v* reconciliar, congraçar.
Recóndito *adj* recôndito.
Reconfortante *adj* reconfortante, confortador.
Reconfortar *v* reconfortar, animar.
Reconocer *v* reconhecer, examinar, registrar, verificar.
Reconocimiento *s* reconhecimento, declaração.
Reconquista *s* reconquista.
Reconquistar *v* reconquistar, recuperar.
Reconstitución *s* reconstituição.
Reconstituir *v* reconstituir, recompor.
Reconstrucción *s* reconstrução.
Reconstruir *v* reconstruir.
Reconvenir *v* repreender, recriminar.
Recopilar *v* recopilar, coligir, recolher.
Recordar *v* recordar, lembrar, memorizar.
Recorrer *v* recorrer, percorrer.
Recorrido *s* trajeto, percurso, itinerário, caminho.
Recortable *adj* recortável.
Recortar *v* recortar, cortar, aparar.
Recorte *s* recorte (de livro, de jornal).
Recostar *v* recostar, reclinar, inclinar.
Recoveco *s* reviravolta, voltas (de rua, rio, etc).
Recrear *v* recriar, recrear, divertir, alegrar.
Recreativo *adj* recreativo, divertido.
Recreo *s* recreio, recreação, entretenimento, área de lazer.
Recriminar *v* recriminar, incriminar, repreender.
Recrudecer *v* recrudescer, aumentar, agravar-se.
Recrudecimiento *s* recrudescimento, aumento.
Rectángulo *s* retângulo.
Rectificar *v* retificar, corrigir.
Rectitud *s* retidão, integridade.
Recto *adj* reto, direito, aprumado, exato.
Rector *s* reitor, governante.
Recua *s* récua.
Recubrimiento *s* recobrimento.
Recubrir *v* recobrir, cobrir.
Recuento *s* reconto, contagem.
Recuerdo *s* recordação, lembrança.
Recular *v* recuar, retroceder.
Recuperable *adj* recuperável, restituível.
Recuperar *v* recuperar, reaver.
Recurrir *v* recorrer, recuperar.
Recurso *s* recurso, volta, retorno, meio, expediente.
Recusar *v* recusar, rejeitar, opor-se.
Red *s* rede (para pesca, caça, etc), malha, grade, entrelaçamento.

Redacción *s* redação (texto escrito, local onde se redige, conjunto de redatores).
Redactar *v* redigir, escrever, lavrar.
Redactor *s* redator.
Rededor *adv* redor.
Redención *s* redenção.
Redil *s* redil.
Redimir *v* redimir, remir, resgatar.
Rédito *s* renda, rendimento, juro.
Redoblar *v* redobrar, duplicar, rufar (tambor).
Redoma *s* redoma.
Redomado *adj* astuto, cauteloso.
Redondear *v* arredondar, libertar.
Redondilla *s* redondilha.
Redondo *adj* redondo, esférico, curvo.
Reducción *s* redução, diminuição.
Reducido *adj* reduzido, diminuído.
Reducir *v* reduzir, diminuir, retrair, restringir.
Reducto *s* reduto.
Reductor *s* redutor.
Redundancia *s* redundância, repetição.
Redundar *v* redundar, transbordar, sobrar.
Reduplicar *v* reduplicar, duplicar.
Reeducar *v* reeducar, readaptar.
Reelección *s* reeleição.
Reelegir *v* reeleger.
Reembolsar *v* reembolsar.
Reembolso *s* reembolso.
Reemplazar *v* substituir.
Reemplazo *s* substituição.
Reencarnar *v* reencarnar.
Reestructurar *v* reestruturar.
Refectorio *s* refeitório.
Referencia *s* referência, informação.
Referente *adj* referente, alusivo.
Referir *v* referir, relatar, narrar, contar, atribuir.
Refinado *adj* refinado, esmerado, requintado.
Refinar *v* refinar, depurar.
Refinería *s* refinaria.
Reflectar *v* refletir (a luz, o calor, etc).
Reflector *s* refletor.
Reflejar *v* refletir, repercutir.
Reflejo *adj* refletido, ponderado.
Reflexionar *v* refletir, pensar, ponderar.
Reflexivo *adj* reflexivo.
Refluir *v* refluir, voltar, retroceder.
Reflujo *s* refluxo, mudança, movimento da maré.
Reforma *s* reforma, conserto, reparação.
Reformar *v* reformar, modificar, melhorar, consertar, reparar.
Reformatorio *s* reformatório.
Reformista *s* reformista.
Reforzado *adj* reforçado, fortalecido, fortificado.
Reforzar *v* reforçar, fortalecer, fortificar.
Refractario *adj* refratário, oposto.
Refrán *s* refrão, provérbio.
Refregar *v* esfregar, roçar, friccionar.
Refrenar *v* refrear, reprimir, corrigir.
Refrendar *v* referendar, autorizar, avalizar.
Refrescante *adj* refrescante.
Refrescar *v* refrescar, refrigerar.
Refresco *s* refresco, bebida fria.
Refriega *s* refrega, batalha, disputa.
Refrigerador *s* refrigerador.
Refrigerar *v* refrigerar, refrescar.
Refuerzo *s* reforço, socorro, auxílio, ajuda.
Refugiado *adj* refugiado, protegido.
Refugiar *v* refugiar, abrigar, esconder.
Refugio *s* refúgio, abrigo, amparo, albergue.
Refulgir *v* refulgir, brilhar, resplandecer.
Refundir *v* refundir, refazer.
Refutar *v* refutar, contestar, rebater.
Regadera *s* regador, aguador.
Regalado *adj* agradável, suave, dado, muito barato.
Regalar *v* presentear, dar.
Regalía *s* regalia, privilégio.
Regalo *s* presente, dádiva, cortesia, convite, comodidade, descanso.
Regañar *v* repreender, rosnar (o cão), ralhar.
Regar *v* regar, molhar, aguar.
Regatear *v* regatear.
Regazo *s* regaço, seio.

Regencia *s* regência.
Regeneración *s* regeneração, reabilitação.
Regenerar *v* regenerar, reabilitar.
Regentar *v* reger.
Régimen *s* regime, modo de governo, dieta alimentar.
Regimiento *s* regimento, unidade militar.
Regio *adj* régio, real.
Región *s* região, território, lugar.
Regional *adj* regional, local.
Regir *v* reger, governar, dirigir.
Registrar *v* registrar, verificar, assinalar, anotar.
Registro *s* registro, análise, exame, livro de dados, escritura.
Regla *s* régua, regra, norma, modelo, menstruação, método.
Reglaje *s* regulagem.
Reglamentación *s* regulamentação.
Reglamentar *v* regulamentar, normatizar, instituir.
Reglamentario *adj* regulamentar, institucional.
Reglamento *s* regulamento, estatuto.
Reglar *v* regrar, regular, pautar, alinhar.
Regocijar *v* regozijar, festejar, alegrar.
Regocijo *s* regozijo, gozo.
Regodearse *v* deleitar-se, gracejar.
Regordete *adj* gorducho.
Regresar *v* regressar, retornar, voltar, retroceder.
Regresión *s* regressão.
Regresivo *adj* regressivo.
Regreso *s* regresso, chegada, volta.
Reguero *s* corrente de água, rastro.
Regulación *s* regulamento, ajustamento.
Regular *v* regular, ajustar.
Regularidad *s* regularidade.
Regularizar *v* regularizar, regulamentar, ajustar.
Regurgitar *v* regurgitar.
Rehabilitación *s* reabilitação.
Rehabilitar *v* reabilitar, reparar, regenerar.
Rehacer *v* refazer, corrigir, consertar, repor.
Rehén *s* refém.
Rehogar *v* refogar, cozinhar em fogo lento.
Rehuir *v* retirar, afastar, evitar.
Rehusar *v* recusar, rejeitar.
Reimprimir *v* reimprimir, reeditar.
Reina *s* rainha, soberana.
Reinado *s* reinado.
Reinar *v* reinar.
Reincidencia *s* reincidência.
Reincidir *v* reincidir, repetir (erro ou delito).
Reino *s* reino.
Reintegrar *v* reintegrar.
Reintegro *s* reintegração, reabilitação.
Reinvindicar *v* reivindicar, reclamar (um direito).
Reír *v* rir, gracejar.
Reiteración *s* reiteração, confirmação.
Reiterar *v* reiterar, confirmar.
Reiterativo *adj* reiterativo.
Reja *s* grade, rótula.
Rejilla *s* ralo (de pia, tanque), grelha.
Rejo *s* ferrão, aguilhão.
Rejuvenecer *v* rejuvenescer, remoçar.
Relación *s* relação, conexão, correspondência, comunicação, narração, descrição.
Relacionar *v* relacionar, encadear, corresponder, aproximar.
Relajante *adj* relaxante.
Relajar *v* relaxar, descontrair, distrair, depravar.
Relamer *v* lamber, babar-se.
Relámpago *s* relâmpago.
Relampaguear *v* relampejar.
Relanzamiento *s* relançamento.
Relanzar *v* relançar, rejeitar.
Relatar *v* relatar, contar, narrar, referir, mencionar.
Relatividad *s* relatividade.
Relativo *adj* relativo, condicional.
Relato *s* relato, narração, descrição, conto.
Relegar *v* relegar, separar, afastar.
Relevante *adj* relevante, importante, excelente, saliente.

Relevar *v* relevar, exonerar, remediar, substituir (uma pessoa por outra).
Relevo *s* rendição (de guarda, de sentinela), substituição.
Relicario *s* relicário, caixa de relíquias.
Relieve *s* relevo, destaque, realce.
Religión *s* religião.
Religioso *adj* religioso, crente, pio, devoto.
Relinchar *v* relinchar, rinchar.
Reliquia *s* relíquia.
Rellano *s* patamar, descanso (de escada).
Rellenar *v* inflar, encher-se, rechear.
Relleno *adj* recheio, cheio, recheado.
Reloj *s* relógio.
Relojería *s* relojoaria.
Relojero *s* relojoeiro.
Reluciente *adj* reluzente, brilhante, resplandecente.
Relucir *v* reluzir, brilhar, resplandecer.
Relumbrar *s* brilhar, reluzir, resplandecer.
Remachar *v* arrebitar, rebitar pregos.
Remanente *adj* remanescente, resíduo.
Remangar *v* arregaçar (as mangas, a roupa).
Remanso *s* remanso, água parada.
Remar *v* remar.
Rematado *adj* rematado, inteiro, completo.
Rematar *v* rematar, arrematar, finalizar, concluir.
Remate *s* arremate, conclusão, fim.
Remedar *v* arremedar, imitar.
Remediar *v* remediar, consertar, socorrer, prevenir.
Remedio *s* remédio, recurso, auxílio, solução.
Rememorar *v* rememorar, relembrar, lembrar.
Remendar *v* remendar, consertar, reforçar, corrigir, emendar.
Remero *s* remador.
Remesa *s* remessa, expedição, despacho, envio.
Remiendo *s* remendo, conserto.
Remilgo *s* afetação, melindre.
Reminiscencia *s* reminiscência, lembrança, recordação.
Remisión *s* remissão, relaxamento, perdão.
Remitente *s* remetente, expedidor.
Remitir *v* remeter, mandar, expedir.
Remo *s* remo, asa (das aves), patas (dos quadrúpedes).
Remojar *v* molhar, embeber, empapar.
Remojo *s* molho.
Remolacha *s* beterraba.
Remolcador *adj* rebocador.
Remolcar *v* rebocar.
Remolino *s* redemoinho.
Remolón *adj* preguiçoso, lento, vadio.
Remolque *s* reboque.
Remontar *v* remontar, encavalar.
Remordimiento *s* remorso, arrependimento.
Remoto *adj* remoto, distante, afastado.
Remover *v* remover, mover, mudar de lugar.
Remozar *v* remoçar, rejuvenescer.
Remuneración *s* remuneração, salário.
Remunerar *v* remunerar, pagar, compensar.
Renacentista *adj* renascentista.
Renacer *v* renascer, reviver.
Renacimiento *s* renascimento.
Renacuajo *s* girino de rã.
Renal *adj* renal.
Rencilla *s* rixa.
Rencor *s* rancor.
Rencoroso *adj* rancoroso.
Rendición *s* rendição.
Rendido *adj* rendido.
Rendija *s* fenda, rachadura, fresta.
Rendimiento *s* rendimento, submissão, sujeição.
Rendir *v* render, sujeitar, prestar contas.
Renegado *adj* renegado, descrente.
Renegar *v* renegar, negar, abominar.
Reno *s* rena.
Renombrado *adj* renomado, famoso, célebre.
Renombre *s* renome, fama, celebridade.
Renovable *adj* renovável.

Renovar *v* renovar, reformar, mudar.
Renquear *v* coxear, claudicar.
Renta *s* renda, rendimento.
Rentabilidad *s* rentabilidade.
Rentable *adj* rentável, rendoso.
Renuncia *s* renúncia, abandono.
Renunciar *v* renunciar, abandonar, desistir.
Reñido *adj* renhido, disputado, oposto.
Reñir *v* renhir, disputar, lutar.
Reo *s* réu, criminoso, culpado.
Reorganizar *v* reorganizar, reestruturar.
Reparación *s* reparação, conserto.
Reparar *v* reparar, consertar, arrumar.
Reparo *s* reparo, conserto, restauração.
Repartir *v* repartir, dividir, distribuir.
Reparto *s* repartição, partilha, divisão, distribuição.
Repasar *v* repassar, examinar.
Repaso *s* repasse, estudo ligeiro, verificação.
Repatriación *s* repatriação, extradição.
Repatriar *v* repatriar, extraditar.
Repelente *adj* repelente, asqueroso, repulsivo.
Repeler *v* repelir, expulsar, recusar, rejeitar.
Repentino *adj* repentino, súbito, inesperado.
Repercusión *s* repercussão.
Repercutir *v* repercutir, ecoar.
Repertorio *s* repertório, conjunto.
Repetir *s* repetir, refletir.
Repicar *s* repicar, tanger, tocar (sino).
Repique *s* repique, toque dos sinos.
Repisa *s* suporte, estante.
Replantear *v* expor um assunto novamente.
Replegar *s* preguear novamente.
Repleto *adj* repleto, muito cheio, abarrotado.
Réplica *s* réplica, contestação, contra-argumentação.
Replicar *v* replicar, contestar contra-argumentar.
Repliegue *s* prega dupla.
Repoblación *s* repovoamento (de pessoas, animais).
Repoblar *v* repovoar, reflorestar.
Repollo *s* repolho.
Reponer *v* repor, restituir, substituir.
Reportaje *s* reportagem.
Reportar *v* refrear, reprimir, moderar.
Reportero *s* repórter, jornalista.
Reposar *v* repousar, descansar, sossegar, sedimentar, pousar (um líquido).
Reposición *s* reposição, restituição.
Reposo *s* repouso, descanso, serenidade, sossego.
Repostar *v* abastecer, reabastecer, repor.
Repostería *s* confeitaria (arte, ofício, estabelecimento).
Reprender *v* repreender, corrigir.
Reprensible *adj* repreensível.
Reprensión *s* repreensão.
Represa *s* represa, açude, comporta.
Represalia *s* represália, vingança.
Representación *s* representação, exposição, exibição.
Representar *v* representar, expor, exibir.
Represión *s* repressão, proibição.
Represivo *adj* repressivo, repressor.
Reprimir *v* reprimir, conter, moderar, frear.
Reprobable *adj* reprovável, censurável, condenável.
Reprobar *v* reprovar, censurar, condenar.
Reprochar *v* reprovar, desaprovar, censurar.
Reproducir *v* reproduzir, multiplicar.
Reptil *s* réptil.
República *s* república.
Republicano *adj* republicano.
Repudiar *v* repudiar, rechaçar, desamparar, enjeitar.
Repudio *s* repúdio, abandono.
Repuesto *s* reserva de provisões, reposição, peças de reposição.
Repugnancia *s* repugnância, aversão, repulsa, nojo, asco.
Repugnar *v* repugnar, contradizer.
Repulsa *s* repulsa, recusa, aversão.
Repulsión *s* repulsão, repulsa.

Reputación *s* reputação, fama, conceito, renome.
Requerimiento *s* requerimento.
Requerir *v* requerer, exigir.
Requesón *s* requeijão.
Requiebro *s* requebro.
Requisitar *v* requisitar.
Requisito *s* requisito, condição.
Res *s* rês, quadrúpede (doméstico ou selvagem).
Resabio *s* ressaibo, mau sabor.
Resaca *s* ressaca.
Resaltar *v* ressaltar, sobressair.
Resalte *s* saliência.
Resarcir *v* ressarcir, compensar, indenizar.
Resbalar *v* resvalar, deslizar, escorregar.
Rescatable *adj* resgatável, recuperável, reaproveitável.
Rescatar *v* resgatar, trocar.
Rescate *s* resgate, troca.
Rescindir *v* rescindir, invalidar, anular (um contrato).
Rescisión *s* rescisão, anulação.
Rescoldo *s* rescaldo.
Resecar *v* ressecar, secar.
Reseco *adj* resseco.
Resentirse *v* ressentir-se.
Reseña *s* resenha, descrição.
Reserva *s* reserva, prevenção, guarda.
Reservado *adj* reservado, cauteloso, prudente, discreto.
Reservar *v* reservar, guardar, conservar.
Reservista *s* reservista.
Resfriado *s* resfriado, gripe.
Resfriarse *v* resfriar-se, esfriar-se, ficar resfriado, gripar-se.
Resguardar *v* resguardar, proteger, defender, amparar.
Resguardo *s* resguardo, segurança, precaução, cautela.
Residencia *s* residência, moradia, domicílio.
Residir *v* residir, morar, habitar.
Residual *adj* residual.
Residuo *s* resíduo, resto.
Resignar *v* resignar, renunciar, tolerar.
Resina *s* resina.
Resistencia *s* resistência, defesa, recusa.
Resistir *v* resistir, defender, contrariar, recusar.
Resolución *s* resolução, ânimo, decisão.
Resolver *v* resolver, solucionar, deliberar.
Resollar *v* resfolegar, ofegar.
Resonancia *s* ressonância, repercussão.
Resonar *v* ressonar, repercutir, ecoar.
Resoplar *v* soprar, assoprar, arfar.
Resoplido *s* assopro.
Resorte *s* mola.
Respaldar *v* respaldar, proteger, assentar, apoiar.
Respaldo *s* respaldo, espaldar, encosto.
Respecto *loc adv* a respeito de, respeito, razão, relação.
Respetable *adj* respeitável, digno, considerável.
Respetar *v* respeitar, considerar.
Respeto *s* respeito, consideração.
Respetuoso *adj* respeitoso, respeitador.
Respingar *v* respingar.
Respingo *s* respingo.
Respiración *s* respiração.
Respirar *v* respirar.
Resplandecer *v* resplandecer, brilhar.
Resplandor *s* resplendor, brilho, esplendor.
Responder *v* responder, contestar.
Responsabilidad *s* responsabilidade.
Responsable *adj* responsável.
Respuesta *s* resposta, réplica.
Resquebrajar *v* fender, rachar.
Resquicio *s* resquício, fenda.
Resta *s* subtração, diminuição, resto.
Restablecer *v* restabelecer, repor.
Restablecimiento *s* restabelecimento.
Restallar *v* estalar, estralar, ranger.
Restante *adj* restante, resto, resíduo.
Restar *v* restar, subtrair, diminuir, sobrar.
Restauración *s* restauração, reparação, conserto, restabelecimento.
Restaurante *s* restaurante.
Restaurar *v* restaurar, recuperar, recobrar.
Restitución *s* restituição, devolução.
Restituir *v* restituir, devolver.

Resto *s* resto, resíduo.
Restregar *v* esfregar com força.
Restricción *s* restrição, limitação, redução.
Restrictivo *adj* restritivo.
Restringir *v* restringir, delimitar, reduzir.
Resucitado *adj* ressuscitado.
Resucitar *v* ressuscitar, reviver.
Resuelto *adj* resoluto.
Resulta *s* resultado, efeito.
Resultado *s* resultado, consequência.
Resultar *v* resultar.
Resumen *s* resumo, recapitulação.
Resumir *v* resumir.
Resurgimiento *s* ressurgimento, reaparição.
Resurgir *v* ressurgir, reaparecer, ressuscitar.
Resurrección *s* ressurreição, ressurgimento.
Retablo *s* retábulo, painel.
Retaguardia *s* retaguarda.
Retahíla *s* fileira, série.
Retar *v* desafiar, provocar.
Retardado *adj* atrasado.
Retardar *v* retardar, atrasar, prolongar.
Retardo *s* retardamento, atraso.
Retazo *s* retalho, fragmento, pedaço.
Retemblar *v* estremecer, tremer.
Retén *s* provisão de coisas, reserva.
Retención *s* retenção, demora, detenção.
Retener *v* reter, demorar, guardar, conservar, deter.
Retentiva *s* memória, retentiva.
Reticencia *s* reticência.
Reticente *adj* reticente, omisso.
Retina *s* retina.
Retirada *s* retirada, retrocesso.
Retirado *adj* retirado, distante, reformado.
Retirar *v* retirar, aposentar.
Retiro *s* retiro, solidão, reforma.
Reto *v* desafio, reto.
Retocar *v* retocar, restaurar.
Retoñar *v* rebentar, abrolhar.
Retoque *s* retoque.
Retorcer *v* retorcer.
Retorcimiento *s* retorcimento, contorção.
Retórica *s* retórica.
Retornar *v* retornar, voltar, devolver, restituir.
Retorno *s* retorno, retrocesso, devolução.
Retorta *s* retorta.
Retozar *v* traquinar, saltar, brincar.
Retracción *s* retração, contração.
Retractar *v* retratar, desdizer.
Retraer *v* retrair, afastar, dissuadir, diminuir.
Retraído *adj* retraído, tímido.
Retransmisión *s* retransmissão.
Retransmitir *v* retransmitir.
Retrasar *v* atrasar, adiar, demorar.
Retraso *s* atraso, demora, adiamento.
Retratar *v* retratar, fotografar, descrever.
Retrato *s* retrato, cópia, fotografia.
Retrete *s* latrina, privada, banheiro.
Retribución *s* retribuição, pagamento, recompensa, salário.
Retribuir *v* retribuir, pagar, remunerar, recompensar.
Retroactivo *adj* retroativo.
Retroceder *v* retroceder, recuar, voltar atrás.
Retroceso *s* retrocesso, regressão.
Retrógrado *adj* retrógrado, reacionário.
Retrospectivo *adj* retrospectivo.
Retrovisor *s* retrovisor.
Retumbar *v* retumbar, rebombar.
Reumático *adj* reumático.
Reumatismo *s* reumatismo.
Reumatólogo *s* reumatologista.
Reunión *s* reunião, agrupamento.
Reunir *v* reunir, juntar, agrupar, congregar, convocar.
Reválida *s* revalidação.
Revalidar *v* revalidar, confirmar, ratificar.
Revalorizar *v* revalorizar.
Revancha *s* revanche, vingança.
Revelación *s* revelação.
Revelador *adj* revelador.
Revelar *v* revelar, descobrir, manifestar.
Revender *v* revender.
Reventa *s* revenda.

Reventar *v* rebentar, arrebentar, explodir.
Reverberación *s* reverberação, reflexão (de luz ou calor).
Reverberar *v* reverberar.
Reverdecer *v* reverdecer, revigorar.
Reverencia *s* reverência, respeito, veneração.
Reverenciar *v* reverenciar.
Reverendo *adj* reverendo (forma de tratamento para religiosos).
Reversible *adj* reversível, com retorno.
Reverso *s* reverso, costas.
Revés *s* reverso, costas.
Revestimiento *s* revestimento, cobertura.
Revestir *v* revestir, cobrir.
Revisar *v* revisar, rever, reexaminar.
Revisión *s* revisão, reexame, releitura.
Revisor *adj*, *s* revisor, fiscal.
Revista *s* revista, exame, inspeção, publicação periódica, magazine, teatro de revista.
Revistar *v* revistar, inspecionar, passar revista.
Revivir *v* reviver, ressuscitar.
Revocar *v* revogar, anular, desfazer, invalidar.
Revolcar *v* derrubar, maltratar, revolver.
Revolotear *v* revolutear, revoltear, revoar, voejar.
Revoltijo *s* confusão, embrulhada.
Revoltoso *adj* revoltoso, revoltado, inquieto.
Revolución *s* revolução, mudança de governo.
Revolucionar *v* revolucionar.
Revolucionario *adj* revolucionário.
Revólver *s* revólver, pistola.
Revolver *v* revolver, agitar, mexer, remexer, misturar.
Revoque *s* reboco, armagassa, para rebocar.
Revuelo *s* revoada, revoo.
Revuelta *s* viravolta, revolta, rodeio.
Revuelto *adj* revolto, revolvido, revoltoso, travesso, inquieto.
Rey *s* rei, monarca.
Reyerta *s* rixa, contenda, briga, altercação.
Rezagar *v* atrasar, retardar, protelar, adiar.
Rezar *v* rezar, orar.
Rezo *s* reza, oração.
Rezongar *v* resmungar, rezingar.
Rezumar *v* verter, gotejar.
Ría *s* foz.
Riachuelo *s* regato, rio pequeno.
Riada *s* cheia, enchente.
Ribazo *s* ribanceira, encosta.
Ribera *s* ribeira, margem de rio.
Ribereño *adj* ribeirinho.
Ricamente *adv* comodamente, confortavelmente.
Ricino *s* rícino.
Rico *adj* rico, opulento, delicioso, precioso, valioso.
Ridiculizar *v* ridicularizar.
Ridículo *adj* ridículo.
Riego *s* rega, água para regar.
Riel *s* trilho (de via férrea), barra de metal.
Rienda *s* rédea, correia.
Riesgo *s* risco, azar, perigo.
Rifa *s* rifa, sorteio.
Rifar *v* rifar, sortear.
Rifle *s* rifle, espingarda.
Rigidez *s* rigidez.
Rígido *adj* rígido, austero, severo, áspero.
Rigor *s* rigor, severidade.
Riguroso *adj* rigoroso, severo.
Rima *s* rima, consonância.
Rímel *s* rímel, máscara para os cílios.
Rincón *s* rincão, canto, ângulo, domicílio.
Riña *s* rixa, briga, pendência, disputa.
Riñón *s* rim.
Río *s* rio.
Riqueza *s* riqueza, abundância, opulência.
Risa *s* riso, risada.
Risible *adj* risível, ridículo.
Ristra *s* réstia.
Risueño *adj* risonho, alegre, agradável.
Rítmico *adj* rítmico.

Ritmo *s* ritmo.
Rito *s* rito, cerimônia.
Ritual *s* ritual.
Rival *adj* rival, competidor, adversário.
Rivalidad *s* rivalidade, antagonismo, competição.
Rivalizar *v* rivalizar, competir, antagonizar.
Rizar *v* frisar, ondear, encaracolar-se (os cabelos).
Rizo *adj* crespo, ondeado, frisado, cacheado.
Róbalo *s* robalo, peixe.
Robar *v* roubar, furtar.
Roble *s* carvalho.
Robustecer *v* robustecer, fortalecer, revigorar.
Robusto *adj* robusto, forte, vigoroso.
Roca *s* roca, rocha, rochedo.
Rocalla *s* cascalho.
Roce *s* roçadura, fricção, atrito leve.
Rociar *v* orvalhar, borrifar.
Rocío *s* orvalho, chuvisco.
Rodaja *s* rodela.
Rodaje *s* rodagem (de veículos, de filmes).
Rodapié *s* rodapé, friso.
Rodar *v* rodar, girar, rolar, circular.
Rodear *v* rodear, cercar, circundar.
Rodeo *s* rodeio, desvio.
Rodilla *s* joelho, rótula.
Rodillo *s* cilindro, rolão.
Roedor *adj* roedor.
Rogar *v* rogar, pedir, suplicar.
Rogativa *s* rogativa.
Rojo *adj* vermelho.
Romántico *adj* romântico, sentimental.
Romería *s* romaria, peregrinação.
Romo *adj* rombo.
Rompecabezas *v* quebra-cabeças.
Rompeolas *s* quebra-mar.
Romper *v* romper, quebrar, despedaçar.
Rompimiento *s* rompimento.
Ron *s* rum.
Roncar *v* roncar, ressonar.
Ronco *adj* rouco.
Ronda *s* ronda, vigilância.
Rondar *v* rondar, vigiar.
Ronquera *s* rouquidão, afonia.
Ronquido *s* ronco.
Roña *s* sarna (do gado), cascão, sujeira.
Roñoso *adj* ronhoso, porco, sujo.
Ropa *s* roupa, vestimenta, veste.
Ropaje *s* roupagem, vestimenta.
Ropero *s* roupeiro, guarda-roupas.
Rosa *s* rosa, cor-de-rosa.
Rosal *s* roseira.
Rosario *s* rosário, enfiada.
Rosca *s* rosca, parafuso e porca, volta de espiral, bolo.
Rostro *s* rosto, face, fisionomia, bico (das aves).
Rotación *s* rotação, giro, rodizío (em plantação).
Rotativo *adj* rotativo.
Rotatorio *adj* rotatório.
Roto *adj* roto, rasgado esfarrapado, quebrado.
Rótula *s* rótula, osso do joelho.
Rotulador *adj* rotulador.
Rotular *v* rotular, epigrafar.
Rótulo *s* rótulo, etiqueta.
Rotundo *adj* rotundo, completo, preciso.
Rotura *s* ruptura, fratura, rompimento.
Rozamiento *s* roçamento, divergência.
Rozar *v* roçar, friccionar.
Rubí *s* rubi.
Rubio *adj* louro ou loiro, ruivo.
Rubor *s* rubor.
Ruborizar *v* ruborizar, corar.
Rúbrica *s* rubrica, assinatura abreviada.
Rubricar *v* rubricar, assinar.
Rucio *adj* ruço, pardo.
Rudeza *s* rudeza.
Rudimentario *adj* rudimentar, simples.
Rudimento *s* rudimento.
Rudo *adj* rude ou rudo.
Rueca *s* roca (instrumento para fiar).
Rueda *s* roda.
Ruedo *s* rodagem, contorno, orla, circuito.
Ruego *s* rogo, súplica.
Rugir *v* rugir, bramir, urrar.
Rugoso *adj* rugoso, enrugado.

Ruido *s* ruído, barulho, rumor.
Ruidoso *adj* ruidoso, barulhento.
Ruin *adj* ruim, desprezível, mesquinho.
Ruína *s* ruína, perda, destruição.
Ruindad *s* ruindade, mesquinharia.
Ruinoso *adj* ruinoso.
Ruiseñor *s* rouxinol.
Ruleta *v* roleta.
Rulo *s* rolo, cilindro (para nivelar a terra).
Rumbo *s* rumo, ostentação.
Rumboso *adj* faustoso, generoso.
Rumiante *adj* ruminante.
Rumiar *v* ruminar.
Rumor *s* rumor, sussurro.
Rupestre *adj* rupestre.
Ruptura *s* ruptura, fratura, rompimento.
Rural *adj* rural, rústico.
Rústico *adj* rústico, rural, primitivo.
Ruta *s* rota, rumo, itinerário, roteiro.
Rutina *s* rotina, hábito, costume.
Rutinario *adj* rotineiro, habitual.

S s

S *s* vigésima segunda letra do alfabeto espanhol.
Sábado *s* sábado.
Sabana *s* savana, planície arenosa extensa.
Sábana *s* lençol.
Sabandija *s* réptil pequeno, inseto.
Sabañón *s* frieira, inflamação de frio.
Sabático *adj* sabático.
Sabedor *adj* sabedor, informado, instruído.
Sabelotodo *s* sabichão.
Saber *v* ter notícia, ter habilidade, conhecer, saber; *s* saber, ciência, conhecimento.
Sabiduría *s* sabedoria, conhecimento, prudência.
Sabihondo *adj* sabichão, presunçoso.
Sabio *adj* sábio, sensato, erudito.
Sable *s* sabre, adaga.
Sabor *s* sabor, gosto.
Saborear *v* saborear, degustar.
Sabotaje *s* sabotagem.
Sabroso *adj* saboroso.
Sabueso *adj* sabujo, cão de caça.
Sacacorchos *s* saca-rolhas.
Sacamuelas *s* mau dentista, charlatão.
Sacapuntas *s* apontador.
Sacar *v* tirar, extrair, separar, descobrir, tirar, ganhar (em sorteio).
Sacarina *s* sacarina, adoçante artificial.
Sacarosa *s* sacarose, açúcar.
Sacerdocio *s* sacerdócio.
Sacerdote *s* sacerdote, religioso.
Saciable *adj* saciável.
Saciar *v* saciar, fartar, matar (fome, sede).
Saciedad *s* saciedade, fartura.
Saco *s* saco (de papel, pano, couro), roupa folgada.
Sacralizar *v* sacralizar, tornar sagrado.
Sacramento *s* sacramento, sinal de Deus.
Sacrificar *v* sacrificar, imolar.
Sacrificio *s* sacrifício, oferenda.
Sacrilegio *s* sacrilégio, profanação, ultraje.
Sacrílego *adj* sacrílego, ultrajante, ímpio.
Sacristán *s* sacristão.
Sacristía *s* sacristia.
Sacro *adj* sacro, sagrado.
Sacrosanto *adj* sacrossanto, sagrado.
Sacudida *s* movimento brusco.
Sacudir *v* sacudir.
Sádico *adj* sádico.
Sadismo *s* sadismo.
Saeta *s* seta, flecha, ponteiro de relógio, bússola.
Safari *s* safári.
Saga *s* saga, lenda escandinava.
Sagacidad *s* sagacidade, astúcia.
Sagaz *adj* sagaz, perspicaz, arguto, astuto.
Sagrado *adj* sagrado, sacro.
Sagrario *s* sacrário.
Sagú *s* sagu, espécie de fécula.
Sahumar *v* defumador, fumegar, embalsamar.
Saín *s* banha, gordura, sebo animal.
Sainete *s* molho picante, peça teatral cômica.
Sajar *v* sarjar, escarificar.
Sajón *adj* saxão, saxônio.
Sal *s* sal.
Sala *s* sala, compartimento grande.
Salado *adj* salgado.
Salamandra *s* salamandra.

Salame *s* salame, embutido de carne de porco.
Salar *s* salgar, salgar demais, pôr em salmoura.
Salarial *adj* salarial.
Salario *s* salário, pagamento, ordenado.
Salazón *s* salagadura.
Salchicha *s* salsicha.
Salchichería *s* salsicharia.
Salchichón *s* salsichão, paio.
Saldar *v* saldar, liquidar, vender a preço baixo.
Saldo *s* saldo, pagamento, liquidação.
Salero *s* saleiro.
Saleroso *adj* gracioso, gostoso, safado.
Salida *s* saída (ocasião, lugar).
Salidizo *s* sacada, saliência.
Salido *adj* saído, saliente, animal que está no cio.
Saliente *adj* saliente, proeminente.
Salinidad *s* salinidade.
Salir *v* sair, partir, nascer, ressaltar.
Salitre *s* salitre, nitrato de potássio.
Salitroso *adj* salitroso.
Saliva *s* saliva, cuspe.
Salivación *s* salivação, baba.
Salivar *v* salivar, cuspir.
Salmo *s* salmo, cântico.
Salmón *s* salmão.
Salmuera *s* salmoura.
Salobre *adj* salobre, salobro.
Salón *s* salão, sala grande.
Salpicadero *s* painel de comando dos carros.
Salpicadura *s* salpicadura.
Salpicar *v* salpicar, borrifar.
Salpicón *s* salpicão, picado de carne, paio.
Salpimentar *v* temperar com sal e pimenta.
Salsa *s* molho, tempero, salsa.
Saltador *adj* saltador.
Saltamontes *s* gafanhoto.
Saltar *s* saltar, pular.
Salteador *s* salteador, ladrão, foragido.
Saltear *v* assaltar, roubar, atacar, dourar (alimentos).
Saltimbanqui *s* saltimbanco, acrobata.
Salto *s* salto, pulo, queda de água, cachoeira, omissão (em uma lista, leitura).
Salubre *adj* saudável, salutar.
Salubridad *s* salubridade.
Salud *s* saúde, bom estado.
Saludable *adj* saudável, bom.
Saludar *v* saudar, cumprimentar.
Saludo *s* saudação, cortesia, cumprimento.
Salutación *s* saudação, cumprimento.
Salva *s* salva (de artilharia), saudação, aplauso.
Salvación *s* salvação, salvamento.
Salvado *adj* salvo.
Salvadoreño *adj* salvadorenho.
Salvaguardar *v* salvaguardar, proteger, garantir.
Salvaguardia *s* salvaguarda, salvo-conduto.
Salvaje *adj* selvagem, inculto, agressivo.
Salvajismo *s* selvageria, brutalidade.
Salvamento *s* salvamento.
Salvar *v* salvar, livrar, libertar.
Salvavidas *s* salva-vidas, boia.
Salve *interj* salve!
Salvedad *s* escusa, desculpa, reserva.
Salvo *adj* salvo, ileso, liberto, ressalvado, omitido.
Salvoconducto *s* salvo-conduto.
Samurai *s* samurai.
Sanar *v* sanar, curar, sarar.
Sanatorio *s* sanatório, hospital.
Sanción *s* sanção, estatuto, lei.
Sancionar *v* sancionar, confirmar.
Sandalia *s* sandália.
Sándalo *s* sândalo.
Sandez *s* sandice, bobagem.
Sandía *s* melancia.
Sandwich *s* sanduíche.
Saneamiento *s* saneamento.
Sanear *v* sanear, reparar.
Sangrar *v* sangrar.
Sangre *s* sangue.
Sangría *v* sangria, frutas, limão.
Sangriento *adj* sangrento.

Sanguijuela *s* sanguessuga.
Sanguinario *adj* sanguinário.
Sanguíneo *adj* sanguíneo.
Sanguinolento *adj* sanguinolento.
Sanidad *s* sanidade, saúde, higiene.
Sanitario *s* sanitário.
Sano *s* são, saudável, inteiro.
Santiamén *s* num instante.
Santidad *s* santidade, pureza.
Santificación *s* santificação.
Santificar *v* santificar, tornar santo, abençoar.
Santiguar *v* benzer-se, santigar.
Santo *adj* santo, perfeito, canonizado.
Santuario *s* santuário, templo.
Saña *s* sanha, ira, furor.
Sapo *s* sapo, batráquio.
Saquear *v* saquear, depredar, pilhar.
Saqueo *s* saque, pilhagem, depredação.
Sarampión *s* sarampo.
Sarcasmo *s* sarcasmo, ironia, zombaria.
Sarcástico *adj* sarcástico, irônico.
Sarcófago *s* sarcófago, túmulo, ataúde.
Sardina *s* sardinha.
Sargento *s* sargento.
Sarmiento *s* haste flexível, broto de videira.
Sarna *s* sarna.
Sarro *s* sarro, sedimento, tártaro (nos dentes), ferrugem (nos cereais).
Sarta *s* enfiada, fileira, série.
Sartén *s* frigideira.
Sastre *s* alfaiate.
Sastrería *s* alfaiataria.
Satán *s* satã, satanás.
Satanismo *s* satanismo.
Satélite *s* satélite.
Satén *s* cetim.
Satinado *adj* acetinado, sedoso, brilhante.
Satinar *v* acetinar, amaciar, tornar sedoso.
Sátira *s* sátira, escrito ou dito que ridiculariza.
Satírico *adj* satírico, irônico.
Satirizar *v* satirizar, ridicularizar, criticar.
Satisfacción *s* satisfação, reparação, explicação.
Satisfacer *v* satisfazer, reparar, pagar, contentar, agradar, cumprir, saciar, tranquilizar.
Satisfactorio *adj* satisfatório, suficiente, aceitável.
Satisfecho *adj* satisfeito, farto, contente.
Saturación *s* saturação, fartura.
Saturar *v* saturar, fartar, saciar, impregnar.
Sauce *s* salgueiro, árvore.
Saúco *s* sabugueiro.
Sauna *s* sauna.
Savia *s* seiva.
Saxofón *s* sax, saxofone.
Saya *s* saia, espécie de túnica.
Sayal *s* burel.
Sayo *s* roupa folgada.
Sazón *s* maturação, ponto oportuno.
Sazonar *v* temperar, apimentar, amadurecer.
Se *pron* se.
Sebáceo *adj* sebáceo, sebento.
Sebo *s* sebo, gordura.
Secadero *s* local para secar.
Secador *s* secador de cabelos, estufa, secadora.
Secano *s* sequeiro.
Secante *adj* secante.
Secar *v* secar, enxugar, murchar, esgotar.
Sección *s* seção, parte, divisão, corte.
Seccionar *v* seccionar, cortar, dividir, fracionar.
Seco *adj* seco, enxuto, murcho, ressecado, magro.
Secreción *s* secreção.
Secretar *v* segregar, secretar.
Secretario *s* secretário.
Secreto *adj* secreto, oculto, escondido.
Secta *s* seita.
Sectario *s* sectário.
Sector *s* setor, ala, parte.
Secuaz *adj* sequaz.
Secuela *s* sequela, consequência, resultado.
Secuencia *s* sequência, sucessão.

Secuestrador *s* sequestrador, raptor.
Secuestrar *v* sequestrar, raptar, penhorar, executar judicialmente.
Secular *adj* secular.
Secularizar *v* secularizar.
Secundar *v* secundar.
Secundario *adj* secundário.
Sed *s* sede, secura, avidez.
Seda *s* seda (fibra, fio, tecido).
Sedante *s* sedativo, calmante, paliativo.
Sedar *v* sedar, acalmar.
Sede *s* sede, capital.
Sedentario *adj* sedentário, inativo, de pouco movimento.
Sedición *s* sedição, revolta, rebelião.
Sediento *adj* sedento, ansioso, sequioso.
Sedimentar *v* sedimentar, depositar-se.
Sedimento *s* sedimento, depósito.
Sedoso *adj* sedoso, macio, acetinado, lustroso.
Seducción *s* sedução.
Seducir *v* seduzir, atrair, encantar.
Seductor *adj* sedutor, cativante, tentador.
Segar *v* segar, ceifar.
Seglar *adj* secular, leigo.
Segmentación *s* segmentação, fragmentação.
Segmentar *v* segmentar, fragmentar.
Segmento *v* segmento, parte, fragmento.
Segregación *s* segregação, separação.
Segregar *v* segregar, separar, afastar.
Seguida *adv* em seguida.
Seguido *adj* contínuo, sucessivo, direto; *adv* em seguida.
Seguimiento *s* seguimento, prosseguimento, continuação.
Seguir *v* seguir, perseguir, prosseguir.
Según *prep* segundo, conforme.
Segundo *adj* segundo; *s* segundo (sexagésima parte do minuto).
Seguridad *s* segurança, confiança.
Seguro *adj* seguro, confiável, certo, garantido.
Seis *num* seis.
Selección *s* seleção, escolha, eleição.
Seleccionar *v* selecionar, escolher, eleger.
Selectivo *adj* seletivo.
Selecto *adj* seleto, selecionado, escolhido.
Selector *s* seletor, classificador.
Sellar *v* selar, carimbar.
Sello *v* selo, estampilha, carimbo.
Selva *s* selva, floresta.
Selvático *adj* selvático, selvagem.
Semáforo *s* semáforo, sinal para veículos.
Semana *s* semana.
Semanal *adj* semanal.
Semanario *s* semanário.
Semántica *s* semântica.
Semblante *v* semblante, fisionomia.
Semblanza *s* semelhança, esboço biográfico.
Sembrado *adj* semeado.
Sembrar *v* semear.
Semejante *adj* semelhante, parecido, similar.
Semejar *v* semelhar, parecer.
Semen *s* sêmen, esperma.
Sementera *s* sementeira.
Semestral *adj* semestral.
Semestre *s* semestre.
Semicircular *adj* semicircular.
Semicírculo *s* semicírculo.
Semilla *s* semente, grão.
Seminario *s* seminário.
Seminarista *s* seminarista.
Semiología *s* semiologia.
Semita *adj* semita.
Sémola *s* sêmola, farinha de cereal.
Senado *s* senado, assembleia.
Senador *s* senador.
Sencillez *s* simplicidade.
Sencillo *adj* simples, singelo, sincero, ingênuo, crédulo.
Senda *s* senda, caminho, vereda, atalho.
Sendero *s* senda, atalho.
Senil *adj* senil, idoso.
Senilidad *v* senilidade.
Seno *s* seio, mama, peito, enseada.
Sensación *s* sensação, impressão.
Sensacional *adj* sensacional, impressionante.
Sensacionalismo *s* sensacionalismo.
Sensatez *s* sensatez, prudência, juízo.

Sensato *adj* sensato, prudente, ajuizado, maduro.
Sensibilidad *s* sensibilidade.
Sensibilizar *v* sensibilizar.
Sensible *adj* sensível.
Sensitivo *adj* sensitivo, sensível.
Sensual *adj* sensual.
Sensualidad *s* sensualidade.
Sentado *adj* sentado, assentado.
Sentar *v* sentar, assentar.
Sentencia *v* sentença, parecer, ditame, provérbio.
Sentenciar *v* sentenciar, decidir, arbitrar.
Sentido *adj* sentido, suscetível, sensível.
Sentimental *adj* sentimental, afetuoso.
Sentimentalismo *s* sentimentalismo.
Sentimiento *s* sentimento.
Sentir *v* sentir.
Seña *s* senha, sinal, indício.
Señal *s* sinal, marca.
Señalar *v* assinalar, indicar, marcar.
Señor *s* senhor, dono, amo, proprietário, chefe, patrão.
Señorear *v* assenhorear-se, dominar, mandar.
Señorío *s* senhorio.
Señuelo *s* chamariz.
Separable *adj* separável.
Separación *s* separação, desunião.
Separar *v* separar, apartar.
Separata *s* separata, impresso feito à parte.
Separatismo *s* separatismo.
Sepelio *s* enterro, sepultamento.
Septentrional *adj* setentrional, do norte.
Septicemia *s* septicemia, infecção generalizada.
Séptico *adj* séptico, infecto.
Septiembre *s* setembro.
Séptimo *num* sétimo.
Septuagenario *s* setuagenário, entre setenta e oitenta anos de idade.
Sepulcro *s* sepulcro, tumba, túmulo, jazigo.
Sepultar *v* sepultar, enterrar.
Sepultura *s* sepultura, sepulcro, jazigo.
Sepulturero *s* coveiro.
Sequedad *s* aridez, sequidão.
Sequía *s* seca, secura.
Séquito *s* séquito, cortejo.
Ser *v* ser, existir, haver, estar; *s* essência, natureza, ser, ente.
Serafín *s* serafim, anjo.
Serenar *v* serenar, sossegar, acalmar, pacificar.
Serenata *s* serenata, concerto musical noturno e ao ar livre.
Serenidad *s* serenidade, tranquilidade, calma, sossego.
Sereno *adj* sereno, calmo, tranquilo; *s* guarda-noturno.
Serial *s* série, novela (de rádio ou televisão).
Serie *s* série, conjunto, sucessão.
Seriedad *s* seriedade, gravidade, decoro.
Serigrafía *s* serigrafia.
Serio *adj* sério, grave, circunspecto, severo, sisudo, sincero, verdadeiro.
Sermón *s* sermão, pregação.
Sermonear *v* passar sermão, repreender, exortar.
Serpentear *v* serpentear.
Serpentina *s* serpentina.
Serpiente *s* serpente, cobra.
Serrallo *s* serralho.
Serranía *s* serrania, serra, cordilheira.
Serrano *adj* serrano.
Serrar *v* serrar, cortar com serra.
Serrín *s* serragem.
Serrucho *s* serrote.
Servicial *adj* serviçal, solícito, atencioso.
Servicio *s* serviço.
Servidor *s* servidor, criado, servente.
Servidumbre *s* servidão, criadagem, sujeição.
Servil *adj* servil, humilde, bajulador.
Servilismo *s* servilismo, subserviência, humildade.
Servilleta *s* guardanapo.
Servir *v* servir, ajudar, colaborar, desempenhar (emprego), valer, fazer uso, suprir.
Sesión *s* sessão, reunião (de assembleia, junta, tribunal).

Seso *s* miolo, cérebro.
Sestear *v* cochilar, fazer a sesta.
Sesudo *adj* sisudo.
Seta *s* cogumelo.
Seudónimo *s* pseudônimo.
Severidad *s* severidade, rigor, gravidade, seriedade.
Severo *adj* severo, rigoroso, áspero, grave, sério.
Sexo *s* sexo, gênero.
Sexología *s* sexologia.
Sexólogo *s* sexólogo.
Sexteto *s* sexteto, grupo de seis.
Sexto *num* sexto; *s* sexta parte.
Sexuado *adj* sexuado.
Sexual *adj* sexual.
Sexualidad *s* sexualidade.
Sheriff *s* xerife.
Shock *s* choque.
Short *v* short.
Show *s* show, espetáculo.
Sí *adv* sim, certamente.
Si *conj* se, conforme, ainda que, contanto que; *s* si, nota musical.
Siamés *s* siamês.
Sibarita *adj* sibarita.
Siberiano *adj* siberiano.
Sibila *s* sibila.
Sibilante *adj* sibilante.
Sida *s* aids.
Sideral *adj* sideral.
Siderurgia *s* siderurgia.
Siderúrgico *adj* siderúrgico.
Sidra *s* cidra, bebida feita de maçã.
Siega *s* sega, ceifa.
Siembra *s* semeadura, sementeira.
Siempre *adv* sempre.
Sien *s* têmpora.
Sierpe *s* serpente, cobra.
Sierra *s* serra, serrote, cordilheira.
Siervo *s* servo, escravo.
Siesta *s* sesta, calor (depois do meio-dia), sono, descanso, cochilo (após o almoço).
Siete *num* sete.
Sífilis *s* sífilis (doença venérea).
Sifilítico *adj* sifilítico.
Sifilógrafo *v* sifilígrafo, médico especialista em sífilis.
Sifón *s* sifão.
Sigilo *s* sigilo, segredo.
Sigiloso *adj* sigiloso, secreto.
Sigla *s* sigla, abreviatura.
Siglo *s* século, cem anos.
Signar *v* assinar, persignar.
Signatario *s* signatário, quem assina.
Signatura *s* assinatura, firma.
Significación *s* significação, sentido, acepção.
Significado *adj* significado.
Significar *v* significar, representar.
Significativo *adj* significativo.
Signo *v* signo, indício, sinal, estigma, signo do Zodíaco.
Siguiente *adj* seguinte, posterior.
Sílaba *s* sílaba.
Silabear *v* silabar, dividir em sílabas.
Silábico *adj* silábico.
Silbar *v* assobiar.
Silbato *s* apito.
Silbido *s* assobio.
Silbo *s* assobio, som agudo, silvo.
Silencio *s* silêncio, pausa.
Silencioso *adj* silencioso, mudo, calado.
Silice *s* sílice.
Silicona *s* silicone.
Silla *s* cadeira, assento, sela.
Sillar *s* silhar, selandouro.
Sillería *s* conjunto de cadeiras.
Sillón *s* cadeira com braços, poltrona, sela grande.
Silo *s* silo.
Silogismo *s* silogismo.
Silueta *s* silhueta, perfil.
Silvestre *adj* silvestre, agreste.
Silvicultor *s* silvicultor.
Silvicultura *s* silvicultura, cultura dos bosques e dos montes.
Sima *s* abismo.
Simbiosis *s* simbiose.
Simbólico *adj* simbólico, alegórico.
Simbolismo *s* simbolismo.
Simbolista *adj* simbolista.
Simbolizar *v* simbolizar, representar.

Símbolo *s* símbolo, representação.
Simbología *s* simbologia.
Simetría *s* simetria, harmonia, proporção.
Simétrico *adj* simétrico.
Simiente *s* semente.
Símil *s* símile, comparação.
Similar *adj* similar, análogo.
Similitud *s* similitude, semelhança, analogia.
Simio *s* símio, macaco.
Simonía *s* simonia.
Simpatía *s* simpatia, afinidade.
Simpático *adj* simpático.
Simpatizante *adj* simpatizante.
Simpatizar *v* simpatizar.
Simple *adj* simples, puro, singelo.
Simplicidad *s* simplicidade.
Simplificar *v* simplificar.
Simplista *adj* simplista.
Simplón *adj* simplório.
Simposio *s* simpósio.
Simulación *s* simulação, fingimento, dissimulação.
Simulacro *s* simulacro, aparência.
Simular *v* simular, fingir, aparentar.
Simultáneo *adj* simultâneo.
Sin *prep* sem.
Sinagoga *s* sinagoga.
Sincerar *v* inocentar, justificar, reabilitar.
Sinceridad *s* sinceridade, franqueza.
Sincero *adj* sincero, franco, simples, verdadeiro.
Síncopa *s* síncope.
Sincopar *v* sincopar.
Síncope *s* síncope, supressão de letra, ataque, desmaio.
Sincretismo *s* sincretismo.
Sincronía *s* sincronia, simultaneidade.
Sincrónico *adj* sincrônico, simultâneo.
Sincronizar *v* sincronizar.
Sindical *adj* sindical.
Sindicalismo *s* sindicalismo.
Sindicalista *s* sindicalista.
Sindicato *s* sindicato.
Síndico *s* síndico, procurador, representante de um grupo.
Síndrome *s* síndrome, conjunto de sintomas.
Sinfonía *s* sinfonia.
Sinfónico *adj* sinfônico.
Singular *adj* singular, único, individual.
Singularidad *s* singularidade, originalidade.
Singularizar *v* singularizar.
Siniestra *s* mão esquerda, esquerda.
Siniestro *adj* esquerdo, sinistro.
Sinnúmero *s* número incalculável, infinidade.
Sino *s* sina, destino, sorte, fado.
Sínodo *s* sínodo, assembleia regular de párocos convocada pelo bispo local.
Sinónimo *adj* sinônimo.
Sinopsis *s* sinopse, resumo.
Sinsabor *s* sensaboria, insipidez.
Sintáctico *adj* sintático.
Sintaxis *s* sintaxe.
Síntesis *s* síntese, resumo.
Sintético *adj* sintético, resumido.
Sintetizar *v* sintetizar, resumir.
Síntoma *s* sintoma.
Sintomático *adj* sintomático, característico.
Sintonía *s* sintonia.
Sintonizar *v* sintonizar.
Sinuosidad *s* sinuosidade, desvio.
Sinuoso *adj* sinuoso, curvo.
Sinvergüenza *adj* sem-vergonha.
Sionismo *s* sionismo.
Siquiera *conj* ainda que, se bem que, sequer.
Sirena *s* sereia, sirene (de navio, de ambulância).
Sirimiri *s* chuvisco, chuva miúda.
Sirviente *adj* servente, criado.
Sisa *s* cava (de blusa), pequenos furtos (em compras).
Sisar *v* diminuir, ajustar uma roupa.
Sísmico *adj* sísmico.
Sismógrafo *s* sismógrafo.
Sistema *s* sistema, método.
Sistemático *adj* sistemático, metódico.
Sístole *s* sistole.
Sitiar *v* sitiar, assediar, cercar.

Sitio *s* sítio, lugar, espaço.
Situación *s* situação, lugar, estado.
Situar *v* situar, pôr, colocar.
Slogan *s* slogan.
Snob *adj* esnobe.
Sobaco *s* sovaco, axila.
Sobar *v* sovar, amassar.
Soberanía *s* soberania.
Soberano *adj* soberano, supremo, excelente.
Soberbia *s* soberba.
Soberbio *adj* soberbo, arrogante, orgulhoso.
Sobón *adj* importuno, maçante, chato.
Sobornable *adj* subornável.
Sobornar *v* subornar, corromper, aliciar.
Soborno *s* suborno.
Sobra *s* sobra, excesso.
Sobrado *adj* atrevido, insolente, rico.
Sobrar *v* sobrar, exceder, restar, ultrapassar.
Sobre *s* envelope; *prep* sobre, por cima de, acerca de.
Sobreabundancia *s* superabundância, excesso, fartura.
Sobrealimentar *v* superalimentar.
Sobrecama *s* colcha, coberta.
Sobrecarga *s* sobrecarga.
Sobrecargar *v* sobrecarregar.
Sobrecargo *s* sobrecarga.
Sobrecoger *v* sobressaltar, surpreender.
Sobreexcitar *v* superexcitar.
Sobrehumano *adj* sobre humano.
Sobrellevar *v* aguëntar, suportar.
Sobremanera *adv* sobremaneira, excessivamente.
Sobremesa *s* toalha de mesa, sobremesa, conversa após a refeição.
Sobrenatural *adj* sobrenatural, extraordinário.
Sobrenombre *s* sobrenome, apelido.
Sobrentender *v* subentender.
Sobreparto *s* pós-parto.
Sobrepasar *v* ultrapassar, superar.
Sobreponer *v* sobrepor.
Sobrepujar *v* sobrepujar, superar.
Sobresaliente *adj* sobressalente.
Sobresalir *v* sobressair, destacar.
Sobresaltar *v* sobressaltar.
Sobresalto *s* sobressalto.
Sobrestimar *v* superestimar.
Sobresueldo *s* retribuição além do ordenado, gratificação.
Sobretodo *s* sobretudo, paletó.
Sobrevenir *v* sobrevir, suceder, ocorrer, acontecer.
Sobrevolar *v* sobrevoar.
Sobriedad *s* sobriedade, moderação, austeridade.
Sobrino *s* sobrinho.
Sobrio *adj* sóbrio, moderado, simples.
Socarrón *adj* esperto, dissimulado.
Socavar *v* escavar, solapar, minar.
Socavón *s* cova, buraco escavado.
Sociable *adj* sociável.
Social *adj* social.
Socialismo *s* socialismo.
Socialista *adj* socialista.
Socializar *v* socializar, coletivizar.
Sociedad *s* sociedade, associação, agremiação, reunião.
Socio *s* sócio, associado.
Sociología *s* sociologia.
Sociólogo *s* sociólogo.
Socorrer *v* socorrer, ajudar, auxiliar.
Socorro *s* socorro, ajuda, auxílio.
Soda *s* soda, refrigerante.
Sodio *s* sódio.
Sodomía *s* sodomia.
Sofá *s* sofá, divã.
Sofisma *s* sofisma, argumento falso.
Sofisticación *s* sofisticação.
Sofisticar *v* sofisticar, adulterar, falsificar.
Soflama *s* chama, rubor.
Soflamar *v* fingir.
Sofocar *v* sufocar, asfixiar, abafar, extinguir.
Sofoco *s* sufoco, asfixia.
Sofreír *v* frigir, fritar (malpassado).
Sofrito *s* malpassado.
Soga *s* corda, medida agrária nas regiões de Espanha.
Soja *s* soja.
Sojuzgar *v* subjugar, submeter, dominar.

Sol *s* sol.
Solamente *adv* somente, unicamente, apenas.
Solapa *s* lapela.
Solapar *v* pôr lapelas nos casacos.
Solar *adj* solar; *s* solo, terreno; *v* assoalhar, pôr sola no calçado.
Solario *s* solário, terraço ensolarado.
Solaz *s* recreio, prazer.
Soldada *s* soldo, remuneração dos militares.
Soldado *s* militar, soldado.
Soldador *s* soldador.
Soldar *v* soldar, unir com solda.
Soledad *s* solidão.
Solemne *adj* solene, cerimonioso, grave.
Solemnidad *s* solenidade.
Soler *v* soer, costumar, ter por hábito.
Solera *s* soleira, chão.
Solfa *s* solfejo.
Solicitar *v* solicitar, pedir, requerer, pretender.
Solícito *adj* solícito, prestativo, cuidadoso.
Solicitud *s* solicitude, cuidado, petição, requerimento.
Solidaridad *s* solidariedade, cooperação.
Solidario *adj* solidário.
Solidarizar *v* solidarizar.
Solidez *s* solidez, resistência, firmeza.
Solidificación *s* solidificação, endurecimento.
Solidificar *v* solidificar, congelar, endurecer.
Sólido *adj* sólido, firme, denso, duro, forte.
Soliloquio *s* solilóquio, monólogo.
Solista *adj* solista.
Solitario *s* solitário, anel de um diamante, paciência; *adj* solitário, deserto, só, retirado.
Soliviantar *v* sublevar, incitar.
Soliviar *v* aliviar, soerguer.
Sollozar *v* soluçar, suspirar.
Sollozo *s* soluço, suspiro.
Solo *adj* só, único, isolado, sozinho, desacompanhado.
Solo *adv* só, somente.
Sollomillo *s* lombo, lombinho (de gado de corte).
Solsticio *s* solstício, época em que o sol está em um dos trópicos.
Soltar *v* soltar, desprender, desatar, libertar.
Soltería *s* celibato.
Soltero *adj* solteiro, celibatário.
Solterón *adj* solteirão.
Soltura *s* soltura, agilidade, destreza.
Soluble *adj* solúvel.
Solución *s* solução, dissolução, resolução.
Solucionar *v* solucionar, resolver.
Solvencia *s* solvência, solubilidade.
Solventar *v* solver, pagar.
Solvente *s* solvente (que paga, que dissolve).
Somático *adj* somático.
Somatología *s* somatologia.
Sombra *s* sombra, obscuridade.
Sombrear *v* sombrear.
Sombrero *s* chapéu.
Sombrilla *s* sombrinha, guarda-sol.
Sombrío *adj* sombrio, lúgubre.
Somero *adj* superficial, ligeiro, aparente.
Someter *v* submeter, subjugar, humilhar, dominar.
Sometimiento *s* submissão.
Somnífero *adj* sonífero.
Somnolencia *s* sonolência.
Son *s* som, ruído.
Sonado *adj* famoso, célebre.
Sonambulismo *s* sonambulismo.
Sonámbulo *adj* sonâmbulo.
Sonar *v* soar, ecoar.
Sonata *s* sonata.
Sonda *s* sonda.
Sondear *v* sondar, explorar, examinar.
Soneto *s* soneto.
Sonido *s* som, ruído.
Sonoridad *s* sonoridade.
Sonorizar *v* sonorizar, pôr som (em filme).
Sonoro *adj* sonoro, de som vibrante.
Sonreír *v* sorrir, rir.
Sonrisa *s* sorriso, riso.

Sonrojar *v* corar, ruborizar, enrubescer.
Sonrosar *v* ruborizar, rosar-se.
Sonsacar *v* furtar, surrupiar, subtrair.
Soñador *adj* sonhador, devaneador.
Soñar *v* sonhar, devanear, fantasiar.
Soñolencia *s* sonolência, soneira.
Soñoliento *adj* sonolento.
Sopa *s* sopa.
Sopapo *s* sopapo, bofetada, bofetão.
Sopera *s* sopeira.
Sopero *adj* prato fundo para sopa.
Sopesar *v* sopesar, verificar o peso.
Sopetón *s* bofetão, sopato.
Soplar *v* assoprar, soprar, bafejar, inflar, respirar, ventar.
Soplete *s* maçarico, aparelho para solda.
Soplo *s* sopro, ar, lufada.
Soplón *adj* delator.
Sopor *s* torpor, sonolência.
Soporífero *adj* soporífero, sonífero.
Soportar *v* suportar, sustentar, tolerar, aguentar.
Soporte *s* suporte, apoio, sustentação.
Soprano *s* soprano.
Sor *s* soror.
Sorber *v* sorver, absorver, aspirar.
Sorbete *s* sorvete, refresco gelado.
Sorbo *s* sorvo, trago, gole.
Sordera *s* surdez, perda da audição.
Sordidez *s* sordidez.
Sórdido *adj* sórdido, nojento, imundo, mesquinho.
Sordina *s* surdina.
Sordo *adj* surdo, que não ouve.
Sordomudo *adj* surdo-mudo.
Sorna *s* sorna.
Sorprendente *adj* surpreendente, raro.
Sorprender *v* surpreender, sobressaltar, maravilhar.
Sorpresa *s* surpresa, admiração, espanto.
Sortear *v* sortear, rifar.
Sorteo *s* sorteio.
Sortija *s* anel.
Sortilegio *s* sortilégio, bruxaria.
Sosa *s* soda.
Sosegado *adj* sossegado, tranquilo, quieto.
Sosegar *v* sossegar, tranquilizar, acalmar, aquietar, descansar.
Sosiego *s* sossego, calma, tranquilidade, paz, quietude, serenidade.
Soslayar *v* esguelhar.
Soslayo *adj* esguelhado.
Soso *adj* insosso, insípido.
Sospecha *s* suspeita, desconfiança, dúvida.
Sospechar *v* suspeitar, desconfiar, duvidar.
Sospechoso *adj* suspeitoso, suspeito, equívoco.
Sostén *s* sustento, apoio, arrimo, encosto, sutiã, porta-seios.
Sostener *v* sustentar, apoiar, suster.
Sostenido *adj* sustentado, apoiado, amparado, firme, seguro.
Sotana *s* batina de padre.
Sótano *s* porão.
Soterrar *v* soterrar, enterrar.
Soviético *adj* soviético.
Status *s status*.
Stress *s stress*, esgotamento.
Suástica *s* suástica.
Suave *adj* suave, liso, leve, delicado, melodioso.
Suavidad *s* suavidade.
Suavizar *s* suavizar.
Subalterno *adj* subalterno, subordinado.
Subasta *s* leilão.
Subastar *v* leiloar.
Subconsciente *adj* subconsciente.
Subcutáneo *adj* subcutâneo, sob a pele.
Subdesarrollo *s* subdesenvolvimento.
Súbdito *adj* súdito, vassalo.
Subdividir *v* subdividir, dividir.
Subestimar *v* subestimar.
Subida *s* subida, ladeira.
Subir *v* subir, elevar, levantar, crescer, aumentar.
Súbito *s* súbito, repentino, inesperado.
Subjetivismo *s* subjetivismo.
Subjetivo *adj* subjetivo.
Subjuntivo *adj* subjuntivo.
Sublevar *v* sublevar, amotinar.
Sublimar *v* sublimar, endeusar.

Sublime *adj* sublime, elevado, eminente.
Submarino *adj* submarino.
Subordinar *v* subordinar, sujeitar.
Subproducto *s* subproduto.
Subrayar *v* sublinhar.
Subrepticio *adj* sub-reptício, furtivo.
Subrogar *v* sub-rogar.
Subsanar *v* desculpar, excusar.
Subscribir *v* subscrever.
Subscripto *s* subscrito.
Subsidiario *adj* subsidiário, auxiliar.
Subsidio *s* subsídio, ajuda oficial.
Subsiguiente *adj* subsequente.
Subsistencia *s* subsistência, existência.
Subsistir *v* subsistir, existir.
Substancia *s* substância.
Substancial *adj* substancial, essencial.
Substancioso *adj* substancial, nutritivo.
Substantivo *s* substantivo.
Substitución *s* substituição, troca, permuta.
Substituir *v* substituir, permutar, trocar, repor.
Substituto *s* substituto, suplente.
Substracción *s* subtração, dedução.
Substraer *v* subtrair, deduzir.
Substrato *s* substrato, camada inferior.
Subsuelo *s* subsolo.
Subterfugio *s* subterfúgio, pretexto.
Subterráneo *adj* subterrâneo.
Suburbano *adj* suburbano.
Suburbio *s* subúrbio.
Subvención *s* subvenção, subsídio.
Subvencionar *v* subvencionar, subsidiar.
Subvenir *v* auxiliar, ajudar.
Subversión *s* subversão.
Subvertir *v* subverter.
Subyacente *adj* subjacente.
Subyugar *v* subjugar, dominar.
Succión *s* sucção.
Sucedáneo *adj* sucedâneo, similar.
Suceder *v* suceder, seguir, substituir, descender, herdar.
Sucesión *s* sucessão, continuação.
Sucesivo *adj* sucessivo, consecutivo.
Suceso *s* sucesso, êxito, acontecimento, fato, evento.
Sucesor *s* sucessor, descendente, herdeiro.
Suciedad *s* sujeira, imundície.
Sucinto *adj* sucinto, resumido, breve.
Sucio *adj* sujo, imundo.
Suculento *adj* suculento.
Sucumbir *v* sucumbir, render.
Sucursal *s* sucursal, filial.
Sudamericano *adj* sul-americano.
Sudar *v* suar, transpirar.
Sudario *s* sudário.
Sudeste *s* sudeste.
Sudoeste *s* sudoeste.
Sudor *s* suor, transpiração.
Suegro *s* sogro.
Suela *s* sola (de calçado, planta do pé), linguado (peixe).
Sueldo *s* soldo (de militar), pagamento, remuneração, honorários.
Suelo *s* solo, chão, terreno, terra, território.
Suelto *adj* solto, livre, desembaraçado, desprendido.
Sueño *s* sonho, descanso.
Suero *s* soro.
Suerte *s* sorte, destino.
Suéter *s* suéter, malha, blusa.
Suficiencia *s* suficiência, capacidade.
Suficiente *adj* suficiente, capaz, apto.
Sufijo *s* sufixo.
Sufragar *v* sufragar, ajudar, custear, satisfazer.
Sufragio *s* sufrágio, ajuda, voto.
Sufrido *adj* sofrido.
Sufrimiento *s* sofrimento, padecimento, dor, aflição.
Sufrir *v* sofrer, padecer.
Sugerencia *s* sugestão.
Sugerir *v* sugerir, insinuar, inspirar, lembrar, evocar.
Sugestión *s* sugestão, ideia.
Sugestionar *v* sugestionar, influir.
Sugestivo *adj* sugestivo.
Suicida *s* suicida.
Suicidarse *v* suicidar-se.
Suicidio *s* suicídio.
Suite *s* suíte.

Sujeción *s* sujeição, submissão.
Sujetar *v* sujeitar, submeter.
Sujeto *adj* sujeito, submisso.
Sulfato *s* sulfato.
Sulfúrico *adj* sulfúrico.
Sulfuro *s* sulfureto.
Sultán *s* sultão.
Suma *s* soma, adição.
Sumar *v* somar, adicionar, juntar.
Sumario *s* sumário, resumo, síntese; *adj* abreviado, reduzido.
Sumergible *adj* submersível.
Suministrar *v* subministrar, ministrar.
Suministro *s* provisão, abastecimento.
Sumir *s* sumir.
Sumisión *s* submissão, sujeição, abatimento.
Sumiso *adj* submisso, obediente, subordinado, subjugado.
Sumo *adj* supremo, máximo.
Suntuosidad *s* suntuosidade, luxo, pompa.
Suntuoso *adj* suntuoso, magnífico, pomposo, luxuoso.
Supeditar *v* sujeitar, submeter.
Superable *adj* superável.
Superación *s* superação.
Superar *v* superar, exceder, ultrapassar, vencer.
Superchería *s* engano, fraude.
Superdotado *adj* superdotado.
Superestructura *s* superestrutura.
Superficial *adj* superficial.
Superficie *s* superfície.
Superfluo *adj* supérfluo, desnecessário, inútil.
Superhombre *s* super-homem.
Superintendencia *s* superintendência.
Superior *adj* superior, excelente.
Superiora *s* superiora.
Superioridad *s* superioridade, mérito.
Superlativo *adj* superlativo, excelente.
Supermercado *s* supermercado.
Superpoblación *s* superpopulação.
Superponer *v* sobrepor.
Superposición *s* superposição.
Superproducción *s* superprodução.
Supersónico *adj* supersônico.
Superstición *s* superstição, crença.
Supersticioso *adj* supersticioso, crédulo.
Supervalorar *v* supervalorizar.
Supervisar *v* supervisionar, verificar, examinar.
Supervisión *s* supervisão, verificação, exame.
Supervivencia *s* sobrevivência.
Superviviente *s* sobrevivente.
Suplantar *v* suplantar.
Suplemento *s* suplemento, complemento, acréscimo.
Suplencia *s* suplência, substituição.
Suplente *adj* suplente, substituto.
Súplica *s* súplica, pedido, prece.
Suplicar *v* suplicar, implorar, pedir.
Suplicio *s* suplício, tortura, tormento.
Suplir *v* suprir, completar, substituir.
Suponer *v* supor, imaginar, fingir, presumir.
Suposición *s* suposição, hipótese.
Supositorio *s* supositório.
Supremacía *s* supremacia, grau máximo.
Supremo *adj* supremo, em grau máximo.
Supresión *s* supressão, eliminação.
Suprimir *v* suprimir, anular, eliminar.
Supuesto *adj* suposto, hipotético.
Supurar *v* supurar, inflamar.
Sur *s* sul.
Surcar *v* sulcar, riscar.
Surco *s* sulco, risco, ruga (na pele).
Sureño *adj* sulino.
Sureste *s* sudeste.
Surf *s* surfe.
Surgir *v* surgir, aparecer, emergir, nascer, brotar.
Suroeste *s* sudoeste.
Surtido *adj* sortido, variado.
Surtir *v* sortir, prover, abastecer, fornecer.
Susceptibilidad *s* suscetibilidade, sensibilidade, delicadeza.
Susceptible *adj* suscetível, sensível, delicado.
Suscitar *v* suscitar, promover, levantar.
Suspender *v* suspender, pendurar, suster, reprovar (na escola).

Suspensión *s* suspensão, demora.
Suspicacia *s* suspicácia.
Suspirar *v* suspirar.
Suspiro *s* suspiro.
Sustancia *s* substância, essência, parte nutritiva.
Sustancial *adj* substancial.
Sustancioso *adj* substancioso.
Sustantivo *adj* essencial.
Sustentar *v* sustentar, manter.
Sustento *s* sustento, manutenção.
Sustitución *s* substituição.
Sustituir *v* substituir.
Sustituto *s* substituto.
Susto *s* susto, sobressalto.
Sustraer *v* subtrair.
Susurrar *v* sussurrar, murmurar.
Susurro *s* sussurro, murmúrio.
Sutil *adj* sutil, fino, delicado.
Sutileza *s* sutileza.
Sutura *s* sutura, costura cirúrgica.
Suyo *pron* seu, dele.

tT

T *s* vigésima terceira letra do alfabeto espanhol.
Tabacal *s* tabacal.
Tabacalero *adj* tabaqueiro, tabacal.
Tabaco *s* tabaco (planta, folha).
Tabal *s* barrica.
Tabalear *v* mexer, agitar.
Tabaleo *s* agitação, movimento.
Tabanco *s* banca, barraca, tenda.
Tábano *s* mosquito grande.
Tabaquera *s* tabaqueira, caixa de rapé.
Tabaquería *s* tabacaria.
Tabaquismo *s* tabagismo.
Tabardo *s* abrigo, casaco de tecido grosso.
Taberna *s* taverna, bodega.
Tabernáculo *s* tabernáculo.
Tabernero *s* taverneiro.
Tabique *s* tabique, parede fina.
Tabla *s* tábua, tabela, mapa.
Tablado *s* tablado, estrado, andaime, palco.
Tablero *s* tabuleiro.
Tableta *s* tablete, pastilha.
Tablilla *s* tabuleta.
Tabloide *s* tabloide, jornal em tamanho reduzido.
Tabloza *s* paleta de pintor.
Tabú *s* tabu.
Tabuco *s* cubículo, quarto pequeno.
Tabular *v* tabular.
Taburete *s* tamborete.
Tacaño *adj* tacanho, avarento, mesquinho, miserável.
Tacha *s* tachinha, nódoa, mancha, defeito.
Tachar *v* tachar, notar, censurar, riscar.
Tacho *s* tacho, caldeirão.
Tachuela *s* tachinha, percevejo.
Tácito *adj* tácito, implícito, silencioso, subentendido.
Taciturno *s* taciturno, tristonho, melancólico, triste.
Taco *s* taco (de bilhar), cacete, torno de madeira.
Tacón *s* salto (de sapato).
Taconear *v* bater os calcanhares, pisar duro.
Táctica *s* tática.
Táctico *adj* tático.
Tacto *s* tato, toque.
Tafetán *s* tafetá, tecido fino.
Tahona *s* atafona, padaria.
Tajada *s* talhada, fatia.
Tajar *v* talhar, cortar.
Tajo *s* talho, corte profundo.
Tal *adj* tal, semelhante; *adv* tal, assim mesmo.
Tala *s* corte, poda (de árvores).
Taladrador *s* perfuradora.
Taladrar *v* perfurar, furar.
Taladro *s* broca, verruma.
Talar *v* destruir, assolar, devastar.
Talaya *s* carvalho novo.
Talco *s* talco, pó.
Talento *s* talento, capacidade, aptidão.
Talentoso *adj* talentoso.
Talismán *s* talismã, amuleto.
Talla *s* talha, porte, estatura.
Tallado *adj* talhado, cortado.
Tallar *v* talhar, cortar, esculpir, entalhar.
Tallarín *s* talharim, massa.
Talle *s* talhe, feitio, estatura.
Taller *s* oficina (de trabalho manual).
Tallista *s* entalhador, escultor.
Tallo *s* talo, haste, caule.
Talón *s* calcanhar, talão (parte do recibo).

Talonario *s* talonário.
Tamaño *s* tamanho.
Tambalearse *v* cambalear, oscilar.
Tambaleo *s* cambaleio, oscilação.
También *adv* também, inclusive, do mesmo modo.
Tambor *s* tambor (de revólver, de freio).
Tampoco *adv* também não, tampouco.
Tampón *s* tampão, absorvente feminino, almofada (de carimbo).
Tan *adv* tão.
Tanda *s* turno, vez.
Tanga *s* tanga.
Tangente *adj* tangente.
Tangible *adj* tangível.
Tango *s* tango.
Tanino *s* tanino.
Tanque *s* tanque.
Tantear *v* medir, comparar, calcular (aproximadamente peso, volume, número, tamanho).
Tanto *adj* tanto, tão grande, tamanho.
Tañer *v* tanger, tocar (instrumento musical, sino).
Tapa *s* tampa, capa.
Tapar *s* tapar, cobrir, esconder.
Taparrabo *s* tanga.
Tapera *s* tapera.
Tapete *s* toalha de mesa ou de móvel.
Tapia *s* taipa, muro, parede de barro, tapume.
Tapiar *v* tapiar, murar, fechar com taipas.
Tapicería *s* tapeçaria (arte, ofício, loja de tapeceiro).
Tapicero *s* tapeceiro.
Tapioca *s* tapioca, fécula de mandioca.
Tapiz *s* tapete, tapeçaria.
Tapón *s* tampão, tampa, rolha.
Taponar *v* tapar, fechar.
Tapujo *s* disfarce, dissimulação.
Taquicardia *s* taquicardia.
Taquigrafia *s* taquigrafia.
Taquígrafo *s* taquígrafo.
Taquilla *s* bilheteria (de cinema, metrô, etc).
Tara *s* tara, peso de mercadorias.
Tarabilla *s* taramela, fecho de portas e janelas.
Taracea *s* marchetaria, tatuagem.
Tarado *adj* tarado, degenerado.
Tarántula *s* tarântula, aranha venenosa.
Tararear *v* cantarolar.
Tardanza *v* tardança, demora.
Tardar *v* tardar, atrasar.
Tarde *s* tarde; *adv* tarde, fora de tempo.
Tardecer *v* entardecer.
Tardecica *s* tardinha, o anoitecer.
Tardíamente *adv* tardiamente.
Tardío *adj* tardio, demorado, atrasado.
Tarea *s* tarefa.
Tarifa *s* tarifa, tabela de preços.
Tarifar *v* tarifar, taxar.
Tarima *s* tarimba, estrado de madeira.
Tarjeta *s* tarjeta, cartão (de visita).
Tarro *s* tarro, boião.
Tarta *s* torta, pastel.
Tartamudear *v* gaguejar.
Tartamudo *adj* gago.
Tártaro *adj* tártaro (dos dentes), sarro.
Tartera *s* marmita.
Tarugo *s* tarugo, naco.
Tasa *s* taxa, preço legal, pauta.
Tasar *v* taxar, avaliar.
Tatarabuelo *s* tataravô.
Tatuaje *s* tatuagem.
Tatuar *v* tatuar, imprimir.
Tautología *s* tautologia, repetição.
Taxi *s* táxi.
Taxidermia *s* taxidermia.
Taxímetro *s* taxímetro.
Taxista *s* taxista.
Taza *s* xícara, taça.
Te *s* nome da letra t; *pron* te, ti.
Té *s* chá.
Tea *s* teia, facho, tocha.
Teatral *adj* teatral.
Teatro *s* teatro.
Techar *v* cobrir, construir o teto.
Techo *s* teto.
Tecla *s* tecla.
Técnico *adj* técnico.
Tecnicocracia *s* tecnocracia.
Tecnología *s* tecnologia.

Tecnológico *adj* tecnológico.
Tedio *s* tédio, fastio, aborrecimento.
Teja *s* telha.
Tejado *s* telhado.
Tejar *v* telhar, cobrir.
Tejer *v* tecer.
Tejido *s* textura de um tecido.
Tela *s* tear, pano, tecido.
Telaraña *s* teia de aranha, teia.
Telecomunicación *s* telecomunicação.
Telediario *s* telejornal.
Teleférico *s* teleférico.
Telefonear *v* telefonar.
Telefonía *s* telefonia.
Telefonista *s* telefonista.
Teléfono *s* telefone.
Telegrafía *s* telegrafia.
Telegrafiar *v* telegrafar.
Telegráfico *adj* telegráfico.
Telégrafo *s* telégrafo.
Telegrama *s* telegrama.
Teleobjetivo *s* teleobjetiva.
Telepatía *s* telepatia.
Telescopio *s* telescópio.
Telespectador *s* telespectador.
Teletipo *s* teletipo.
Televidente *s* espectador (de televisão).
Televisar *v* televisionar.
Televisión *s* televisão.
Televisor *s* televisor.
Télex *s* telex.
Telón *s* pano de fundo (do teatro), cenário.
Tema *s* tema, assunto, argumento.
Temático *adj* temático.
Temblar *v* tremer, estremecer.
Temblor *s* tremor.
Temer *v* temer, recear, duvidar.
Temerario *adj* temerário, imprudente, ousado, arriscado.
Temeridad *s* temeridade, imprudência, ousadia.
Temeroso *adj* temeroso.
Temor *s* temor, medo, receio.
Temperamental *adj* temperamental.
Temperamento *s* temperamento, caráter, índole.
Temperatura *s* temperatura, clima, grau de frio ou calor.
Tempestad *s* tempestade, tormenta, temporal.
Tempestuoso *adj* tempestuoso.
Templado *adj* temperado, moderado, comedido.
Templanza *s* temperança, moderação.
Templar *v* temperar, moderar, amenizar.
Templario *s* templário.
Temple *s* têmpera, temperamento.
Templo *s* templo, edifício religioso.
Temporada *s* temporada, período, época, espaço de tempo.
Temporal *adj* temporal, transitório, temporário, passageiro, tempestade, tormenta.
Temporalmente *adv* temporariamente, temporalmente.
Temporero *adj* interino.
Tempranero *adj* prematuro.
Temprano *adj* temporão, antecipado, cedo.
Tenacidad *s* tenacidade.
Tenacillas *s* tenazes, pinças.
Tenaz *adj* tenaz, obstinado.
Tenaza *s* tenaz, torquês.
Tendel *s* cordel de pedreiro.
Tendencia *s* tendência, inclinação, propensão.
Tendencioso *adj* tendencioso.
Tender *v* tender, esticar, estender (roupa).
Tenderete *s* barraca para vender ao ar livre.
Tendero *s* comerciante, varejista.
Tendón *s* tendão.
Tenebroso *adj* tenebroso, escuro.
Tenedor *s* possuidor, dono, garfo (de mesa).
Tener *v* ter, possuir.
Tenia *s* tênia, solitária, verme.
Teniente *s* tenente.
Tenis *s* tênis, jogo de raquete.
Tenista *s* tenista.
Tenor *s* tenor, teor.
Tensión *s* tensão, pressão arterial.

Tenso *adj* tenso.
Tentación *s* tentação.
Tentáculo *s* tentáculo (de polvo).
Tentar *v* tatear, examinar, seduzir, tocar.
Tentativa *s* tentativa.
Tenue *adj* tênue, delicado, sutil, leve.
Teñir *v* tingir, mudar a cor.
Teología teologia.
Teólogo *s* teólogo.
Teorema *s* teorema.
Teoría *s* teoria.
Teorizar *v* teorizar, discutir teoria.
Tequila *s* tequila (bebida alcoólica).
Terapeuta *s* terapeuta, clínico.
Terapéutica *s* terapêutica, tratamento.
Terapia *s* terapia, tratamento.
Tercero *adj* terceiro.
Terceto *s* terceto, conjunto de três (vozes, instrumentos).
Terciar *v* atravessar, pôr em diagonal, cruzar.
Tercio *s* terço, terça parte.
Terciopelo *s* veludo.
Terco *adj* teimoso, obstinado, persistente.
Tergiversación *s* tergiversação, evasiva.
Tergiversar *v* tergiversar.
Termas *s* termas, banhos termais.
Térmico *adj* térmico, relativo a calor.
Terminación *s* término, fim.
Terminal *adj* terminal, final.
Terminar *v* terminar, acabar, concluir, limitar.
Término *s* término, fim, conclusão, limite.
Termo *s* recipiente térmico, garrafa térmica.
Termodinámica *s* termodinâmica.
Termómetro *s* termômetro.
Termonuclear *adj* termonuclear.
Termostato *s* termostato.
Terna *s* terno, trio.
Ternero *s* terneiro, bezerro, vitelo.
Ternura *s* ternura.
Terquedad *s* teimosia.
Terracota *s* terracota, barro cozido.
Terraplén *s* terraplenagem, aterro.
Terráqueo *adj* terráqueo.
Terrateniente *s* latifundiário, fazendeiro.
Terraza *s* terraço, varanda.
Terremoto *s* terremoto.
Terreno *s* terreno, solo, terra, campo, área de atuação; *adj* terreno, terrestre.
Terrestre *adj* terrestre.
Terrible *adj* terrível.
Territorio *s* território.
Terrón *s* torrão.
Terror *s* terror.
Terrorismo *s* terrorismo.
Terrorista *adj* terrorista.
Terso *adj* terso, limpo, polido.
Tertulia *s* tertúlia.
Tesar *v* entesar, tesar.
Tesis *s* tese.
Tesón *s* firmeza, constância, ímpeto.
Tesorería *s* tesouraria.
Tesorero *s* tesoureiro.
Tesoro *s* tesouro.
Test *s* teste, prova.
Testa *s* testa, cabeça, fronte.
Testaferro *s* testa-de-ferro.
Testamento *s* testamento.
Testar *v* testar, fazer testamento, legar.
Testarudo *adj* cabeçudo, teimoso.
Testículo *s* testículo.
Testificar *v* atestar, declarar, testemunhar.
Testigo *s* testemunha, testemunho, depoimento.
Testimonio *s* testemunho.
Teta *s* teta, mama, úbere, peito (feminino).
Tétano *s* tétano.
Tetera *s* chaleira, bule para chá.
Tétrico *adj* tétrico, grave, melancólico.
Textil *adj* têxtil.
Texto *s* texto.
Textual *adj* textual, conforme o texto.
Textura *s* textura, disposição dos fios no tecido.
Tez *s* tez, cútis.
Ti *pron* ti.
Tía *s* tia.
Tiara *s* tiara, milra.
Tibetano *adj* tibetano.

Tibia *s* tíbia, osso principal da perna; *adj* fraco, morno.
Tiburón *s* tubarão.
Tiempo *s* tempo, época, estação do ano.
Tienda *s* tenda, loja.
Tiento *s* habilidade, pulso, tato.
Tierno *adj* terno, mole, delicado, fresco.
Tierra *s* terra, planeta, solo, chão, área para cultivo, região, país.
Tieso *adj* teso, rígido, firme.
Tiesto *s* vaso de barro para plantas.
Tifón *s* tufão, furacão, redemoinho.
Tifus *s* tifo.
Tigre *s* tigre.
Tijera *s* tesoura.
Tila *s* flor da tília, chá de tília.
Tildar *v* pontuar.
Tilde *s* til.
Timar *v* enganar, iludir.
Timbrar *v* timbar, selar, carimbar.
Timbre *s* timbre, selo, campanhia, marca, sinal.
Tímido *adj* tímido, acanhado.
Timo *s* vigarice.
Timón *s* timão, leme.
Timorato *adj* timorato.
Tímpano *s* tímpano.
Tina *s* tina, talha, cuba.
Tinaja *s* talha (vasilha), tina, cuba.
Tinglado *s* alpendre, coberto.
Tiniebla *s* treva, escuridão.
Tino *s* tino, juízo, tato, destreza.
Tinta *s* tinta, tintura.
Tinte *s* tintura.
Tintero *s* tinteiro.
Tinto *adj* tinto.
Tintorería *s* tinturaria.
Tintorero *s* tintureiro.
Tintura *s* tintura, pintura.
Tiña *s* traça, lagarta.
Tío *s* tio.
Tiovivo *s* carrossel.
Típico *adj* típico, característico, simbólico.
Tipo *s* tipo, modelo, exemplar, original.
Tipografía *s* tipografia.
Tipógrafo *s* tipógrafo.
Tira *s* tira, pedaço (de pano ou papel).
Tirada *s* tirada, arremesso.
Tirador *s* puxador.
Tiraje *s* tiragem, impressão.
Tiranía *s* tirania, opressão, despotismo.
Tiranizar *v* tiranizar, oprimir.
Tirano *adj* tirano, déspota, opressor.
Tirante *s* suspensório.
Tirar *v* atirar, arremessar, puxar, arrastar, traçar linhas.
Tiritar *v* tiritar, tremer de frio.
Tiro *s* tiro, disparo.
Tiroides *s* tiroide.
Tirolés *adj* tirolês.
Tirón *s* puxão, grande distância.
Tirotear *v* tirorear.
Tirria *s* birra, pirraça, teima, zanga, antipatia, ódio.
Tisis *s* tísica, tuberculose.
Titán *s* titã, gigante.
Títere *s* títere, fantoche, boneco.
Tití *s* mico.
Titilar *v* titilar, palpitar.
Titiritar *v* tremer de frio ou medo.
Titubear *v* titubear, vacilar, oscilar.
Titular *adj* titular, dar nome.
Título *s* título, epígrafe, inscrição, letreiro, denominação.
Tiza *s* giz.
Tizne *s* tisne, fuligem.
Tizón *s* tição, fungão.
Tizonear *v* atiçar (o lume).
Toalla *s* toalha (de banho).
Tobillo *s* tornozelo.
Tobogán *s* tobogã, escorregador.
Toca *s* touca.
Tocadisco *s* toca-discos.
Tocado *s* penteado das (mulheres).
Tocador *s* penteadeira, toucador.
Tocar *v* tocar, apalpar, atingir, fazer soar (instrumento musical, campanhia).
Tocayo *s* xará, homônimo.
Tocino *s* toucinho, carne gorda do porco.
Tocología *s* obstetrícia, ginecologia.
Tocólogo *s* obstetra, ginecologista.
Todavía *conj* ainda, todavia, contudo; *adv* ainda.

Todo *adj* todo, inteiro; *s* tudo; *adv* totalmente, inteiramente.
Todopoderoso *adj* todo-poderoso.
Toga *s* toga, traje de cerimônia.
Toldo *s* toldo, cobertura de lona.
Tolerancia *s* tolerância, indulgência, consentimento, paciência.
Tolerar *v* tolerar, suportar, consentir, resignar-se.
Tolvanera *s* torvelinho de pó.
Toma *s* tomada, conquista, porção.
Tomar *v* tomar, pegar, agarrar, aceitar, adquirir.
Tomate *s* tomate.
Tómbola *s* tômbola, rifa.
Tomillo *s* tomilho.
Tomo *s* tomo, volume.
Ton *s* tom.
Tonada *s* toada, composição musical.
Tonalidad *s* tonalidade.
Tonel *s* tonel, barrica, pipa.
Tonelada *s* tonelada.
Tonicidad *s* tonicidade.
Tónico *adj* tônico, fortificante.
Tonificar *v* tonificar, fortalecer, revigorar.
Tono *s* tom, som, modo, maneira, inflexão de voz, expressão, entonação.
Tonsura *s* tonsura.
Tontería *s* tolice, idiotice.
Topacio *s* topázio.
Topar *v* topar, encontrar, bater, tropeçar.
Tope *s* topo, tropeço, impedimento.
Tópico *adj* tópico.
Topo *s* toupeira.
Topografía *s* topografia.
Topógrafo *s* topógrafo.
Topónimo *s* topônimo.
Toque *s* toque, contato, sinal.
Toquetear *v* tocar repetidamente.
Toquilla *s* lenço que as mulheres usam na cabeça.
Tórax *s* tórax, peito.
Torbellino *s* torvelinho, redemoinho, pé-de-vento.
Torcer *v* torcer, dar voltas.
Toreador *s* toureiro.
Torear *v* tourear.
Torero *s* toureiro.
Tormenta *s* tormenta, tempestade, mau tempo.
Tormento *s* tormento, suplício.
Tornado *s* tornado, furacão.
Tornar *v* tornar, restituir, regressar, repetir.
Tornasol *s* girassol, tornassol, substância furta-cor.
Torneo *s* torneio, competição.
Tornero *s* torneiro, pessoa que trabalha com torno.
Tornillo *s* parafuso, torno pequeno.
Torniquete *s* torniquete, catraca.
Torno *s* torno, máquina de tornear.
Toro *s* touro (animal, signo, constelação).
Torpe *adj* torpe, trôpego, rude, grosseiro.
Torpedear *v* torpedear.
Torpedo *s* torpedo.
Torrar *v* torrar, tostar, queimar.
Torre *s* torre.
Torrefacción *s* torrefação.
Torrencial *adj* torrencial.
Torrente *s* torrente, correnteza.
Torreón *s* torreão.
Torrezno *s* torresmo, toicinho frito.
Tórrido *adj* tórrido, ardente, muito quente.
Torsión *s* torção.
Torso *s* tronco do corpo humano.
Torta *s* torta, pastel, pastelão.
Tortícolis *s* torcicolo.
Tortilla *s* omelete, fritada de ovos batidos.
Tortuga *s* tartaruga.
Tortuoso *adj* tortuoso, sinuoso.
Tortura *s* tortura.
Torturar *v* torturar.
Torva *s* turbilhão de neve ou chuva.
Torvo *adj* turvo, pavoroso, sinistro.
Tos *s* tosse.
Tosco *adj* tosco, grosseiro, bruto.
Toser *v* tossir.
Tostada *s* torrada, fatia de pão torrado.
Tostar *v* tostar, torrar, queimar.
Tostón *s* grão-de-bico torrado, moeda.

Total *adj* total, geral, universal; *adv* totalmente, inteiramente.
Totalidad *s* totalidade.
Totalitario *adj* totalitário.
Totalitarismo *s* totalitarismo.
Totalizar *v* totalizar, somar.
Tóxico *adj* tóxico.
Toxicología *s* toxicologia.
Toxicómano *s* toxicômano.
Toxina *s* toxina.
Tozudo *adj* teimoso, obstinado, cabeçudo.
Traba *s* trava, prisão, calço.
Trabajador *s* trabalhador.
Trabajar *v* trabalhar.
Trabajo *s* trabalho, ocupação, exercício, obra, emprego.
Trabar *v* travar, prender, pegar, fazer parar.
Trabazón *s* travamento, ligação.
Tracción *s* tração.
Tractor *s* trator, máquina agrícola.
Tradición *s* tradição, transmissão (de uma geração a outra).
Tradicional *adj* tradicional.
Traducción *s* tradução, interpretação.
Traducir *v* traduzir, interpretar.
Traductor *s* tradutor, intérprete.
Traer *v* trazer, trasladar, atrair.
Traficante *adj* traficante, negociante.
Traficar *v* traficar, negociar.
Tráfico *s* tráfico, comércio ilegal.
Tragaluz *s* claraboia.
Tragar *v* tragar, engolir, ingerir, absorver, tolerar, dissimular.
Tragedia *s* tragédia, drama, obra dramática.
Trágico *adj* trágico.
Trago *s* trago.
Traición *s* traição, deslealdade, perfídia.
Traicionar *v* falsear, enganar.
Traidor *adj* traidor, falso, desleal, infiel.
Traje *s* vestuário, terno.
Trajín *s* tráfego, transporte (de mercadorias).
Trajinar *v* transportar, carregar.
Tralla *s* corda, chicote.
Trama *s* trama, tecido, textura.
Tramar *v* tramar, tecer.
Tramitar *v* tramitar, andar.
Trámite *s* trâmite, andamento, expediente.
Tramo *s* trecho de escada ou caminho.
Tramoya *s* tramoia, ardil.
Trampa *s* armadilha, artifício, fraude.
Trampolín *s* trampolim.
Tramposo *adj* trapaceiro, caloteiro.
Tranca *s* tranca (de porta ou janela).
Trancar *v* trancar.
Trance *s* transe, momento crítico.
Tranquilidad *s* tranquilidade, sossego, serenidade, paz.
Tranquilizante *adj* tranquilizante.
Tranquilizar *v* tranquilizar, acalmar, sossegar.
Tranquilo *adj* tranquilo, calmo, sossegado, sereno.
Transacción *s* transação, negócio, ajuste, acordo.
Transatlántico *adj* transatlântico.
Transbordar *v* transbordar, baldear.
Transcendencia *s* transcendência.
Transcender *v* transcender.
Transcribir *v* transcrever, copiar, reproduzir.
Transcripción *s* transcrição, cópia, reprodução.
Transcurrir *v* transcorrer, decorrer, passar.
Transcurso *s* transcurso.
Transeúnte *adj* transeunte, passante.
Transexual *adj* transexual.
Transferencia *s* transferência.
Transferir *v* transferir, mudar.
Transfigurar *v* transfigurar, transformar.
Transformación *s* transformação, modificação, mudança, alteração.
Transformador *s* transformador.
Transformar *v* transformar, modificar, mudar, reformar.
Tránsfuga *s* trânsfuga, desertor.
Transfundir *v* transfundir.
Transfusión *s* transfusão.
Transgredir *v* transgredir.
Transgresión *s* transgressão, infração.

Transición *s* transição, mudança.
Transido *adj* transido, angustiado.
Transigencia *s* transigência, condescendência, tolerância.
Transigir *v* transigir, concordar, condescender.
Transistor *s* transístor, rádio.
Transitar *v* transitar, andar em via pública.
Tránsito *s* trânsito, circulação, trajeto.
Transitorio *adj* transitório, passageiro, efêmero.
Translúcido *adj* translúcido, diáfano.
Transmigrar *v* transmigrar.
Transmisión *s* transmissão, comunicação.
Transmitir *v* transmitir, transferir.
Transmudar *v* trasladar, mudar.
Transmutable *adj* transmutável.
Transmutar *v* transmutar.
Transoceánico *adj* transoceânico, além-mar, ultramarino.
Transpacífico *adj* transpacífico.
Transparencia *s* transparência.
Transparente *adj* transparente, claro.
Transpirable *adj* transpirável.
Transpiración *s* transpiração, suor.
Transpirar *v* transpirar, suar.
Transponer *v* transpor, ultrapassar.
Transportación *s* transportação.
Transportador *adj* transportador.
Transportar *v* transportar, levar.
Transporte *s* transporte.
Transposición *s* transposição.
Transubstanciación *s* transubstanciação.
Transvasar *v* transvasar.
Transversal *adj* transversal, atravessado.
Tranvía *s* bonde.
Trapacear *v* trapacear, fazer trapaça.
Trapaza *s* trapaça.
Trapecio *s* trapézio.
Trapero *s* trapeiro.
Trapichear *v* comerciar em pequena escala.
Trapo *s* trapo, farrapo.
Tráquea *s* traqueia.
Traqueotomia *s* traqueotomia, incisão da traqueia.
Traqueteo *s* estalo, estouro.
Tras *prep* atrás, detrás, após, depois de.
Trasalpinio *adj* transalpino.
Trasbocar *v* vomitar.
Trascendencia *s* transcendência.
Trascendental *adj* transcendental.
Trascender *v* transcender, transparecer.
Trasegar *v* trafegar.
Trasero *adj* traseiro.
Trasladar *v* trasladar.
Trasluz *s* luz que passa através de um corpo translúcido.
Trasnochar *v* tresnoitar, pernoitar.
Traspasar *v* transpassar, trespassar, atravessar.
Traspaso *s* transpasse.
Trasplantar *v* transplantar, mudar.
Trasplante *s* troca, transplante.
Trasponer *v* transpor.
Trasquilar *v* tosquiar, tosar.
Trastada *s* tratada, fraude.
Traste *s* saliência no braço de guitarra ou violão.
Trastero *s* quarto de despejo.
Trastienda *s* quarto ou sala que fica atrás da loja.
Trasto *s* traste, móvel, mobília da casa.
Trastornar *v* transtornar, destruir, desorientar.
Trastorno *s* transtorno, contrariedade.
Trasudar *s* suar.
Trata *s* tráfico.
Tratado *s* tratado, ajuste, convênio.
Tratamiento *s* tratamento.
Tratante *s* comerciante, negociante.
Tratar *v* tratar, cuidar.
Trato *s* trato, tratamento, comércio.
Traumatismo *s* traumatismo, lesão.
Través *s* viés, obliquidade, inclinação.
Travesaña *s* travessia.
Travesía *s* caminho, travessa, transversal.
Travesti *s* travesti.
Travestido *adj* disfarçado.
Travesura *s* travessura.

Travieso *adj* travesso, atravessado, transversal.
Trayecto *s* trajeto, percurso, caminho.
Trayectoria *s* trajetória, órbita.
Traza *v* traçado, desenho (de uma obra), planta, projeto.
Trazar *s* traçar, desenhar, projetar.
Trazo *s* traço, linha traçada, risco, linhas do rosto.
Trébol *s* trevo.
Trece *num* treze.
Trecilo *s* trecho.
Tregua *s* trégua, armistício, descanso.
Tremedal *s* tremedal, pântano, lodaçal.
Tremendo *adj* tremendo, terrível, extraordinário.
Trementina *s* trementina.
Tremer *v* tremer.
Tremolar *v* tremular, ondear (bandeiras).
Trémulo *adj* tremulo.
Tren *s* trem.
Trencilla *s* trancelim.
Trenza *s* trança.
Trenzado *adj* entrançado.
Trenzar *v* trançar.
Trepanación *s* trepanação.
Trepanar *v* trepanar.
Trepar *v* trepar, elevar, subir, galgar.
Trepidar *v* trepidar, estremecer.
Trépido *adj* trêmulo.
Tres *num* três.
Tresillo *s* conjunto de estofados (um sofá e duas poltronas), conjunto de três notas musicais.
Treta *s* mutreta, artimanha, ardil, estratagema.
Triángulo *s* triângulo.
Tribu *s* tribo, clã.
Tribulación *s* tribulação, aflição.
Tribuna *s* tribuna, palanque.
Tribunal *s* tribunal.
Tributar *v* tributar, contribuir, pagar impostos.
Tributo *s* tributo, imposto, ônus.
Triciclo *s* triciclo.
Tricotar *v* tricotar, tecer.
Trienio *s* triênio.
Trifulca *s* desordem, briga, rixa.
Trigal *s* trigal.
Trigo *s* trigo (planta, grão).
Trigonometría *s* trigonometria.
Trigueño *adj* trigueiro, triguenho, moreno.
Trillado *adj* trilhado.
Trillar *v* debulhar, separar o grão da palha.
Trillizo *adj* trigêmeos.
Trimestre *s* trimestre.
Trinar *v* trinar.
Trincar *v* trincar, partir, despedaçar, amarrar, atar.
Trinchar *v* trinchar, cortar em pedaços (a carne).
Trinchera *s* trincheira, barreira.
Trineo *s* trenó.
Trinidad *s* trindade.
Trino *s* trino, gorjeio.
Trío *s* trio, conjunto de três.
Tripa *s* tripa, instestino, ventre, barriga.
Triple *num* triplo, tríplice.
Trípode *s* tripé.
Triptongo *s* tritongo.
Tripulación *s* tripulação.
Tripulante *s* tripulante.
Tripular *v* tripular, dirigir.
Triquina *s* triquina.
Triquiñuela *s* rodeio, subterfúgio, evasiva.
Triste *adj* triste, melancólico, descontente, infeliz, amargo.
Tristeza *s* tristeza.
Triturar *v* triturar, esmagar, moer.
Triunfal *adj* triunfal, vitorioso.
Triunfar *v* triunfar, vencer.
Triunfo *s* triunfo, vitória, êxito, sucesso.
Trivial *adj* trivial, vulgar, comum, banal.
Triza *s* pedacinho, migalha.
Trocado *adj* trocado.
Trocar *v* trocar, permutar, confundir, equivocar.
Trochemoche *adv* sem ordem, envolta.
Trofeo *s* troféu.
Troglodita *adj* troglodita.
Trola *s* engano, mentira, falsidade.
Trolebús *s* trólebus, ônibus elétrico.
Tromba *s* tromba d'água.

Trombo *s* trombo, coágulo de sangue.
Trombosis *s* trombose.
Trompa *s* trompa, trombeta, tromba de elefante.
Trompicar *v* tropicar, tropeçar.
Tronada *s* trovoada.
Tronado *adj* usado, desgastado.
Tronar *v* troar, trovejar.
Tronchar *v* truncar, quebrar com violência.
Troncho *s* talo (de hortaliça).
Tronco *s* tronco, caule.
Tronera *s* fresta, janelinha, caçapa (da mesa de bilhar).
Trono *s* trono, assento real.
Tropa *s* tropa, multidão, conjunto de soldados.
Tropel *s* tropel.
Tropelía *s* excesso.
Tropezar *v* tropeçar, esbarrar.
Tropezón *s* tropeção, tropeço, esbarrão, encontrão.
Tropical *adj* tropical.
Trópico *s* trópico.
Trotar *v* trotar, andar a trote, cavalgar.
Trote *s* trote, marcha apressada do cavalo.
Trova *s* trova, composição amorosa.
Trovador *s* trovador, jogral, menestrel.
Trozo *s* pedaço, parte, fragmento.
Trucaje *s* trucagem.
Truco *s* truque, ardil.
Truculento *adj* truculento.
Trucha *s* truta.
Trueno *s* trovão.
Trueque *s* troca, permuta, câmbio.
Trufa *s* trufa.
Truhán *adj* trapaceiro, impostor.
Truncar *v* truncar, cortar, decepar.
Truste *s* truste, cartel, consórcio de empresas.
Tú *pron* tu.
Tu *adj* apócope de *tuyo*, teu.
Tubérculo *s* tubérculo.
Tuberculosis *s* tuberculose, tísica.
Tuberculoso *adj* tuberculoso, tísico.
Tubería *s* conjunto de tubos.
Tubo *s* tubo, cano.
Tucán *s* tucano.
Tueco *s* toco.
Tuerca *s* porca do parafuso.
Tuerto *adj* vesgo, zarolho.
Tuétano *s* tutano, medula.
Tufo *s* vapor, exalação, cheiro desagradável.
Tugurio *s* túgurio.
Tul *s* tule.
Tulipán *s* tulipa.
Tullido *adj* tolhido, paralítico.
Tullir *v* tolher.
Tumba *s* tumba, túmulo, sepulcro.
Tumbar *v* tombar, derrubar.
Tumbo *s* tombo, queda, solavanco.
Tumefacto *adj* tumefato, inchado.
Túmido *adj* túmido, inchado.
Tumor *s* tumor, inchaço, abscesso.
Tumoroso *adj* tumores.
Túmulo *s* túmulo, sepulcro.
Tumulto *s* tumulto, confusão, alvoroço.
Tumultuar *v* tumultuar.
Tuna *s* tuna, vadiagem.
Tunante *adj* tunante.
Tunda *s* tunda, sova.
Túnel *s* túnel.
Túnica *s* túnica.
Tupé *s* topete.
Tupido *adj* espesso, apertado.
Turba *s* combustível de origem vegetal, turba, multidão.
Turbación *s* turbação.
Turbador *adj* turbação.
Turbante *s* turbante.
Turbar *v* turvar, conturbar, alterar.
Turbina *s* turbina.
Turbio *adj* turvo, revolto (líquido).
Turbulencia *s* turbulência, alvoroço.
Turbulento *adj* turbulento, agitado, desordenado.
Turco *adj* turco.
Turgencia *s* turgência.
Turgente *adj* turgente.
Turismo *s* turismo.
Turista *s* turista.
Turmalina *s* turmalina.
Turno *s* turno, ordem, vez.

Turquesa *adj* turquesa.
Turrón *s* doce de nozes, amêndoas ou pinhões misturados com mel.
Tutela *s* tutela, cargo de tutor.
Tutelar *v* tutelar, proteger, amparar.
Tuteo *s* tuteamento.
Tutor *s* tutor.
Tutoría *s* tutela.
Tuyo *pron* teu.

uU

U *s* vigésima quarta letra do alfabeto espanhol; *conj* ou (quando antecede O ou HO).
Ubérrimo *adj* ubérrimo, abundante.
Ubicar *v* ficar, situar-se.
Ubicuidad *s* ubiquidade.
Ubre *s* úbere, teta.
Ufanarse *v* ufanar-se, vangloriar-se, envaidecer-se.
Ufano *adj* ufano, vaidoso, arrogante.
Úlcera *s* úlcera, chaga.
Ulcerar *v* ulcerar.
Ulterior *adj* ulterior, que esta além.
Ultimar *v* ultimar, terminar, finalizar.
Ultimátum *s* ultimatum, condições irrevogáveis.
Ultimidad *s* extremidade, último.
Último *adj* último, derradeiro, final.
Ultra *adv* além, adiante, mais adiante.
Ultrajante *adj* ultrajante, infamante, ofensivo.
Ultrajar *v* ultrajar, injuriar, denegrir.
Ultraje *s* ultraje, injúria, desonra.
Ultramar *s* ultramar.
Ultramarino *adj* ultramarino.
Ultranza *adv* até à morte.
Ultrapasar *v* ultrapassar, exceder.
Ultrarrojo *adj* ultravermelho.
Ultratumba *adv* além-túmulo.
Ultravioleta *adj* ultravioleta.
Umbilical *adj* umbilical.
Umbral *s* umbral, soleira.
Umbrío *adj* sombrio.
Un *art* um.
Unánime *adj* unânime, geral.
Unanimidad *s* unanimidade.
Unción *s* unção, fervor.
Uncir *v* jungir.
Ungir *v* ungir, olear.
Ungüento *s* unguento, bálsamo.
Unicelular *adj* unicelular.
Unicidad *s* unicidade.
Único *adj* único, só.
Unicolor *s* unicolor.
Unicornio *s* unicórnio.
Unidad *s* unidade.
Unido *adj* unido, junto, ligado, atado.
Unificar *v* unificar, unir.
Uniforme *adj* uniforme, semelhante.
Uniformidad *s* uniformidade.
Uniformizar *v* uniformizar, padronizar.
Unilateral *adj* unilateral.
Unión *s* união, vínculo, ligação.
Unipersonal *adj* unipessoal.
Unir *v* unir, unificar.
Unisexual *adj* unissexual.
Unísono *adj* uníssono.
Unitario *adj* unitário.
Universal *adj* universal.
Universalizar *v* universalizar, generalizar.
Universidad *s* universidade.
Universitario *adj* universitário.
Universo *s* universo, cosmo.
Unívoco *adj* unívoco.
Uno *num* um.
Untar *v* untar, friccionar, engordurar.
Unto *s* banha, gordura.
Untuoso *adj* untuoso.
Uña *s* unha.
Uñada *s* unhada, arranhão.
Uranio *s* urânio.
Urbanidad *s* urbanidade.
Urbanismo *s* urbanismo.
Urbanístico *adj* urbanístico.
Urbanización *s* urbanização.
Urbanizar *v* urbanizar.

Urbano *adj* urbano.
Urbe *s* urbe, cidade populosa.
Urdidura *s* urdidura, trama.
Urdimbre *s* urdume.
Urdir *v* urdir.
Urea *s* ureia.
Uremia *s* uremia.
Uréter *s* ureter.
Uretra *s* uretra.
Urgencia *s* urgência, necessidade.
Urgente *adj* urgente, necessário.
Urgir *v* urgir.
Urinario *adj* urinário; *s* mictório, urinol.
Urna *s* urna, vaso.
Urología *s* urologia.
Urólogo *s* urologista.
Urticaria *s* urticária.
Urubú *s* urubu, abutre americano.
Uruguayo *adj* uruguaio.
Usado *adj* usado, deteriorado, gasto.
Usanza *s* uso, costume.
Usar *v* usar, utilizar, empregar, praticar, vestir, desfrutar, gozar.
Uso *s* uso, exercício, prática, costume, jeito.
Usted *pron* senhor, senhora.
Usual *adj* usual, ordinário, habitual.
Usuario *adj* usuário.
Usufructo *s* usufruto, fruição, lucro, proveito.
Usura *s* usura, ágio, agiotagem.
Usurero *s* usurário, agiota.
Usurpar *v* usurpar.
Utensilio *s* utensílio.
Uterino *adj* uterino.
Útero *s* útero.
Útil *adj* útil, proveitoso, vantajoso.
Utilidad *s* utilidade, serventia.
Utilizar *v* utilizar, usar, empregar.
Utopía *s* utopia.
Utópico *adj* utópico.
Uva *s* uva.

V

V *s* vigésima quinta letra do alfabeto espanhol; 5, na numeração romana, símbolo da vitória.
Vaca *s* vaca, fêmea do touro.
Vacación *s* férias, descanso, folga.
Vacante *adj* vacante, vago, vazio.
Vaciar *v* esvaziar, vazar, despejar, verter.
Vacilación *s* vacilação, hesitação, indecisão, incerteza.
Vacilar *v* vacilar, oscilar, cambalear, hesitar, duvidar.
Vacío *adj* vazio, oco, ocioso, desabitado.
Vacuna *s* vacina.
Vacunar *v* vacinar.
Vacuno *adj* bovino.
Vacuo *s* vácuo, vazio.
Vadear *v* vadear.
Vado *s* vau.
Vagabundear *v* vagabundear, vadiar.
Vagabundo *s* vagabundo, vadio.
Vagancia *s* vacância, desocupação.
Vagar *v* vagar, andar ao acaso; *s* vagar, lentidão.
Vagina *s* vagina.
Vago *adj* vago, incerto, indefinido, indeterminado, inconstante, descuidado, desocupado, preguiçoso.
Vagón *s* vagão, comboio.
Vaguada *s* fundo de um vale.
Vaguear *v* vaguear, perambular.
Vaguedad *s* vaguidade.
Vaharada *s* baforada.
Vahído *s* vertigem, tontura.
Vaho *s* vapor, exalação.
Vaina *s* bainha (de arma), vagem.
Vainilla *s* baunilha.
Vaivén *s* vaivém, balanço, movimento, oscilação.
Vajilla *s* vasilha, baixela (de mesa).
Vale *s* vale, recibo.
Valentía *s* valentia, coragem, valor.
Valentón *adj* valentão, fanfarrão.
Valer *v* valer, amparar, proteger, custar, render.
Valeroso *adj* valoroso, valente.
Valía *s* valia, valor, preço.
Validación *s* validação, legitimidade.
Validar *v* validar, legalizar, legitimar, autorizar.
Validez *s* validade, legitimidade.
Válido *adj* válido, legal, legítimo.
Valiente *adj* valente, corajoso, destemido.
Valija *s* valise, maleta.
Valioso *adj* valioso, estimado, rico, opulento.
Valor *s* valor, preço, valia, estima, coragem, audácia, valentia.
Valoración *s* valoração, valorização.
Valorar *v* avaliar.
Valorizar *v* valorizar.
Valuación *s* avaliação.
Valuar *v* avaliar.
Válvula *s* válvula.
Vals *s* valsa.
Valla *s* vala, fosso, outdoor.
Vallar *v* valar.
Valle *s* vale, planície.
Vampiro *s* vampiro.
Vanagloriarse *v* vangloriar-se, jactar-se.
Vandalismo *s* vandalismo.
Vándalo *adj* vândalo, bárbaro.
Vanguardia *s* vanguarda.
Vanidad *s* vaidade, orgulho, pompa, futilidade.
Vanidoso *adj* vaidoso.
Vano *adj* vão, inexistente, inútil.

Vapor *s* vapor, gás.
Vaporizador *s* vaporizador.
Vaporizar *v* vaporizar.
Vaporoso *adj* vaporoso.
Vapulear *v* açoitar.
Vaquero *s* vaqueiro.
Vara *s* vara, bastão.
Variable *adj* variável.
Variación *s* variação, mudança, modificação.
Variado *adj* variado, diversificado, mesclado.
Variante *s* variante.
Variar *v* variar, mudar, transformar.
Variedad *s* variedade.
Varilla *s* varinha, vareta.
Vario *adj* vário, variado, diverso, diferente.
Varón *s* varão, homem.
Varonil *adj* varonil.
Vasallo *s* vassalo, súdito.
Vaselina *s* vaselina.
Vasija *s* vasilha, recipiente para líquidos.
Vaso *s* copo, vaso, copa.
Vasto *adj* vasto, extenso, amplo.
Vaticano *adj* vaticano.
Vaticinar *v* vaticinar, profetizar, adivinhar, predizer.
Vaticinio *s* vatícinio, profecia, prognóstico.
Vatio *s* watt.
Vecinal *adj* vicinal.
Vecindario *s* vizinhança.
Vecino *adj* vizinho.
Veda *s* proibição.
Vedado *adj* vedado, proibido, interditado.
Vedar *v* vedar, proibir, interditar.
Vedette *s* vedete, atriz.
Vega *s* várzea.
Vegetación *s* vegetação.
Vegetal *s* vegetal.
Vegetar *v* vegetar, germinar.
Vegetariano *adj* vegetariano.
Vegetativo *adj* vegetativo.
Vehemencia *s* veemência, vigor, força.
Vehículo *s* veículo, carro.
Vejar *v* vexar, maltratar, humilhar, zombar.
Vejatorio *adj* vexatório.
Vejez *s* velhice, senilidade.
Vejiga *s* bexiga.
Vela *s* vela (de cera, de pano).
Velada *s* serão, veladura.
Velar *v* velar, vigiar.
Velatorio *s* velório.
Veleidad *s* veleidade, leviandade.
Velero *s* veleiro, barco a vela.
Velo *s* véu.
Velocidad *s* velocidade.
Velocímetro *s* velocímetro.
Velocípedo *s* velocípede.
Velódromo *s* velódromo.
Veloz *adj* veloz, rápido, ligeiro.
Vello *s* pelo, penugem.
Velludo *adj* peludo, aveludado.
Vena *s* veia, vaso sanguíneo, veio (de minério), lençol subterrâneo de água.
Venado *s* veado, cervo, gamo.
Venal *adj* venal, subornável.
Vencer *v* vencer, dominar, superar.
Vencido *adj* vencido, derrotado.
Venda *s* venda, tira, atadura, faixa.
Vendar *v* vendar.
Vendaval *s* vendaval, temporal.
Vendedor *adj* vendedor.
Vender *v* vender.
Vendimia *s* vindima, colheita de uvas.
Veneno *s* veneno.
Venenoso *adj* venenoso.
Veneración *s* veneração, culto, reverência.
Venerar *v* venerar, cultuar, adorar.
Venéreo *adj* venéreo.
Venezolano *adj* venezuelano.
Vengador *s* vingador.
Venganza *s* vingança, represália.
Vengar *v* vingar, desforrar.
Vengativo *adj* vingativo.
Venia *s* vênia, permissão, licença.
Venial *adj* venial.
Venida *s* vinda, chegada, enchente.
Venidero *adj* vindouro.
Venir *v* vir, voltar.

Venoso *adj* venoso.
Venta *s* venda, estalagem.
Ventaja *s* vantagem, superioridade, melhoria.
Ventajoso *adj* vantajoso.
Ventana *s* venta, narina, janela.
Ventanal *s* janela grande.
Ventanilla *s* guichê.
Ventear *v* ventar.
Ventilación *s* ventilação.
Ventilador *s* ventilador.
Ventilar *v* ventilar.
Ventisca *s* nevada acompanhada de vento.
Ventolera *s* lufada de vento.
Ventosa *s* ventosa.
Ventrílocuo *s* ventríloquo; *adj* ventríloquo.
Ventura *s* ventura, felicidade, sorte, fortuna.
Venturoso *adj* venturoso, feliz, afortunado.
Ver *v* ver, observar, examinar, avistar.
Vera *s* borda, beira, beirada.
Veracidad *s* veracidade, exatidão.
Veranda *s* varanda, balcão, sacada, terraço.
Veraneante *adj* veraneante.
Veranear *v* veranear, passar férias de verão.
Veraneo *s* veraneio, férias de verão.
Verano *s* verão.
Veras *s* veras, verídico, verdadeiro.
Verbal *adj* verbal, oral.
Verbigracia *adv* por exemplo.
Verbo *s* verbo, palavra, linguagem.
Verborragia *s* verbosidade.
Verdad *s* verdade, veracidade, exatidão, realidade.
Verdadero *adj* verdadeiro, verídico, real, exato.
Verde *adj* verde.
Verdear *v* verdejar.
Verdor *s* verdor, juventude.
Verdugo *s* verdugo, carrasco, algoz.
Verdulero *s* verdureiro, hortelão.
Verdura *s* verdura, hortaliça.
Vereda *s* vereda, caminho estreito.
Veredicto *s* veredicto, sentença.
Verga *s* verga, membro viril dos mamíferos.
Vergel *s* jardim, pomar.
Vergonzoso *adj* vergonhoso.
Vergüenza *s* vergonha, pudor, timidez.
Verídico *adj* verídico, verdadeiro.
Verificar *v* verificar, examinar.
Verja *s* grade, gradil.
Verme *s* verme.
Vermicida *adj* vermicida, vermífugo.
Vermut *s* vermute.
Vernáculo *adj* vernáculo, nacional, pátrio.
Verosímil *adj* verossímil, possível, provável.
Verruga *s* verruga.
Versado *adj* versado, entendido, conhecedor.
Versar *v* versar, estudar.
Versátil *adj* versátil, inconstante.
Versículo *s* versículo, divisão de capítulo.
Versificar *v* versificar, versejar.
Versión *s* versão, tradução, interpretação, explicação.
Verso *s* verso.
Vértebra *s* vértebra, osso da coluna vertebral.
Vertebrado *adj* vertebrado.
Vertedero *s* desaguadouro, depósito de lixo.
Verter *v* verter, desaguar, derramar, traduzir.
Vertical *adj* vertical.
Vértice *s* vértice.
Vertiente *s* vertente, ladeira, declive, encosta.
Vertiginoso *adj* vertiginoso, rápido.
Vértigo *s* vertigem.
Vesícula *s* vesícula.
Vespertino *adj* vespertino.
Vestíbulo *s* vestíbulo, átrio.
Vestido *s* vestido, indumentária.
Vestígio *s* vestígio, sinal, pegada.
Vestimenta *s* vestimenta, roupa.
Vestir *v* vestir, trajar.

Vestuario *s* vestuário, traje, vestimenta.
Veta *s* beta.
Veterano *adj* veterano.
Veterinario *s* veterinário.
Veto *s* veto, recusa.
Vetuso *adj* vetuso.
Vez *s* vez, época, ocasião, tempo, turno.
Vía *s* via, caminho, estrada, rota, método, sistema.
Viable *adj* viável, possível.
Viaducto *s* viaduto.
Viajante *adj* viajante.
Viajar *v* viajar.
Viaje *s* viagem.
Vianda *s* vianda, comida.
Viandante *s* viandante, caminhante.
Viático *s* viático.
Víbora *s* víbora, cobra venenosa.
Vibración *s* vibração, oscilação.
Vibrar *v* vibrar, oscilar.
Vibratorio *s* vibratório.
Viceversa *adv* vice-versa.
Viciar *v* viciar, corromper, deteriorar, deformar.
Vicio *s* vício.
Vicisitud *s* vicissitude.
Víctima *s* vítima.
Victoria *s* vitória, triunfo.
Vicuña *s* vicunha.
Vid *s* vide.
Vidente *adj* vidente.
Vídeo *s* víodeocassete.
Vidriera *s* vidraça, vitral.
Vidrio *s* vidro, frasco, garrafa.
Viejo *adj* velho, idoso, ancião, antigo.
Viento *s* vento, corrente de ar, ar atmosférico.
Vientre *s* ventre, barriga.
Viernes *s* sexta-feira, sexto dia da semana.
Viga *s* viga, trave.
Vigía *s* vigia, sentinela.
Vigilancia *s* vigilância.
Vigilar *v* cuidar, observar.
Vigilia *s* vigília, serão, véspera.
Vigor *s* vigor, força, energia.
Vigorizar *v* revigorar, fortalecer, robustecer.
Vigoroso *adj* vigoroso, forte, robusto, enérgico.
Vil *adj* vil, infame.
Vilipendiar *v* vilipendiar, menosprezar, aviltar.
Vilipendio *s* vilipêndio, vileza.
Villa *s* vila, povoação.
Villancico *s* canção própria de Natal.
Villanía *s* vilania, vilão.
Villano *adj* vilão, rústico.
Vinagre *s* vinagre.
Vinagreta *s* molho vinagrete.
Vincular *v* vincular, unir.
Vínculo *s* vínculo, união.
Vindicar *v* vingar, reivindicar.
Vinícola *adj* vinícola.
Vinicultura *s* vinicultura.
Vino *s* vinho.
Viña *s* vinha.
Viñedo *s* vinhedo.
Viñeta *s* vinheta, estampa, desenho.
Viola *s* viola.
Violáceo *adj* violáceo, cor de violeta.
Violación *s* violação, estupro.
Violar *v* violar, violentar, estuprar.
Violencia *s* violência, agressão.
Violentar *v* violentar, violar.
Violento *adj* violento, impetuoso, irascível.
Violeta *s* violeta (planta, flor).
Violín *s* violino.
Violón *s* violão.
Viperino *adj* viperino, de víbora.
Virar *v* virar, dar voltas, mudar, trocar.
Virgen *s* virgem.
Virginal *adj* virginal, puro, imaculado.
Virginidad *s* virgindade, pureza, castidade.
Virgo *s* virgem, virgindade, hímen.
Viril *adj* viril, masculino.
Virilidad *s* virilidade.
Virrey *s* vice-rei.
Virtual *adj* virtual, implícito.
Virtud *s* virtude, vigor, valor, retidão.
Virueta *s* varíola.

Virulento *adj* virulento.
Virus *s* vírus, germe.
Viruta *s* apara, fita de madeira.
Visado *s* visto.
Visar *v* visar, dar visto, mirar.
Víscera *s* víscera, entranhas.
Viscoso *adj* viscoso, pegajoso.
Visera *s* viseira.
Visible *adj* visível.
Visillo *s* cortina para janela.
Visión *s* visão, capacidade de ver, aparição, espectro.
Visionario *adj* visionário, sonhador.
Visita *s* visita.
Visitar *v* visitar, ir ver, conhecer um lugar.
Vislumbrar *v* vislumbrar, entrever, divisar.
Viso *s* reflexo, lampejo.
Visor *s* visor.
Víspera *s* véspera, dia anterior.
Vista *s* vista, sentido da visão, paisagem, panorama.
Vistazo *s* olhar rápido.
Visto *adj* visto, visado.
Vistoso *adj* vistoso, chamativo.
Visual *adj* visual.
Vital *adj* vital, essencial, fundamental.
Vitalicio *adj* vitalício.
Vitalidad *s* vitalidade, atividade.
Vitamina *s* vitamina.
Vitaminado *adj* vitaminado.
Vítreo *adj* vítreo.
Vitrificar *v* vitrificar.
Vitrina *s* vitrina, mostrador, cristaleira.
Vitualla *s* mantimento, provisão.
Vituperar *v* vituperar.
Viudez *s* viuvez.
Viudo *s* viúvo.
Vivacidad *s* vivacidade, esperteza.
Vivaz *adj* eficaz, vigoroso, forte.
Vivencia *s* vivência.
Víveres *s* víveres, comestíveis.
Vivero *s* viveiro.
Viveza *s* viveza, vivacidade.
Vivienda *s* vivenda, moradia.
Vivificar *v* vivificar, animar, reanimar, confortar.
Vivir *v* viver, existir, morar, habitar, durar.
Vivo *adj* vivo, intenso, forte.
Vizconde *s* visconde.
Vocablo *s* vocábulo, palavra.
Vocabulario *s* vocabulário, glossário, léxico.
Vocación *s* vocação, talento, inclinação.
Vocal *adj* vocal, da voz; *s* vogal, membro de um tribunal ou junta.
Vocalista *s* vocalista, cantor.
Vocear *v* gritar, apregoar.
Vocero *s* porta-voz.
Vociferar *v* vociferar, chamar, esbravejar, bradar.
Vodka *s* vodca.
Volante *s* volante, direção (de veículo); *adj* voador, móvel.
Volar *v* voar.
Volátil *adj* volátil.
Volatizar *v* volatizar.
Volcán *s* vulcão.
Volcar *v* tombar, entornar.
Voltaje *s* voltagem, tensão elétrica.
Voltear *v* voltar, dar voltas, virar.
Voltereta *s* cambalhota.
Voltímetro *s* voltímetro.
Voltio *s* volt.
Voluble *adj* volúvel, inconstante.
Volumen *s* volume, livro, espaço.
Voluminoso *s* volumoso.
Voluntad *s* vontade, desejo.
Voluntário *adj* voluntário.
Voluptuoso *adj* voluptuoso.
Volver *v* volver, voltar, restituir, inclinar.
Vomitar *v* vomitar.
Vómito *s* vômito.
Voracidad *s* voracidade, avidez.
Voraz *adj* voraz, ávido.
Vos *pron* vós.
Vosotros *pron* vós.
Votación *s* votação, sufrágio.
Votar *v* votar, jurar.
Voto *s* voto, sufrágio.
Voz *s* voz, palavra, opinião.
Vuelco *s* tombo, reviravolta.
Vuelo *s* voo.

Vuelta *s* volta, giro, curva, regresso, devolução, troco.
Vuestro *pron* vosso.
Vulcanizar *v* vulcanizar, emborrachar.
Vulgar *adj* vulgar, baixo, comum.
Vulgaridad *s* vulgaridade, banalidade, mediocridade.
Vulgarizar *v* vulgarizar, difundir.
Vulgarmente *adv* vulgarmente.
Vulgo *s* vulgo, povo, plebe.
Vulnerable *adj* vulnerável.
Vulnerar *v* vulnerar; *s* ferir, prejudicar, ofender.
Vulpeja *s* nome que se costuma dar a raposa.
Vulturno *s* vento quente.
Vulva *s* vulva, parte externa do órgão sexual feminino.

wW

W *s* letra que não pertence ao alfabeto espanhol, usada apenas em palavras estrangeiras.
Wat *s* watt, unidade de potência.
Water *s* WC, banheiro.
Week-end *s* fim de semana.
Western *s* faroeste, filme de bangue-bangue.
Whisky *s* uísque, bebida alcóolica de cereais fermentados.
Whist *s* jogo de cartas de origem inglesa.

X *s* vigésima sexta letra do alfabeto espanhol.

Xenofobia *s* xenofobia, aversão, repugnância aos estrangeiros.

Xenófobo *adj* xenófobo.

Xilografía *s* xiliografia, gravação em madeira.

Xilográfico *adj* xilográfico.

yY

Y *s* vigésima sétima letra do alfabeto espanhol; *conj* e.
Ya *adv* já, logo, imediatamente.
Yaca *s* jaqueira, jaca.
Yacaré *s* jacaré, espécie de crocodilo.
Yacer *v* jazer, sepultado, existir, estar morto.
Yacija *s* leito, cama, jazida.
Yacimiento *s* jazido, jazida.
Yaguar *s* jaguar.
Yambo *s* jambeiro, jambo.
Yanqui *adj* ianque, pessoas da América do Norte.
Yantar *s* comida, manjar, iguarias.
Yarda *s* jarda, medida linear inglesa.
Yatay *s* iatai, espécie de palmeira.
Yate *s* iate, navio de recreio.
Yedra *s* hera, planta trepadeira.
Yegua *s* égua, fêmea do cavalo.
Yelmo *s* elmo, espécie de capacete.
Yema *s* gema; olho (dos vegetais), botão.
Yerba *s* erva, grama.
Yerbajo *s* erva daninha.
Yermo *adj* ermo, desabitado, baldio.
Yerno *s* genro.
Yerro *s* erro, delito, equívoco.
Yerto *adj* hirto, teso, rígido, frio.
Yesca *s* isca.
Yesería *s* fábrica de gesso, obra de gesso.
Yeso *s* gesso.
Yo *pron* eu; *s* sujeito pensante.
Yodado *adj* iodado.
Yodo *s* iodo.
Yoga *s* ioga.
Yogur *s* iogurte.
Yuca *s* mandioca.
Yudo *s* judô.
Yugo *s* jugo, canga.
Yugoeslavo *adj* iugoslavo.
Yugular *adj* jugular.
Yunta *s* junta, parelha.
Yute *s* juta (planta, tecido).
Yuxtaponer *v* justapor.
Yuxtaposición *s* justaposição.
Yuyo *s* joio (erva).

z Z

Z *s* vigésima oitava letra do alfabeto espanhol.
Zabullida *s* mergulho.
Zabullir *v* mergulhar.
Zafado *adj* safado, descarado, atrevido.
Zafar *v* safar, escapar, evadir-se.
Zafiro *s* safira, pedra preciosa azul.
Zafo *adj* livre, desembaraçado.
Zafra *s* safra, colheita.
Zaga *s* retaguarda.
Zagal *s* mancebo, adolescente, jovem, moço, forte.
Zaguán *s* saguão, vestíbulo.
Zaguero *adj* que vai em último lugar, que fica atrás.
Zaherir *v* censurar, repreender, humilhar.
Zahorí *s* vidente, adivinho.
Zalamería *s* salamaleque, lisonja, bajulação.
Zalamero *adj*, *s* lisonjeador, bajulador.
Zalea *s* tosão.
Zamarra *s* vestuário rústico, casaco de pele de cordeiro, pele de cordeiro.
Zambo *adj* cambaio, torto, cambado das pernas.
Zambomba *s* cuíca, ronca.
Zambullir *v* mergulhar com ímpeto.
Zampar *v* comer muito, comer depressa e sem compostura.
Zampón *adj* comilão, glutão.
Zampoña *s* flauta pastoril, instrumento rústico.
Zanahoria *s* cenoura.
Zanca *s* sanco, perna de ave.
Zancada *s* pernada, passos largos.
Zancadilla *s* rasteira.
Zancajo *s* calcanhar.
Zanco *s* pernas de pau.
Zancudo *adj* pernalto, pernilongo.
Zángano *s* zângão, macho da abelha.
Zanja *s* escavação para edificar, fundação, escoamento para água.
Zanjar *v* abrir valas.
Zapa *s* sapa, escavação, pá.
Zapapico *s* picareta.
Zapateado *s* sapateado.
Zapatear *v* sapatear, bater o pé.
Zapatero *s* sapateiro.
Zapatilla *s* sapatilha.
Zapato *s* sapato, calçado.
Zar *s* czar, soberano da Rússia.
Zarandear *v* sacudir, saracotear.
Zarpa *s* sapata, parte saliente dos alicerces.
Zarpar *v* sarpar, partir, levantar ferro, zarpar.
Zarza *s* sarça, planta espinhosa, silva.
Zarzamora *s* amora, fruto da silva e da amoreira.
Zarzaparrilha *s* salsaparrilha.
Zarzuela *s* zarzuela, opereta.
Zepelín *s* zepelim, dirigível.
Zigzag *s* ziguezague.
Zinc *s* zinco.
Zócalo *s* base, pedestal.
Zoclo *s* tamanco.
Zoco *s* mercado.
Zodíaco *s* zodíaco.
Zona *s* zona.
Zonote *s* depósito de água no centro de uma gruta.
Zonzo *adj* sensabor, insípido.
Zoología *s* zoologia.
Zoológico *s*, *adj* zoológico.
Zoospermo *s* espermatozoide.
Zoquete *s* toco, pedaço de madeira.

Zorrería *s* astúcia de raposa.
Zorrillo *s* raposinho.
Zorro *s* zorro, raposo.
Zozobra *s* soçobro, inquietação, aflição, angústia.
Zueco *s* tamanco, calçado de madeira.
Zumbar *v* zumbir.
Zumbido *s* zumbido.
Zumo *s* sumo, suco.
Zurcir *v* cerzir, costurar.
Zurdo *s*, *adj* canhoto.
Zurra *s* surra, sova, tunda, castigo.
Zurrar *v* surrar, castigar.
Zurriago *s* chicote, látego.
Zurrido *s* zoada, som rouco e confuso.
Zurrir *v* zunir, soar rouco e confusamente.
Zurumbático *adj* atordoado, pasmado, apatetado, apalermado.
Zutano *s* beltrano, fulano, sicrano.

Minidicionário Escolar

Português – Espanhol

a A

A *s* primera letra del alfabeto portugués.
A *art* la; *prep* a.
Aba *s* faldón, ala del sombrero, orilla.
Abacate *s* aguacate.
Abacaxi *s* ananás.
Abade *s* abad, párroco, cura.
Abadia *s* abadía.
Abafar *v* sofocar, asfixiar, amortiguar.
Abaixar *v* bajar, rebajar, abatir, descender.
Abaixo *adv* abajo.
Abalar *v* estremecer, conmover, sacudir.
Abanar *v* abanicar, soplar, abanar, sacudir.
Abandonar *v* abandonar, dejar, desamparar, desistir, renunciar.
Abarcar *v* abarcar, ceñir, comprender.
Abarrotar *v* abarrotar, llenar, cargar, colmar.
Abastado *adj* abundante, abastecido.
Abastecer *v* abastecer, proveer, repostar, suministrar.
Abater *v* abatir, bajar, desalentar, matar.
Abatido *adj* alicaído, cabizbajo, triste, desanimado.
Abatimento *s* abatimiento, deducción, descuento, postración, matanza de ganado.
Abaulado *adj* curvado, convexo.
Abdicar *v* abdicar, renunciar, desistir.
Abdômen *s* abdomen, barriga.
Abdominal *adj* abdominal.
Abecedário *s* alfabeto.
Abelha *s* abeja.
Abelhudo *adj* entremetido, curioso, diligente.
Abençoar *v* bendecir, amparar, favorecer.
Abertamente *adv* abiertamente.
Aberto *adj* abierto, desembarazado, franco, sincero.
Abertura *s* abertura, grieta, agujero, hendidura, quiebra.
Abismar *v* abismar, hundir en un abismo.
Abismo *s* abismo, precipicio.
Abjeto *adj* abyecto, infame.
Abjurar *v* abjurar, renunciar.
Ablação *s* ablación, corte.
Abnegado *adj* abnegado, desprendido.
Abóbada *s* bóveda, cúpula.
Abobadar *v* abovedar.
Abobado *adj* abobado, hecho un tonto, atontado.
Abóbora *s* calabaza.
Abocado *adj* abocado, aproximado.
Abocanhar *v* morder.
Abolir *v* abolir, anular, aniquilar.
Abominação *s* abominación, repulsión, odio, rencor.
Abonado *adj* abonado, acaudalado, rico.
Abonar *v* abonar, garantizar, afianzar.
Abono *s* abono, fianza, garantía.
Abordagem *s* abordaje.
Abordar *v* abordar, arribar, atracar, aportar.
Aborígene *adj* aborigen, nativo, indígena.
Aborrecer *v* aborrecer, aburrir, amohinar, fastidiar.
Aborrecido *adj* aburrido, fastidioso.
Aborrecimento *s* aborrecimiento, aburrimiento.
Abortar *v* abortar.
Abraçar *v* abrazar, ceñir.
Abraço *s* abrazo.
Abrandar *v* ablandar, suavizar, moderar.
Abranger *v* comprender, contener, incluir, abarcar.

Abrasador *adj* abrasador, ardiente, inflamado.
Abrasar *v* abrasar, escaldar, quemar.
Abrasivo *adj* abrasivo.
Abreviado *adj* abreviado, resumido.
Abreviar *v* abreviar, cortar, resumir.
Abricó *s* albaricoque.
Abrigar *v* abrigar, defender, cubrir.
Abrigo *s* abrigo, resguardo, protección, cobertura, acogida, refugio.
Abril *s* abril.
Abrilhantar *v* abrillantar.
Abrir *v* abrir, descubrir, comenzar, inaugurar, desabrochar.
Ab-rogar *v* abrogar, anular.
Abrupto *adj* abrupto, escarpado.
Abrutalhado *adj* grosero, rudo.
Abscesso *s* absceso, tumor.
Absinto *s* ajenjo.
Absoluto *adj* absoluto, incondicional.
Absolver *v* absolver, indultar, perdonar.
Absolvição *s* absolución, indulto.
Absorto *adj* absorto.
Absorver *v* absorber, embeber, sorber, inhalar, consumir.
Abstenção *s* abstención, privación, renuncia.
Abster *v* privar, impedir.
Abstinência *s* abstinencia, ayuno, privación.
Abstrair *v* abstraer, separar, excluir.
Abstrato *adj* abstracto.
Absurdo *s* absurdo, contradictorio, disparate, esperpento.
Abulia *s* abulia.
Abundância *s* abundancia, exuberancia, opulencia, riqueza.
Abundante *adj* abundante, copioso, fecundo.
Abundar *v* abundar, bastar.
Aburguesar *v* aburguesar.
Abusador *adj* abusador.
Abuso *s* abuso, desmán, engaño.
Abutre *s* buitre.
Acabado *adj* acabado, envejecido, viejo, perfecto.
Acabamento *s* acabamiento, consumación, confección.
Acabar *v* acabar, poner término, rematar, dar fin.
Acabrunhar *v* agobiar, fastidiar, oprimir.
Acaçapado *adj* agazapado.
Acadêmico *adj* académico.
Açafrão *s* azafrán.
Acaju *s* nombre de varios árboles de distintas familias.
Acalentar *v* adormecer, arrullar.
Acalento *s* consuelo, caricia.
Acalmar *v* calmar, pacificar, serenar, sosegar.
Acalorado *adj* acalorado, caliente.
Acamar *v* abatirse, enfermar.
Acamaradar *v* hacerse camarada.
Açambarcar *v* acaparar, monopolizar.
Acampamento *s* acampamento, camping.
Acanhado *adj* tímido, estrecho, avergonzado.
Acanhar *v* apocar, estrechar, rendirse.
Ação *s* acción, acto, hecho.
Acaramelar *v* acaramelar.
Acareação *s* careo, acareamiento.
Acariciar *v* acariciar, halagar.
Acarretar *v* transportar, traer.
Acaso *s* acaso, eventualidad.
Acaso *adv* acaso, quizá, talvez.
Acastanhado *adj* acastañado, de color de castaña, marrón.
Acatamento *s* acatamiento, obediencia.
Acatar *v* acatar, deferir, cumplir.
Acaudilhar *v* acaudillar, dirigir.
Acautelar *v* acautelar, precaver.
Acavalado *adj* acaballado, cubierto.
Acebolado *adj* que sabe o tiene cebolla, en que entra cebolla.
Aceder *v* acceder.
Aceitação *s* aceptación, admisión.
Aceitar *v* aceptar, admitir, aprobar.
Aceitável *adj* aceptable.
Aceleração *s* aceleración.
Acelerar *v* acelerar, adelantar, apresurar.
Acenar *v* hacer ademanes, provocar.
Acendedor *s* encendedor.

Acender *v* encender, inflamar.
Aceno *s* ademán, gesto.
Acentuar *v* acentuar, atildar.
Acepção *s* acepción, significado.
Acéquia *s* acequia, zanja.
Acerbo *adj* acerbo, áspero, ácido.
Acercar *v* acercar, aproximar.
Acertar *v* acertar, concordar.
Acerto *s* acierto, ajuste, acaso, suerte.
Acervo *s* acervo, gran cantidad.
Aceso *adj* encendido.
Acessível *adj* accesible, fácil.
Acesso *s* acceso, llegada, ingreso.
Acessório *adj* accesorio.
Acético *adj* acético, realtivo al vinagre.
Acetinado *adj* satinado, sedoso, lustroso.
Acetinar *v* satinar, alisar, suavizar.
Acha *s* leño, astilla.
Achacar *v* achacar, enfermar.
Achado *s* hallazgo, descubrimiento.
Achado *adj* encontrado.
Achar *v* hallarse, descubrir, encontrar, notar.
Achatamento *s* achatamiento.
Achatar *v* achatar, aplastar, allanar.
Achegar *v* allegar, aproximar, unir.
Achego *s* añadidura.
Achincalhar *v* ridiculizar, mofar.
Achinesado *adj* chino.
Acidentado *adj* accidentado, modificado con accidentes.
Acidental *adj* accidental, casual, eventual.
Acidentar *v* accidentar.
Acidente *s* accidente, contratiempo, desgracia, desmayo.
Acidez *s* acidez.
Acima *adv* encima, arriba.
Acinte *s* terquedad.
Acinzentado *adj* ceniciento, gris, grisáceo.
Acionar *v* accionar, mover, poner en acción.
Acionista *s* accionista.
Acirrar *v* irritar, estimular.
Aclamar *v* aclamar, aprobar.
Aclarar *v* aclarar, clarear, iluminar.
Aclimatar *v* aclimatar, acostumbrarse.
Aclive *s* declive, ladera.
Acne *s* acné.
Aço *s* acero.
Acobertar *v* tapar con cubierta, enjaezar.
Acocorar-se *v* agacharse, acuclillarse.
Açoitar *v* azotar, fustigar, castigar.
Acolchetar *v* abrochar.
Acolchoado *s* edredón.
Acolchoar *v* acolchar, acolchonar, estofar.
Acolhedor *adj* acogedor, hospitalario.
Acolher *v* acoger, hospedar, proteger.
Acolhida *s* acogida, asilo, recepción.
Acometer *v* acometer, embestir, emprender.
Acometida *s* acometida, asalto, embestida.
Acomodação *s* acomodación.
Acompanhamento *s* acompañamiento, cortejo, séquito.
Acompanhante *s* acompañante, compañía.
Acompanhar *v* acompañar, seguir, escoltar.
Aconchegar *v* agasajar, halagar, aproximar.
Acondicionar *v* acondicionar, disponer.
Aconselhar *v* aconsejar, amonestar, advertir.
Aconselhável *adj* aconsejable.
Acontecer *v* acontecer, ocurrir, sobrevenir.
Acontecimento *s* acontecimiento, suceso, éxito.
Acorde *adj* concorde, armonioso; *s* acorde.
Acordo *s* acuerdo, conformidad, parecer, arreglo.
Açoriano *adj* azoreano, natural de las islas Azores.
Acorrentar *v* encadenar.
Acorrer *v* acorrer, acudir.
Acossar *v* acosar, perseguir, fatigar.
Acostar *v* acostar, arrimar, juntar.
Acostumado *adj* acostumbrado.
Acostumar *v* acostumbrar, habituar.
Acotovelar *v* codear, empujar.

Açougue *s* carnicería, matadero.
Açougueiro *s* carnicero.
Acovardar *v* acobardar, asustar.
Acre *adj* acre, agrio; *s* acre, medida agraria.
Acreditar *v* acreditar, creer.
Acrescentar *v* acrecentar, anãdir, incorporar, juntar.
Acrescer *v* acrecer, aumentar, agregar.
Acréscimo *s* añadidura, acrecimiento.
Acrobata *s* acróbata, saltimbanqui.
Acrópole *s* acrópolis.
Acuar *v* arrinconar.
Açúcar *s* azúcar.
Açucarar *v* azucarar, endulzar.
Açucareiro *s* azucarero.
Açucena *s* azucena.
Açude *s* dique, embalse, represa.
Acuidade *s* acuidad, agudeza.
Açular *v* azuzar, excitar.
Acumular *v* acumular, amontonar, juntar.
Acusação *s* acusación, censura, denuncia.
Acusado *s* acusado, notificado, reo.
Acusador *adj* acusador, el que acusa; *s* delator.
Acusar *v* acusar, delatar, denunciar, imputar, culpar.
Adaga *s* daga, sable.
Adágio *s* adagio, proverbio.
Adamascado *adj* adamascado.
Adaptação *s* adaptación, acomodación.
Adaptar *v* acomodar, adaptar, ajustar.
Adega *s* bodega, taberna.
Ademais *adv* además.
Adenda *s* apéndice, epílogo.
Adequar *v* adecuar, amoldar, apropiar, emparejar.
Adereçar *v* aderezar, adornar, componer, dedicar.
Aderência *s* adherencia, cohesión.
Aderente *adj* adherente, anexo.
Aderir *v* adherir, anuir, juntar.
Adernar *v* inclinarse el buque.
Adesão *s* adhesión, ligación, acuerdo.
Adestramento *s* adestramiento.
Adestrar *v* adiestrar, instruir, ejercitar, amaestrar.
Adeus *s* adiós, despedida; *interj* ¡hasta la vista!
Adiamento *s* prórroga, retraso.
Adiantado *adj* adelantado, temprano.
Adiantamento *s* adelanto, anticipo.
Adiantar *v* adelantar.
Adiante *adv* adelante.
Adiar *v* aplazar, diferir, postegar, retrasar.
Adiável *adj* aplazabe.
Adição *s* adición, apéndice, suma.
Adicionar *v* incrementar, añadir, agregar, sumar.
Adido *s* agregado.
Aditivo *adj* adictivo.
Adivinhação *s* adivinación.
Adivinhar *v* adivinar, descifrar, acertar.
Adivinho *s* adivino, zahorí.
Adjacente *adj* adyacente, cercano, inmediato, contiguo.
Adjudicar *v* adjudicar, conceder, otorgar.
Adjunto *adj* adjunto, agregado, compañero, socio.
Administração *s* administración, gestión.
Administrador *s* administrador, director, gerente, gestor.
Administrar *v* administrar, conducir, dirigir, governar.
Admiração *s* admiración, espanto, asombro, sorpresa.
Admirar *v* admirar, mirar, contemplar, maravillar, sorprender.
Admirável *adj* admirable, estupendo, maravilloso.
Admissão *s* admisión, entrada, ingreso, iniciación, introducción.
Admissível *adj* admisible.
Admitir *v* admitir, recibir, permitir, tolerar, aceptar, reconocer.
Admoestar *v* amonestar.
Adoção *s* adopción.
Adoçar *v* dulcificar, endulzar, enmelar.
Adoecer *v* adolecer, enfermar, languidecer.
Adoidado *adj* alocado, desatinado.
Adolescência *s* adolescencia, mocedad.

Adolescente *adj* adolescente, púber.
Adônis *s* adonis, joven hermoso.
Adoração *s* adoración.
Adorar *v* adorar, venerar.
Adorável *adj* adorable.
Adormecer *v* adormecer.
Adormecimento *s* adormecimiento, somnolencia.
Adornar *v* adornar, ataviar, ornar.
Adotar *v* adoptar, aceptar.
Adotivo *adj* adoptivo.
Adquirir *v* adquirir, comprar, conseguir, granjear.
Adstringência *s* astringencia.
Adstringente *adj* astringente.
Aduaneiro *adj* aduanero.
Adubar *v* adobar, fertilizar.
Adubo *s* adobo, estiércol.
Adulação *s* adulación, halago, lisonja.
Adulador *adj* adulador, halagador.
Adular *v* adular, halagar, lisonjear.
Adulteração *s* adulteración, falsificación.
Adultério *s* adulterio, infidelidad.
Adúltero *adj* adúltero, infiel.
Adulto *adj* adulto.
Aduzir *v* aducir, alegar, traer.
Advento *s* advenimiento, venida, llegada, arribo.
Advérbio *s* adverbio.
Adversário *adj* adversario, oponente, enemigo.
Adversidade *s* adversidad, contrariedad, infortunio.
Adverso *adj* adverso, contrario, opuesto.
Advertência *s* advertencia, consejo, llamado.
Advertir *v* advertir, avisar, notar, reparar.
Advir *v* avenir, sobrevenir, resultar, emerger.
Advocacia *s* abogacía.
Advogado *s* abogado.
Advogar *v* abogar.
Aeração *s* aeración.
Aeródromo *s* aeródromo.
Aerograma *s* aerograma.
Aerólito *s* aerolito, meteorito.
Aeromoça *s* azafata.
Aeromodelismo *s* aeromodelismo.
Aeronauta *s* aeronauta.
Aeronaval *adj* aeronaval.
Aeronave *s* aeronave, avión.
Aeroplano *s* aeroplano.
Aeroporto *s* aeropuerto.
Aerotransportar *v* aerotransportar.
Aerovia *s* aerovía.
Afã *s* afán, esfuerzo, trabajo excesivo.
Afabilidade *s* afabilidad, llaneza, cortesía.
Afadigar *v* fatigar, cansar.
Afagador *adj* halagador.
Afago *s* caricia, halago.
Afanar *v* robar, gatear.
Afastado *adj* apartado, distante, retirado, remoto.
Afastamento *s* separación, apartamiento, desvío.
Afastar *v* alejar, apartar, desterrar, separar.
Afável *adj* afable, cortés, campechano.
Afazer *v* adiestrar, acostumbrar.
Afazeres *s* quehaceres, trabajos.
Afear *v* afear.
Afecção *s* afección.
Afegã *adj* afgano.
Afeição *s* afección, afecto, ternura.
Afeiçoar *v* aficionar, encariñar, enamorar.
Afeito *adj* acostumbrado, aclimatado.
Afeminado *adj* afeminado.
Aferir *v* aferir, valorar, comparar.
Aferro *s* aferramiento, obstinación.
Aferrolhar *v* acerrojar.
Aferventar *v* escaldar, hervir.
Afervorar *v* enfervorizar, estimular, encender.
Afetado *adj* afectado, presumido, rebuscado.
Afetar *v* afectar, fingir.
Afetivo *adj* afectivo, afectuoso.
Afeto *s* afecto, amor, cariño.
Afiado *adj* afilado.
Afiançar *v* abonar, afianzar, garantizar.
Afiar *v* afilar.
Aficionado *adj* aficionado, amador.
Afidalgado *adj* ahidalgado.
Afilhado *s* ahijado.

Afiliação *s* afiliación.
Afiliar *v* afiliar.
Afim *adj* afín.
Afinal *adv* finalmente, por fin.
Afinar *v* afinar, perfeccionar.
Afinco *s* ahinco, persistencia, tenacidad.
Afirmação *s* afirmación, aseveración.
Afirmar *v* afirmar, asegurar, certificar, consolidar.
Afirmativo *adj* afirmativo, positivo.
Afivelar *v* sujetar con hebilla, prender.
Afixar *v* fijar, patentizar.
Afixo *s* afijo.
Aflautado *adj* aflautado.
Aflição *s* aflicción, dolor.
Afligir *v* afligir, angustiar, acongojar.
Aflitivo *adj* aflictivo.
Aflorar *v* aflorar, brotar.
Afluência *s* afluencia, abundancia, concurso.
Afluente *adj* afluente.
Afluxo *s* aflujo, afluencia.
Afobação *s* precipitación.
Afofar *v* ahuecar.
Afogado *adj* ahogado, asfixiado, sofocado.
Afogueado *adj* rojo.
Afoito *adj* atrevido, osado, valiente.
Afônico *adj* afónico.
Afora *adv* excepto, fuera de, además de.
Aforamento *s* aforamiento, foro.
Aformosear *v* hermosear, embellecer, adornar.
Afortunado *adj* afortunado, feliz.
Afrancesado *adj* afrancesado.
Afrodisíaco *adj* afrodisíaco.
Afronta *s* baldón, denuesto, vejación.
Afrontar *v* arrostrar, resistir, enfrentar.
Afrontoso *adj* afrentoso.
Afrouxamento *s* aflojamiento, enflaquecimiento.
Afrouxar *v* aflojar, amainar, debilitar.
Afugentar *v* ahuyentar, expulsar.
Afundamento *s* hundimiento, ahondamiento, sumergimiento.
Afundar *v* ahondar, afondar, sumergir.
Afunilado *adj* que tiene la forma de un embudo, abocardado.
Agachar *v* agachar.
Agalegado *adj* agallegado.
Agarrar *v* agarrar, agazapar, prender, tomar.
Agasalho *s* abrigo, prenda de vestir, buen acogimiento.
Agastar *v* enfadar, enojar, aburrir.
Ágata *s* ágata.
Agatanhar *v* arañar.
Agência *s* agencia, oficio y oficina de agente, sucursal, administración.
Agenda *s* agenda, dietario.
Agente *s* agente, procurador.
Agigantado *adj* agigantado, enorme, colosal.
Ágil *adj* ágil, leve, ligero, diestro, diligente.
Agilidade *s* agilidad, desembarazo, diligencia, presteza, soltura.
Ágio *s* agio, usura.
Agiota *s* agiotista, logrero, usurero.
Agiotagem *s* agiotaje, usura.
Agir *v* obrar, hacer, actuar.
Agitação *s* agitación, excitación, calentura.
Agitado *adj* agitado, turbulento.
Agitar *v* agitar, bullir, mecer.
Aglomeração *s* aglomeración, reunión, amontonamiento.
Aglomerar *v* aglomerar, amontonar.
Aglutinar *v* aglutinar, unir, juntar, pegar, encolar.
Agnóstico *adj* agnóstico.
Agonia *s* agonía, angustia, aflicción.
Agoniado *adj* ansioso.
Agoniar *v* agonizar, atormentar, mortificar, afligirse.
Agônico *adj* agónico.
Agonizante *adj* agonizante.
Agonizar *v* agonizar.
Agora *adv* ahora, en el presente, hoy en día.
Agosto *s* agosto.
Agourento *adj* agorero, de mal agüero.
Agouro *s* agüero, presagio.
Agraciado *adj* agraciado, condecorado.

Agraciar *v* agraciar, condecorar.
Agradar *s* agradar, complacer, contentar, gustar, halagar, satisfacer.
Agradável *adj* agradable, apacible, bello.
Agradecer *v* agradecer.
Agrado *s* agrado, afabilidad, satisfacción, encanto.
Agrário *adj* agrario, rural.
Agravar *v* agravar, complicar, empeorar, exacerbar, exagerar.
Agravo *s* afrenta, agravio, entuerto, ofensa.
Agredir *v* agredir, atacar, asaltar.
Agregado *s* agregado, asociado.
Agregar *v* agregar, asociar, añadir.
Agressão *s* agresión, ataque, golpe.
Agressividade *s* agresividad.
Agressivo *adj* agresivo, belicoso, ofensivo.
Agressor *s* agresor, provocador, invasor.
Agreste *adj* agreste, silvestre.
Agrião *s* berro.
Agricultor *s* agricultor, granjero, labrador.
Agridoce *adj* agridulce.
Agrilhoar *v* agrillar.
Agronomia *s* agronomía.
Agropecuário *adj* agropecuario.
Agrupamento *s* agrupamiento, reunión.
Agrupar *v* agrupar, juntar en grupo, combinar, reunir.
Água *s* agua, líquido, lluvia, mar, río.
Aguaceiro *s* aguacero, lluvia.
Aguada *s* aguada.
Água-de-colônia *s* agua de colonia.
Aguador *s* regadera.
Água-forte *s* agua fuerte.
Água-furtada *s* guardilla.
Água-marinha *s* aguamarina.
Água-mel *s* aguamiel, agua con miel.
Aguar *v* aguar, regar.
Aguardar *v* aguardar, esperar.
Aguardente *s* aguardiente, cachaza.
Aguçar *v* aguzar, acuciar.
Agudo *adj* agudo, sutil, estridente, afilado.
Aguentar *v* aguantar, sufrir, tolerar, soportar.
Aguerrido *adj* aguerrido.
Águia *s* águila.
Aguilhada *s* aguijada.
Aguilhão *s* aguijón, rejo.
Aguilhoar *v* aguijonear.
Agulha *s* aguja.
Agulhada *s* agujeta.
Ah *interj* ¡ah!, expresa alegría, espanto o admiración.
Aí *adv* ahí, en ese lugar.
Aia *s* aya, criada, camarera.
Aids *s* sida.
Ainda *adv* aún, todavía.
Aipo *s* apio.
Airoso *adj* airoso, garboso, gallardo.
Ajardinar *v* ajardinar, dar forma o poner como un jardín.
Ajeitar *v* acomodar, adaptar, aplicar.
Ajoelhar *v* arrodillar.
Ajuda *s* auxilio, ayuda, socorro.
Ajudante *s* ayudante, auxiliar, asistente, subalterno.
Ajudar *v* auxiliar, ayudar, conllevar, socorrer.
Ajuizar *v* juzgar, apreciar.
Ajuntamento *s* agrupamiento, reunión, ayuntamiento.
Ajuntar *v* juntar, reunir.
Ajustar *v* ajustar, concertar, adaptar, reconciliar, completar, igualar.
Ajuste *s* ajuste, contrato, combinación, convenio, negociación.
Ala *s* hilera, fila.
Alabastro *s* alabastro.
Alado *adj* alado.
Alagadiço *adj* alagadizo, pantanoso.
Alagamento *s* inundación.
Alagar *v* empantanar, inundar.
Alambique *s* alambique.
Alameda *s* alameda, calle.
Alar *v* halar, izar, levantar.
Alaranjado *adj* anaranjado, color de naranja.
Alardear *v* alardear, ostentar.
Alargamento *s* alargamiento, ensanche.
Alargar *v* dilatar, aumentar, ensanchar, extender.
Alarido *s* alarido.

Alarmar *v* alarmar, sobresaltar.
Alarme *s* alarma, rebato, vocerio, tumulto.
Alarve *s* alarbe.
Alastrar *v* lastrar.
Alaúde *s* laúd.
Alavanca *s* barra, palanca.
Alavancar *v* apalancar.
Alazão *adj* alazán (caballo).
Alba *s* alba, aurora.
Albarda *s* albarda.
Albatroz *s* alcatraz.
Albergue *s* albergue, abrigo, parador.
Albino *adj* albino.
Álbum *s* álbum.
Albume *s* albumen.
Albumina *s* albúmina.
Alça *s* alza.
Alcachofra *s* alcachofa.
Alçado *s* alzado, trazado.
Alcaide *s* alcalde.
Alcalino *adj* alcalino.
Alcaloide *s* alcaloide.
Alçamento *s* alzamiento.
Alcançar *v* alcanzar, conseguir.
Alcandorado *adj* perchado, acantilado.
Alcantilado *adj* acantilado.
Alcanzia *s* alcancía.
Alçapão *s* trampa.
Alcaparra *s* alcaparra.
Alçar *v* alzar, levantar.
Alcateia *s* manada de lobos u otros animales salvages.
Alcatifa *s* alcatifa, alfombra o tapete.
Alcatrão *s* alquitrán.
Alcatraz *s* alcatraz, ave palmípeda.
Alce *s* alce, venado.
Álcool *s* alcohol.
Alcoólatra *s* alcohólico.
Alcoólico *adj* alcohólico.
Alcoolismo *s* alcoholismo.
Alcorão *s* alcorán.
Alcova *s* alcoba.
Alcovitar *v* alcahuetear, intrigar.
Alcunha *s* apodo.
Aldeão *adj* aldeano, lugareño, campesino.
Aldear *v* dividir en aldeas.
Aldeia *s* aldea.
Aleatório *adj* aleatorio.
Alecrim *s* romero.
Alegar *v* alegar, probar, exponer.
Alegórico *adj* alegórico, simbólico.
Alegrar *v* alegrar, desenfadar, divertir, recrear.
Alegre *adj* alegre, contento, jovial.
Alegria *s* alegría, animación, contento, euforia, felicidad.
Aleijado *adj* contrahecho, lisiado.
Aleijar *v* lisiar.
Aleitar *v* amamantar.
Aleivosia *s* alevosía, calumnia.
Aleluia *s* aleluya.
Além *adv* allá, más allá.
Alemão *adj* alemán.
Além-mar *adv* en ultramar.
Além-túmulo *adv* en la otra vida.
Alentar *v* alentar, animar.
Alento *s* aliento, vigor.
Alergia *s* alergia.
Alérgico *adj* alérgico.
Alertar *v* alertar.
Alfa *s* alfa.
Alfabético *adj* alfabético.
Alfabetização *s* alfabetización.
Alfabeto *s* abecedario.
Alface *s* lechuga.
Alfaia *s* arreo, adorno, vajilla.
Alfaiataria *s* sastrería.
Alfaiate *s* sastre.
Alfajor *s* alfajor.
Alfândega *s* aduana.
Alfandegário *adj* aduanero.
Alfange *s* alfanje.
Alfarroba *s* algarroba.
Alfavaca *s* albahaca.
Alfazema *s* espliego, lavanda.
Alferes *s* alférez.
Alfinete *s* alfiler.
Alfombra *s* alfombra, alcatifa.
Alforge *s* alforja.
Alforria *s* franqueo.
Alga *s* alga.
Algarada *s* algara.
Algaravia *s* algarabía.

Algarismo *s* guarismo, número.
Algazarra *s* algazara, gritería.
Álgebra *s* álgebra.
Algema *s* esposas, manillas, grilletes.
Algemar *v* esposar, engrillar.
Algibeira *s* bolsillo, faltriquera.
Álgido *adj* álgido, helado.
Algo *pron* algo.
Algodoal *s* algodonal.
Algodoeiro *s* algodonero.
Algoz *s* verdugo.
Alguém *pron* alguien, alguna persona.
Algum *pron* alguno, algún.
Alhear *v* enajenar.
Alheio *adj* extraño, distraído.
Alho *s* ajo.
Alhures *adv* en otro lugar.
Ali *adv* allí.
Aliado *adj* aliado.
Aliança *s* alianza, pacto.
Aliar *v* aliar, unir, ligar.
Aliás *adv* por el contrario.
Álibi *s* alibi, justificación, coartada.
Alicate *s* alicates, sacabocados.
Alicerce *s* base, cimiento.
Aliciar *v* seducir, sobornar, provocar.
Alienar *v* alienar, enajenar.
Alienígena *adj* alienígena.
Aligeirar *v* aligerar.
Alijar *v* alijar.
Alimentação *s* alimentación, nutrición.
Alimentar *v* alimentar, nutrir.
Alimentício *adj* alimenticio, nutritivo.
Alimento *s* alimento, comida, sustento.
Alínea *s* párrafo, subdivisión de um artículo.
Alinhado *adj* correcto, estofado, alineado.
Alinhamento *s* hila, hilera.
Alinhar *v* alinear, aliñar, reglar.
Alinhavar *v* hilvanar.
Alinhavo *s* hilván, embaste.
Alíquota *s* alícuota.
Alisar *v* alisar, cepillar.
Alistar *v* alistar.
Aliviar *v* aligerar, aliviar, consolar, desahogar.
Alívio *s* alivio, consuelo, desahogo, descanso.
Alizar *s* alizar, adorno de madera o azulejos en puertas o ventanas.
Aljofarar *v* aljofarar, rociar.
Alma *s* alma, ánima.
Almanaque *s* almanaque, efemérides.
Almejar *v* anhelar.
Almirante *s* almirante.
Almíscar *s* almizcle.
Almoçar *v* almorzar, comer la comida del mediodía.
Almoço *s* almuerzo, comida del mediodía.
Almofada *s* almohada, cojinete.
Almofadão *s* cojín.
Almôndega *s* albóndiga, croqueta.
Almoxarifado *s* almacén.
Alô *interj* ¡hola!
Alojamento *s* alojamiento, hospedaje.
Alojar *v* alojar, aposentar, hospedar, abrigar.
Alongamento *s* alongamiento.
Alongar *v* alargar, dilatar, prolongar.
Alopata *s* alópata.
Alourar *v* teñir de rubio o blondo.
Alpaca *s* alpaca.
Alpargata *s* alpargata.
Alpendre *s* alpende, barracón, porche.
Alpinismo *s* alpinismo, montañismo.
Alpino *adj* alpino.
Alpiste *s* alpiste.
Alquebrar *v* quebrantar, debilitar.
Alquimia *s* alquimia.
Alta *s* alta, alza.
Altar *s* altar, ara.
Alteração *s* alteración, confusión, transformación.
Alterado *adj* alterado.
Alterar *v* alterar, cambiar, desquiciar, inmutar, modificar.
Altercar *v* altercar, discutir, debatir.
Alternador *s* alternador.
Alternar *v* alternar, interpolar.
Alteroso *adj* alteroso, alto.
Alteza *s* alteza, excelencia.
Altímetro *s* altímetro.
Altiplano *s* altiplanicie.

Altíssimo *adj* altísimo, supremo.
Altitude *s* altitud.
Altivez *s* altanería, altivez, orgullo, soberbia.
Alto *adj* alto, elevado, profundo, hondo, célebre, audaz, excesivo, importante.
Alto-falante *s* altavoz, altoparlante.
Altruísta *adj* altruista, generoso, filántropo.
Altura *s* altura, elevación, cumbre, estatura.
Aluado *adj* alunado, lunático.
Alucinação *s* alucinación.
Alucinar *v* alucinar, ofuscar, seducir, encandilar.
Aludir *v* aludir, mencionar.
Alugar *v* alquilar, arrendar.
Aluguel *s* alquiler, locación.
Aluir *v* derrocar, abalar, derribar.
Alúmen *s* alumbre.
Alumiar *v* alumbrar.
Alumina *s* alúmina.
Alumínio *s* aluminio.
Aluno *s* alumno, discípulo.
Alusão *s* alusión.
Alusivo *adj* alusivo, referente.
Aluvião *s* aluvión.
Alva *s* alba.
Alvar *adj* albar, blanquecino.
Alvará *s* albalá, edicto, patente.
Alvejar *v* albear, blanquear.
Alvenaria *s* albañilería, mampostería.
Alveolar *adj* alveolar.
Alvéolo *s* alvéolo.
Alverca *s* alberca.
Alvião *s* alcotana.
Alvissaras *s* albricias, recompensa.
Alvitrar *v* arbitrar, aconsejar, sugerir.
Alvitre *s* arbitrio, propuesta.
Alvo *s* albo, blanco.
Alvorada *s* alborada, alba.
Alvorecer *v* alborear, amanecer.
Alvoroço *s* alboroto, alborozo, excitación, tumulto.
Alvura *s* blancor, candor.
Amabilidade *s* amabilidad, gentileza.
Amaciar *v* ablandar, suavizar.
Amada *s* amada, querida, novia.
Amador *s* amador, aficionado.
Amadurecer *v* madurar.
Âmago *s* medula, centro, alma, esencia.
Amainar *v* amainar, aflojar.
Amaldiçoado *adj* maldecido, maldito.
Amaldiçoar *v* maldecir.
Amálgama *s* amalgama.
Amamentar *v* amamantar, lactar.
Amancebar-se *v* amancebarse.
Amanhã *adv*, *s* mañana, el día siguiente.
Amanhar *v* amañar.
Amanhecer *v*, *s* amanecer, clarear.
Amansar *v* amansar, sosegar.
Amante *adj*, *s* amante.
Amanteigado *adj* mantecoso.
Amar *v* amar.
Amarelado *adj* amarillento, pálido.
Amarelar *v* amarillear.
Amarelento *adj* amarillento.
Amarelo *adj* amarillo.
Amarfanhar *v* arrugar, estrujar, maltratar.
Amargar *v* amargar.
Amargor *s* amargor.
Amargura *s* amargura, disgusto, tribulación.
Amargurar *v* amargar, acibarar.
Amarra *s* amarra.
Amarrar *v* amarrar, atar, trincar.
Amarrotar *v* aplastar, arrugar.
Amásia *s* amasia, manceba, concubina.
Amasiar-se *v* amancebarse.
Amassar *v* amasar, aplastar.
Amável *adj* amable, agradable, encantador.
Amazona *s* amazona.
Amazônico *adj* amazónico.
Âmbar *s* ámbar.
Ambição *s* ambición.
Ambicioso *adj* ambicioso, codicioso.
Ambidestro *adj* ambidextro.
Ambiental *adj* ambiental.
Ambientar *v* ambientar.
Ambiguidade *s* ambigüedad.
Ambíguo *adj* ambiguo, equívoco.
Âmbito *s* ámbito, recinto.

Ambivalência *s* ambivalencia.
Ambos *adj* ambos, entrambos.
Ambrosia *s* ambrosía.
Ambulância *s* ambulancia.
Ambulante *adj* ambulante.
Ambulatório *adj* ambulatorio.
Ameaça *s* amago, amenaza.
Ameaçador *adj* amenazador.
Ameaçar *v* amagar, amenazar, conminar.
Amealhar *v* economizar, ahorrar.
Ameba *s* ameba.
Amedrontar *v* amedrentar, atemorizar, espantar.
Ameigar *v* halagar, mimar.
Ameixa *s* ciruela.
Amém *interj* amén, así sea, acuerdo.
Amêndoa *s* almendra.
Amendoado *adj* almendrado.
Amendoim *s* cacahuete.
Amenidade *s* amenidad.
Ameno *adj* ameno, grato, plancentero, benigno.
Amercear-se *v* compadecerse, apiedarse.
Americanismo *s* americanismo.
Americanizar *v* americanizar.
Americano *adj*, *s* americano.
Ameríndio *s* amerindio.
Amesquinhar *v* despreciar, rebajar.
Amestrar *v* amaestrar.
Ametista *s* amatista.
Amianto *s* amianto.
Amido *s* almidón.
Amiga *s* amiga.
Amigar-se *v* amancebarse.
Amigável *adj* amigable.
Amígdala *s* amígdala.
Amigo *adj* amigo.
Amistoso *adj* amistoso, amigable.
Amiudar *v* reiterar, menudear.
Amizade *s* amistad.
Amnésia *s* amnesia.
Amo *s* amo, dueño, patrón.
Amoedar *v* amonedar.
Amofinar *v* amohinar, enojar, aburrir.
Amoitar *v* esconder.
Amolação *s* aburrimiento.
Amolador *s* afilador.
Amolar *v* afilar, amolar.
Amoldar *v* amoldar, moldar.
Amolecer *v* ablandar, doblegar.
Amolgar *v* abollar, amasar.
Amoníaco *s* amoníaco.
Amontoar *v* amontonar, acumular, hacinar.
Amontoar-se *v* acumularse.
Amor *s* afecto, amor, cariño.
Amora *s* mora.
Amoral *adj* amoral.
Amordaçar *v* amordazar.
Amorenado *adj* que tira a moreno.
Amorfo *adj* amorfo.
Amornar *v* templar.
Amoroso *adj* amoroso.
Amor-perfeito *s* trinitaria, pensamiento.
Amor-próprio *s* amor propio.
Amortalhar *v* amortajar.
Amortecedor *adj*, *s* amortiguador.
Amortecer *v* amortiguar.
Amortizar *v* amortizar.
Amortizável *adj* amortizable.
Amostra *s* muestra, prueba.
Amotinar *v* amotinar, sublevar.
Amparar *v* amparar, apoyar, defender.
Amparo *s* amparo, defensa, protección.
Ampere *s* amperio, *var s* ampère.
Amplexo *s* abrazo my apretado.
Ampliar *v* ampliar, aumentar, ensanchar, exagerar.
Amplidão *s* amplitud.
Amplificação *s* ampliación, amplificación.
Amplificar *v* amplificar, ampliar.
Amplitude *s* amplitud.
Amplo *adj* amplio, ancho, espacioso, lato, vasto.
Ampola *s* ampolla.
Ampulheta *s* ampolleta.
Amputar *v* amputar.
Amuar *v* amorrar, enfadar.
Amulatado *adj* amulatado.
Amuleto *s* amuleto, talismán.
Amuo *s* mohina, rabieta, enfado.
Amurada *s* amurada, muralla.
Anacoreta *s* anacoreta.

Anacrônico *adj* anacrónico.
Anáfora *s* anáfora.
Anagrama *s* anagrama.
Anágua *s* enagua.
Anais *s* anales.
Anal *adj* anal.
Analfabeto *adj* analfabeto, iletrado.
Analgésico *adj* analgésico.
Analisar *v* analizar.
Análise *s* análisis, comentario, examen.
Analista *adj*, *s* analista.
Análogo *adj* análogo, semejante, igual, idéntico.
Ananás *s* ananás, ananá, piña.
Anão *s* enano.
Anarquia *s* anarquía.
Anarquismo *s* anarquismo.
Anarquista *adj* anarquista.
Anátema *s* anatema.
Anatomia *s* anatomía.
Anca *s* anca, cuadril, nalga, cadera.
Ancestral *adj* ancestral, antiguo.
Anchova *s* anchoa, boquerón.
Ancião *adj*, *s* anciano, viejo.
Ancinho *s* rastrillo.
Âncora *s* ancla.
Ancoradouro *s* ancladero.
Ancorar *v* anclar, fondear.
Andaime *s* andamio.
Andaluz *adj* andaluz.
Andamento *s* andadura, trámite.
Andança *s* andanza.
Andar *s* piso, pavimento de una casa.
Andar *v* andar, ir, caminar, marchar.
Andarilho *s* andarín, callejero.
Andino *adj* andino.
Andorinha *s* golondrina.
Andrajo *s* andrajo, harapo.
Andrajoso *adj* andrajoso, harapiento.
Androide *s* androide.
Anedota *s* anécdota.
Anel *s* anillo.
Anelado *adj* anillado.
Anelar *v* anhelar, anillar.
Anelo *s* anhelo, deseo ardiente.
Anemia *s* anemia.
Anêmona *s* anémone.
Anestesiar *v* anestesiar, narcotizar.
Aneurisma *s* aneurisma.
Anexação *s* anexión, incorporación.
Anexo *adj* anexo, anejo, agregado, unido.
Anfíbio *adj*, *s* anfibio.
Anfiteatro *s* anfiteatro, circo.
Anfitrião *s* anfitrión.
Ânfora *s* ánfora.
Angariar *v* atraer, seducir, reclutar.
Angélica *s* angélica.
Angelical *adj* angelical, inocente.
Angina *s* angina.
Anglicanismo *s* anglicanismo.
Anglicismo *s* anglicismo.
Anglo *adj*, *s* anglo.
Anglo-saxão *adj* anglosajón.
Angorá *adj*, *s* Angora.
Angra *s* angra, ensenada.
Angu *s* masa hecha con harina de maíz.
Ângulo *s* ángulo, arista, esquina.
Anguloso *adj* anguloso.
Angústia *s* angustia, ansiedad, congoja.
Angustiado *adj* angustiado.
Angustiante *adj* angustiante.
Angustiar *v* angustiar, afligir, acongojar.
Anil *s* añil.
Anileira *s* añil.
Anilina *s* anilina.
Animação *s* animación, entusiasmo, jaleo.
Animar *v* animar, dar ánimo.
Anímico *adj* anímico.
Ânimo *s* ánimo, espíritu, coraje.
Animoso *adj* animoso, valiente, audaz.
Aninhar *v* anidar.
Aniquilar *v* aniquilar, destruir, arruinar, abatir.
Anis *s* anís.
Anistia *s* amnistía, indulto.
Anistiar *v* amnistiar, indultar.
Aniversariar *v* cumplir años.
Aniversário *s* aniversario, cumpleaños.
Anjo *s* ángel, querubín.
Ano *s* año.
Anoitecer *s* anochecer.
Anomalia *s* anomalía, anormalidad.
Anômalo *adj* anómalo, irregular.

Anônimo *adj* anónimo, incógnito.
Ano-novo *s* año nuevo.
Anormal *adj* anormal, anómalo.
Anormalidade *s* anomalía, anormalidad.
Anotar *v* anotar, inscribir, registrar.
Anseio *s* ansiedad, ansia, angustia.
Ânsia *s* ansia, angustia.
Ansiar *v* ansiar, afligir acongojar, sentir ansias.
Ansiedade *s* angustia, ansiedad, impaciencia.
Antagônico *adj* antagónico, opuesto, contrario.
Antagonizar *v* oponer.
Antártico *adj* antártico.
Ante *prep* antes, delante de; *adv* antes.
Antebraço *s* antebrazo.
Antecâmara *s* antecámara.
Antecedência *s* antecedencia, antecedente.
Anteceder *v* anteceder, preceder.
Antecipação *s* anticipación.
Antecipadamente *adv* anticipadamente.
Antecipar *v* anticipar, adelantar.
Antediluviano *adj* antidiluviano.
Antelação *s* antelación, preferencia.
Antemão *adv* antemano, anticipadamente.
Antena *s* antena.
Anteontem *adv* anteayer.
Anteparo *s* abrigo, trinchera, defensa.
Antepassado *adj* antepasado, el tiempo pasado.
Antepasto *s* entremés.
Antepenúltimo *adj* antepenúltimo.
Antepor *v* anteponer.
Anteposição *s* anteposición, preferencia.
Anteprojeto *s* anteproyecto.
Anterior *adj* anterior, antecedente.
Anteriormente *adv* anteriormente, em tiempo anterior.
Antes *adv* antes, mejor, con preferencia.
Antessala *s* antesala, recibidor.
Antever *v* antever, prever.
Antevéspera *s* antevíspera.
Antiácido *adj* antiácido.
Antialcoolismo *s* antialcoholismo.
Antiatômico *adj* antiatómico.
Antibiótico *adj, s* antibiótico.
Anticlerical *adj* anticlerical.
Anticomunista *adj* anticomunista.
Anticoncepcional *adj, s* anticonceptivo.
Anticongelante *adj* anticongelante.
Anticorpo *s* anticuerpo.
Antidemocrático *adj* antidemocrático.
Antídoto *s* antídoto.
Antiestético *adj* antiestético.
Antigo *adj* antiguo, añejo, desusado, viejo.
Antiguidade *s* antigüedad.
Anti-higiênico *adj* antihigiénico.
Antílope *s* antílope.
Antimônio *s* antimonio.
Antipatia *s* antipatía, aversión.
Antipatizar *v* antipatizar.
Antipirético *adj* antipirético.
Antípoda *s* antípoda.
Antiquado *adj* anticuado, obsoleto.
Antiqualha *s* antigualla, antigüedad.
Antiquário *s* anticuario.
Antiquíssimo *adj* antiquísimo.
Antirrábico *adj* antirrábico.
Antirroubo *s* antirrobo.
Antissemita *adj* antisemita.
Antisepsia *s* antisepsia.
Antisséptico *adj* antiséptico.
Antissocial *adj* antisocial, insociable.
Antítese *s* antítesis.
Antitóxico *adj* antitóxico.
Antitoxina *s* antitoxina.
Antivenéreo *adj* antivenéreo.
Antologia *s* antología.
Antológico *adj* antológico.
Antônimo *s* antónimo.
Antonomásia *s* antonomasia.
Antraz *s* ántrax, tumor.
Antro *s* antro, caverna, cubil, cueva.
Antropofagia *s* antropofagia.
Antropófago *adj* antropófago.
Antropoide *adj* antropoide.
Antropologia *s* antropología.
Antropólogo *s* antropólogo.
Antropomorfo *adj* antropomorfo.
Anual *adj* anual.

Anualidade *s* anualidad.
Anuário *s* anuario.
Anuência *s* anuencia, aquiescencia, consentimiento.
Anuidade *s* anualidad.
Anuir *v* consentir, asentir.
Anulação *s* anulación, supresión.
Anular *v* anular, destruir, eliminar.
Anular *adj* en forma de anillo.
Anunciação *s* anunciación.
Anunciar *v* anunciar, presagiar, avisar.
Anúncio *s* anuncio, aviso, cartel.
Ânus *s* ano.
Anuviar *v* anublar.
Anverso *s* anverso.
Anzol *s* anzuelo.
Aonde *adv* adonde, donde.
Aorta *s* aorta.
Apadrinhamento *s* padrinazgo.
Apadrinhar *v* apadrinar.
Apagado *adj* apagado, extinto.
Apagar *v* apagar (el fuego, la luz), cancelar, desvanecer.
Apaixonado *adj* apasionado, enamorado, fanático.
Apaixonar *v* apasionar, enamorar.
Apalavrar *v* apalabrar.
Apalermado *adj* estúpido, atontado.
Apalpadela *s* palpación.
Apalpar *v* manosear.
Apanhar *v* apañar, atrapar, recoger, agarrar, apoderarse, capturar, ser apaleado.
Apara *s* viruta.
Aparafusar *v* atornillar.
Aparar *v* aparar, recortar, cortar, alisar.
Aparecer *v* aparecer, surgir.
Aparelhador *s* aparejador, preparador.
Aparelhagem *s* apareamiento.
Aparelhar *v* aparejar, preparar, disponer.
Aparelho *s* aparejo, aparato, teléfono.
Aparência *s* apariencia, aspecto.
Aparentado *adj* aparentado, parecido.
Aparentar *v* emparentar, aparentar.
Aparentar-se *v* contraer parentesco.
Aparição *s* aparición.
Apartado *adj* apartado, separado.
Apartamento *s* apartamiento.
Apartar *v* apartar, desunir, separar.
Aparte *s* aparte.
Aparvalhado *adj* atontado, atolondrado.
Aparvoado *adj* idiota.
Apascentar *v* apacentar.
Apatetado *adj* atontado, imbécil.
Apatia *s* apatía, indolencia, dejadez.
Apático *adj* apático.
Apátrida *s* apátrida.
Apavorar *v* asustar, aterrorizar, amedrentar.
Apaziguar *v* apaciguar.
Apear *v* apear, desmontar.
Apedrejamento *s* apedreamiento.
Apedrejar *v* apedrear.
Apegado *adj* apegado.
Apego *s* apego, cariño, interés.
Apelar *v* apelar, llamar en socorro.
Apelável *adj* apelable, que admite apelación.
Apelidar *v* apellidar, nombrar, denominar.
Apelido *s* sobrenombre, apodo.
Apelo *s* apelación, llamamiento.
Apenas *adv* apenas, solamente.
Apendicite *s* apendicitis.
Aperceber *v* apercibir.
Aperfeiçoar *v* perfeccionar, mejorar.
Apergaminhado *adj* apergaminado, semejante al pergamino.
Aperitivo *s* aperitivo, entremés.
Aperrear *v* aperrear, molestar, oprimir.
Apertado *adj* apretado, estrecho, comprimido.
Apertar *v* apretar, comprimir, estrechar.
Aperto *s* aprieto, dificultad.
Apesar de *loc adv* a pesar de, no obstante, sin embargo, aunque.
Apetecer *v* apetecer, ambicionar, desear.
Apetite *s* apetito, deseo, ganas de comer.
Apetrechar *v* pertrechar.
Apiário *s* apiario.
Ápice *s* ápice, vértice.
Apicultor *s* apicultor.
Apiedar-se *v* apiadarse, condolerse, compadecerse.

Apimentado *adj* condimentado con pimienta, picante.
Apimentar *v* sazonar con pimienta.
Apinhar *v* apiñar, apilar, unir estrechamente.
Apitar *v* pitar, chiflar, silbar.
Apito *s* chifla, pito.
Aplacar *v* aplacar, amansar, calmar, sosegar.
Aplainar *v* allanar, nivelar.
Aplanar *v* aplanar, allanar.
Aplaudir *v* aplaudir, ovacionar, palmear.
Aplicação *s* aplicación, empleo, destino, ejecución, uso, concentración en el estudio.
Aplicar *v* aplicar, poner en práctica, adaptar, emplear, dedicarse.
Aplicável *adj* aplicable.
Apocalipse *s* apocalipsis.
Apocalíptico *adj* apocalíptico.
Apócrifo *adj* apócrifo.
Apoderar-se *v* apoderarse.
Apodrecer *v* pudrir, corromper, descomponer.
Apodrecimento *s* pudrimiento.
Apófise *s* apófisis.
Apogeu *s* apogeo, auge.
Apoiar *v* apoyar, amparar, patrocinar, favorecer, confirmar.
Apoio *s* apoyo, base, soporte, auxilio.
Apólice *s* póliza.
Apolítico *adj* apolítico.
Apologia *s* apología.
Apontador *s* sacapuntas.
Apontamento *s* apuntamiento, apunte, minuta.
Apontar *v* apuntar, catalogar, citar, designar.
Apoplético *adj* apoplético.
Apoplexia *s* apoplejía.
Apoquentar *v* incomodar, molestar, importunar.
Aporrinhar *v* importunar, afligir.
Após *adv* después, más tarde, trás; *prep* después de, atrás de, en seguida a.
Aposentado *adj* jubilado.
Aposentar *v* jubilar.
Aposento *s* aposento, compartimento, cuarto, habitación, residencia.
Apósito *s* apuesto, adecuado.
Apossar-se *v* apoderarse.
Aposta *s* apuesta.
Apostar *v* apostar.
Apostasia *s* apostasía, abjuración.
Apóstata *s* apóstata.
Apostema *s* apostema, absceso.
Apostila *s* apostilla.
Aposto *adj* apuesto, acrecentado.
Apostolado *s* apostolado.
Apostólico *adj* apostólico.
Apóstolo *s* apóstol.
Apóstrofe *s* apóstrofe.
Apoteose *s* apoteosis.
Aprazamento *s* aplazamiento.
Aprazar *v* aplazar.
Aprazível *adj* apacible, agradable, ameno, encantador, grato.
Apreçar *v* apreciar, valuar.
Apreciar *v* apreciar, valuar, considerar.
Apreciável *adj* apreciable, considerable, admirable.
Apreço *s* aprecio, estima.
Apreender *v* aprehender, coger, prender, atrapar.
Apreensão *s* aprehensión, comprensión, recelo, sospecha.
Apreensivo *adj* aprehensivo, preocupado, tímido.
Apregoar *v* pregonar.
Aprender *v* aprender, estudiar.
Aprendizagem *s* aprendizaje.
Apresar *v* apresar, aprisionar, agarrar.
Apresentação *s* presentación, aspecto.
Apresentador *adj* presentador.
Apresentar *v* presentar, exhibir, personarse, comparecer.
Apressado *adj* apresurado, diligente.
Apressar *v* apresurar, acelerar.
Aprestar *v* aprestar, preparar, aprontar.
Aprimorar *v* perfeccionar, esmerar.
Aprisionar *v* aprisionar, apresar, capturar, prender.
Aprofundar *v* profundizar.
Aprontar *v* preparar, disponer.

Apropriado *adj* adecuado, apropiado.
Apropriar *v* apropiar, adecuar.
Aprovação *s* aprobación, beneplácito.
Aprovado *adj* aprobado.
Aprovar *v* aprobar, aplaudir.
Aproveitar *v* aprovechar, utilizar.
Aproveitável *adj* aprovechable.
Aprovisionamento *s* abastecimiento, aprovisionamiento.
Aproximação *s* aproximación.
Aproximado *adj* aproximado, cercano.
Aproximar *v* acercar, allegar, aproximar, arrimar.
Aproximativo *adj* aproximativo.
Aprumar *v* aplomar.
Aptidão *s* aptitud, facultad, talento.
Apto *adj* apto, capaz, hábil, idóneo.
Apunhalar *v* apuñalar.
Apupo *s* rechifa, mofa.
Apuração *s* apuración.
Apurar *v* apurar, purificar, averiguar.
Apuro *s* apuro, esmero.
Aquarela *s* acuarela.
Aquário *s* acuario, pecera.
Aquartelar *v* acuartelar.
Aquático *adj* acuático.
Aquecedor *s* calentador, estufa.
Aquecer *v* calentar.
Aquecimento *s* calentamiento.
Aqueduto *s* acueducto, cañería.
Aquele *pron* aquel, aquél, aquello.
Aquém *adv* de la parte de acá.
Aqui *adv* acá, aquí, en este lugar, en esta ocasión.
Aquiescer *v* aquiescer, consentir, aprobar.
Aquietar *v* aquietar, sosegar, apaciguar.
Aquilatar *v* aquilatar.
Aquilo *pron* aquello.
Aquinhoar *v* partir, repartir, dividir.
Aquisição *s* adquisición, adquirimiento.
Aquisitivo *adj* adquisitivo.
Aquoso *adj* acuoso.
Ar *s* aire, viento, clima o temperatura.
Ara *s* altar, ara.
Árabe *adj* árabe.
Arabesco *s* arabesco.
Araçaí *s* planta mirtácea del Brasil.
Arado *s* arado.
Arame *s* alambre.
Aranha *s* araña.
Aranzel *s* discurso fastidioso.
Arar *v* arar, labrar.
Arara *s* papagayo.
Arauto *s* heraldo.
Arbitragem *s* arbitraje.
Arbitrar *v* arbitrar, juzgar por árbitro.
Arbítrio *s* arbitrio, albedrio.
Árbitro *s* árbitro.
Arbóreo *adj* arbóreo.
Arborizar *v* plantar árboles, arborizar.
Arbusto *s* arbusto.
Arca *s* arca, baúl, cofre, hucha.
Arcabouço *s* andamio, esqueleto, armazón.
Arcada *s* arcada, serie de arcos.
Arcaico *adj* arcaico, anticuado.
Arcanjo *s* arcángel.
Arcano *s* arcano, secreto, misterioso.
Arcar *v* arcar, arquear, apretar.
Arcebispo *s* arzobispo.
Arcediago *s* arcediano.
Archote *s* antorcha, hacha.
Arco *s* arco, aro.
Arco-íris *s* arco iris.
Ar-condicionado *s* aire acondicionado.
Ardente *adj* abrasador, ardiente, fogoso, brillante.
Ardentia *s* ardentía.
Arder *v* arder, quemar.
Ardil *s* ardid, astucia, maña.
Ardor *s* ardor, calor.
Ardósia *s* pizarra.
Árduo *adj* arduo, trabajoso, penoso.
Área *s* área, medida de una superfície, patio.
Areal *s* arenal.
Arear *v* enarenar, limpiar con arena.
Areia *s* arena.
Arejar *v* airear, ventilar.
Arena *s* arena, anfiteatro.
Arengar *v* arengar.
Arenoso *adj* arenoso.
Arenque *s* arenque.
Ares *s* clima.

Aresta *s* arista.
Aresto *s* caso juzgado, sentencia, fallo.
Arfar *v* jadear.
Argamassa *s* argamasa, lechada.
Argentário *s* argentario, gran capitalista.
Argênteo *adj* argénteo, de plata.
Argentino *adj* argentino.
Argila *s* arcilla, barro.
Argola *s* anilla, aldaba.
Argonauta *s* argonauta.
Argúcia *s* argucia, chiste.
Argueiro *s* arista.
Arguição *s* acusación, censura.
Argumentar *v* argumentar.
Argumento *s* argumento, asunto, prueba.
Arguto *adj* agudo.
Ária *s* aria.
Ariano *adj* ario.
Aridez *s* aridez, sequedad.
Árido *adj* árido, estéril, seco.
Arisco *adj* arenoso, seco.
Aristocracia *s* aristocracia, hidalguía.
Aritmético *adj* aritmético.
Arlequim *s* arlequín.
Arma *s* arma.
Armação *s* armazón, andamio.
Armada *s* armada, escuadra, flota.
Armadilha *s* trampa.
Armador *s* armador (de buques), naviero.
Armamento *s* armamento.
Armar *v* armar.
Armarinho *s* abacería, tienda pequeña.
Armário *s* armario.
Armazém *s* almacén, depósito, bodega.
Armazenagem *s* almacenaje.
Armazenar *v* almacenar, guardar, depositar.
Armeiro *s* armero.
Arminho *s* armiño.
Armistício *s* armisticio, tregua.
Arnica *s* árnica.
Aro *s* aro, anillo.
Aroma *s* aroma, olor, fragancia.
Aromatizar *v* aromatizar, perfumar.
Arpão *s* arpón.
Arpejar *v* arpegiar.
Arqueação *s* arqueo, curvatura.
Arquear *v* arquear, curvar, doblarse.
Arqueiro *s* arquero.
Arquejar *v* jadear.
Arqueologia *s* arqueología.
Arquibancada *s* grada.
Arquidiocese *s* archidiócesis.
Arquipélago *s* archipiélago.
Arquitetar *v* planear, idear, construir.
Arquiteto *s* arquitecto.
Arquitrave *s* arquitrabe.
Arquivar *v* archivar.
Arquivista *s* archivero, archivista.
Arquivo *s* archivo.
Arrabalde *s* arrabal, alrededores, suburbio.
Arraia *s* raya, pez, frontera.
Arraial *s* campamento de tropas, feria, aglomeración.
Arraigar *v* arraigar, fijar.
Arrais *s* arráez, patrón de embarcación.
Arrancada *s* arranque, primer impulso, ataque.
Arrancar *v* arrancar, separar, desunir, extraer.
Arranca-rabo *s* pelea.
Arranchar *v* dividir en ranchos, alojar.
Arranco *s* arranque, impulso.
Arranha-céu *s* rascacielos.
Arranhar *v* arañar, rayar.
Arranjar *v* arreglar, componer, disponer.
Arranque *s* arranque.
Arras *s* arras, dote.
Arrasar *v* arrasar, allanar, nivelar, destruir, arruinar.
Arrastão *s* empujón, red para pescar, tirón.
Arrastar *v* arrastrar, tirar, arruinar.
Arrazoado *s* razonado.
Arrazoar *v* razonar, alegar.
Arrear *v* arrear, aparejar.
Arrebanhar *v* rebañar, recoger.
Arrebatar *v* arrebatar, agarrar.
Arrebentar *v* reventar.
Arrebique *s* arrebol, cosmético.
Arrebitado *adj* arregazado.
Arrebitar *v* arregazar, alzar.
Arrebol *s* arrebol.

Arrecadação *s* recaudación, recolección.
Arrecadar *v* recaudar, recolectar.
Arredar *v* separar, retirarse.
Arredio *adj* apartado, separado, esquivo.
Arredondar *v* redondear.
Arredores *s* alrededores, suburbios.
Arrefecer *v* enfriar.
Arregaçar *v* arregazar, remangar.
Arregalar *v* desencajar, abrir mucho los ojos.
Arreganhar *v* regañar, gruñir.
Arreio *s* arreo, montura.
Arreliar *v* enfadar, impacientar, fastidiar.
Arrematar *v* rematar, concluir, subastar.
Arremate *s* remate.
Arremedar *v* remedar, imitar.
Arremessão *s* impulso de arrojar o lanzar.
Arremessar *v* arrojar, lanzar.
Arremeter *v* arremeter, embestir, acometer.
Arremetida *s* arremetida, ataque.
Arrendar *v* alquilar, arrendar.
Arrenegar *v* renegar, enfadar.
Arrepender-se *v* arrepentirse.
Arrependimento *s* arrepentimiento, contrición, pesar, remordimiento.
Arrepiante *adj* escalofriante, pavoroso.
Arrepiar *v* encrespar, erizar, horripilar.
Arrestar *v* arrestar.
Arrevesado *adj* enrevesado.
Arriar *v* arriar, descolgar.
Arriba *adv* arriba, encima.
Arribar *v* arribar.
Arrimo *s* apoyo, arrimo, amparo.
Arriscado *adj* arriesgado, difícil, peligroso.
Arriscar *v* arriesgar, aventurar.
Arritmia *s* arritmia.
Arroba *s* arroba.
Arrochar *v* agarrotar, apretar mucho.
Arrogância *s* arrogancia, jactancia, orgullo, soberbia.
Arrogar-se *v* arrogarse, apropiarse.
Arroio *s* arroyo; regato.
Arrojar *v* arrojar, arremesar.
Arrolhar *v* encorchar, taponar.
Arrombamento *s* derrumbamiento, rotura.
Arrombar *v* romper, derrumbar, destrozar.
Arrostar *v* arrostrar, afrontar.
Arrotar *v* eructar.
Arroto *s* eructo.
Arroubamento *s* arrobamiento.
Arroxeado *adj* amoratado, morado, cárdeno.
Arroz *s* arroz.
Arrozal *s* arrozal.
Arroz-doce *s* arroz con leche.
Arruaça *s* alboroto, bullanga.
Arruamento *s* división por calles.
Arrufar *v* irritar, enfadar.
Arrufo *s* enfado.
Arruinado *adj* arruinado, destruido.
Arruinar *v* arruinar, destruir, perder la salud o el dinero.
Arrulhar *v* arrullar.
Arrumação *s* orden, aseo.
Arrumadeira *adj* hacendosa, criada.
Arrumador *s* arreglador.
Arrumar *v* arreglar, organizar, disponer.
Arsenal *s* arsenal, depósito de material de guerra.
Arsênico *s* arsénico.
Arte *s* arte.
Arteiro *adj* astuto, mañoso, artero.
Artelho *s* tobillo.
Artéria *s* arteria.
Arterial *adj* arterial.
Arteriosclerose *s* arteriosclerosis.
Artesanal *adj* artesanal, manual.
Artesanato *s* artesanía.
Artesão *s* artesano, artífice.
Artesiano *adj* artesiano, pozo perforados en el terreno.
Articulação *s* articulación, coyuntura, junta.
Articular *v* articular, pronunciar.
Artífice *s* artesano, artífice, obrero.
Artificial *adj* artificial, postizo.
Artigo *s* artículo.
Artilharia *s* artillería.
Artimanha *s* artimaña, astucia.

Artista *s* artista, artífice.
Artístico *adj* artístico.
Artrite *s* artritis.
Artrose *s* artrosis.
Árvore *s* árbol.
Arvoredo *s* arbolado.
Asa *s* ala, asa.
Ascendência *s* ascendencia, predominio.
Ascendente *adj* influyente.
Ascensão *s* ascensión.
Ascensorista *s* ascensorista.
Asco *s* asco, repugnancia.
Asfalto *s* asfalto.
Asfixiar *v* asfixiar, sofocar.
Asiático *adj* asiático.
Asilo *s* asilo, hospicio, orfanato.
Asma *s* asma.
Asneira *s* burrada.
Asno *s* asno, burro, jumento.
Aspa *s* comillas, aspa.
Aspar *v* entrecomillar.
Aspargo *s* espárrago.
Aspear *v* entrecomillar.
Aspecto *s* apariencia, aspecto.
Aspergir *v* asperjar.
Áspero *adj* áspero.
Aspersão *s* aspersión.
Aspiração *s* aspiración, anhelo.
Aspirador *adj* aspirador.
Aspirar *v* aspirar, sorber, inhalar, desear.
Asqueroso *adj* asqueroso, inmundo, repelente.
Assadeira *s* asador.
Assado *adj* asado.
Assador *s* asador.
Assadura *s* asado.
Assalariado *adj* asalariado, pagado.
Assaltante *s* asaltante, ladrón.
Assalto *s* asalto, robo, embestida.
Assanhar *v* ensañar, enfurecer.
Assar *v* asar, tostar, quemar.
Assassinar *v* asesinar, matar.
Assassino *s* asesino, homicida.
Assaz *adv* asaz, bastante, suficiente.
Asseado *adj* aseado, limpio, decente.
Assediar *v* asediar, sitiar.
Assegurado *adj* asegurado, cierto, garantizado.
Asseio *s* aseo, higiene, limpieza.
Assembleia *s* asamblea, congregación, congreso.
Assemelhar-se *v* parecerse.
Assenso *s* asentimiento.
Assentado *adj* asentado.
Assentar *v* asentar.
Assente *adj* asentado, resuelto.
Assentimento *s* asentimiento.
Assentir *v* asentir, consentir.
Assento *s* asiento, banco, silla, base, estabilidad.
Assepsia *s* asepsia.
Asséptico *adj* aséptico.
Asserção *s* aserción, afirmación.
Assessor *s* asesor, auxiliar, adjunto.
Assessoramento *s* assessoramiento.
Assessorar *v* asesorar.
Assessoria *s* asesoría.
Assexuado *adj* asexuado.
Assíduo *adj* asiduo, constante, frecuente.
Assim *adv* así, de esta manera.
Assimetria *s* asimetría.
Assimilação *s* asimilación.
Assimilável *adj* asimilable.
Assinalar *v* demarcar, marcar, registrar, señalar.
Assinante *s* subscriptor, firmante.
Assinar *v* firmar, subscribir.
Assinatura *s* firma, signatura, subscripción.
Assistência *s* asistencia, amparo, auxilio.
Assistencial *adj* asistencial.
Assistir *v* asistir, hacer compañía, auxiliar, prestar socorro.
Assoalhar *v* entarimar.
Assoalho *s* entarimado.
Assoar *v* sonar, limpiar la nariz.
Assoberbar *v* tratar con soberbia.
Assobiar *v* abuchear, chistar, silbar.
Assobio *s* rechifla, silbo.
Associação *s* asociación, sociedad.
Associar *v* asociar, unir.
Assolar *v* asolar, arrasar, destruir.

Assomar *v* asomar, subir a la cumbre, llegar.
Assombração *s* asombracion.
Assombro *s* asombro, espanto.
Assomo *s* asomo, indicio, sospecha.
Assoprar *v* soplar.
Assopro *s* soplo.
Assumir *v* asumir.
Assunto *s* asunto, motivo, tema.
Assustado *adj* asustado.
Assustar *v* asustar, intimidar.
Asteca *adj* azteca.
Astenia *s* astenia.
Asterisco *s* asterisco.
Asteroide *s* asteroide.
Astigmatismo *s* astigmatismo.
Astral *adj* astral.
Astro *s* astro.
Astrofísica *s* astrofísica.
Astrolábio *s* astrolabio.
Astrologia *s* astrología.
Astronauta *s* astronauta.
Astronomia *s* astronomía.
Astúcia *s* astucia, sagacidad, maña.
Astuto *adj* astuto, mañoso.
Ata *s* acta.
Atabalhoar *v* atrabancar, embrollar.
Atacadista *s* almacenista, mayorista.
Atacar *v* acometer, atacar.
Atadura *s* atadura.
Atalaia *s* atalaya.
Atalho *s* atajo.
Atapetar *v* alfombrar, tapizar.
Ataque *s* ataque.
Atar *v* anudar, atar.
Atarantar *v* atarantar, aturdir, atolondrar.
Atarefado *adj* atareado, afanado.
Atarefar *v* atarear, darse prisa.
Atarracado *adj* bajo, grueso, achaparrado.
Atarraxar *v* atornillar.
Atascar-se *v* atascarse.
Ataúde *s* ataúd, féretro, tumba.
Ataviar *v* ataviar, adornar.
Atavismo *s* atavismo.
Atazanar *v* importunar.
Até *adv* aun, también, hasta; *prep* hasta.
Atear *v* atizar.
Ateísmo *s* ateísmo.
Ateliê *s* estudio de pintor o fotógrafo.
Atemorizar *v* amedrentar, atemorizar, intimidar.
Atenazar *v* atenazar.
Atenção *s* atención, interés, observación.
Atencioso *adj* amable, atento, cortés.
Atender *v* observar, atender, escuchar.
Atentado *s* atentado.
Atento *adj* aplicado, atento.
Atenuação *s* atenuación.
Atenuar *v* atenuar, paliar.
Aterrar *v* aterrar, aterrorizar, cubrir de tierra.
Aterrissar *v* aterrizar.
Aterro *s* terraplén.
Aterrorizar *v* aterrar, aterrorizar.
Ater-se *v* atenerse.
Atestar *v* atestar, llenar, abarrotarse.
Ateu *adj* ateo.
Atiçar *v* atizar, avivar.
Atilado *adj* atildado.
Atinar *v* atinar.
Atingir *v* alcanzar, conseguir.
Atípico *adj* atípico.
Atirar *v* tirar, lanzar.
Atitude *s* actitud, postura.
Atividade *s* actividad, dinamismo, trabajo.
Ativo *adj* activo, diligente, trabajador.
Atlântico *adj* atlántico.
Atlas *s* atlas.
Atleta *s* atleta.
Atmosfera *s* atmósfera.
Ato *s* acción, acto.
À toa *loc adv* al caso.
Atolar *v* atascar, atollar.
Atoleiro *s* atolladero, charco, lodazal.
Atômico *adj* atómico.
Atônito *adj* atónito, pasmado.
Ator *s* actor.
Atordoamento *s* atontamiento.
Atordoar *v* atolondrar, atontar, aturdir.
Atração *s* atracción.
Atracar *v* atracar.
Atraente *adj* atractivo, atrayente, agradable.

Atraiçoar *v* traicionar, engañar.
Atrair *v* atraer.
Atrapalhar *v* confundir, perturbar, desordenar.
Atrás *adv* atrás, detrás; *prep* tras.
Atrasado *adj* atrasado, retardado.
Atrasar *v* atrasar, retardar.
Atraso *s* atraso, retraso, mora, tardanza.
Atrativo *adj* atractivo.
Através *adv* transversalmente.
Atravessado *adj* atrevesado.
Atravessador *s* estraperlista.
Atravessar *v* atrevesar, cruzar, terciar, pasar.
Atrelar *v* engatar.
Atrever-se *v* atreverse, osar.
Atrevimento *s* atrevimiento, audacia.
Atribuir *v* atribuir.
Atribular *v* atribular.
Atributo *s* atributo.
Atriz *s* actriz.
Atrocidade *s* atrocidad, tortura.
Atrofia *s* atrofia.
Atropelar *v* atropellar.
Atropelo *s* atropello.
Atroz *adj* atroz, inhumano.
Atuação *s* actuación.
Atual *adj* actual, presente.
Atualidade *s* actualidad, oportunidad.
Atuar *v* actuar, insistir.
Atulhar *v* llenar de escombros, amontoar.
Atum *s* atún.
Aturar *v* soportar, tolerar.
Aturdido *adj* aturdido, maravillado.
Aturdir *v* aturdir.
Audácia *s* atrevimiento, audacia, osadía.
Audaz *adj* audaz, atrevido.
Audição *s* audición.
Audiência *s* audiencia.
Auditor *s* auditor.
Auditório *s* auditorio.
Audível *adj* audible, oíble.
Auge *s* apogeo, auge, aumento.
Augúrio *s* augurio.
Augusto *adj* augusto.
Aula *s* clase, lección.
Aumentar *v* ampliar, aumentar, crecer.
Aumento *s* ampliación, aumento, mejora.
Áureo *adj* áureo, dorado, brillante.
Aurícula *s* aurícula.
Aurora *s* alba, aurora, madrugada.
Auscultar *v* auscultar.
Ausente *adj* ausente.
Auspício *s* auspicio.
Austero *adj* austero.
Austral *adj* austral.
Autenticar *v* autenticar, legalizar.
Auto *s* auto, automóvil.
Autoadesivo *adj* autoadhesivo.
Autobiografia *s* autobiografía.
Autocrítica *s* autocrítica.
Autóctone *adj* autóctono, indígena.
Autodefesa *s* autodefensa.
Autodeterminação *s* autodeterminación.
Autodidata *adj* autodidacta.
Autoescola *s* autoescuela.
Autógeno *adj* autógeno.
Autógrafo *s* autógrafo.
Automático *adj* automático.
Autômato *s* autómata.
Automobilismo *s* automovilismo.
Automóvel *s* automóvil, carro.
Autonomia *s* autonomía, independencia.
Autônomo *adj* autónomo, independiente.
Autópsia *s* autopsia, necropsia.
Autor *s* autor, fundador, creador.
Autorretrato *s* autorretrato.
Autoria *s* autoría.
Autoridade *s* autoridad, gobierno, disciplina.
Autorização *s* autorización, permiso.
Autorizar *v* permitir, legalizar, autorizar.
Auxiliar *v* auxiliar, ayudar, socorrer.
Auxílio *s* auxilio, ayuda.
Avacalhar *v* desmoralizar.
Aval *s* aval.
Avalanche *s* alud.
Avaliar *v* avaluar, valuar.
Avançada *s* avance.
Avançar *v* avanzar, adelantar, acometer.
Avantajar *v* aventajar, mejorar.
Avarento *adj* avariento, avaro.
Avareza *s* avaricia.

Avaria *s* avería.
Avariar *v* averiar, damnificar, dañar.
Ave *s* ave.
Aveia *s* avena.
Avelã *s* avellana.
Aveludado *adj* aterciopelado.
Avença *s* avenencia.
Avenida *s* alameda, avenida.
Avental *s* delantal, guardapolvo.
Aventar *v* aventar.
Aventura *s* aventura.
Aventurar *v* aventurar, arriesgar.
Averiguar *v* averiguar, investigar.
Avermelhar *v* enrojecer.
Aversão *s* antipatía, aversión, repugnancia.
Avesso *adj* contrario, opuesto.
Avesso *s* revés.
Avestruz *s* avestruz.
Aviação *s* aviación.
Aviamento *s* avío.
Avião *s* aeroplano, avión.
Avicultura *s* avicultura.
Avidez *s* ansia, avidez, codicia.
Ávido *adj* ávido, codicioso.
Aviltar *v* degradar, envilecer, vilipendiar.
Avisado *adj* avisado.
Aviso *s* aviso, comunicación, comunicado.
Avistar *v* avistar, distinguir, ver.
Avivar *v* avivar, estimular, animar.
Avizinhar *v* avecinar.
Avô *s* abuelo.
Avó *s* abuela.
Avocar *v* avocar, llamar a sí.
Avolumar *v* hinchar.
Avulso *adj* suelto, separado, a granel.
Avultado *adj* voluminoso.
Avultar *v* abultar.
Axadrezado *adj* ajedrezado.
Axila *s* axila, sobaco.
Axioma *s* axioma.
Azagaia *s* jabalina.
Azar *s* azar, mala suerte.
Azedar *v* agriar, fermentar.
Azedo *adj* agrio, ácido.
Azeitado *adj* aceitoso.
Azeite *s* aceite, óleo.
Azeitona *s* aceituna, oliva.
Azeitonado *adj* aceitunado.
Azeviche *s* azabache.
Azia *s* acedía.
Aziago *adj* aciago, funesto.
Azougue *s* azogue.
Azul *adj* azul.
Azulado *adj* azulado.
Azulejo *s* azulejo.

b B

B *s* segunda letra del alfabeto portugués.
Baba *s* baba, saliva.
Babá *s* niñera.
Babar *v* babear.
Babel *s* babel, grande confusión.
Babosa *s* áloe.
Bacalhau *s* bacalao.
Bacanal *s* bacanal, orgía.
Bacharel *s* estudante de 2º grau.
Bacharelato *s* 2º grau.
Bacia *s* bacía, palangana, pelvis.
Baço *adj* bazo, empañado, sin brillo.
Baço *s* bazo.
Bactéria *s* bacteria.
Bacteriologia *s* bacteriología.
Báculo *s* báculo, bastón.
Badalar *v* badajear.
Badalo *s* badajo.
Baderna *s* riña, contienda.
Bafejar *v* soplar suavemente, vahear.
Bafo *s* hálito, aliento, vaho.
Baforada *s* alentada, vaharada.
Baga *s* baya.
Bagaço *s* bagazo, orujo.
Bagageiro *s* portaequipaje.
Bagagem *s* bagaje, equipaje.
Bagatela *s* bagatela, baratija, niñería.
Bago *s* baya.
Bagulho *s* semilla de la uva, pepitas.
Bagunça *s* desorden, follón.
Bah *interj* ¡bah! expressa desdén.
Baía *s* bahía, golfo pequeño.
Bailar *v* bailar, oscilar.
Bailarino *adj* bailarín, danzarín.
Bainha *s* dobladillo, vaina.
Baioneta *s* bayoneta.
Bairro *s* barrio.
Baita *adj* muy grande.
Baixa *s* baja.
Baixada *s* pendiente, bajada.
Baixa-mar *s* bajamar.
Baixar *v* inclinar, bajar, humillarse.
Baixela *s* vajilla.
Baixeza *s* bajeza, picardía.
Baixo *adj* bajo.
Baixo-relevo *s* bajorrelieve.
Bajulação *s* adulación, zalamería.
Bajulador *adj* halagador, servil.
Bala *s* bala, caramelo.
Balaio *s* ciesto redondo.
Balança *s* balanza.
Balançar *v* balancear.
Balanço *s* balanceo, oscilación.
Balangandã *s* ornamento de metal usado por las mujeres.
Balão *s* balón, globo.
Balaústre *s* balaustre.
Balbuciar *v* balbucear.
Balbúrdia *s* ruido.
Balcão *s* balcón, mostrador.
Baldar *v* baldar.
Balde *s* balde, cubo.
Baldio *adj* baldío.
Balé *s* ballet.
Balear *v* balear.
Baleia *s* ballena.
Balir *v* balar.
Baliza *s* baliza, boya, mojón, estaca.
Balizar *v* balizar, limitar, jalonar.
Balneário *s* balneario.
Balsa *s* balsa.
Bálsamo *s* bálsamo, ungüento.
Baluarte *s* baluarte.
Bambo *adj* flojo.
Bambolear *v* bambolear.
Bambu *s* bambú.

Banal *adj* banal, trivial.
Bananeira *s* banano, plátano.
Banca *s* despacho de abogado, banca, juego.
Bancário *adj* bancario.
Banco *s* asiento, banco.
Banda *s* banda, lista, faja.
Bandeira *s* bandera.
Bandeirola *s* banderola.
Bandeja *s* bandeja.
Bandido *s* bandido, bandolero.
Bando *s* bando, facción, partido.
Bandolim *s* bandolín.
Bangalô *s* bungalow.
Banha *s* grasa animal, unto.
Banhar *v* bañar, mojar.
Banheira *s* bañera.
Banheiro *s* bañero.
Banho *s* baño.
Banido *adj* desterrado, proscrito.
Banir *v* desterrar, expulsar, prohibir.
Banqueiro *s* banquero.
Banqueta *s* banqueta.
Banquete *s* banquete, ágape.
Banquinho *s* banqueta.
Baqueta *s* baqueta.
Bar *s* bar.
Baralhar *v* barajar.
Baralho *s* baraja.
Barão *s* barón.
Barata *s* cucaracha.
Baratear *v* baratear.
Barba *s* barba.
Barbante *s* bramante, cordel.
Barbaridade *s* barbaridad.
Bárbaro *adj* bárbaro, grosero.
Barbeado *s* afeitado.
Barbear *v* afeitar.
Barbearia *s* barbería.
Barbear-se *v* rasurarse, afeitarse.
Barbeiro *s* barbero.
Barbicha *s* barbilla, barba de pelo corto y raro.
Barca *s* barca.
Barco *s* barco, cualquier embarcación.
Barítono *s* barítono.
Barômetro *s* barómetro.
Barqueiro *s* barquero, remador.
Barra *s* barra, friso.
Barraca *s* barraca, choza.
Barracão *s* barracón.
Barragem *s* barrera, estorbo.
Barranco *s* barranco, precipicio.
Barrar *v* embarrar, impedir.
Barreira *s* barrera, trinchera.
Barrento *adj* arcilloso.
Barrica *s* barrica, barril.
Barriga *s* barriga, panza, vientre.
Barril *s* barril, barrica, cuba.
Barro *s* barro, arcilla.
Barulhento *adj* ruidoso.
Barulho *s* barullo, confusión.
Basalto *s* basalto.
Base *s* apoyo, base.
Basear *v* basar.
Básico *adj* básico.
Basílica *s* basílica.
Basquetebol *s* baloncesto.
Bastante *adj* bastante.
Bastão *s* bastón, bordón.
Bastar *v* bastar.
Bastardo *s* bastardo.
Bastidor *s* bastidor.
Bata *s* bata.
Batalha *s* batalla, combate, pelea.
Batata *s* patata.
Batata-doce *s* batata, boniato, camote.
Bate-boca *s* dimes y diretes, discusión.
Batedeira *s* batidera.
Bate-estacas *s* maza para clavar estacas.
Batente *s* batiente, aldaba, tope.
Bater *v* batir, contundir, golpear.
Bateria *s* batería, pila.
Batida *s* batida, bebida hecha con aguardiente, limón y azúcar.
Batina *s* sotana.
Batismo *s* bautismo.
Batistério *s* bautisterio.
Batizar *v* bautizar.
Batom *s* barra de labios.
Batráquio *s* batracio.
Batucada *s* instrumientos de percusión.
Batuta *s* batuta.
Baú *s* arca, baúl, cofre.

Baunilha *s* vainilla.
Bauxita *s* bauxita.
Bazar *s* bazar.
Beatificar *v* beatificar.
Beato *s* beato.
Bêbado *adj* bebido, beodo, borracho, ebrio.
Bebê *s* bebé, nene.
Bebedeira *s* borrachera, embriaguez.
Beber *v* beber.
Beberrão *s* borrachón.
Bebida *s* bebida.
Bechamel *s* bechamel.
Beco *s* callejón.
Bedel *s* bedel.
Beduíno *s* beduíno.
Bege *adj* beige.
Beiço *s* bezo, labio.
Beija-flor *s* colibrí, pájaro.
Beijar *v* besar.
Beijo *s* beso, ósculo.
Beira *s* orilla, borde.
Beirar *v* costear, ladear.
Beisebol *s* béisbol.
Beladona *s* belladona.
Belas-artes *s* bellas artes.
Beleza *s* belleza, hermosura.
Beliche *s* litera.
Belicismo *s* belicismo.
Bélico *adj* bélico, belicoso.
Beligerância *s* beligerancia.
Beliscão *s* pellizco.
Beliscar *v* pellizcar.
Belo *adj* bello, hermoso, agradable.
Beltrano *s* mengano.
Bem *adv* bien, con salud, de manera correcta; *interj* ¡bien!; *s* bien.
Bem-amado *adj* querido.
Bem-aventurado *adj* bienaventurado, dichoso.
Bem-estar *s* bienestar, comodidad, confort.
Bem-feito *adj* bien terminado.
Bem-humorado *adj* de buen humor.
Bem-querer *v* bienquerer.
Bem-vindo *adj* bienvenido.
Bênção *s* bendición.
Bendito *adj* bendito.
Bendizer *v* bendecir.
Beneficiar *v* beneficiar, mejorar.
Beneficiência *s* beneficencia, caridad, filantropía.
Benefício *s* beneficio.
Benemérito *adj* benemérito.
Benevolência *s* benevolencia, afecto, estima.
Benfeitor *adj* benefactor, bienhechor.
Bengala *s* bastón, bengala.
Benignidade *s* benignidad, bondad.
Benigno *adj* benigno, afable.
Benquisto *adj* bienquisto, apreciado.
Bens *s* peculio.
Bento *adj* bendecido, bendito.
Benzer *v* bendecir.
Benzina *s* bencina.
Berbequim *s* berbiquí.
Berçário *s* maternidad.
Berço *s* cuna.
Berimbau *s* birimbao.
Berinjela *s* berenjena.
Bermuda *s* bermudas.
Berne *s* larva de unos insectos.
Berrar *v* berrear.
Besouro *s* abejorro.
Besta *s* animal, bestia.
Besteira *s* gansada, burrada.
Bestial *adj* bestial, brutal.
Besuntar *v* bisuntar, engrasar, untar.
Beterraba *s* remolacha, betarraga.
Betoneira *s* hormigonera.
Bétula *s* abedul.
Betume *s* betún.
Bexiga *s* ampolla, vejiga, viruela.
Bezerro *s* becerro, novillo.
Bíblico *adj* bíblico.
Bibliografia *s* bibliografía.
Biblioteca *s* biblioteca, librería.
Bicada *s* picotazo.
Bicama *s* litera, cama nido.
Bicar *v* picar, picotear.
Bicarbonato *s* bicarbonato.
Bíceps *s* bíceps.
Bicho *s* bicho, fiera, animal.
Bicho-papão *s* bu.

Bichoso *adj* amariconado.
Bicicleta *s* bicicleta, velocípedo.
Bico *s* pico, punta.
Bicudo *adj* picudo.
Bidê *s* bidé.
Biênio *s* bienio.
Bife *s* bistec.
Bifurcação *s* bifurcación.
Bigamia *s* bigamia.
Bigode *s* bigote.
Bigorna *s* bigornia.
Bijuteria *s* bisutería.
Bilabial *adj* bilabial.
Bilateral *adj* bilateral.
Bilha *s* cántaro.
Bilhão *s* billón.
Bilhar *s* billar.
Bilhete *s* billete, tarjeta.
Bilheteiro *s* billetero.
Biliar *adj* biliar.
Bilíngue *adj* bilingüe.
Bílis *s* bilis.
Bimensal *adj* bimensual.
Bimestral *adj* bimestral.
Bimotor *adj* bimotor.
Binário *adj* binario.
Bingo *s* bingo.
Binóculo *s* binóculo, gemelos.
Binômio *s* binomio.
Biodegradável *adj* biodegradable.
Biografia *s* biografía.
Biologia *s* biología.
Biólogo *s* biólogo.
Biombo *s* antipara, biombo, cancel, mampara.
Biópsia *s* biopsia.
Biosfera *s* biosfera.
Bióxido *s* bióxido.
Bípede *adj* bípedo.
Bipolar *adj* bipolar.
Biquíni *s* biquini.
Birra *s* tirria, birria, obstinación.
Bis *adv* dos veces, otra vez.
Bisão *s* bisonte.
Bisavó *s* bisabuela.
Bisavô *s* bisabuelo.
Bisbilhotar *v* enredar, secretear.
Bisbilhoteiro *s* intrigante, chismoso.
Bisca *s* brisca.
Biscoito *s* bizcocho, galleta.
Bismuto *s* bismuto.
Bisnaga *s* tubo con substancias medicinales o aromaticas, biznaga.
Bisneto *s* bisnieto.
Bispado *s* obispado.
Bispo *s* obispo.
Bissetriz *s* bisectriz.
Bissexto *adj* bisiesto.
Bissexual *adj* bisexual.
Bisturi *s* bisturí.
Bitola *s* modelo, medida.
Bizarro *adj* bizarro, ostentoso, arrogante.
Blasfemar *v* blasfemar.
Blasfêmia *s* blasfemia, insulto, ultraje.
Blecaute *s* apagón.
Blenorragia *s* blenorragia, gonorrea.
Blindado *adj* blindado.
Blindar *v* blindar.
Bloco *s* bloque.
Bloquear *v* asediar, bloquear, sitiar.
Blusa *s* blusa.
Boa *s* boa, serpiente.
Boa-noite *s* buenas noches, saludo.
Boas-festas *s* felicitación por las navidades, deseos de felicidades.
Boas-vindas *s* bienvenida.
Boa-tarde *s* buenas tardes, saludo.
Boato *s* bulo, chisme, noticia.
Bobagem *s* tontería, bufonada.
Bobeira *s* ñoñería, bobera, tontería.
Bobina *s* bobina, canilla.
Bobo *adj* bobo, chalado, tonto.
Boca *s* boca, entrada, abertura.
Bocadinho *s* bocadito, pedazuelo.
Bocado *s* bocado, comida muy ligera, pedazo, rato.
Bocal *s* bocal, boquilla, embocadura.
Boçal *adj* grosero, idiota.
Bocejar *v* bostezar.
Bocejo *s* bostezo.
Boceta *s* cajita, cofrecito.
Bochecha *s* mejilla, carrillo, moflete.
Bochechar *v* enjuagar.
Bochecho *s* enjuague de la boca.

Bocó *adj* tonto, bobo.
Bodas *s* casamiento.
Bode *s* bode.
Bodega *s* bodega, taberna.
Bodum *s* mal olor de una loza mal lavada, olor repugnante de sudor.
Boêmio *s* bohemio.
Bofetada *s* bofetada, bofetón, sopapo.
Boi *s* buey.
Boia *s* boya, flotador.
Boiada *s* boyada, manada de bueyes.
Boiadeiro *s* boyero.
Boiar *v* boyar, flotar, nadar.
Boicotar *v* boicotear.
Boina *s* boina.
Bojo *s* barriga, panza.
Bojudo *adj* barrigudo, panzudo.
Bola *s* bola, pelota.
Bolacha *s* galleta.
Bolada *s* gran suma de dinero.
Bolero *s* bolero.
Boletim *s* boletín.
Bolha *s* ampolla, burbuja.
Bolívar *s* bolívar.
Bolo *s* bollo, pastel.
Bolor *s* moho.
Bolorento *adj* enmohecido.
Bolota *s* bellota.
Bolsa *s* bolsa, saco, dinero.
Bolsista *adj* becario, bolsista.
Bolso *s* bolsillo, bolso.
Bom *adj* bueno.
Bomba *s* bomba, proyectil, máquina, aparato para llenar neumáticos.
Bombachas *s* bombachos, pantalones.
Bombardeio *s* bombardeo.
Bombear *v* bombardear, redondear.
Bombeiro *s* bombero.
Bombo *s* bombo.
Bombom *s* bombón.
Bombordo *s* babor.
Bonachão *adj* bonachón.
Bonança *s* bonanza.
Bondade *s* bondad, benevolencia.
Bonde *s* tranvía eléctrico.
Bondoso *adj* piadoso, bondadoso.
Boné *s* gorra con visera.
Boneca *s* muñeca.
Boneco *s* muñeco, títere.
Bonificação *s* bonificación.
Bonito *adj* bonito, hermoso, bello.
Bônus *s* bono.
Bonzo *s* bonzo, sacerdote budista.
Boqueirão *s* boquerón, abertura grande.
Boquinha *s* boquilla.
Borboleta *s* mariposa.
Borbotão *s* borbotón, chorro.
Borbulha *s* burbuja, grano.
Borbulhar *v* borbollar, burbujear, hervir.
Borda *s* borda, borde, orilla, playa.
Bordado *s* bordado, labor.
Bordel *s* burdel, prostíbulo.
Bordo *s* bordo.
Boreal *adj* boreal, septentrional.
Boricado *adj* boricado.
Borracha *s* caucho, goma.
Borracharia *s* gomería.
Borrão *s* borrón, mancha de tinta.
Borrar *v* ensuciar, manchar, rayar.
Borrasca *s* borrasca, tempestad.
Borrego *s* borrego.
Borrifar *v* rociar, aspergir.
Bosque *s* bosque.
Bosta *s* bosta, boñiga.
Bota *s* bota, calzado.
Bota-fora *s* botadura de un navío, despedida de una persona que se embarca.
Botânica *s* botánica.
Botão *s* botón.
Bote *s* bote, pequeña barca, cuchillada.
Botequim *s* bar, cafetería, taberna.
Botica *s* botica, farmacia.
Botija *s* botija.
Botina *s* calzado, botina.
Boto *s* boto.
Botulismo *s* botulismo.
Bovino *adj* bovino, vacuno.
Boxe *s* boxeo, pugilismo.
Boxeador *s* boxeador, pugilista.
Braça *s* braza.
Braçada *s* brazada.
Bracejar *v* bracear.

Bracelete *s* ajorca, brazalete, manilla, pulsera.
Braço *s* brazo.
Bradar *v* clamar, gritar, vociferar.
Brado *s* clamor, bramido.
Braguilha *s* bragueta.
Bramador *adj* bramador.
Brâmane *s* brahmán.
Bramanismo *s* brahmanismo.
Bramido *s* bramido, ruido.
Branco *adj* blanco, lívido, cándido.
Brancura *s* blancura.
Brandir *v* blandir.
Brandura *s* blandura, suavidad.
Branquear *v* blanquear, encanecer, limpiar.
Brasa *s* ascua, brasa.
Brasão *s* blasón.
Braseiro *s* brasero.
Bravata *s* bravata, fanfarronada.
Bravo *adj* bravo.
Brecar *v* frenar.
Brecha *s* brecha.
Brejo *s* matorral, pantano.
Brenha *s* breña.
Breu *s* brea.
Breve *adj* breve, corto, lacónico, reducido.
Brevidade *s* brevedad.
Briga *s* pelea, lucha, disputa, riña.
Brigadeiro *s* brigadier.
Brigar *v* luchar, pelear.
Brilhante *adj* brillante, luciente, luminoso, nítido.
Brilhar *v* brillar, lucir, relucir.
Brilho *s* brillo, resplandor.
Brim *s* brin, tela fuerte de hilo o algodón.
Brincadeira *s* juego, broma, burla, chanza.
Brincalhão *adj* juguetón, bromista, travieso.
Brincar *v* brincar, juguetear, divertirse, bromear.
Brinco *s* pendiente.
Brinde *s* brindis.
Brinquedo *s* juguete, jugueteo.
Brio *s* brío, pundonor, valor.
Brisa *s* brisa, viento blando.
Britadeira *s* trituradora de piedras.
Britar *v* partir, quebrar, machacar.
Broa *s* borona, pan de maíz, pastel de harina de maíz.
Broca *s* broca, barrena, taladro.
Brocado *s* brocado, tejido.
Brocha *s* clavo corto.
Broche *s* joya, broche.
Bronca *s* felpa.
Bronco *adj* bronco, tosco, rudo.
Brônquio *s* bronquio.
Bronquite *s* bronquitis.
Bronze *s* bronce.
Bronzeador *adj* bronceador.
Brotar *v* brotar, manar, irrumpir.
Broto *s* brote, yema.
Broxa *s* brocha, pincel para pintura.
Bruços *s* bruces, boca abajo.
Bruma *s* bruma, niebla.
Brunir *v* bruñir, pulir.
Brusco *adj* brusco, grosero.
Brutal *adj* salvaje, brutal.
Bruto *adj* tosco, bruto, grosero.
Bruxa *s* bruja, hechicera.
Bruxaria *s* brujería, hechicería.
Bruxulear *v* oscilar, brillar débilmente.
Bucal *adj* bucal.
Bucha *s* estropajo.
Bucho *s* buche, callos.
Buço *s* bozo.
Bucólico *adj* pastoril.
Budismo *s* budismo.
Búfalo *s* búfalo.
Bufar *v* bufar, soplar.
Bufo *s* soplo.
Bulbo *s* bulbo.
Bulevar *s* bulevar.
Bulha *s* bulla, confusión, desorden, gritería.
Bulício *s* bullicio, alboroto.
Buliçoso *adj* bullicioso, turbulento.
Bulir *v* bullir.
Bumerangue *s* boomerang.
Buquê *s* bouquet, ramillete.
Buraco *s* agujero, hoyo, orificio.
Burguês *adj* burgués.
Buril *s* buril.

Burla *s* burla, farsa, trapaza.
Burocracia *s* burocracia.
Burocrata *s* burócrata.
Burrico *s* borrico.
Burro *s* burro, asno.
Busca *s* busca, búsqueda, demanda.
Buscar *v* buscar, catar, pesquisar.
Bússola *s* aguja, brújula.
Busto *s* busto.
Buzina *s* bocina, claxon.
Búzio *s* caracol marino, concha univalva, bocina.

C

C *s* tercera letra del alfabeto portugués; 100 en la numeración romana.
Cá *adv* acá, aquí, para este lugar.
Cã *s* cana, cabello blanco.
Cabaça *s* calabaza.
Cabala *s* cábala, intriga.
Cabana *s* cabaña, choza.
Cabaré *s* cabaret.
Cabeça *s* cabeza.
Cabeçalho *s* cabezal, título, encabezamiento de un escrito.
Cabecear *v* cabecear.
Cabeçudo *adj* cabezudo.
Cabedal *s* cuero, bienes, abundancia.
Cabeleira *s* cabellera.
Cabelereira *s* peluquera.
Cabelo *s* cabello.
Cabeludo *adj* cabelludo, peludo.
Caber *v* caber, contener, poder entrar.
Cabide *s* percha.
Cabimento *s* cabida.
Cabina *s* cabina, camarote.
Cabisbaixo *adj* cabizbajo.
Cabo *s* cabo, cola, jefe.
Caboclo *s* mestizo de un indio con un blanco.
Cabograma *s* cablegrama.
Cabotagem *s* cabotaje.
Cabra *s* cabra.
Cabresto *s* cabestro.
Cabrito *s* cabrito, chivo.
Caca *s* caca, porquería.
Caçada *s* caza.
Caçador *s* cazador.
Caçar *v* cazar, coger.
Cacareco *s* tarecos, trastos viejos.
Caçarola *s* cacerola, cazuela.
Cacau *s* cacao.
Cacete *s* bastón, bordón, garrote.
Cachaça *s* aguardiente, cachaza.
Cacheado *adj* ensortijado, rizado.
Cachear *v* cubrirse de racimos las viñas, aparear las aves.
Cachecol *s* bufanda.
Cachimbo *s* pipa.
Cacho *s* racimo.
Cachoeira *s* cascada.
Cachorro *s* perro.
Cachorro-quente *s* perrito caliente.
Caco *s* cachivache, pedazo de loza vieja, añicos, juicio.
Caçoada *s* chanza, broma.
Caçoar *v* mofarse, escarnecer, burlar.
Cacoete *s* tic, jeribeque.
Cacto *s* cacto, cactus.
Caçula *s* hijo más joven, benjamín.
Cadafalso *s* cadalso, patíbulo.
Cadarço *s* hiladillo, cordón.
Cadastro *s* catastro, censo, padrón.
Cadáver *s* cadáver, difunto.
Cadavérico *adj* cadavérico.
Cadeado *s* candado.
Cadeia *s* cadena, cárcel.
Cadeira *s* silla, asiento, asignatura, cátedra.
Cadela *s* perra.
Cadente *adj* cadente.
Caderneta *s* libreta, cuadernillo.
Caderno *s* cuaderno.
Cadete *s* cadete.
Caducar *v* caducar, envejecer.
Caduco *adj* caduco, nulo, gastado.
Cafajeste *adj* ordinario, bellaco.
Café *s* café.
Cafeína *s* cafeína.
Cafeteria *s* cafetería.

Cafona *adj* persona de mal gusto.
Cafuzo *s* cafuso, mestizo de negro con indio.
Cágado *s* tortuga pequeña.
Caiar *v* blanquear.
Caipira *adj* patán.
Cair *v* caer.
Cais *s* andén, muelle.
Caixa *s* caja.
Caixa-d'água *s* depósito de agua.
Caixão *s* cajón, esquife, féretro.
Caixeiro *s* cajero.
Cajado *s* báculo, cayado.
Caju *s* acajú, árbol.
Cal *s* cal.
Calabouço *s* calabozo, prisión.
Calada *s* callada, silencio absoluto.
Calafetar *v* calafatear.
Calafrio *s* escalofrío.
Calamidade *s* calamidad, gran desgracia.
Calão *s* caló.
Calar *v* callar, disimular.
Calça *s* pantalón.
Calçada *s* calzada, acera, orilla.
Calçado *s* calzado, zapato.
Calçar *v* empedrar, pavimentar.
Calcário *adj* calcáreo.
Calcificar *v* calcificar.
Calcinha *s* bragas.
Calço *s* cuña, calce.
Calcular *v* calcular, contar.
Calculável *adj* calculable.
Cálculo *s* cálculo.
Calda *s* jarabe.
Caldear *v* caldear, templar.
Caldeira *s* caldera, vasija grande y redonda.
Caldeirão *s* calderón.
Caldo *s* caldo, sopa, potaje.
Calefação *s* calefacción.
Caleidoscópio *s* caleidoscopio.
Calejar *v* encallecer, endurecer.
Calendário *s* calendario.
Calha *s* canalón, reguera.
Calhamaço *s* libro grande antiguo y sin valor.
Calhar *v* ser oportuno, encajar.
Calhau *s* guijarro.
Calhorda *s* persona despreciable.
Calibrar *v* calibrar.
Cálice *s* cáliz, copita para licores.
Cálido *adj* cálido, caliente.
Caligrafia *s* caligrafía.
Calma *s* calma, tranquilidad, bonanza.
Calmante *adj* calmante, sedante.
Calo *s* callo.
Calombo *s* chichón.
Calor *s* calor.
Calota *s* parte de la esfera o cilindro comprendida entre dos planos paralelos.
Caloteiro *s* estafador, timador.
Calouro *adj* aprendiz, novato.
Calúnia *s* calumnia, difamación.
Calvário *s* calvario.
Calvície *s* calvicie.
Cama *s* cama, lecho.
Camada *s* camada, capa.
Camafeu *s* camafeo.
Camaleão *s* camaleón.
Câmara *s* cámara.
Camarada *s* camarada, colega, compañero.
Camaradagem *s* camaradería.
Camarão *s* camarón, gamba.
Camareiro *s* camarero.
Camarim *s* camarín, gabinete.
Camarote *s* palco, camarote.
Cambada *s* sarta.
Cambalacho *s* cambalacho.
Cambalear *v* tambalearse, vacilar.
Cambalhota *s* voltereta.
Cambiante *adj* cambiante.
Cambiar *v* cambiar, trocar, permutar.
Câmbio *s* cambio.
Cambraia *s* cambray, tejido muy fino.
Camélia *s* camelia.
Camelo *s* camello.
Camelô *s* mercader de las calles.
Caminhada *s* caminata.
Caminhão *s* camión.
Caminho *s* camino, paso, dirección.
Caminhoneiro *s* camionero.
Camisa *s* camisa.

Camiseta *s* camiseta.
Campainha *s* campanilla, timbre.
Campanha *s* campaña.
Campeão *s* campeón.
Campeonato *s* campeonato.
Campestre *adj* rústico, campestre.
Camponês *s* campesino.
Camuflagem *s* camuflaje.
Camuflar *v* camuflar.
Camundongo *s* ratón.
Camurça *s* gamuza.
Cana *s* caña, tallo (del trigo, maíz).
Cana-de-açúcar *s* caña, planta gramínea.
Canal *s* canal, conducto.
Canalha *s* canalla, miserable.
Canalização *s* canalización, fontanería.
Canapé *s* canapé.
Canário *s* canario.
Canavial *s* cañaveral.
Canção *s* canción.
Cancelamento *s* cancelación.
Cancelar *v* anular, cancelar.
Câncer *s* cáncer.
Cancerígeno *adj* cancerígeno.
Cancha *s* cancha, pista de juego.
Candeia *s* candela, candil.
Candelabro *s* araña, candelabro.
Candente *adj* abrasador, candente.
Candidato *s* candidato.
Cândido *adj* cándido, inocente.
Candomblé *s* candomble, religión de muchos de los negros de Brasil.
Candura *s* candor.
Caneca *s* especie de vaso con asa.
Caneta *s* portaplumas.
Cânfora *s* alcanfor, cánfora.
Canga *s* yugo, canga.
Cangalhas *s* angarillas.
Canguru *s* canguro.
Cânhamo *s* cáñamo.
Canhão *s* cañón.
Canhoto *adj* izquierdo, zurdo.
Canibal *s* caníbal, antropófago.
Caniço *s* cañizo.
Canil *s* perrera.
Canino *adj* canino.
Canivete *s* navaja pequeña.
Canja *s* caldo de gallina.
Canjica *s* garbanzo cocido con azúcar.
Cano *s* caño, conducto, gárgola, tubo.
Cânon *s* canon, regla.
Canônico *adj* canónico.
Canonizar *v* canonizar.
Cansaço *s* cansancio, fatiga, languidez.
Cansar *v* aburrir, cansar, fatigar.
Cantão *s* cantón.
Cantaria *s* cantéria.
Cântaro *s* cántaro.
Cantarolar *v* canturrear.
Cantata *s* cantata.
Canteiro *s* cantero.
Cântico *s* cántico, himno.
Cantina *s* bar, cantina.
Cantor *s* cantor, vocalista, cantante.
Cantoria *adj* canturía.
Canudinho *s* pajilla.
Canudo *s* cañuto, caño, tubo, paja.
Cão *s* perro.
Caolho *adj* tuerto.
Caos *s* caos, desorden.
Capa *s* capa, prenda de vestir.
Capacete *s* casco.
Capacho *s* esterilla.
Capacitado *adj* capacitado.
Capado *adj* capado, castrado.
Capão *s* capón.
Capataz *s* capataz, mayoral.
Capaz *adj* capaz, apto, idóneo, digno.
Capela *s* capilla, ermita.
Capeta *s* diablo.
Capilar *adj* capilar, fino como un cabello.
Capim *s* capín.
Capital *adj* capital, ciudad principal, dinero.
Capitanear *v* gobernar.
Capitania *s* capitanía.
Capitão *s* capitán.
Capitel *s* capitel.
Capitular *v* capitular.
Capivara *s* capibara, el mayor de los roedores.
Capoeira *s* salteador, lucha creada por los niegros.
Capota *s* capota.

Capote *s* capote, abrigo, gabán.
Caprichar *v* esmerar, obstinarse.
Capricho *s* antojo, capricho, fantasía.
Cápsula *s* cápsula.
Captação *s* captación.
Captura *s* captura, apresamiento.
Capuchinho *s* capuchino.
Capulho *s* capullo.
Capuz *s* capucho, cobertura para la cabeza.
Cáqui *s* caqui, color del barro.
Cara *s* cara, figura, rostro, semblante.
Cará *s* batata dulce de Angola.
Carabina *s* carabina.
Caracol *s* caracol.
Característico *adj* característico, propio, típico.
Caramba *interj* ¡caramba!, ¡caray!
Carambola *s* carambola, fruto.
Caramelizar *v* acaramelar.
Caramujo *s* caramujo, escaramujo.
Caranguejo *s* cangrejo.
Carapuça *s* antifaz, caperuza, capuz.
Caráter *s* carácter, condición, genio, temperamento.
Caravela *s* carabela.
Carboneto *s* carburo.
Carbonífero *adj* carbonífero.
Carbonização *s* carbonización.
Carbono *s* carbono.
Carbúnculo *s* carbúnco.
Carburação *s* carburación.
Carcaça *s* caparazón, esqueleto.
Cárcere *s* prisión, cárcel.
Carcinoma *s* carcinoma, cáncer.
Carcomer *v* carcomer, roer.
Cardápio *s* minuta, menu.
Cardar *v* cardar.
Cardeal *adj* cardinal, punto cardinal, cardenal.
Cardíaco *adj* cardíaco.
Cardinal *adj* cardinal.
Cardiologia *s* cardiología.
Cardiologista *s* cardiólogo.
Cardo *s* cardo.
Cardume *s* cardumen, cardume.
Careca *s* calva.
Carecer *v* carecer, necesitar.
Careiro *adj* carero, que vende caro.
Carência *s* carencia, necesidad.
Careta *s* careta, gesto, mohín.
Carga *s* carga, cargamento.
Cargo *s* cargo, empleo, oficio, obligación.
Cariar *v* cariar, cariarse.
Caricato *adj* caricato, ridículo.
Caricatura *s* caricatura, imitación cómica.
Carícia *s* caricia, halago, mimo.
Caridoso *adj* caridoso.
Cárie *s* caries.
Carimbar *v* sellar, timbrar.
Carimbo *s* timbre, sello.
Carinho *s* cariño, mimo, caricia.
Carisma *s* carisma.
Cariz *s* cariz, semblante, cara.
Carmelita *s* carmelita, monja de la Orden del Carmen.
Carmesim *adj* carmesí.
Carmim *s* carmín.
Carnaval *s* carnaval.
Carnaz *s* carnaza.
Carne *s* carne.
Carneiro *s* carnero, osario, sepultura.
Carniça *s* carroña.
Carniceiro *adj* carnicero, carnívoro.
Carnificina *s* carnicería, matanza, masacre.
Carnudo *adj* carnoso.
Caro *adj* caro, costoso.
Caroço *s* carozo, hueso de las frutas y aceituna.
Carona *s* autostop.
Carótida *s* carótida.
Carpa *s* carpa.
Carpete *s* moqueta.
Carpideira *s* plañidera.
Carpinteiro *s* carpintero.
Carpir *v* carpir, llorar.
Carrancudo *adj* malhumorado, triste.
Carrapato *s* garrapata.
Carrasco *s* verdugo.
Carregador *s* cargador.
Carregamento *s* carga, cargamento.
Carregar *v* cargar.

Carreira *s* carrera, camino.
Carreta *s* carreta, carro.
Carretilha *s* carretilla.
Carril *s* carril.
Carro *s* carro, coche, automóvil, carruaje.
Carroça *s* carroza, carro.
Carrossel *s* tiovivo.
Carruagem *s* carruaje.
Carta *s* carta, epístola, misiva.
Cartão *s* cartón.
Cartão-postal *s* tarjeta postal.
Cartaz *s* cartel, anuncio.
Carteira *s* bolsa, cartera, pupitre.
Carteiro *s* cartero, correo, estafeta.
Cartel *s* cártel, truste.
Cartilagem *s* cartílago.
Cartilaginoso *adj* cartilaginoso.
Cartilha *s* abecedario, cartilla.
Cartolina *s* cartulina.
Cartomancia *s* cartomancia.
Cartório *s* notaría.
Cartucho *s* cartucho.
Cartuxo *s* cartujo.
Caruncho *s* carcoma.
Carvalho *s* roble.
Carvão *s* carbón.
Carvoeiro *s* carbonero.
Casa *s* aposento, casa, posada.
Casaco *s* americana, chaqueta.
Casado *adj* casado.
Casal *s* pareja.
Casamento *s* casamiento, boda, matrimonio, nupcias.
Casarão *s* caserón.
Casca *s* corteza, cáscara.
Cascalho *s* cascajo, cascote, grava, rocalla.
Cascão *s* costra.
Cascata *s* cascada, salto de agua.
Cascavel *s* cascabel, sonajero.
Casebre *s* casucha, choza.
Caserna *s* caserna.
Casmurro *adj* cazurro.
Caso *s* caso, acontecimiento, suceso.
Casório *s* casorio, casamiento.
Cassação *s* casación, anulación.
Cassar *v* casar, anular.
Cassino *s* casino.
Casta *s* casta, raza.
Castanhal *adj* castañal.
Castanhola *s* castañuela.
Castelo *s* castillo.
Castiçal *s* bujía, candelabro, candelero.
Castiço *adj* castizo.
Castidade *s* castidad, virgindad.
Castigo *s* castigo, pena, penalidad, sanción.
Casto *adj* casto, puro, púdico.
Castor *s* castor.
Castrar *v* capar, castrar.
Casual *adj* casual, fortuito.
Casulo *s* alvéolo, capullo.
Cata *s* búsqueda.
Catacumba *s* catacumba.
Catalão *adj* catalán.
Catálise *s* catálisis.
Catalogar *v* catalogar, ordenar.
Cataplasma *s* cataplasma.
Catapora *s* varicela.
Catapulta *s* catapulta.
Catar *v* catar, buscar, procurar, examinar.
Catarata *s* catarata, opacidad del cristalino del ojo, salto grande de agua.
Catarro *s* catarro, coriza.
Catarse *s* catarsis.
Catástrofe *s* catástrofe, hecatombe.
Catecismo *s* catecismo.
Catedral *s* catedral.
Catedrático *s* catedrático.
Categoria *s* categoría, clase, condición, escalón, posición.
Catequizar *v* catequizar.
Caterva *s* caterva.
Cateter *s* catéter, algalia.
Cateto *s* cateto.
Catinga *s* catinga, mal olor.
Catingar *v* oler mal.
Cativante *adj* cautivante, atrayente.
Cativar *v* cautivar, encantar, seducir.
Cativo *adj* cautivo, prisionero, esclavo.
Católico *adj* católico.
Catorze *num* catorce.
Caução *s* fianza, caución.
Cauda *s* cola, rabo.
Caudaloso *adj* caudaloso, abundante.

Caudilho *s* caudillo.
Caule *s* tallo, tronco.
Causa *s* causa, motivo, razón.
Causalidade *s* causalidad, origem, principio.
Cáustico *adj* cáustico.
Cautela *s* cautela, precaución, cuidado, arte.
Cauterização *s* cauterización.
Cava *s* cava.
Cavação *s* cavadura.
Cavaco *s* astilla, viruta.
Cavala *s* caballa.
Cavalaria *s* caballería, proeza.
Cavaleiro *s* jinete, noble, caballero.
Cavalete *s* caballete.
Cavalgar *v* cabalgar.
Cavalheirismo *s* caballerosidad.
Cavalheiro *s* caballero.
Cavalo *s* caballo.
Cavalo-marinho *s* caballo marino.
Cavaquinho *s* pequeña guitarra.
Cavar *v* ahondar, cavar, excavar.
Caveira *s* calavera.
Caverna *s* caverna.
Caviar *s* caviar.
Cavidade *s* cavidad, cueva.
Cavilação *s* cavilación, ardid.
Cavilha *s* clavija.
Cavo *adj* hueco, cavo, cóncavo.
Cear *v* cenar.
Cebola *s* cebolla.
Cebolinha *s* cebolleta.
Ceder *v* ceder, conceder, rendirse.
Cedo *adv* temprano, de prisa, pronto.
Cédula *s* cédula, póliza.
Cefaleia *s* cefalea, jaqueca.
Cego *adj* ciego.
Cegonha *s* cigüeña.
Cegueira *s* ceguera.
Ceia *s* cena.
Ceifa *s* siega.
Cela *s* celda.
Célebre *adj* célebre, notable, ilustre, renombrado.
Celeiro *adj* cilla, granero, silo.
Celeste *adj* celeste.
Celeuma *s* gritería, algazara.
Celibatário *adj* célibe, solterón.
Celofane *s* celofán.
Celta *adj* celta.
Célula *s* célula.
Celulite *s* celulitis.
Celulose *s* celulosa.
Cem *num* cien.
Cemitério *s* camposanto, cementerio, necrópolis.
Cena *s* escena.
Cenário *s* escenario, tabla.
Cenografia *s* escenografía.
Cenoura *s* zanahoria.
Censo *s* censo, padrón.
Censurar *v* censurar, reprobar, reprochar, tachar, zaherir.
Centauro *s* centauro.
Centeio *s* centeno.
Centelha *s* centella, chispa.
Centena *s* centena.
Centenário *s* centenario, cien años.
Centésimo *adj* centésimo.
Centígrado *adj* centígrado.
Cêntimo *s* céntimo.
Cento *s* ciento, cien.
Centopeia *s* ciempiés.
Central *adj* central.
Centralização *s* centralización.
Centralizar *v* centralizar, concentrar.
Centrar *v* centrar.
Centrifugar *v* centrifugar.
Centro *s* centro, foco.
Cepo *s* cepo.
Cera *s* cera.
Cerâmica *s* cerámica.
Ceramista *s* alfarero.
Cerca *s* cerca, vallado, tapia.
Cercado *adj* rodeado, sitiado.
Cercadura *s* cerca.
Cercania *s* cercanía, alrededor.
Cercar *v* cercar, rodear, sitiar.
Cercear *v* cercenar.
Cerco *s* asedio, bloqueo, cerco.
Cerda *s* cerda.
Cereal *s* cereal.
Cerealista *s* cerealista.

Cérebro *s* cerebro.
Cereja *s* cereza.
Cerejeira *s* cerezo.
Cerimônia *s* ceremonia.
Cerimonioso *adj* ceremonioso.
Cerne *s* meollo de un tronco de árbol.
Ceroula *s* calzoncillos.
Cerração *s* cerrazón, niebla espesa.
Cerrar *v* cerrar, tapar, vedar.
Certa *adj* lo que es cierto.
Certame *s* certamen.
Certeza *s* certeza, convicción.
Certidão *s* certificado.
Certificar *v* afirmar, asegurar, atestiguar, cerciorar, certificar, confirmar.
Certo *adj* cierto, verdadero, exacto, ajustado, fijado.
Cerume *s* cerumen.
Cerveja *s* cerveza.
Cervejaria *s* cervecería.
Cervical *adj* cervical.
Cervo *s* ciervo, venado.
Cerzir *v* zurcir.
Cesariana *s* cesárea.
Cessação *s* cesación, cese.
Cessão *s* cesión, dejación.
Cesta *s* cesta.
Cetáceo *adj* cetáceo.
Cetim *s* satén.
Cetro *s* cetro.
Céu *s* cielo, firmamento.
Cevada *s* cebada.
Chá *s* té, infusión.
Chacal *s* chacal.
Chácara *s* quinta, sitio.
Chacina *s* masacre, matanza.
Chacota *s* chacota, burla, bruma.
Chafariz *s* chafariz, fuente.
Chaga *s* herida, llaga, plaga, llama.
Chalé *s* chalet.
Chaleira *s* tetera.
Chama *s* llama.
Chamada *s* llamada, llamamiento.
Chamar *v* llamar, invocar, citar.
Chamariz *s* reclamo, cebo.
Chá-mate *s* mate.
Chamativo *adj* llamativo, vistoso.
Chamejar *v* llamear, arder.
Chaminé *s* chimenea.
Champanhe *s* champán, champaña.
Chamuscar *v* chamuscar.
Chancela *s* sello, rúbrica, firma.
Chanceler *s* canciller.
Chanfradura *s* bisel, chaflanada.
Chantagear *v* chantajear, extorsionar.
Chão *s* pavimento, suelo, tierra.
Chapa *s* chapa, lámina, plancha, hoja.
Chapadão *s* altiplanicie extensa.
Chapar *v* chapar, firmar, marcar.
Chapeado *adj* laminado.
Chapear *v* laminar.
Chapelaria *s* sombrerería.
Chapéu *s* sombrero.
Chapinhar *v* chapotear, salpicar.
Charada *s* charada, enigma.
Charanga *s* charanga.
Charco *s* charco, lodazal.
Charlatão *s* charlatán, embaucador.
Charutaria *s* expendeduría.
Charuto *s* cigarro puro, caramelo.
Chassi *s* chasis.
Chata *s* chata, barcaza.
Chateação *s* aburrimiento.
Chato *adj* chato, achatado, plano, importuno, aburrido.
Chave *s* llave.
Chávena *s* taza, jícara.
Chefatura *s* jefatura.
Chefe *s* comandante, jefe, líder.
Chefia *s* comando.
Chefiar *v* comandar, dirigir, gobernar.
Chegada *s* aproximación, llegada, regreso, venida.
Chegar *v* llegar, venir, alcanzar.
Cheia *s* llena, inundación.
Cheio *adj* lleno, abarrotado, henchido, plenario.
Cheirar *v* husmear, inhalar, oler.
Cheiro *s* aroma, exhalación, olor.
Cheiroso *adj* fragante, oloroso.
Chiado *s* chillido, chillón.
Chiar *v* chillar, chirriar.
Chicória *s* achicoria.
Chicote *s* azote, látigo.

Chicotear *v* azotar, flagelar.
Chifre *s* asta, cuerno, gajo.
Chilique *s* desmayo, síncope.
Chimarrão *s* mate sin azúcar.
Chimpanzé *s* chimpancé.
Chinelo *s* chinela, chancla, zapatilla, babucha.
Chinês *adj* chino.
Chique *s* hermoso, elegante.
Chiqueiro *s* pocilga, chiquero.
Chita *s* tejido de algodón estampado, percal.
Choça *s* choza, cabaña.
Chocadeira *s* incubadora.
Chocar *v* chocar, encobar, empollar.
Chocho *adj* seco, huero, vacío, insignificante.
Chocolate *s* chocolate.
Chofer *s* chófer, conductor.
Choque *s* choque, colisión, lucha.
Choradeira *s* llantera, lloriqueo.
Choro *s* lloro, lamentación.
Choupo *s* chopo.
Chouriço *s* chorizo, morcilla, embutido.
Chover *v* llover.
Chué *adj* ordinário.
Chulé *s* mal olor de pies sudados.
Chulear *v* sobrehilar.
Chulo *adj* chulo, grosero, soez, lascivo.
Chumaço *s* almohadilla, compresa, guata.
Chumbar *v* emplomar.
Chumbo *s* plomo.
Chupão *adj* chupón.
Chupar *v* chupar, absorber, empapar.
Chupeta *s* tetina, chupete.
Churrascaria *s* restaurante especializado en churrasco.
Churrasco *s* churrasco, carne asada en las brasas.
Chuva *s* lluvia.
Chuvada *s* aguacero, golpe fuerte de lluvia.
Chuveiro *s* ducha.
Chuviscar *v* lloviznar, orvallar.
Chuvoso *adj* lluvioso, pluvioso.
Cianureto *s* cianuro.
Cicatriz *s* cicatriz, lacra.
Cicatrizar *v* cicatrizar.
Cíclico *adj* cíclico.
Ciclismo *s* ciclismo.
Ciclo *s* ciclo, período.
Ciclone *s* ciclón, huracán.
Cicuta *s* cicuta.
Cidadania *s* ciudadanía.
Cidadão *s* ciudadano.
Cidade *s* ciudad.
Cidra *s* cidra.
Ciência *s* ciencia.
Cientificar *v* certificar.
Cifra *s* cifra, número.
Cifrão *s* señal ($) de unidades monetarias.
Cigano *s* gitano.
Cigarra *s* chicharra, cigarra.
Cigarro *s* cigarrillo, pitillo, tabaco.
Cilada *s* celada, emboscada, traición.
Cilício *s* cilicio.
Cilindrada *s* cilindrada.
Cilindro *s* cilindro, rollo, rulo.
Cílio *s* cilio, pestaña, ceja.
Cima *s* cima, cumbre.
Cimento *s* cemento, cimiento.
Cimo *s* cima, cumbre, alto.
Cinco *num* cinco.
Cine *s* cine.
Cinema *s* cinema, cine.
Cingir *v* abarcar, abrazar, ceñir.
Cinismo *s* cinismo.
Cinquenta *num* cincuenta.
Cinquentenário *s* cincuentenario.
Cinta *s* cinta, faja.
Cintilante *adj* centelleante, vivo.
Cintilar *v* cintilar, brillar, destellar, relucir.
Cinto *s* cinto, cinturón.
Cintura *s* cintura, talle.
Cinturão *s* cinturón.
Cinza *s*, *adj* ceniza.
Cinzeiro *s* cenicero.
Cinzel *s* cincel.
Cinzento *adj* ceniciento.
Cio *s* celo, brama.
Cipreste *s* ciprés.

Ciranda *s* canción y danza popular infantil.
Circo *s* circo.
Circuito *s* circuito, circunferencia, rodeo.
Circulação *s* circulación, tránsito.
Circular *adj* circular.
Circuncidado *adj* circunciso.
Circuncisão *s* circuncisión.
Circunferência *s* circunferencia.
Circunflexo *adj* circunflejo.
Circunscrever *v* circunscribir.
Circunscrição *s* circunscripción.
Circunspeção *s* circunspección.
Circunstância *s* circunstancia.
Círio *s* cirio.
Cirro *s* cirro.
Cirrose *s* cirrosis.
Cirurgia *s* cirugía.
Cirurgião *s* cirujano.
Cirúrgico *adj* quirúrgico.
Cisão *s* cisión, incisión.
Cisco *s* cisco.
Cisma *s* cisma.
Cismar *v* reflexionar, meditar, cavilar.
Cisne *s* cisne.
Cisterna *s* cisterna.
Cistite *s* cistitis.
Citação *s* cita, citación.
Citar *v* aludir, citar, mencionar, convocar.
Cítara *s* cítara.
Citologia *s* citología.
Cítrico *adj* cítrico.
Ciúme *s* celo, envidia.
Ciumento *adj* celoso.
Civil *adj* civil.
Civilidade *s* civilidad, urbanidad.
Civilizar *v* civilizar.
Cizânia *s* cizaña.
Clã *s* clán, tribu.
Clamar *v* clamar, quejarse.
Clamor *s* queja, clamor.
Clandestino *adj* clandestino, secreto.
Clara *s* clara (del huevo).
Claraboia *s* claraboya.
Clarão *s* resplandor.
Clarear *v* clarear.
Clareira *s* claro en un bosque.
Clareza *s* claridad.
Claridade *s* claridad, brillo, albura.
Clarinete *s* clarinete.
Claro *adj* claro, evidente, obvio.
Classe *s* clase, aula, categoría.
Clássico *adj* clásico.
Classificador *s* clasificador, archivador.
Claudicar *v* claudicar, cojear.
Claustro *s* claustro.
Claustrofobia *s* claustrofobia.
Cláusula *s* cláusula.
Clausura *s* clausura, encierro.
Clava *s* maza, porra, cachiporra.
Clavícula *s* clavícula.
Clemência *s* benignidad, clemencia, indulgencia.
Cleptomania *s* cleptomanía.
Clérigo *s* clérigo.
Clichê *s* cliché.
Cliente *s* cliente.
Clima *s* clima.
Climático *adj* climático.
Climatizar *v* aclimatar.
Climatologia *s* climatología.
Clímax *s* clímax.
Clínica *s* clínica.
Clínico *adj* clínico.
Clipe *s* clip.
Clister *s* lavativa.
Clitóris *s* clítoris.
Cloaca *s* cloaca, letrina.
Cloro *s* cloro.
Clorofila *s* clorofila.
Clube *s* club, gremio.
Coabitar *v* cohabitar.
Coação *s* coladura.
Coadjuvar *v* coadyuvar.
Coador *s* colador, filtro.
Coagir *v* amenazar, coaccionar.
Coágulo *s* coágulo, cuajo, grumo.
Coalhado *s* cuajada.
Coalizão *s* coalición.
Coar *v* colar, filtrar.
Coaxar *v* croar, cantar como la rana.
Cobaia *s* cobaya.
Cobalto *s* cobalto.
Coberta *s* cubierta, cobertura.

Cobertor *s* cubierta, manta.
Cobertura *s* capa, cobertura, tejado.
Cobiça *s* ambición, avidez, codicia.
Cobra *s* cobra, culebra, serpiente.
Cobrança *s* cobranza, recaudo.
Cobrar *v* cobrar, recibir.
Cobre *s* cobre.
Cobrir *v* cubrir, recubrir, tapar, techar.
Coca *s* coca.
Coça *s* acto de rascar, tunda, paliza.
Cocada *s* dulce de coco.
Cocaína *s* cocaína.
Coçar *v* rascar.
Cocção *s* cocción.
Cóccix *s* cóccix.
Cócegas *s* cosquillas.
Coceira *s* comezón, picazón, escocedura.
Coche *s* coche, carruaje antiguo, carroza.
Cochichar *v* cuchichear, susurrar.
Cochilar *v* dormitar, cabecear.
Cocô *s* coco.
Coco *s* coco (palmera y su fruto).
Cocuruto *s* coronilla, cima.
Codificar *v* codificar.
Coelhinho *s* conejillo.
Coelho *s* conejo.
Coercitivo *adj* coercitivo.
Coerência *s* coherencia.
Coerente *adj* coherente, consecuente.
Coesão *s* cohesión.
Coevo *adj* coetáneo, coevo.
Coexistir *v* coexistir.
Cofre *s* arca, baúl, cofre, hucha.
Cogitar *v* cogitar, meditar, pensar.
Cognitivo *adj* cognoscitivo.
Cognominar *v* apellidar.
Cogumelo *s* champiñón, hongo, seta.
Coibir *v* cohibir.
Coice *s* coz, patada.
Coifa *s* cofia.
Coincidir *v* concordar, coincidir.
Coiote *s* coyote.
Coisa *s* cosa, objeto.
Coitado *adj* cuitado, infeliz.
Coito *s* coito, cópula.
Cola *s* cola, pegamento, engrudo.
Colaborar *v* colaborar, cooperar.
Colação *s* colación.
Colapso *s* colapso.
Colar *v* coar, encolar, fijar.
Colarinho *s* collarín.
Colcha *s* colcha, sobrecama.
Colchão *s* colchón.
Colchete *s* corchete.
Coleção *s* colección, compilación, conjunto.
Colecionador *s* coleccionador.
Colega *s* amigo, colega, compañero.
Colegial *s* alumno de un colegio.
Coleira *s* collar de perro, collera.
Cólera *s* cólera, enojo, ira, hipo.
Colesterol *s* colesterol.
Coleta *s* colecta.
Coletânea *s* colectánea.
Colete *s* chaleco.
Coletividade *s* colectividad.
Coletor *adj* colector.
Colheita *s* cosecha.
Colher (é) *s* cuchara.
Colher (ê) *v* agarrar, coger, cosechar, sorprender.
Colherada *s* cucharada.
Colherzinha *s* cucharilla.
Colibri *s* colibrí.
Cólica *s* cólico.
Colidir *v* colidir, chocar.
Coligação *s* coligación, enlace, trampa.
Coligir *v* colegir, juntar, deducir.
Colina *s* colina, otero.
Colírio *s* colirio.
Coliseu *s* coliseo.
Colmeia *s* colmena.
Colo *s* cuello (parte del cuerpo), regazo.
Colocação *s* colocación, empleo.
Cólon *s* colon, porción del intestino.
Colônia *s* colonia.
Colonizar *v* colonizar.
Colono *s* colono, poblador.
Colóquio *s* coloquio, conferencia.
Coloração *s* coloración.
Colorir *v* colorear, matizar, colorir.
Colossal *adj* colosal, grandioso, inmenso.
Colostro *s* calostro.
Coluna *s* columna, pilar.

Com *prep* con.
Coma *s* coma, cabellera, crines del caballo, penacho.
Comadre *s* comadre, comadrona.
Comandante *s* comandante.
Comarca *s* comarca.
Combate *s* combate, lucha, pelea.
Combatente *adj* combatiente.
Combater *v* combatir, acometer, pelear.
Combatível *adj* combatible.
Combativo *adj* combativo.
Combinação *s* combinación; enagua, ropa interior de mujer.
Combinar *v* combinar, coordenar, coligarse.
Comboio *s* ferrocarril, convoy, tren.
Combustão *s* combustión.
Começar *v* comenzar, empezar.
Começo *s* comienzo, raíz, origen, principio.
Comédia *s* comedia.
Comedido *adj* comedido, moderado.
Comedimento *s* moderación, prudencia.
Comemoração *s* conmemoración, homenaje.
Comemorar *v* recordar, conmemorar.
Comenda *s* insignia.
Comensal *s* comensal.
Comentário *s* comentario, anotación.
Comer *v* comer, alimentarse.
Comercial *adj* comercial, mercantil.
Comercialização *s* comercialización.
Comerciante *s* comerciante, mercader, negociante, tendero, vendedor.
Comércio *s* comercio, mercado.
Comestível *s* comestible.
Cometa *s* cometa.
Cometer *v* cometer, practicar.
Comichão *s* comezón, picazón.
Comício *s* comicio.
Cômico *adj* cómico.
Comida *s* alimento, comida.
Comigo *pron* conmigo.
Comilão *adj* comilón, comedor.
Cominar *v* conminar, imponer pena.
Comiseração *s* conmiseración, compasión, piedad.
Comissão *s* comisión, gratificación.
Comissariado *s* comisaría.
Comissário *s* comisario.
Comissura *s* comisura, sutura.
Comitê *s* comité.
Comitiva *s* comitiva, séquito.
Comível *adj* comestible, comible.
Como *adv* como, así como, lo mismo que; *conj* como, del mismo modo que.
Comoção *s* conmoción, desorden, perturbación.
Cômoda *s* cómoda.
Comodidade *s* comodidad, bienestar.
Cômodo *adj* confortable, cómodo.
Comovente *adj* emocionante, emotivo.
Compacto *adj* compacto, conciso, denso.
Compadecer *v* compadecer.
Compadre *s* compadre, amigo íntimo.
Compaixão *s* compasión, conmiseración.
Companheirismo *s* compañerismo.
Companheiro *s* camarada, compañero.
Companhia *s* compañía, sociedad.
Comparar *v* comparar, confrontar, cotejar.
Comparecer *v* comparecer, presentarse.
Compartilhar *v* compartir, participar, repartir.
Compartimento *s* compartimiento, habitación, cuarto.
Compassar *v* compasar.
Compassivo *adj* compasivo.
Compasso *s* compás.
Compatriota *s* compatriota.
Compêndio *s* compendio, síntesis.
Compenetrar-se *v* compenetrarse.
Compensação *s* compensación.
Compensar *v* compensar, indemnizar, recompensar.
Competência *s* atribución, competencia, lucha.
Competente *adj* competente, apto, idóneo.
Competição *s* competición, rivalidad.
Competidor *adj* competidor, adversario.
Competir *v* competir, rivalizar.
Compilador *s* compilador.
Compilar *v* compilar, coleccionar.

Complacência *s* complacencia, amabalidad.
Compleição *s* complexión.
Complemento *s* complemento.
Completar *v* completar, rematar.
Completo *s* completo, cabal, entero.
Complexidade *s* complejidad.
Complexo *adj* complejo.
Complicação *s* complicación.
Complicar *v* complicar, dificultar, enredar.
Componente *adj* componente.
Compor *v* componer, conciliar.
Comporta *s* compuerta, esclusa.
Comportamento *s* comportamiento, procedimiento.
Composição *s* composición, ajuste, arreglo.
Composto *adj* compuesto, ordenado, serio.
Compota *s* compota.
Compra *s* compra.
Comprar *v* adquirir, comprar.
Comprazer *v* complacer.
Compreender *v* comprender, entender.
Compreensão *s* comprensión.
Compressa *s* compresa.
Compressor *s* compresor.
Comprido *adj* largo.
Comprimento *s* largura, longitud.
Comprimido *adj* comprimido, oprimido, aplastado.
Comprimir *v* comprimir, apretar, reducir.
Comprometer *v* comprometer, responsabilizar.
Compromisso *s* compromiso.
Comprovação *s* comprobación.
Comprovar *v* comprobar, corroborar, verificar.
Compulsar *v* compulsar, examinar.
Compunção *s* compunción, contricción.
Computador *s* computadora, ordenador.
Computar *v* computar, calcular.
Cômputo *s* cómputo, cálculo.
Comum *adj* común, ordinario, vulgar.
Comungar *v* comulgar.
Comunicação *s* comunicación, transmisión.
Comunicar *v* comunicar, avisar, transmitir.
Comunicável *adj* comunicable.
Comunidade *s* comunidad.
Comunismo *s* comunismo.
Comunitário *adj* comunitario.
Comutar *v* conmutar.
Concatenar *v* concatenar, encadenar.
Concavidade *s* concavidad.
Côncavo *adj* cóncavo, excavado.
Conceber *v* concebir, inventar.
Conceder *v* conceder, otorgar, dar, ceder.
Conceito *s* concepto, opinión.
Conceituar *v* conceptuar.
Concentração *s* concentración.
Concêntrico *adj* concéntrico.
Concepção *s* concepción, percepción.
Concernente *adj* concerniente, relativo.
Concernir *v* concernir.
Concertar *v* concertar, comparar, ajustar.
Concerto *s* concierto, arreglo.
Concessão *s* concesión.
Concessionário *adj* concesionario.
Concha *s* concha.
Conchavo *s* conchabo.
Conciliar *v* conciliar, armonizar, captar.
Conciso *adj* conciso, breve, lacónico.
Conclave *s* conclave.
Concluir *v* concluir, deducir, acabar, terminar.
Conclusão *s* conclusión, deducción, término.
Concomitância *s* concordancia.
Concordar *v* concordar, pactar, ajustar.
Concórdia *s* concordia, paz.
Concorrência *s* concurrencia, competencia.
Concorrente *adj* concurrente.
Concorrer *v* concurrir, competir.
Concretizar *v* concretar, efectuar.
Concreto *adj* concreto; *s* hormigón.
Concubina *s* concubina, amante.
Concupiscência *s* concupiscencia, sensualidad.
Concurso *s* concurso.

Conde *s* conde.
Condecorar *v* condecorar.
Condenado *s* condenado.
Condenar *v* condenar, castigar.
Condenável *adj* condenable, reprobable.
Condensação *v* condensación.
Condescender *v* condescender, consentir, permitir.
Condessa *s* condesa.
Condição *s* condición, categoria, situación.
Condicional *adj* condicional.
Condicionamento *s* condicionamiento.
Condicionar *v* condicionar.
Condigno *adj* condigno.
Condimentar *v* sazonar, condimentar.
Condimento *s* condimento.
Condizer *v* concordar, coincidir.
Condoer-se *v* condolerse.
Condolência *s* condolencia, pésames.
Condomínio *s* condominio.
Condor *s* cóndor.
Condução *s* conducción.
Conduta *s* conducta.
Condutividade *s* conductividad.
Conduto *s* conducto.
Condutor *s* guía.
Conduzir *v* conducir, guiar, transmitir.
Cone *s* cono.
Cônego *s* canónigo.
Conexão *s* conexión, enlace, analogia.
Conexo *adj* conexo.
Confabular *v* confabular, conversar.
Confecção *s* confección.
Confederação *s* confederación.
Confederar *v* confederar.
Confeitar *v* confitar.
Confeitaria *s* confitería, pastelería.
Conferência *s* conferencia, comparación.
Conferir *v* cotejar, verificar, conferir.
Confessor *s* confesor.
Confete *s* confeti.
Confiança *s* confianza, atrevimiento, familiaridad.
Confiável *adj* confiable.
Confidência *s* confidencia, secreto.
Configuração *s* configuración, figura, aspecto.
Confim *adj* confín, confinante.
Confinado *adj* confinado.
Confins *s* confines.
Confirmação *s* confirmación.
Confirmar *v* comprobar.
Confiscar *v* confiscar.
Confisco *s* confiscación.
Confissão *s* confesión.
Conflagrar *v* conflagrar, incendiar.
Conflito *s* conflicto.
Confluência *s* confluencia.
Confluir *v* confluir.
Conformação *s* conformación.
Conforme *adj* conforme, igual.
Conformidade *s* conformidad.
Confortar *v* confortar.
Conforto *s* comodidad, bienestar.
Confraria *s* confradía.
Confrontação *s* confrontación.
Confrontar *v* confrontar, confinar.
Confundir *v* confundir, mezclar, desordenar.
Confusão *s* confusión, pertubación, barullo, vergüenza.
Confuso *adj* confuso, desordenado, avergonzado.
Congelado *adj* congelado, frío como el hielo.
Congelador *s* congelador, nevera.
Congelar *v* congelar, helar.
Congênere *adj* congénere.
Congênito *adj* congénito, innato.
Congestão *s* congestión.
Conglomerado *s* conglomerado.
Congraçar *v* congraciar, reconciliar.
Congratulação *s* congratulación, felicitación.
Congregação *s* congregación.
Congresso *s* congreso.
Congruência *s* congruencia, armonía.
Congruente *adj* congruente, conveniente.
Conhaque *s* coñac.
Conhecedor *adj* conocedor, que conoce.
Conhecer *v* conocer, saber.
Conhecido *adj* conocido.

Conhecimento *s* conocimiento.
Conivência *s* connivencia.
Conivente *adj* connivente.
Conjetura *s* conjetura.
Conjeturar *v* conjeturar.
Conjugação *s* conjugación.
Conjugal *adj* conyugal.
Conjugar *v* conjugar, unir.
Cônjuge *s* cónyuge, consorte.
Conjunção *s* conjución, unión, conjunción.
Conjuntivite *s* conjuntivitis.
Conjunto *adj* conjunto, unido, *s* colección, conjunto.
Conjuntura *s* coyuntura, ocasión.
Conjuração *s* conjuración, conspiración.
Conosco *pron* con nosotros.
Conotação *s* connotación.
Conquista *s* conquista, obtención, toma.
Conquistar *v* conquistar, dominar, ganar.
Consagração *s* consagración.
Consagrar *v* consagrar, inmortalizar, dedicar.
Consanguíneo *adj* consanguíneo, pariente.
Consciência *s* conciencia, sinceridad.
Consciente *adj* consciente.
Cônscio *adj* consciente.
Consecutivo *adj* consecutivo, sucesivo.
Conseguinte *adj* consiguiente.
Conseguir *v* conseguir, obtener.
Conselheiro *s* consejero, guía.
Conselho *s* consejo, opinión, parecer.
Consenso *s* consenso.
Consentir *v* consentir, aprobar, tolerar.
Consequência *s* consecuencia.
Consertar *v* concertar, componer, arreglar.
Conserto *s* concierto, arreglo, compostura, remiendo.
Conserva *s* conserva.
Conservação *s* conservación, manutención.
Conservador *adj* conservador, tradicional, reaccionario.
Conservar *v* almacenar, conservar, cuidar, preservar.
Consideração *s* importancia, consideración, estima.
Considerado *adj* considerado, importante, meditado.
Considerar *v* apreciar, considerar, respetar.
Considerável *adj* considerable, importante, notable.
Consignar *v* consignar.
Consigo *pron* consigo.
Consistência *s* consistencia, estabilidad.
Consistir *v* consistir, constar.
Consoar *v* consonar.
Consola *s* consola, mueble.
Consolar *v* aliviar, consolar.
Consolidado *adj* consolidado, firme.
Consolidar *v* consolidar, fortalecer.
Consolo *s* consuelo, alivio, placer.
Consonância *s* concordancia, consonancia, rima.
Consórcio *s* consorcio, asociación.
Conspícuo *adj* conspicuo, ilustre.
Conspiração *s* conjuración, conspiración.
Conspurcar *v* corromper, ensuciar, manchar.
Constância *s* constancia, duración.
Constante *adj* constante, persistente, perseverante.
Constar *v* constar, consistir.
Constatar *v* constatar, comprobar, compulsar, verificar.
Constelação *s* constelación.
Consternação *s* consternación, angustia, tristeza.
Constipação *s* constipación, estreñimiento.
Constitucional *adj* constitucional.
Constituição *s* constitución.
Constituinte *adj* constituyente.
Constituir *v* componer, constituir, organizar.
Constranger *v* constreñir, apretar, compeler.
Constrangimento *s* constreñimiento, coacción.
Construção *s* construcción, edificio.
Construir *v* construir, edificar, organizar.

Construtor *adj* constructor.
Cônsul *s* cónsul.
Consulado *s* consulado.
Consultar *v* consultar, reflexionar, pedir consejo.
Consultor *s* consultor.
Consultório *s* consultorio.
Consumação *s* consumación.
Consumar *v* consumar, terminar, completar.
Consumir *v* consumir, destruir, gastar.
Consumo *s* consumo, pérdida, gasto.
Conta *s* cuenta, cálculo, cuidado, estima.
Contabilidade *s* contabilidad.
Contado *adj* contado, calculado.
Contador *adj* contador.
Contagem *s* cuenta.
Contagiar *v* contagiar.
Contágio *s* contagio.
Conta-gotas *s* cuentagotas.
Contaminação *s* contaminación, impureza.
Contaminar *v* contaminar, infectar, infestar.
Contar *v* contar, narrar, esperar, relatar.
Contato *s* contacto.
Contável *adj* contable.
Contemplar *v* meditar, contemplar.
Contemporâneo *adj* contemporáneo.
Contenção *s* contención.
Contender *v* contender, altercar, disputar.
Contentamento *s* contentamiento, alegría, agradar.
Contentar *v* agradar, contentar, satisfacer.
Contente *adj* alegre, contento, satisfecho.
Conter *v* contener, incluir, refrenar, reprimir.
Conterrâneo *s* conterráneo.
Contestação *s* contestación, negación.
Conteúdo *s* contenido.
Contexto *s* contexto.
Contigo *pron* contigo.
Contíguo *adj* contiguo, vecino, inmediato.
Continente *s* continente.
Contingente *s* contingente, cuota.
Continuação *s* continuación, duración.
Continuar *v* continuar, proseguir, prolongar.
Contínuo *adj* continuo.
Contista *s* persona autora de cuentos.
Conto *s* cuento, historieta, fábula.
Contorcer *v* contorcerse, doblarse.
Contornar *v* contornar, perfilar, contornear.
Contorno *s* contorno, perímetro.
Contra *prep* contra.
Contrabaixo *s* contrabajo.
Contrabalançar *v* contrabalancear, anularse, equilibrar.
Contrabando *s* contrabando.
Contração *s* contracción.
Contraceptivo *adj* anticonceptivo.
Contraditório *adj* contradictorio.
Contradizer *v* contradecir.
Contrafazer *v* contrahacer.
Contrafeito *adj* contrahecho.
Contragosto *s* oposición al gusto o a la voluntad.
Contrair *v* astringir, contraer, encoger.
Contramão *s* dirección contraria.
Contramestre *s* contramaestre.
Contraofensiva *s* contraofensiva.
Contrapartida *s* contrapartida.
Contrapeso *s* contrapeso.
Contraponto *s* contrapunto.
Contrapor *v* contraponer, oponer.
Contraproducente *adj* contraproducente.
Contrarregra *s* traspunte.
Contrariar *v* contrariar, impedir.
Contrariedade *s* contrariedad.
Contrário *adj* contrario, opuesto, desfavorable.
Contrassenso *s* contrasentido.
Contraste *s* contraste.
Contratar *v* contratar.
Contratempo *s* contratiempo.
Contrátil *adj* contráctil.
Contratual *adj* contractual.
Contraveneno *s* contraveneno.
Contraventor *s* contraventor.
Contravir *s* contravenir.

Contribuição *s* contribución.
Contribuinte *adj* contribuyente.
Contribuir *v* contribuir, cooperar.
Contrição *s* arrepentimiento, contrición.
Contrito *adj* contrito.
Controle *s* control, examen, fiscalización.
Controvérsia *s* controversia, debate.
Controverter *v* controvertir, disputar, discutir.
Contudo *conj* todavía, con todo, no obstante.
Contumácia *s* contumacia, tenacidad.
Contundente *adj* contundente.
Contundir *v* contundir, magullar, golpear.
Conturbar *v* conturbar, alterar.
Contusão *s* contusión, equimosis.
Convalescer *v* convalecer.
Convalidar *v* convalidar.
Convenção *s* tratado, convención, pacto.
Convencer *v* convencer, persuadir.
Convencido *adj* convencido, persuadido.
Conveniente *adj* conveniente, oportuno, apto.
Convênio *s* acuerdo, convenio.
Convento *s* convento, monastério.
Convergir *v* afluir, converger, convergir.
Conversa *s* conversa, diálogo, plática.
Conversação *s* conversación, parrafada.
Conversar *v* conversar, charlar, dialogar.
Converso *s* converso, lego.
Converter *v* convertir, mudar, transformar.
Convés *s* combés.
Convexo *adj* convexo.
Convicção *s* convicción.
Convicto *adj* convicto.
Convidado *s* convidado, invitado.
Convir *v* convenir, pactar.
Convite *s* convite, invitación.
Conviver *v* convivir.
Convocação *s* convocación, anuncio.
Convocar *v* convocar, constituir.
Convulsão *s* convulsión.
Cooperar *v* cooperar, colaborar, contribuir.
Cooperativa *s* cooperativa.
Coordenar *v* coordinar, componer, organizar.
Copa *s* despensa, copa (del sombrero), copa (de árbol).
Copado *adj* acopado, frondoso.
Copeiro *s* despensero, copero.
Cópia *s* copia, imitación, plagio.
Copiar *v* copiar, reproducir, imitar.
Copioso *adj* abundante, copioso.
Copla *s* copla.
Copo *s* vaso.
Cópula *s* coito, cópula.
Coque *s* coque, hulla.
Coqueiral *s* cocotal.
Coqueiro *s* cocotero, coco.
Coqueluche *s* coqueluche, tosrerina.
Coquetel *s* cóctel.
Cor *s* color.
Coração *s* corazón.
Corado *adj* colorado, rosado.
Coragem *s* coraje, valor, osadía.
Coral *s* coral.
Corante *adj* colorante.
Corar *v* ruborizar, sonrojar, enrojecer.
Corbelha *s* canastillo para frutas, flores o dulces.
Corça *s* corza.
Corcunda *s* joroba.
Corda *s* cuerda.
Cordão *s* cordón.
Cordeiro *s* cordero.
Cordel *s* cordel, guita.
Cor-de-rosa *adj* color rojo desmayado.
Cordial *adj* afectuoso, cordial.
Cordilheira *s* cordillera, serranía, sierra.
Cordura *s* cordura.
Coreografia *s* coreografía.
Coreto *s* templete.
Corista *s* corista.
Corja *s* canalla, gentuza, chusma.
Córnea *s* cornea.
Corneta *s* corneta.
Corno *s* cuerno.
Coro *s* coro.
Coroa *s* corona.
Coroação *s* coronación.
Coroar *v* coronar.

Coroinha *s* monaguillo.
Coronel *s* coronel.
Corpete *s* corsé.
Corpinho *s* corpiño.
Corpo *s* cuerpo.
Corporação *s* corporación.
Corporal *adj* corporal.
Corpóreo *adj* corpóreo.
Corpulência *s* corpulencia, obesidad.
Corpúsculo *s* corpúsculo.
Correção *s* corrección, enmienda.
Corredeira *s* rápido.
Corredor *s* galería, corredor, pasillo.
Correia *s* correa.
Correio *s* correo.
Corrente *adj* corriente, normal, vulgar; *s* curso de agua, cadena, viento.
Correnteza *s* corriente de agua.
Correr *v* correr, deslizar.
Correspondência *s* correspondencia, simetría.
Correto *adj* correcto.
Corretor *s* corrector.
Corrida *s* carrera, corrida.
Corrigir *v* corregir, castigar, modificar, suavizar.
Corrimão *s* pasamano.
Corrimento *s* corrimiento.
Corriqueiro *adj* corriente, vulgar.
Corroborar *v* corroborar.
Corroer *v* corroer, consumir.
Corromper *v* corromper, podrir, dañar.
Corrompido *adj* corrompido, depravado, viciado.
Corrosão *s* corrosión.
Corrupção *s* corrupción.
Corruptível *adj* corruptible, venal.
Corsário *s* corsario, pirata.
Cortado *adj* cortado, interceptado.
Cortante *adj* cortante, incisivo.
Cortar *v* aparar, cortar, dividir, podar, seccionar.
Corte *s* cortadura, corte, poda, sección.
Cortejar *v* cortejar, galantear.
Cortejo *s* cortejo, séquito.
Cortês *adj* cortés, afable, amable, atento.
Cortesã *s* cortesana, favorita.
Cortesão *s* cortesano, palaciego.
Cortiça *s* corcho.
Cortiço *s* colmena.
Cortina *s* cortina.
Coruja *s* lechuza.
Corveta *s* corbeta.
Corvo *s* cuervo.
Cós *s* pretina.
Coser *v* coser, zurcir.
Cosmético *s* cosmético, afeite.
Cósmico *adj* cósmico.
Cosmo *s* universo.
Cosmonave *s* cosmonave.
Cosmopolita *adj* cosmopolita.
Costa *s* cuesta, litoral.
Costado *s* bordo, flanco, lado.
Costas *s* espalda.
Costear *v* bordear, costear.
Costela *s* costilla.
Costeleta *s* costilla, costilleta.
Costumar *v* acostumbrar, habituar.
Costume *s* costumbre, moda, uso.
Costurar *v* coser, laborar, zurcir.
Cotação *s* cotización.
Cotar *v* cotar, acotar.
Cotejar *v* cotejar, comparar.
Cotidiano *adj* cotidiano.
Cotizar *v* cotizar.
Coto *s* muñón.
Cotovelo *s* codo, recodo.
Cotovia *s* alondra.
Couraça *s* coraza.
Couraçado *adj* blindado.
Couraçar *v* blindar.
Couro *s* cuero, pellejo, piel.
Couto *s* coto.
Couve *s* berza, col.
Couve-flor *s* coliflor.
Cova *s* cueva, caverna, sepultura.
Covarde *adj* cobarde, miedoso.
Coveiro *s* sepulturero.
Covil *s* antro, cubil.
Coxa *s* muslo.
Coxear *v* cojear.
Cozer *v* cocer.
Cozido *adj* cocido, hervido.
Cozimento *s* cocimiento, cocción.

Cozinha *s* cocina.
Cozinhar *v* cocer, cocinar, guisar.
Cozinheiro *s* cocinero.
Crânio *s* cráneo.
Crápula *s* crápula.
Cratera *s* cráter.
Cravar *v* clavar, enclavar, clavetear, espetar, hincar.
Cravo *s* clavo.
Cravo-da-índia *s* clavo.
Creche *s* guardería infantil.
Creditar *v* abonar, acreditar.
Crédito *s* confianza, crédito.
Credor *adj* acreedor.
Crédulo *adj* crédulo, ingenuo, sencillo, supersticioso.
Cremação *s* cremación.
Cremalheira *s* cremallera.
Cremar *v* quemar, incinerar.
Creme *s* crema, nata, natilla.
Crença *s* creencia, fe.
Crendice *s* superstición.
Crente *adj* creyente, religioso.
Crepe *s* crespón.
Crepitar *v* chisporrotear, crepitar.
Crepúsculo *s* crepúsculo.
Crer *v* confiar, creer.
Crescer *v* aumentar, crecer, estirar, subir.
Crescido *adj* crecido, grande, aumentado.
Crescimento *s* crecimiento, desarrollo progresivo.
Crespo *adj* crespo, ensortijado, ondulado, rizo.
Crestar *v* achicharrar, chamuscar.
Cretino *adj* cretino.
Cria *s* lechigada.
Criação *s* creación, crianza; cría.
Criada *s* asistenta, criada.
Criadagem *s* servidumbre.
Criado *s* siervo, servidor.
Criador *s* autor, creador.
Criança *s* criatura, niño, chiquillo.
Criançada *s* crías, chiquillería.
Criar *v* crear, inventar, plasmar.
Criatura *s* criatura, individuo.
Crime *s* crimen, delito.
Criminoso *s* criminoso, delincuente.
Crina *s* crin, pelos y cerdas de animales.
Crioulo *adj* criollo, negro.
Cripta *s* cripta.
Crise *s* crisis.
Crispar *v* crispar, fruncir.
Crista *s* cresta.
Cristaleira *s* cristalera, especie de aparador.
Cristalino *adj* cristalino, transparente.
Cristão *adj* cristiano.
Cristianismo *s* cristianismo.
Critério *s* criterio.
Crítica *s* censura, crítica.
Crítico *s* crítico.
Crivar *v* cribar, agujerear.
Crível *adj* creíble.
Crivo *s* criba.
Crochê *s* ganchillo.
Crocodilo *s* cocodrilo, crocodilo.
Cromado *adj* cromado.
Cromático *adj* cromático.
Cromo *s* cromo.
Cromossoma *s* cromosoma.
Crônica *s* crónica, narración.
Crônico *adj* crónico, que dura mucho.
Cronologia *s* cronología.
Cronômetro *s* cronómetro.
Croquete *s* croqueta.
Croqui *s* croquis.
Crosta *s* costra, cáscara.
Cru *adj* crudo.
Crucial *adj* crucial.
Crucificar *v* crucificar.
Cruel *adj* cruel, doloroso.
Crueldade *s* crueldad.
Crueza *s* crudeza.
Crustáceo *s* crustáceo.
Cruzada *s* cruzada.
Cruzador *s* crucero, buque de guerra.
Cruzamento *s* cruzamiento, cruce, encrucijada.
Cruzar *v* atravesar, cruzar, entrecruzar, terciar.
Cruzeiro *s* crucero.
Cuba *s* cuba, tina.
Cubículo *s* celda, cubículo, cuarto pequeño.

Cubismo *s* cubismo.
Cuco *s* cuclillo.
Cuecas *s* calzoncillos.
Cueiro *s* pañal.
Cuidado *s* cuidado, precaución.
Cuidar *v* cuidar, imaginar, suponer.
Cujo *pron* cuyo, del cual, de quien.
Culatra *s* culata.
Culinário *s* culinario.
Culminar *v* culminar.
Culpa *s* culpa.
Culpado *adj* culpado, culpable.
Cultivador *s* cultivador, agricultor.
Cultivo *s* cultivo, cultura.
Culto *adj* culto, inteligente; *s* culto, respeto, veneración.
Cultuar *v* venerar.
Cultura *s* esmero, cultura.
Cultural *adj* cultural.
Cume *s* cumbre, pico, ápice.
Cumeeira *s* cumbre.
Cúmplice *adj* cómplice, connivente.
Cumplicidade *s* complicidad, connivencia, implicación.
Cumprimentar *v* cumplimentar, felicitar.
Cumprir *v* cumplir, mantener.
Cumular *v* colmar.
Cúmulo *s* colmo, cúmulo, montón.
Cunha *s* cuña.
Cunhado *s* cuñado.
Cunhar *v* acuñar.
Cunho *s* cuño.
Cúpido *adj* ávido, avaricioso, codicioso.
Cupim *s* esp. de hormiga blanca.
Cupom *s* cupón.
Cura *s* cura, párroco.
Curar *v* curar, sanar.
Cúria *s* curia.
Curioso *adj* curioso.
Curral *s* corral, majada, pocilga.
Cursar *v* cursar.
Curta-metragem *s* cortometraje.
Curtir *v* curtir.
Curto *adj* breve, corto.
Curto-circuito *s* cortocircuito.
Curtume *s* curtiembre.
Curva *s* corva, curva, elipse, vuelta.
Curvar *v* encorvar, arquear.
Curvo *adj* curvo, redondo, sinuoso.
Cuspe *s* saliva, esputo.
Cúspide *s* cúspide.
Cuspir *v* escupir, lanzar.
Custar *v* costar, valer.
Custear *v* costear.
Custo *s* precio, coste.
Custódia *s* custodia, guarda.
Custoso *adj* costoso, difícil.
Cutâneo *adj* cutáneo.
Cutelo *s* cuchillo.
Cutícula *s* cutícula.
Cútis *s* cutis, epidermis.
Cutucar *v* tocar levemente con el codo.
Czar *s* zar, czar.

dD

D *s* cuarta letra del alfabeto portugués. D 500 en la numeración romana.
Da *s* contracción de la prep. de y el artículo **o** *pron dem* **a**, de la.
Dádiva *s* dádiva, donativo, obsequio, regalo.
Dado *s* dado, cubo; *adj* gratuito, afable, permitido, propenso.
Dália *s* dalia.
Dálmata *adj* dálmata.
Daltônico *adj* daltónico.
Daltonismo *s* daltonismo.
Dama *s* dama, señora, dama de honor.
Damasco *s* albaricoque, damasco.
Danação *s* perjuieio, daño, rabia.
Dança *s* baile, danza.
Dançador *s* danzador, bailarín.
Dançarino *s* bailarín, danzarín.
Danificar *v* damnificar, dañar.
Daninho *adj* dañino, perjudicial.
Dano *s* daño, perjuicio.
Dar *v* dar, entregar, ceder, ceder, destinar.
Dardo *s* dardo, saeta.
Data *s* data, fecha.
Datar *v* datar, fechar.
Datilografar *v* mecanografiar.
Datilografia *s* dactilografía, mecanografía.
Deão *s* dignidad, deán.
Debaixo *adj* debajo.
Debalde *adj* en vano, inútil.
Debandar *v* desbandarse, desordenarse.
Debate *s* debate, discusión, disputa.
Debater *v* debatir, discutir, disputar.
Debelar *v* debelar, vencer, dominar.
Débil *adj* débil, flaco, diminuto.
Debilitar *v* debilitar, enflaquecer.
Debitar *v* debitar, adeudar.
Débito *s* deuda, débito.
Debochar *v* corromper, viciar.
Deboche *s* libertinaje, corrupción.
Debruçar *v* echar de bruces, inclinar, asomar.
Debulhar *v* desgranar.
Debutante *adj* debutante.
Debuxar *v* dibujar, esbozar.
Década *s* década, decena.
Decadência *s* decadencia, declinación.
Decair *v* decaer, declinar.
Decálogo *s* decálogo.
Decanato *s* decanato.
Decano *s* decano, deán.
Decantação *s* decantación.
Decapitar *v* decapitar, degollar.
Decência *s* decencia, recato, aseo.
Decênio *s* decenio.
Decente *adj* decente, honesto.
Decepar *v* mutilar, amputar.
Decepção *s* decepción, desilusión.
Decerto *adv* con certeza.
Decibel *s* decibelio.
Decidir *v* decidir, deliberar, determinar, sentenciar.
Decifrar *v* descifrar, interpretar, comprender.
Décima *s* décima, tributo.
Decimal *adj* decimal.
Decisão *s* decisión, sentencia, valor.
Declamação *s* declamación.
Declarar *v* declarar, manifestar, exponer.
Declinação *s* declinación.
Declive *s* declive, pendiente, rampa, costanera.
Decodificar *v* descodificar.
Decolar *v* despegar.
Decompor *v* descomponer.

Decomposição *s* descomposición.
Decoração *s* adorno.
Decorado *adj* decorado.
Decorar *v* memorizar, decorar.
Decorativo *adj* decorativo.
Decoro *s* decoro, decencia, seriedad.
Decorrer *v* transcurrir.
Decotado *adj* escotado.
Decotar *v* escotar, podar.
Decote *s* descote, escote, poda.
Decrépito *adj* decrépito, chocho.
Decretar *v* decretar, ordenar, mandar, establecer.
Decreto *s* decreto, edicto, auto, ley.
Decurso *s* decurso, duración, proceso.
Dedal *s* dedal.
Dédalo *s* dédalo, laberinto.
Dedicação *s* dedicación, afecto, devoción.
Dedicar *v* dedicar, destinar, consagrar.
Dedicatória *s* dedicatoria.
Dedo *s* dedo.
Deduzir *v* deducir, descontar, disminuir.
Defasagem *s* desfase.
Defasar *v* desfasar.
Defecar *v* defecar, deponer, evacuar.
Defeito *s* defecto, falta, inconveniente.
Defender *v* defender, proteger, prohibir.
Defensivo *adj* defensivo.
Defensor *adj* defensor, abogado.
Deferência *s* deferencia.
Defesa *s* defensa, prohibición, resguardo.
Defeso *adj* prohibido.
Deficiência *s* deficiencia, insuficiencia.
Déficit *s* déficit.
Definhar *v* enflaquecer, debilitar, extenuar.
Definição *s* definición.
Definir *v* definir, determinar.
Deflação *s* deflación.
Deflagrar *v* deflagrar.
Deflorar *v* desflorar, deshonrar.
Defluxo *s* deflujo, constipado.
Deformação *s* deformación, modificación.
Deformidade *s* deformidad, fealdad.
Defraudar *v* defraudar.
Defrontar *v* confrontar.
Defronte *adv* de cara, enfrente de.
Defumado *adj* ahumado, sahumado.
Defumador *s* ahumador, perfumador.
Defumar *v* ahumar, sahumar.
Defunto *adj* difunto, muerto, fallecido.
Degelar *v* deshelar.
Degelo *s* deshielo.
Degeneração *v* degeneración, corrupción.
Deglutição *s* deglutición.
Degolação *s* degollación.
Degolar *v* degollar.
Degradar *v* degradar.
Degrau *s* escalón, peldaño.
Degredar *v* desterrar.
Degustar *v* degustar, gustar, saborear.
Deitar *v* echar, acostar, encamar.
Deixar *v* dejar, abandonar, tolerar, desistir, desocupar.
Dejeção *s* defecación, deyección.
Delação *s* delación, denuncia.
Delapidar *v* dilapidar, arruinar.
Delator *s* delator, denunciador.
Delegação *s* delegación, mandato.
Delegacia *s* comisaria de la policía.
Delegar *v* comisionar, delegar.
Deleite *s* deleite, delicia, placer, goce.
Deletério *adj* deletéreo, mortífero, venenoso.
Delfim *s* delfín.
Delgado *adj* delgado, suave, fino, magro.
Deliberação *s* deliberación, decisión, resolución.
Delicadeza *s* delicadeza, amabilidad, finura, fragilidad, susceptibilidad.
Delícia *s* delicia, deleite, encanto.
Delicioso *adj* delicioso, perfecto, rico.
Delimitar *v* delimitar, demarcar.
Delinear *v* delinear, plantear, trazar.
Delinquência *s* delincuencia.
Delinquente *adj* delincuente.
Delinquir *v* delinquir.
Delirante *adj* alucinante.
Delirar *v* delirar, desvairar, fantasear, alucinar.
Delírio *s* delirio, alucinación, desvarío.
Delito *s* delito, crimen, culpa.

Delonga *s* tardanza.
Delongar *v* retardar.
Delta *s* delta, estuario.
Demagogia *s* demagogia.
Demais *adv* demás, además, demasiado, encima, en exceso.
Demanda *s* demanda, disputa, petición, acción.
Demarcar *v* demarcar, acotar, limitar, lindar.
Demasia *s* demasía, sobra, exceso.
Demência *s* demencia, locura, alienación.
Demissão *s* dimisión, exoneración.
Demitir *v* dimitir, echar, exonerar.
Demiurgo *s* demiurgo.
Demo *s* demonio.
Democracia *s* democracia.
Democratizar *v* democratizar.
Demografia *s* demografía.
Demolição *s* demolición, destrucción, hundimiento.
Demoníaco *adj* demoníaco, diabólico.
Demônio *s* demonio, diablo.
Demonstração *s* demostración, prueba, ejemplo, manifestación.
Demonstrar *v* demostrar, indicar, probar, manifestar.
Demora *s* demora, dilación, tardanza.
Demorar *v* atrasar, demorar, dilatar, retrasar, tardar.
Demover *v* disuadir.
Dendê *s* el fruto de una palmera de Brasil.
Denegar *v* denegar, rehusar.
Denegrir *v* denegrir, empañar, ennegrecer.
Dengoso *adj* dengoso, melindroso, relamido.
Dengue *s* dengue, melindre.
Denominação *s* denominación, nombre.
Denominar *v* denominar, designar, llamarse.
Denotar *v* denotar, indicar.
Densidade *s* densidad, espesura.
Denso *adj* denso, espeso, negro, oscuro, compacto.
Dentada *s* dentellada, mordedura.
Dentadura *s* dentadura.
Dentar *v* dentar, dentellear.
Dente *s* diente.
Dentição *s* dentición.
Dentista *s* dentista, odontólogo.
Dentro *adv* adentro, dentro.
Denúncia *s* denuncia, delación, revelación.
Denunciar *v* denunciar, delatar, avisar, traicionarse.
Deparar *v* deparar, proporcionar.
Departamento *s* departamento.
Depauperar *v* depauperar, debilitar, empobrecer.
Depenar *v* desplumar, descañonar.
Depender *v* depender, subordinarse.
Dependurar *v* pender, colgar.
Depilação *s* depilación.
Depilar *v* depilar, rapar, pelar.
Deplorar *v* deplorar, lastimar, lamentar.
Deplorável *adj* deplorable, lamentable, lastimoso.
Depoimento *s* declaración.
Depois *adv* después, enseguida.
Depor *v* deponer, dejar, separar, destituir, destronar.
Deportar *v* deportar.
Deposição *s* deposición.
Depositar *v* depositar, guardar, confiar, poner.
Depósito *s* depósito, almacén, sedimento.
Depravado *adj* depravado, licencioso.
Depravar *v* depravar, corromper, pervertir.
Depreciar *v* depreciar, devaluar.
Depredação *s* depredación, pillaje, robo, expoliación, saque.
Depredar *v* depredar, expoliar, saquear.
Depressa *adv* aprisa, rápidamente, en poco tiempo.
Depressão *s* depresión, hondonada, abatimiento.
Depressivo *adj* depresivo, deprimente.
Deprimir *v* deprimir, abatir, humillar.
Depurar *v* depurar, purificar, limpiar.

Deputado *s* diputado.
Deriva *s* deriva.
Derivar *v* derivar, separar, fluir, provenir.
Dermatite *s* dermatitis.
Derme *s* dermis, piel.
Dérmico *adj* dérmico.
Derradeiro *adj* postrero, último.
Derramar *v* derramar, esparcir, vaciar, verter.
Derrame *s* derrame, pérdida.
Derrapar *v* derrapar, resbalar, patinar.
Derreter *v* derretir, liquidar, fundir.
Derrogar *v* derogar, anular.
Derrotado *adj* derrotado, vencido.
Derrotar *v* derrotar, destrozar.
Derrubada *s* derrumbe.
Derrubar *v* abatir, derribar, derrumbar, desmoronar, tumbar.
Derruir *v* derruir, derribar.
Desabafar *v* airear, desahogar, sincerar.
Desabafo *s* desahogo, expansión.
Desabar *v* caer, desmoronarse.
Desabastecer *v* desabastecer.
Desabilitar *v* inhabilitar, deshabilitar.
Desabitado *adj* deshabitado, desierto, vacío, yermo.
Desabituar *v* deshabituar.
Desabotoar *v* desabotonar.
Desabrigar *v* desabrigar, desamparar.
Desabrochar *v* entreabrir, desabrochar.
Desacatar *v* desacatar, insubordinar.
Desacato *s* desacato, insubordinación.
Desacelerar *v* desacelerar.
Desacerto *s* desacierto, error.
Desacomodar *v* desacomodar, incomodar.
Desacompanhado *adj* desacompañado.
Desacompanhar *v* desacompañar.
Desaconselhar *v* desaconsejar.
Desacorçoar *v* descorazonar.
Desacordar *v* desacordar.
Desacordo *s* desacuerdo.
Desacostumar *v* desacostumbrar.
Desacreditar *v* desacreditar, deshonrar, infamar.
Desafiar *v* desafiar, provocar, retar.
Desafinar *v* desafinar, desentonar.
Desafogar *v* desahogar, aliviar.
Desaforado *adj* desaforado, atrevido.
Desafortunado *adj* desafortunado.
Desagradar *v* desagradar, disgustar, desgraciar.
Desagradável *adj* desagradable, antipático, ingrato, feo.
Desagradecido *adj* desagradecido, ingrato.
Desagravo *s* desagravio, venganza.
Desagregar *v* desagregar, disgregar, disociar.
Desaguadouro *s* desaguadero, vertedero.
Desaguamento *s* desagüe.
Desaguar *v* desaguar, desembocar, verter.
Desajeitado *adj* desastrado, patán.
Desajustar *v* desajustar.
Desalentar *v* desalentar, desanimar.
Desalento *s* desaliento, abatimiento, desánimo.
Desalinho *s* desaliño, desaseo.
Desalmado *adj* desalmado.
Desalojar *v* desalojar, echar.
Desamarrar *v* desamarrar, desatar, desligar.
Desamor *s* desamor.
Desamparar *v* abandonar, desamparar, repudiar.
Desandar *v* desandar, retroceder.
Desanimado *adj* desanimado, alicaído.
Desanuviar *v* desanubiar, escampar.
Desapaixonado *adj* desapasionado.
Desaparecer *v* desaparecer, evaporar, extinguir.
Desaparecido *adj* desaparecido.
Desapego *s* desapego, despego.
Desapertar *v* desapretar.
Desaperto *s* holgura.
Desapiedado *adj* despiadado.
Desapontar *v* despuntar.
Desaprender *v* desaprender.
Desapropriar *v* expropiar.
Desaprovar *v* desaprobar, reprobar.
Desaproveitar *v* desaprovechar.
Desaprumar *v* desplomar.
Desarmador *adj* desarmador.
Desarmar *v* desarmar.

Desarmonizar *v* desarmonizar.
Desarraigar *v* desarraigar.
Desarranjado *adj* desarreglado, desordenado, descuidado.
Desarranjar *v* desarreglar, desordenar, perturbar.
Desarrumar *v* desarreglar, desordenar.
Desarticular *v* desarticular.
Desassociar *v* desasociar.
Desassossegar *v* desasosegar, inquietar.
Desassossego *s* desasosiego, inquietud, recelo.
Desastrado *adj* desastrado.
Desastre *s* desastre.
Desatar *v* desatar, soltar.
Desatarraxar *v* destornillar.
Desatenção *s* descortesía.
Desatinar *v* desatinar, disparate.
Desativar *v* desactivar.
Desatolar *v* desatollar.
Desautorizar *v* desautorizar.
Desavença *s* desavenencia.
Desavisado *adj* desavisado.
Desbaratar *v* desbaratar, desmantelar.
Desbastar *v* desbastar, entresacar, podar.
Desbloquear *v* desbloquear.
Desbocado *adj* deslenguado.
Desbotado *adj* desvaído, desteñido.
Desbotar *v* descolorar, desteñir.
Desbravar *v* desbravar, limpiar.
Descabelar *v* descabellar.
Descalçar *v* descalzar.
Descampado *s* descampado.
Descansar *v* descansar, sosegar.
Descanso *s* descanso, holganza, reposo, trégua, vacación.
Descaramento *s* descaro, desfachatez.
Descarnado *adj* descarnado.
Descaroçar *v* desgranar, deshuesar.
Descarregar *v* descargar.
Descarrilar *v* desbarrar, descarriar.
Descartar *v* descartar, despreciar.
Descascar *v* descascarar, mondar.
Descendência *s* descendencia, estirpe, prole.
Descender *v* descender, suceder.
Descentralização *v* descentralización.
Descer *v* bajar.
Descerrar *v* descerrar.
Descida *s* descenso, bajada.
Desclassificar *v* descalificar.
Descoberta *s* descubrimiento.
Descoberto *adj* descubierto, expuesto.
Descobrir *v* descubrir, destapar, detectar, revelar, sacar.
Descolar *v* despegar.
Descolorar *v* descolorar, desteñir.
Descolorido *adj* descolorido.
Descomedir-se *v* descomedirse.
Descompassado *adj* descompasado.
Descompensar *v* descompensar.
Descompor *v* descomponer.
Descomunal *adj* descomunal, enorme, excesivo.
Desconcerto *s* desconcierto.
Desconectar *v* desconectar, desenchufar.
Desconfiado *adj* desconfiado, receloso.
Desconfiança *s* desconfianza, sospecha.
Desconforme *adj* disconforme, desigual.
Desconforto *s* desaliento.
Descongelar *v* deshelar, descongelar.
Descongestionar *v* descongestionar.
Desconhecer *v* desconocer, ignorar.
Desconhecimento *s* desconocimiento, ignorancia.
Desconjuntar *s* descoyuntar.
Desconsertar *v* descomponer, desconcertar.
Desconsiderar *v* desconsiderar.
Desconsolo *s* desconsuelo.
Descontaminar *v* descontaminar.
Descontar *v* descontar.
Descontente *adj* descontento, triste.
Descontínuo *adj* discontinuo.
Desconto *s* descuento, rebaja.
Descontrair *v* relajar.
Descontrolado *adj* sin control.
Desconversar *v* dejar de conversar, cambiar de asunto.
Desconvocar *v* desconvocar.
Descorado *adj* descolorido, pálido.
Descorar *v* descolorar.
Descortês *adj* descortés, grosero.
Descortinar *v* descortinar.

Descosturar *v* descoser.
Descrédito *s* descrédito.
Descrença *s* descreencia, incredulidad.
Descrente *adj* descreído, incrédulo, renegado.
Descrever *v* describir.
Descrição *s* descripción.
Descuidado *adj* descuidado, desacordado, distraído.
Descuidar *v* descuidar, dejar.
Descuido *s* descuido, negligencia.
Desculpa *s* disculpa, excusa, justificación, pretexto.
Desculpar *v* disculpar, dispensar, excusar, perdonar, subsanar.
Desde *prep* desde, a partir de.
Desdém *s* desdén, desprecio, menosprecio.
Desdenhoso *adj* desdeñoso.
Desdita *s* desdicha, desventura.
Desdizer *v* desdecir, desmentir, retractar.
Desdobrar *v* desdoblar.
Desejar *v* desear, ambicionar, anhelar, apetecer, aspirar, querer.
Desejo *s* deseo, gana, voluntad, aspiración.
Deselegância *s* inelegancia.
Desembalar *v* desembalar, desempaquetar.
Desembaraço *s* desembarazo, desenredo.
Desembarcar *v* desembarcar.
Desembocar *v* desembocar.
Desembolsar *v* desembolsar.
Desembrulhar *v* desembalar.
Desembuchar *v* desembuchar, vomitar.
Desempacotar *v* desempacar, desempaquetar.
Desempatar *v* desempatar, ultimar.
Desempenhar *v* desempeñar, representar.
Desempenho *s* desempeño.
Desemperrar *v* desapretar.
Desempoeirar *v* desempolvar, quitar el polvo.
Desempossar *v* desposeer.
Desempregado *adj* desempleado, parado.
Desemprego *s* desempleo, paro.
Desencabeçar *v* disuadir, desencaminar.
Desencadear *v* desunir, desencadenar.
Desencaixar *v* desencajar.
Desencaminhar *v* desencaminar, pervertir.
Desencanto *s* desencanto.
Desencardir *v* blanquear, lavar.
Desencobrir *v* descubrir.
Desencontrado *adj* opuesto, disconforme.
Desencontrar *v* desconvenir.
Desencorajar *v* desanimar, desilusionar.
Desencravar *v* desclavar, desenclavar.
Desenfaixar *v* desatar.
Desenferrujar *v* desherrumbrar.
Desenfiar *v* desenhebrar.
Desenfreado *adj* desenfrenado.
Desenganar *v* desengañar, desilusionar.
Desengarrafar *v* desembotellar.
Desengatar *v* desprender.
Desengonçar *v* desengoznar, descoyuntar.
Desengordurar *v* desgrasar.
Desenhar *v* dibujar, diseñar, trazar.
Desenhista *s* dibujante.
Desenho *s* dibujo, diseño.
Desenlaçar *v* desenlazar.
Desenraizar *v* desarraigar.
Desenrolar *v* desenrollar, desplegar.
Desenroscar *v* desenroscar.
Desenrugar *v* desarrugar, alisar.
Desentender-se *v* desentenderse.
Desenterrar *v* desenterrar, exhumar.
Desentorpecer *v* desentorpecer, reanimar.
Desentortar *v* destorcer.
Desentoxicar *v* desintoxicar.
Desentupir *v* desatascar, desobstruir.
Desenvolto *adj* desenvuelto.
Desenvoltura *s* desenvoltura, desembarazo.
Desenvolver *v* desenvolver, desarrollar.
Desenxabido *adj* insípido, insulso, soso.
Desequilíbrio *s* desequilíbrio.
Deserdar *v* desheredar.
Deserto *s* desierto.
Desertor *s* desertor.

Desesperação *s* desesperación.
Desesperançar *v* desesperanzar.
Desesperar *v* desesperar.
Desfaçatez *s* desfachatez.
Desfalcar *s* desfalcar.
Desfalecer *v* desfallecer, desmayar.
Desfavorável *adj* adverso, desfavorable.
Desfazer *v* deshacer, disolver, fundir, partir.
Desfeito *adj* deshecho, desfigurado.
Desfiar *v* deshilachar, deshilar.
Desfigurar *v* desfigurar.
Desfiladeiro *s* desfiladero.
Desfloramento *s* desfloramiento.
Desflorestamento *s* desflorestación.
Desfocar *v* desenfocar.
Desfolhar *v* deshojar.
Desforrar *v* desquitar, vengar.
Desfrutar *v* disfrutar, gustar, usar.
Desgalhar *v* desgajar, desramar.
Desgastar *v* desgastar, consumir, alisar.
Desgostar *v* disgustar, amargar, desagradar.
Desgostoso *adj* disgustoso, amargado, triste.
Desgoverno *s* desgobierno, despilfarro, anarquía.
Desgraça *s* desgracia, infelicidad, mal, malaventura.
Desgraçado *adj* desgraciado.
Desgrenhar *v* desgreñar, despeinar, descabellar.
Desidratar *v* deshidratar.
Designar *v* designar, destinar.
Desígnio *s* designio, idea.
Desigual *adj* desigual, diferente, dispar, irregular.
Desigualdade *s* desigualdad, disparidad.
Desiludir *v* desencantar, desengañar, desilusionar.
Desimpedir *v* desobstruir.
Desinchar *v* deshinchar.
Desinfetar *v* desinfectar.
Desinflamar *v* desinflamar.
Desinflar *v* desinflar.
Desintegrar *v* desintegrar.
Desinteressar-se *v* desentenderse, desinteresarse.
Desinteresse *s* desinterés, generosidad.
Desintoxicar *v* desintoxicar.
Desistir *v* desistir, renunciar.
Desjejum *s* desayuno.
Deslavado *adj* deslavado, descarado.
Desleal *adj* desleal, infiel.
Desleixo *s* descuido, abandono, indolencia.
Desligar *v* desatar, desligar.
Deslizar *v* deslizar, resbalar.
Deslocar *v* dislocar, transferir, desviar, deshacer.
Deslumbrante *adj* deslumbrante, fascinador.
Desmaiar *v* descolorir, desmayar, desanimar.
Desmaio *s* desmayo, desfallecimiento.
Desmamar *v* desmamar, dispensar.
Desmancha-prazeres *s* aguafiestas.
Desmanchar *s* deshacer.
Desmando *s* desmando.
Desmantelado *adj* desmantelado, desconcertado.
Desmantelar *v* desaparejar, desmantelar.
Desmarcar *v* desmarcar.
Desmatamento *s* deforestación.
Desmatar *v* deforestar.
Desmazelo *s* negligencia, descuido.
Desmedido *adj* desmedido, excesivo.
Desmembrar *v* desmembrar.
Desmentir *v* desmentir, negar, refrutar.
Desmerecer *v* desmerecer.
Desmesurado *adj* desmesurado, desmedido.
Desmoralizar *v* desmoralizar.
Desmoronar *v* desmoronar, derruir.
Desnatar *v* desnatar.
Desnaturalizar *s* desnaturalizar.
Desnecessário *adj* desnecesario, inútil.
Desnivelar *v* desnivelar, desajustar.
Desnortear *v* desnortear, desequilibrar.
Desnudar *v* desnudar.
Desobedecer *v* desobedecer, desacatar.
Desobediente *adj* desobediente, insumiso.

Desobrigar *v* desobligar, liberar.
Desobstruir *v* desobstruir, desatascar, desocupar.
Desocupado *adj* desocupado, ocioso, holgado, parado, vago.
Desocupar *v* desocupar, vaciar, despejar.
Desodorizar *v* desodorizar.
Desolar *v* desolar, desconsolar, devastar.
Desonestidade *s* deshonestidad.
Desonesto *adj* deshonesto.
Desonra *s* deshonra, infamia, vituperio.
Desonrar *v* deshonrar, profanar, vilipendiar.
Desopilar *v* desopilar.
Desordeiro *adj* vagabundo, turbulento.
Desordem *s* desorden, disturbio, perturbación, alteración.
Desordenar *v* desordenar, desarreglar, descomponer, desorganizar.
Desorganização *s* desorganización, confusión.
Desorganizar *v* desorganizar, desordenar, turbar.
Desorientar *v* desorientar, despistar, trastornar.
Desossar *v* deshuesar, descarnar.
Desovar *v* aovar, desovar.
Despachado *adj* diligente, activo.
Despacho *s* despacho, expediente, auto, sentencia, remesa.
Desparafusar *v* destornillar.
Despedaçar *v* despedazar.
Despedir *v* despedir, rechazar, partir, retirar, marcharse.
Despegar *v* despegar.
Despeitado *adj* despechado.
Despeito *s* despecho, rigor, resentimiento.
Despejar *v* despejar, vaciar, desocupar, desalojar una casa.
Despejo *s* despejo, vaciamiento.
Despencar *v* quitar el fruto de un racimo, caer de gran altura.
Despender *v* despender.
Despenhadeiro *s* abismo, despeñadero, precipicio.
Despensa *s* despensa.
Despentear *v* descabellar, desgreñar, despeinar.
Desperdiçar *v* desperdiciar, derrochar, desaprovechar, dilapidar.
Desperdício *s* desperdício, derroche.
Despersonalizar *v* despersonalizar.
Despertar *v* despertar, activar, avivar.
Despesa *s* costa, gasto.
Despido *adj* desnudo.
Despir *v* desnudar, desvestir.
Desplante *s* desplante.
Desplumar *v* desplumar.
Despojar *v* despojar, desproveer, quitar.
Despojo *s* despojo.
Despontar *v* despuntar, surgir, nacer.
Desposar *v* desposar, casar.
Déspota *s* déspota, tirano, dictador.
Despotismo *s* despotismo, autoritarismo, tiranía.
Despovoar *v* deshabitar, despoblar.
Despregar *v* desclavar, desplegar.
Desprendimento *s* desprendimiento.
Despreocupação *s* despreocupación.
Despreparo *s* desarreglo.
Desprestigiar *v* desprestigiar.
Desprevenido *adj* desprevenido, descuidado, incauto.
Desprezar *v* desairar, desdeñar, menospreciar.
Desprezível *adj* depreciable, abyecto, menospreciable.
Desprezo *s* desprecio, desaire, menosprecio.
Desproporcionado *adj* desproporcionado.
Desprover *v* despojar, desproveer.
Desqualificar *v* descalificar, inhabilitar.
Desquitar *v* divorciar, descasar, separar.
Desregrar *v* desreglar, desordenar.
Desrespeitar *v* desacatar, desobedecer, transgredir.
Destacamento *s* destacamento.
Destacar *v* destacar, sobresalir.
Destapar *v* destapar, descubrir.
Destaque *s* realce, relieve.
Destemido *adj* intrépido, valiente.
Destemor *s* intrepidez, audacia.

Destemperar *v* destemplar.
Destempero *s* destemple.
Desterrar *s* desterrar, exilar, expatriarse.
Desterro *s* destierro, exilio.
Destilar *s* destilar, gotear.
Destilaria *s* destilería.
Destinar *v* destinar, dar, emplear.
Destingir *v* desteñir.
Destino *s* destino, suerte.
Destituição *s* destitución, dimisión.
Destituir *v* exonerar, destituir.
Destoar *v* desentonar, desafinar.
Destorcer *v* destorcer.
Destra *s* la mano derecha, diestra.
Destrambelhado *adj* disparatado, descomedido.
Destrancar *v* desatrancar.
Destratar *v* tratar mal.
Destravar *v* desenfrenar, destrabar.
Destreza *s* destreza, habilidad.
Destro *s* diestro, ágil, astuto.
Destroço *s* destrozo, desolación.
Destruir *v* destruir, aniquilar.
Destrutivo *adj* destructivo.
Desumano *adj* deshumano, cruel, feroz.
Desunião *s* desunión, separación.
Desunir *v* desunir, separar, apartar.
Desusado *adj* desusado.
Desvairar *v* desvariar, enloquecer.
Desvalido *adj* desvalido, desamparado, desprotegido.
Desvalorizar *v* desvalorizar, devaluar, depreciar.
Desvantagem *s* desventaja, inferioridad, perjuicio.
Desvão *s* buhardilla, desván.
Desvario *s* desvarío, locura, desatino.
Desvelar *v* desvelar, descubrir.
Desvencilhar *v* desvencijar.
Desvendar *v* desvendar.
Desventura *s* desventura, adversidad, desgracia.
Desvergonhado *adj* desvergonzado.
Desviar *v* desviar, ladear.
Desvincular *v* desvincular, desligar.
Desvio *s* desvío, desviación, vuelta, rodeo.
Desvirar *v* desvirar.
Desvirginar *v* desvirgar, desflorar.
Desvirtuar *v* desvirtuar.
Detalhe *s* detalle, minucia, pormenor.
Detectar *v* detectar, revelar.
Detetive *s* detective.
Detenção *s* detención, aprehensión.
Deter *v* detener, apresar, arrestar, estancar, parar.
Detergente *s* detergente.
Deterioração *s* deterioro, perjuicio.
Deteriorar *v* deteriorar, empeorar, malear.
Determinado *adj* determinado, concreto, marcado, preciso.
Determinar *v* determinar, concretar, decidir, definir, prefijar.
Detestar *v* detestar, odiar, aborrecer.
Detetive *s* detective.
Detido *adj* detenido, preso.
Detonação *s* detonación, estampido, explosión.
Detração *s* detracción, murmuración.
Detrás *adv* atrás, detrás, trás, después.
Detrator *adj* detractor.
Detrimento *s* detrimento, daño.
Deturpar *v* deturpar, falsear.
Deus o deus *s* Dios, dios, divinidad.
Deusa *s* diosa.
Devagar *adv* despacio.
Devagarinho *adv* muy despacio.
Devaneador *adj* soñador.
Devanear *v* devanear, delirar, fantasear, soñar.
Devassar *v* invadir lo que está defendido, ver, corromper.
Devassidão *s* libertinaje, desenfreno.
Devastar *v* devastar, talar, aniquilar.
Devedor *s* deudor.
Dever *s* deber, obligación, incumbencia; *v* adeudar, deber, tener que.
Devoção *s* devoción, consagración, reverencia.
Devolução *s* devolución, restitución, reembolso, vuelta.
Devorar *v* devorar, consumir, engullir, tragar.
Devotar *s* dedicar, consagrar, destinar.

Dez *adj, num, s* diez, una decena.
Dezembro *s* diciembre.
Dezena *s* decena.
Dia *s* día.
Diabete *s* diabetes, diabetis.
Diabo *s* demonio, diablo, satán.
Diabólico *adj* diabólico.
Diácono *s* diácono.
Diáfano *adj* diáfano, límpido, translúcido.
Diafragma *s* diafragma.
Diagnosticar *v* diagnosticar.
Diagrama *s* diagrama.
Dialético *adj* dialéctico.
Dialeto *s* dialecto.
Dialogar *v* dialogar, hablar.
Diálogo *s* diálogo.
Diamante *s* diamante.
Diante *prep* enfrente.
Dianteira *s* proa, vanguardia.
Dianteiro *adj* delantero.
Diapositivo *s* diapositiva.
Diário *adj* diario, cotidiano, periódico que se publica todos los días.
Diarreia *s* diarrea, disentería.
Dicção *s* dicción, palabra.
Dicionário *s* diccionario, léxico.
Didática *s* didáctica.
Diérese *s* diéresis.
Diesel *s* diésel.
Dietético *adj* dietético.
Difamação *s* difamación, maledicencia, calumnia.
Diferença *s* diferencia, diversidad.
Diferençar *v* diferenciar, variar.
Diferente *adj* diferente, diverso, extraño, exótico, vario.
Diferir *v* diferir, aplazar, discordar.
Difícil *adj* difícil, arduo, laborioso, penoso.
Dificultar *v* dificultar, complicar, embarazar.
Difteria *s* difteria.
Difundir *v* difundir, divulgar, propagar, radiar.
Difusão *s* difusión, divulgación.
Digerir *v* digerir, tragar.
Digestão *s* digestión.
Digital *adj* digital.
Dígito *s* dígito.
Dignidade *s* dignidad, honor, nobleza, realeza.
Digno *adj* digno, apreciable, capaz, respetable.
Digressão *s* digresión, evasiva.
Dilaceração *s* dilaceración.
Dilacerar *v* dilacerar, desgarrar.
Dilapidar *v* dilapidar, disipar.
Dilatado *adj* dilatado, extenso, amplio.
Dilatar *v* dilatar, alargar, ampliar, ensanchar, expandir, extender.
Dilema *s* dilema.
Diletante *s* diletante.
Diligência *s* diligencia, agilidad, prontitud.
Diligente *adj* diligente, activo.
Diluir *v* diluir, desleír, disolver.
Dilúvio *s* diluvio.
Dimensão *s* dimensión, medida.
Diminuição *s* disminución, aminoración, deducción, reducción.
Diminuir *v* disminuir, achicar, decrecer, empequeñecer, encoger, menguar.
Dinamismo *s* dinamismo, energía, actividad.
Dinamitar *s* dinamitar.
Dinamite *s* dinamita.
Dínamo *s* dínamo.
Dinastia *s* dinastía.
Dinheiro *s* dinero, efectivo, tesoro.
Dinossauro *s* dinosaurio.
Diocese *s* diócesis.
Diploma *s* diploma.
Dique *s* dique.
Direção *s* dirección, administración, curso.
Direita *s* derecha, diestra.
Direito *adj* derecho, diestro, recto.
Direto *adj* directo.
Diretor *s* director, administrador.
Diretriz *s* directriz.
Dirigir *v* dirigir, comandar, educar, enderezar, gobernar, llevar, regir.
Dirigível *adj* dirigible.

Discar *v* marcar un número en el teléfono.
Discernimento *s* discernimiento, criterio.
Discípulo *s* alumno, discípulo.
Disco *s* disco.
Discordar *v* discordar, desavenir, diferenciar, disentir, divergir.
Discorrer *v* discurrir, disertar, explanar, razonar.
Discoteca *s* discoteca.
Discrepar *v* discrepar, divergir, disentir, disonar.
Discreto *adj* discreto, comedido, recatado, sensato.
Discrição *s* discrición, reserva.
Discriminar *v* discriminar, separar.
Discurso *s* discurso, declamación.
Discussão *s* debate, discusión, polémica.
Discutir *v* discutir, argumentar, debatir.
Disenteria *s* disentería.
Disfarçado *adj* disfrazado, disimulado.
Disfarçar *v* disfrazar, enmascarar, encubrir, simular.
Disforme *adj* disforme, amorfo, feo, monstruoso.
Disjuntor *s* disyuntor, interruptor automático.
Dislexia *s* dislexia.
Díspar *adj* dispar, desigual, desparejo.
Disparatado *adj* disparatado, desatinado, absurdo.
Disparatar *v* disparatar, desvariar.
Disparate *s* disparate, despropósito, dislate, locura.
Disparo *s* disparo, tiro.
Dispendioso *adj* dispendioso, costoso, caro.
Dispensa *s* dispensa, licencia, exoneración.
Dispensar *v* dispensar, otorgar, dar, exonerar.
Dispepsia *s* dispepsia.
Dispersão *s* dispersión.
Dispersar *v* dispersar.
Displicente *adj* displicente.
Dispor *v* disponer, acomodar, ordenar, organizar, preparar, proporcionar.
Disposição *s* disposición, ordenación, organización.
Disputa *s* disputa, contienda, pleito, riña.
Disputar *v* contender, disputar, altercar.
Dissabor *s* disgusto, sinsabor.
Dissecar *v* disecar, resecar.
Disseminar *v* diseminar, sembrar.
Dissentir *v* disentir, desavenir.
Dissertação *s* disertación, discurso, ensayo.
Dissidência *s* disidencia.
Dissílabo *adj* disílabo, bisílabo.
Dissimulado *adj* disimulado, falso, mojigato, socarrón.
Dissimular *v* disimular, encubrir, tapar.
Dissipação *s* disipación, desfilparro.
Dissipar *v* disipar, malgastar, prodigar.
Dissociar *v* disociar, separar.
Dissolução *s* disolución, solución.
Dissoluto *adj* disoluto, licencioso, vicioso.
Dissolver *v* diluir, disolver, derretir.
Dissuadir *v* desaconsejar, disuadir.
Distanciar *v* alejar, distanciar, retirar, separar.
Distante *adj* distante, apartado, lejano, remoto, retirado.
Distante *adj* lejos.
Distender *v* distender, dilatar.
Distinguir *v* distinguir, diferenciar.
Distinto *adj* distinto, diferente, noble, elegante.
Distorcer *v* distorsionar, falsear.
Distração *s* distracción, desenfado, diversión.
Distrair *v* distraer, desenfadar, engañar, relajar.
Distribuição *s* distribución, reparto.
Distribuir *v* distribuir, escalonar, repartir.
Distrito *s* demarcación, distrito.
Distúrbio *s* disturbio, perturbación.
Ditado *s* adagio, dictado.
Ditador *s* dictador.
Ditadura *s* dictadura.
Ditame *s* díctamen, sentencia.
Dito *s* dicho, cuento, relato.
Ditongo *s* diptongo.

Ditoso *adj* afortunado, dichoso.
Divã *s* diván, sofá.
Divagar *s* divagar, vagar.
Divergência *s* discordancia, divergencia, discrepancia.
Divergir *v* discrepar, divergir.
Diversão *s* broma, diversión, placer, pasatiempo.
Diversidade *s* diferencia, diversidad.
Diverso *adj* diferente, diverso, vario.
Divertido *adj* recreativo, festivo.
Divertimento *s* divertimiento, entretenimiento, diversión.
Divertir *v* divertir, alegrar, distraer, entretener, recrear.
Dívida *s* deuda, responsabilidad.
Dividir *v* dividir, distribuir, fraccionar, parcelar.
Divindade *s* divinidad, deidad.
Divino *adj* divino, sublime.
Divisa *s* enseña, lema, linde.
Divisão *s* división, reparto, sección.
Divisar *v* observar, divisar, ver.
Divorciar *v* divorciar.
Divulgar *v* alardear, divulgar, editar, expandir, propagar.
Dizer *v* decir, contar, proferir.
Dó *s* compasión, piedad, duelo.
Doação *s* ofrecimiento, donativo.
Doar *v* donar, otorgar, legar.
Dobra *s* arruga, doblez, pliegue.
Dobradiça *s* bisagra, gozne.
Dobrar *v* doblar, doblegar, duplicar, quebrar.
Dobre *adj* doble, duplo.
Dobro *num* duplo, doble.
Doca *s* dique, dársena.
Doce *adj* azucarado, dulce.
Dócil *adj* dócil, fácil, manso.
Documentar *v* documentar, probar.
Documentário *s* documental.
Documento *s* pliego, documento, escrito.
Doçura *s* dulzura, benignidad, blandura, ternura.
Doença *s* enfermedad, achaque, dolencia, mal.
Doente *adj* enfermo, pocho, paciente.
Doentio *adj* enclenque, insalubre, malsano, mórbido.
Doer *v* doler, arrepentirse.
Dogmático *adj* dogmático, ortodoxo.
Doido *adj* loco, alienado.
Dois *num* dos.
Dólar *s* dólar.
Dolo *s* dolo, fraude.
Doloroso *adj* doloroso, sensible.
Dom *s* don.
Domar *v* domar, amansar.
Domesticar *v* amansar, domar, domesticar.
Domiciliar *v* domiciliar, habitar.
Dominador *adj* dominador, autoritario, avasallador.
Domingo *s* domingo.
Dominicano *adj* dominicano.
Domínio *s* autoridad, domínio, poderío.
Dominó *s* dominó.
Dona *s* doña, señora.
Dona-de-casa *s* ama.
Donativo *s* donativo, dádiva, oferta.
Doninha *s* comadreja.
Dono *s* señor, dueño.
Donzela *s* doncella, virgen.
Dor *s* dolor, pesar.
Dorminhoco *adj* dormilón.
Dormir *v* dormir.
Dorso *s* dorso, lomo.
Dosar *v* dosificar.
Dose *s* dosis, ración.
Dossiê *s* dossier.
Dotação *s* dotación.
Dotar *v* dotar, favorecer.
Dourado *adj* dorado, áureo.
Dourar *v* dorar, gratinar.
Doutor *s* doctor.
Doutrina *s* doctrina, enseñanza.
Draga *s* draga.
Dragão *s* dragón.
Drágea *s* grajea, píldora.
Drama *s* drama, teatro.
Dramalhão *s* dramón, melodrama.
Drástico *adj* drástico.
Drenagem *s* drenaje.
Droga *s* droga.

Drogado *adj* drogadicto.
Drogaria *s* botiquín, farmacia.
Dromedário *s* dromedario.
Dualidade *s* dualidad.
Dúbio *adj* incierto, indeciso.
Dublar *v* doblar.
Ducha *s* ducha, chorro de agua.
Dúctil *adj* dúctil, elástico.
Duelo *s* combate, duelo.
Duende *s* duende.
Duna *s* duna.
Duo *s* dúo, dueto.
Duodeno *s* duodeno.
Duplicar *v* doblar, duplicar, geminar, reduplicar.
Duplo *adj* doble, duplo.
Duração *s* duración, decurso, permanencia, vigencia.
Duradouro *adj* duradero, consistente, permanente.
Durante *prep* durante, mientras.
Durar *v* continuar, vivir.
Duro *adj* duro, férreo, áspero.
Duvidoso *adj* ambiguo, dudoso, incierto, indeciso.
Dúzia *num* docena.

e E

E *s* quinta letra del alfabeto portugués; conj y.
Ebanista *s* ebanista, ensamblador.
Ébano *s* ébano.
Ébrio *adj* ebrio, borracho, beodo.
Ebulição *s* ebullición, efervescencia.
Eclipse *s* eclipse.
Eclosão *s* eclosión, explosión.
Eclusa *s* dique, esclusa.
Ecoar *v* retumbar, hacer eco.
Ecologia *s* ecología.
Economizar *v* economizar, ahorrar.
Ecossistema *s* ecosistema.
Ecumênico *adj* ecuménico, universal.
Eczema *s* eczema.
Edema *s* edema.
Éden *s* edén.
Edição *s* edición, publicación.
Edificação *s* construcción, edificación.
Edificar *v* edificar, fundar.
Edital *s* edicto.
Editar *v* editar, imprimir, publicar.
Édito *s* edicto, ley, decreto, orden.
Editora *s* editora, editorial.
Edredom *s* edredón.
Educado *adj* educado, cortés, criado.
Educador *s* educador, maestro, pedagogo, profesor.
Educar *v* adoctrinar, enseñar, afinar, ilustrar.
Efeito *s* efecto, impresión, resulta.
Efemeridade *s* brevedad.
Efeméride *s* efemérides.
Efêmero *adj* efímero, transitorio.
Efeminado *adj* afeminado.
Efervescência *s* ebullición, efervescencia.
Efetivar *v* realizar.
Efetivo *adj* efectivo, práctico, útil, actual.
Efetuar *v* efectuar, realizar.
Eficácia *s* eficacia, eficiencia.
Eficaz *adj* eficaz, eficiente, potente, válido.
Eficiência *s* eficiencia, eficacia.
Efígie *s* efigie, figura de una persona.
Efusão *s* efusión.
Egocêntrico *adj* egocéntrico.
Egoísmo *s* egoísmo.
Égua *s* yegua.
Eixo *s* eje.
Ejaculação *s* eyaculación, emisión.
Ejeção *s* eyección, evacuación.
Ela *pron* ella.
Elaborar *v* concebir, elaborar.
Elástico *adj* elástico, flexible.
Ele *pron* él; *s* nombre de la letra l.
Elétron *s* electrón.
Elefante *s* elefante.
Elegância *s* donaire, elegancia, gallardía, garbo.
Eleger *v* elegir, optar, votar, seleccionar.
Eleição *s* elección, selección.
Eleito *adj* electo, elegido.
Elementar *adj* elemental, fácil.
Elemento *s* elemento, ingrediente.
Elenco *s* elenco, índice.
Eletricidade *s* electricidad.
Eletrificar *v* electrificar.
Eletrizar *v* electrizar.
Eletrocardiograma *s* electrocardiograma.
Eletrochoque *s* electrochoque.
Eletrocutar *v* electrocutar.
Eletrodo *s* electrodo.
Eletrógeno *adj* electrógeno.
Eletrólise *s* electrólisis.
Eletrostática *s* electrostática.
Elevado *adj* elevado, alto, eminente, sublime.

Elevador *s* elevador, ascensor.
Elevar *v* alzar, elevar, engrandecer, exaltar, subir.
Eliminar *v* eliminar, exterminar, matar, suprimir.
Elixir *s* elixir.
Elmo *s* yelmo.
Elo *s* eslabón, nexo, argolla.
Elocução *s* elocución, estilo.
Elogiar *v* elogiar, ensalzar.
Elogio *s* elogio, alabanza, apología, loa.
Eloquente *adj* elocuente, convincente, oratorio.
Elucidar *s* dilucidar, esclarecer.
Em *prep* en, indica lugar, tiempo, modo.
Ema *s* ñandú, avestruz.
Emagrecer *v* adelgazar.
Emanar *v* emanar, exhalar.
Emancipação *s* emancipación, independencia.
Emancipar *v* emancipar, liberar.
Emaranhar *v* enmarañar, embrollar, enredar.
Emascular *v* emascular.
Embaçado *adj* bazo, pálido.
Embaçar *v* empañar.
Embaixada *s* embajada, misión.
Embaixo *adv* abajo, debajo.
Embalagem *s* embalaje.
Embalar *v* embalar, acondicionar.
Embalde *adv* en vano.
Embalo *s* balanceo, cuneo.
Embalsamar *v* embalsamar, momificar.
Embaraçar *v* embarazar, desconcertar, estorbar.
Embaraço *s* embarazo, dificultad, estorbo.
Embaralhar *v* barajar, embarullar, confundir.
Embarcadouro *s* embarcadero.
Embarcar *v* embarcar.
Embargar *v* embargar.
Embarque *s* embarque.
Embasar *v* basar.
Embate *s* agresión, embate, empujón.
Embater *v* chocar.
Embebedar *v* emborrachar, embriagar.
Embeber *v* embeber, empapar, ensopar, impregnar, remojar.
Embelezar *v* adornar, ataviar, embellecer, hermosear.
Embevecer *v* embelesar, cautivar, extasiar.
Embirrar *v* obstinarse, provocar.
Emblema *s* emblema, insignia.
Embocadura *s* bocacalle, embocadura.
Embolia *s* embolia.
Embolorar *v* enmohecer.
Embolsar *v* embolsar, recebir.
Embonecar *v* adornar.
Embora *conj* aunque, no obstante; *adv* en buena hora, felizmente; *interj* ¡no importa!
Emboscada *s* emboscada.
Embotamento *s* embotamiento.
Embotar *v* embotar, debilitar.
Embreagem *s* embrague.
Embriagado *adj* embriagado, bebido, borracho, ebrio.
Embriagar *v* emborrachar, embriagar.
Embriaguez *s* borrachera, embriaguez.
Embrionário *adj* embrionario.
Embromar *v* embromar, embaucar.
Embrulhar *v* embalar, embrollar, empapelar, envolver.
Embrulho *s* fardo, lío, paquete.
Embrutecer *v* embrutecer, corromper.
Embuçar *v* embozar.
Embuste *s* trampa, trapacería, embuste.
Embutir *v* embutir, ensamblar.
Emendar *v* corregir, enmendar, modificar.
Emergir *v* manifestarse, emerger, asomar.
Emigrar *v* emigrar, expatriarse.
Eminente *adj* eminente, excelente, sublime.
Emissão *s* emisión.
Emissora *s* emisora.
Emoção *s* emoción, emotividad.
Emocionante *adj* emocionante, emotivo.
Emoldurar *v* encuadrar, encajar.
Emotividade *s* afectividad, emotividad.
Empachar *v* empachar, obstruir.
Empacotador *s* empaquetador.

Empacotamento *s* empaque, embalaje.
Empacotar *v* empaquetar, embalar.
Empada *s* empanada.
Empalhar *v* empajar, embalsamar.
Empalidecer *v* palidecer, empalidecer.
Empanada *s* empanada.
Empanar *v* empañar, deslucir.
Empapar *v* embeber, empapar, encharcar, remojar.
Emparedar *v* emparedar, clausurar.
Emparelhar *v* aparear, emparejar, unir.
Empastar *v* empastar, encuadernar.
Empatar *v* empatar, estorbar.
Empate *s* empate.
Empecilho *s* impedimento, obstáculo, lastre.
Empedernido *adj* empedernido, pertinaz.
Empedrado *s* empedrado.
Empenar *v* alabear, torcer, combar.
Empenhar *v* empeñar, adeudarse.
Empenho *s* empeño, ahinco, deseo.
Emperrar *v* obstinarse.
Empertigar-se *v* empinarse.
Empestamento *s* fetidez, peste.
Empilhamento *s* apilamiento, amontonamiento.
Empilhar *v* apilar, amontonar, acumular.
Empirismo *s* empirismo.
Emplastrar *v* emplastar, revestir.
Emplastro *s* emplasto, parche, pegote.
Emplumar *v* emplumar.
Empobrecer *v* arruinar, empobrecer, decaer.
Empoeirado *adj* polvoriento.
Empolado *adj* ampuloso, hinchado.
Emporcalhar *v* ensuciar, emporcar.
Emprazar *v* emplazar.
Empredar *v* empredar, pavimentar.
Empreendedor *adj* arrojado, emprendedor, trabajador.
Empreender *v* ejecutar, emprender, iniciar.
Empregado *s* empleado, criado.
Emprego *s* colocación, empleo, lugar, ocupación, puesto.
Empreitada *s* destajo, tarea.
Empresa *s* empresa, compañía.
Emprestado *adj* prestado.
Emprestar *v* prestar, conceder.
Empréstimo *s* empréstimo, préstito, avío.
Empunhar *v* empuñar.
Empurrão *s* empujón, encontrón, empellón.
Empurrar *v* empujar, impeler, impulsar.
Emudecer *v* enmudecer.
Emulsão *s* emulsión, lechada.
Enaltecer *v* encumbrar, glorificar.
Enamorado *adj* apasionado, enamorado.
Encabulado *adj* avergonzado.
Encabular *v* avergonzar.
Encadear *v* encadenar, concatenar, eslabonar.
Encadernar *v* encuadernar.
Encaixado *adj* encajado.
Encaixamento *s* encajadura, encaje.
Encaixotar *v* encajonar.
Encalço *s* pista, rastro.
Encalhar *v* encallar.
Encaminhar *v* encaminar, dirigir, guiar.
Encanador *s* cañero, fontanero.
Encanamento *s* cañería, fontanería.
Encantado *adj* encantado, seducido, mágico.
Encantamento *s* encantamiento, encanto, hechizo, magia.
Encanto *s* encanto, deleite, delicia, seducción, aojo.
Encapotar-se *v* encapotarse.
Encaracolado *adj* ensortijado.
Encaracolar *v* enroscar.
Encarar *v* encarar, afrontar, analizar, arrostrar.
Encarcerar *v* encarcelar.
Encargo *s* encargo, cometido, encomienda, mandato, misión.
Encarnado *adj* encarnado, colorado, rojo.
Encarniçar *v* encarnizar, excitar.
Encarquilhado *adj* arrugado, marchito.
Encarregado *adj* encargado.
Encarregar *v* encargar, incumbir.
Encarrilhar *v* encarrilar, encaminar, dirigir.
Encastelar *v* encastillar, fortificar.
Encavalar *v* sobreponer.

Encefalite *s* encefalitis.
Enceradeira *s* enceradora.
Encerar *v* encerar.
Encerramento *s* encerramiento.
Encerrar *v* contener, encerrar, recluir, esconder.
Encestar *v* encestar.
Encharcar *v* encharcar, empapar, ensopar.
Enchente *s* inundación, henchimiento, abundancia.
Encher *v* llenar, anegar, henchir.
Enchimento *s* relleno.
Enchova *s* anchoa.
Enciclopédia *s* enciclopedia.
Enciumar *v* encelar.
Enclausurar *v* enclaustrar.
Encoberto *adj* encubierto, misterioso.
Encobrir *v* encubrir, cubrir, disfrazar, disimular, enmascarar.
Encolerizar *v* encolerizar, enrabiar, irritar.
Encolher *v* encoger, contraer.
Encomenda *s* encomienda, encargo.
Encomiar *v* encomiar, alabar, elogiar.
Encompridar *v* alargar.
Encontrão *s* encontrón, empujón.
Encontrar *v* encontrar, hallar, topar, acertar.
Encorajar *v* encorajar, envalentonar, alentar.
Encorpado *adj* corpulento, grueso.
Encorpar *v* engordar, engrosar, tomar cuerpo.
Encosta *s* costanera, ladera, repecho, vertiente.
Encostar *v* tocar, acostar, reclinar.
Encosto *s* espaldar, sostén, respaldo, apoyo.
Encravar *v* fijar, enclavar, engastar, incrustar.
Encrenca *s* lío, intriga, enredo.
Encrespar *v* encrespar, rizar, agitar.
Encruar *v* encallar, encrudecer, endurecer.
Encruzilhada *s* cruce, encrucijada.
Encurralar *v* acorralar, arrinconar, refugiarse.
Encurtar *v* acortar, abreviar, achicar, limitar.
Encurvar *v* torcer, encorvar.
Endemoninhado *adj* endemoniado, furioso, poseso.
Endereçar *v* encaminar, enderezar.
Endereço *s* dirección, enderezo.
Endeusar *v* endiosar, deificar.
Endiabrado *adj* endiablado, endemoniado, travieso, malo.
Endinheirado *adj* adinerado.
Endireitar *v* enderezar, erguir.
Endividar *v* adeudar.
Endoidar *v* enloquecer.
Endoidecer *v* enloquecer.
Endossar *v* endosar.
Endurecer *v* endurecer, solidificar.
Enegrecer *v* ennegrecer.
Energético *adj* energético.
Energia *s* energía, fuerza, vitalidad, vigor.
Energúmeno *s* energúmeno, desorientado.
Enevoado *adj* nublado, anubarrado.
Enevoar *v* anublar, cubrir de niebla.
Enfadar *v* enfadar, molestar.
Enfado *s* enfado, enojo, tedio, aburrimiento.
Enfaixar *v* fajar, vendar.
Enfarte *s* infarto.
Ênfase *s* énfasis.
Enfastiar *v* hastiar, aburrir.
Enfatizar *v* enfatizar, realzar.
Enfeitar *v* adornar, alinear, ataviar, engalanar, guarnecer.
Enfeitiçado *adj* hechizado.
Enfeitiçar *v* hechizar, encantar, cautivar.
Enfermagem *s* oficio de enfermeros.
Enfermar *v* enfermar.
Enfermaria *s* enfermería.
Enfermeiro *s* enfermero.
Enfermiço *adj* enfermizo, enclenque.
Enfermidade *s* enfermedad.
Enfermo *adj* enfermo.
Enferrujar *v* herrumbrar, oxidar.
Enfezado *adj* raquítico, canijo, enojado.
Enfiada *s* hilera, fila, sarta.
Enfiar *v* enfilar, meter.

Enfileirar *v* alinear, enfilar.
Enfim *adj* finalmente, por último, en fin.
Enfocar *v* enfocar, focar, destacar.
Enforcado *adj* ahorcado.
Enfraquecer *v* enflaquecer, aflojar, debilitar, extenuar.
Enfrascar *v* enfrascar, embotellar.
Enfrentar *v* enfrentar, afrontar, encarar.
Enfronhar *v* enfundar.
Enfumaçar *v* ahumar.
Enfurecer *v* enfurecer, encolerizar, enrabiar.
Engaiolar *v* enjaular.
Engalanar *v* engalanar, adornar.
Engambelar *v* engatusar.
Enganar *v* engañar, aparentar, confundir, ilusionar.
Enganchar *v* enganchar.
Engarrafado *adj* embotellado.
Engarrafar *v* embotellar, enfrascar, envasar.
Engasgar *v* atragantar.
Engastar *v* engarzar, engastar.
Engate *s* enganche, gancho.
Engatinhar *v* gatear.
Engendrar *v* engendrar, generar, idear, producir.
Engenhar *v* ingeniar, idear.
Engenharia *s* ingeniería.
Engenhoso *adj* hábil, ingenioso.
Engodo *s* cebo, engaño.
Engolir *v* engullir, tragar, callar.
Engomar *v* almidonar, engomar.
Engorda *s* engorde.
Engordar *v* engordar, engruesar.
Engordurar *v* engrasar, ensebar.
Engraçado *adj* gracioso, chusco, chistoso.
Engrandecer *v* realzar, engrandecer, exaltar, magnificar.
Engravatar-se *v* ponerse la corbata.
Engravidar *v* embarazar, preñar.
Engraxar *v* engrasar, limpiar, lustrar el calzado.
Engraxate *s* limpiabotas.
Engrenagem *s* engarce, engranaje.
Engrenar *v* endentar, engranar.
Engrossar *v* abultar, engrosar, espesar.
Enguia *s* anguila.
Enigma *s* enigma, acertijo, adivinanza, misterio.
Enjeitar *v* abandonar, recusar, despreciar.
Enjoar *v* nausear, marearse.
Enjoativo *adj* nauseativo, repugnante.
Enjoo *s* mareo, naúsea.
Enlaçar *v* enlazar, abrazar.
Enlace *s* casamiento, enlace.
Enlambuzar *v* untar, ensuciar.
Enlamear *v* enlodar, embarrar.
Enlanguescer *v* languidecer, debilitar.
Enlouquecer *v* desvariar, enloquecer.
Enlutar *v* enlutar, entristecer.
Enobrecer *v* dignificar, ennoblecer.
Enorme *adj* enorme, desmedido.
Enormidade *s* enormidad.
Enquadrar *v* encuadrar.
Enquanto *conj* mientras, entre que.
Enquete *s* encuesta.
Enrabichar *v* enamorar.
Enraivecer *v* enfurecer, enrabiar.
Enraizar *v* arraigar, enraizar.
Enrascada *s* emboscada, celada.
Enredo *s* intriga, enredo, revoltijo, urdidura.
Enregelar *v* helar, congelar.
Enriquecer *v* enriquecer.
Enrolar *v* enrollar, empaquetar.
Enroscar *v* enroscar, retorcer, enrollar.
Enrubescer *v* enrojecer, sonrojar.
Enrugar *v* arrugar, crispar, encrespar.
Ensaboar *v* enjabonar, jabonar.
Ensaiar *v* ensayar, entrenar.
Ensanguentar *v* ensangrentar, macular.
Enseada *s* ensenada, bahía.
Ensebado *adj* ensebado.
Ensebar *v* ensebar, manchar.
Ensimesmar-se *v* ensimesmarse.
Ensinar *v* enseñar, amaestrar, criar.
Ensino *s* enseñanza, instrucción.
Ensopar *v* ensopar, embeber, guisar.
Ensurdecer *v* ensordecer.
Entabular *v* entablar, entarimar.
Entalhador *s* entallador, tallista.
Entalhar *v* ensamblar, entallar, ensanchar.

Entalhe *s* escote, ranura, talla.
Então *adv* allí, entonces.
Entardecer *v* atardecer, hacerse tarde.
Enteado *s* hijastro.
Entediar *v* aburrir, atufar.
Entender *v* comprender, conocer, entender, opinar.
Enterrar *v* enterrar, inhumar, sepultar, soterrar.
Enterro *s* entierro, inhumación.
Entesourar *v* atesorar, acumular.
Entibiar *v* entibiar, suavizar.
Entidade *s* entidad, individualidad.
Entoar *v* entonar, cantar.
Entojar *v* repugnar, asquear.
Entonação *s* acento, entonación, tono.
Entornar *v* derramar, entornar, volcar.
Entorpecer *v* entorpecer, adormecer, entumecer, narcotizar.
Entortar *v* torcer, entortar.
Entrada *s* entrada, acceso, platos de entrada, apertura, ingreso.
Entrançado *adj* entrenzado.
Entrançar *v* entrenzar, trenzar.
Entranha *s* entraña, víscera.
Entranhar *v* entrañar, penetrar.
Entranhável *adj* entrañable.
Entrar *v* entrar, introducir, invadir.
Entravar *v* trabar, impedir, obstruir, embarazar.
Entreabrir *v* entreabrir.
Entreato *s* entreacto, intermedio.
Entrecruzar *v* entrecruzar, entrelazar.
Entregar *v* entregar, dar, depositar, facilitar, otorgar.
Entrelaçar *v* enredar, entrelazar, entrecruzar.
Entrelinha *s* entrelínea.
Entremear *v* insertar, intercalar, alternar.
Entremeio *s* intermedio, intervalo.
Entreouvir *v* entreoír.
Entreposto *s* almacén.
Entretanto *adv* entremedias, entretanto, mientras.
Entreter *v* entretener, distraer, divertir.
Entrevado *adj* minusválido, tullido.
Entrevista *s* entrevista, cita, conferencia.
Entristecer *v* entristecer, acongojar, angustiar, apesadumbrar.
Entroncar *v* entroncar, engrosar.
Entronizar *v* entronizar.
Entrouxar *v* empaquetar, envolver ropas.
Entubagem *s* intubación.
Entulho *s* desecho, escombro.
Entupir *v* obturar, entupir.
Entusiasmo *s* entusiasmo, admiración, animación.
Enumeração *s* enumeración.
Enunciação *s* enunciación, tesis.
Enunciar *v* enunciar, decir, definir, exponer.
Envaidecer *v* envanecer, engreír.
Envasilhar *v* envasar, embotellar.
Envelhecer *v* envejecer, avejentar.
Envelope *s* sobre, sobrecarta.
Envenenar *v* envenenar, intoxicar.
Enveredar *v* encaminar, encaminarse.
Envergadura *s* envergadura.
Envergonhado *adj* avergonzado, humillado.
Envergonhar *v* avergonzar, confundir.
Envernizar *v* barnizar, brunir.
Enviado *s* enviado, mandado.
Envidraçar *v* envidrar, ofuscarse.
Envio *s* envío, remesa.
Enviuvar *v* enviudar.
Envoltório *s* involucro, envoltorio.
Envolver *v* envolver, arrollar, implicar, involucrar.
Enxada *s* azada.
Enxadrista *s* ajedrecista.
Enxaguar *v* enjuagar, aclarar.
Enxame *s* enjambre, jabardillo.
Enxaqueca *s* jaqueca.
Enxergar *v* divisar.
Enxertar *v* injertar.
Enxofre *s* azufre.
Enxotar *v* ahuyentar, expulsar.
Enxoval *s* ajuar.
Enxugar *v* enjugar, secar.
Enxurrada *s* venida, torrente.
Enxuto *adj* enjuto, seco.
Epidêmico *adj* epidémico.
Epiderme *s* epidermis.

Epígrafe *s* epígrafe, inscripción.
Epílogo *s* epílogo.
Episódico *adj* episódico.
Episódio *s* episodio.
Epitélio *s* epitelio.
Época *s* época, período.
Epopeia *s* epopeya.
Equação *s* ecuación.
Equador *s* ecuador.
Equânime *adj* ecuánime.
Equatorial *adj* ecuatorial.
Equestre *adj* ecuestre.
Equidade *s* equidad, rectitud.
Equilibrar *v* compensar, equilibrar.
Equilíbrio *s* equilibrio, armonía.
Equimose *s* equimosis.
Equino *adj* equino; *s* équido.
Equipagem *s* equipaje.
Equipar *v* equipar, tripular.
Equiparar *v* equiparar.
Equipe *s* conjunto, equipo.
Equitação *s* equitación.
Equitativo *adj* equitativo.
Equivalência *s* equivalencia, igualdad de valor.
Equivalente *adj* equivalente, igual, correspondiente.
Equivocado *adj* equívoco, erróneo.
Equivocar *v* equivocar, confundir, errar.
Equívoco *adj* equívoco, ambiguo, sospechoso.
Era *s* era, época, período, fecha.
Erário *s* erario, tesoro.
Ereção *s* erección, rigidez.
Eremita *s* eremita.
Ereto *adj* erecto.
Erguer *v* erguir, erigir, izar, levantar.
Erigir *v* erigir, levantar, fundar.
Ermida *s* ermita, iglesia pequeña, capilla.
Ermitão *s* ermitaño, eremita.
Ermo *adj* yermo, sombrio.
Erosão *s* erosión, desgaste, corrosión.
Erótico *adj* erótico, sensual, lascivo.
Erradicar *v* erradicar, desarraigar.
Errado *adj* equivocado.
Errante *adj* errante, vagabundo.
Errar *v* errar, deambular, equivocarse.
Erro *s* error, yerro, defecto, desacierto.
Errôneo *adj* erróneo.
Erudição *s* erudición.
Erudito *adj* erudito, letrado, leído, sabio.
Erupção *s* erupción.
Erva *s* yerba.
Erva-cidreira *s* melisa.
Erva-doce *s* hinojo.
Erva-mate *s* yerba mate.
Ervilha *s* guisante.
Esbaforido *adj* jadeante.
Esbagaçar *v* despedazar.
Esbanjador *adj* gastador, derrochador.
Esbarrão *s* tropezón.
Esbarrar *v* desbarrar, tropezar.
Esbelto *adj* esbelto, elegante, garboso.
Esboçar *v* delinear, esbozar.
Esbofetear *v* abofetear, acachetar.
Esborrachar *v* aplastar, churrar.
Esbranquiçado *adj* blanquecino, pálido.
Esbravejar *v* embravecerse, vociferar.
Esburacar *v* agujerear, romperse.
Escabeche *s* escabeche.
Escabroso *adj* escabroso.
Escachar *v* hender, rajar, dividir.
Escada *s* escalera.
Escadaria *s* escalinata.
Escalar *v* escalar, trepar.
Escaldar *v* escaldar, escarmentar.
Escalonar *v* escalonar.
Escama *s* escama.
Escamotear *v* escamotear, robar.
Escancarar *v* abrirse.
Escândalo *s* escándalo, desenfreno, ofensa.
Escangalhar *v* destruir, estropear, descoyuntarse.
Escanhoar *v* afeitar, descañonar.
Escapadela *s* escapatoria.
Escapamento *s* escapamiento, escape.
Escapar *v* escapar, escabullirse, evadirse, huir, zafarse.
Escape *s* escape, fuga, evasión.
Escapulir *v* escabullirse, huir.
Escaramuça *s* escaramuza, combate, disputa.
Escaravelho *s* escarabajo.

Escarcéu *s* escarceo.
Escarlate *s* escarlata, rojo muy vivo.
Escarmentar *v* escarmentar, castigar.
Escarnecer *v* escarnecer, mofar, despreciar.
Escárnio *s* escarnio, mofa.
Escarpado *adj* abrupto, escarpado.
Escarradeira *s* escupidera.
Escarranchar *v* despatarrarse.
Escarrar *v* escupir, expectorar.
Escarro *s* gargajo, esputo.
Escassez *s* escasez, insuficiencia, falta.
Escasso *adj* escaso, insuficiente, raro.
Escavação *s* excavación.
Escavar *v* excavar, abrir, cavar.
Esclarecer *v* esclarecer, ilustrar, informarse.
Escoadouro *s* escurridero, sumidero.
Escoar *v* escurrir, colar.
Escola *s* escuela, liceo.
Escolar *adj* escolar, estudiante.
Escolha *s* alternativa, elección, opción, selección, voluntad.
Escolher *v* escoger, optar, seleccionar.
Escoltar *v* acompañar, escoltar.
Escombros *s* escombros, destrozos.
Esconder *v* esconder, agachar, agazapar, disimular, recatar, refugiar.
Esconderijo *s* escondrijo, refugio.
Esconjuro *s* esconjuro, exorcismo.
Escora *s* escora, apoyo, amparo.
Escorar *v* escorar, amparar, sostener.
Escória *s* escoria.
Escorpião *s* escorpión.
Escorredor *s* escurridor.
Escorregadio *adj* resbaladizo.
Escorregador *s* tobogán.
Escorregão *s* resbalón, desliz.
Escorregar *v* deslizar, resbalar.
Escorrer *v* escurrir, secar.
Escotilha *s* escotilla.
Escova *s* cepillo, escobilla.
Escovado *adj* cepillado.
Escovar *v* cepillar.
Escravidão *s* esclavitud.
Escravizar *v* esclavizar, cativar.
Escravo *s* siervo, esclavo.
Escrever *v* escribir, redactar.
Escritor *s* autor, escritor.
Escritório *s* escritorio, gabinete, oficina, despacho.
Escritura *s* escritura, registro.
Escrivaninha *s* bufete, escritorio.
Escroto *s* escroto, testículo.
Escrupuloso *adj* escrupuloso.
Escrutínio *s* escrutinio.
Escudar *v* escudar.
Esculpir *v* entallar, esculpir.
Escultor *s* escultor, tallista.
Escultura *s* escultura, talla.
Escuma *s* espuma.
Escumadeira *s* espumadera.
Escuna *s* escuna.
Escurecer *v* ensombrecer, obscurecer.
Escuridão *s* obscurecimiento, sombra, obscuridad.
Escuro *adj* obscuro, lóbrego, tenebroso.
Escusa *s* excusa, exculpación, disculpa.
Escusar *v* exculpar, excusar.
Escutar *v* escuchar, oír.
Esdrúxulo *adj* esdrújulo.
Esfacelar *v* deshacer, aplastar.
Esfalfar *v* cansar, extenuar.
Esfaquear *v* acuchillar, apuñalar.
Esfarelar *v* migar, majar.
Esfarrapar *v* desgarrar, rasgar.
Esfera *s* esfera, globo, ámbito, bola.
Esférico *adj* esférico, redondo.
Esfíncter *s* esfínter.
Esfolar *v* desollar, despellejar.
Esfomeado *adj* famélico, hambriento.
Esforço *s* esfuerzo, conato.
Esfrega *s* fregado, refriega.
Esfregão *s* estropajo, fregona.
Esfregar *v* fregar, frotar, refregarse.
Esfriar *v* enfriar, enfriarse.
Esfumar *v* esfumar.
Esfuziante *adj* silbante, barullento.
Esganado *adj* estrangulado, hambriento.
Esganar *v* estrangular, sofocar.
Esganiçar *v* desgañitarse, chillar.
Esgar *s* mueca.
Esgaravatar *v* escarbar.
Esgarçar *v* deshilar.

Esgotado *adj* agotado, exhausto.
Esgotamento *s* agotamiento, extenuación.
Esgoto *s* alcantarilla, sumidero, cloaca.
Esguelha *s* oblicuidad, sesgo.
Esguicho *s* chorro, jeringazo.
Esguio *adj* alto y delgado, tenue.
Esmaecer *v* enflaquecer, desmayar, perder el color.
Esmagar *v* aplastar, machucar, oprimir, vencer.
Esmalte *s* esmalte.
Esmerado *adj* esmerado, primoroso, perfecto.
Esmeralda *s* esmeralda.
Esmeril *s* esmeril.
Esmerilar *v* esmerilar, investigar.
Esmero *s* esmero, primor, cuidado.
Esmigalhar *v* desmigajar, aplastar.
Esmiuçar *v* desmenuzar.
Esmolar *v* limosnear, mendigar.
Esmoler *adj* caritativo.
Esmorecer *v* esmorecer, desalentar.
Esmurrar *v* abofetear.
Esnobar *adj* esnob, snob.
Esôfago *s* esófago.
Esotérico *adj* esotérico.
Espaçar *v* espaciar, dilatar, tardar.
Espaço *s* intervalo, espacio, área.
Espaçoso *adj* amplio, ancho, espacioso.
Espada *s* espada.
Espádua *s* espalda, omóplato.
Espaguete *s* espagueti.
Espairecer *v* distraer, divertir, recrearse.
Espaldar *s* espaldar, respaldo.
Espalhafato *s* aparato, confusión.
Espalhar *v* desparramar, diseminar, dispersar, expandir, propagar.
Espanador *s* plumero.
Espanar *v* desempolvar.
Espancar *v* apalear, cascar, golpear.
Espantado *adj* espantado, pasmado, estupefacto.
Espantar *v* espantar, ahuyentar, atemorizar, aturdir, pasmar, sorprender.
Esparadrapo *s* esparadrapo.
Esparramar *v* desparramar, desperdigar.
Espartilho *s* corpiño, corsé.
Esparzir *v* esparcir, derramar.
Espatifar *v* despedazar, hacer añicos.
Especialidade *s* especialidad.
Especialista *s* especialista.
Especiaria *s* especia.
Espécie *s* especie.
Especificar *v* especificar, determinar.
Espectador *s* espectador.
Espectro *s* espectro, sombra.
Especulação *s* especulación, operación, agio.
Especular *v* especular, observar, examinar.
Espedaçar *v* espedazar, despedazar.
Espeleólogo *s* espeleólogo.
Espelhar *v* limpiar, pulir, reflejarse.
Espelho *s* espejo.
Espera *s* espera.
Esperança *s* esperanza.
Esperar *v* aguardar, esperar.
Esperma *s* esperma, semen.
Espermatozoide *s* esparmatozoide.
Espernear *v* patalear, pernear.
Esperteza *s* vivacidad, destreza.
Esperto *adj* despierto, inteligente, vivo.
Espessar *v* espesar, apretar.
Espesso *adj* espeso, denso, frondoso.
Espessura *s* espesura, espesor.
Espetacular *adj* espectacular.
Espetar *v* espetar.
Espeto *s* espetón.
Espevitado *adj* despabilado.
Espevitar *v* animar, estimular.
Espezinhar *v* pisotear.
Espião *s* espía, investigador.
Espiar *v* achechar, espiar.
Espichar *v* estirar.
Espiga *s* espiga.
Espinafre *s* espinaca.
Espingarda *s* fusil, rifle.
Espinha *s* espina.
Espinhaço *s* espinazo, espina dorsal.
Espinhoso *adj* espinoso.
Espiral *s* espiral.
Espiriteira *s* infernillo.
Espiritismo *s* espiritismo.

Espírito *s* alma, espíritu, ánimo.
Espirrar *v* estornudar.
Espirro *s* estornudo.
Esplanada *s* explanada.
Esplêndido *adj* espléndido, harmonioso, magnífico, radiante.
Esplendor *s* esplendor, resplandor, fulgor, lustre.
Espoliar *v* despojar, expoliar.
Espólio *s* expolio, despojo.
Esponja *s* esponja.
Esponjoso *adj* esponjoso, leve.
Esponsal *adj* esponsal.
Espontâneo *adj* espontáneo, voluntario.
Espora *s* espuela.
Esporádico *adj* esporádico.
Esporear *v* espolear.
Esporte *s* deporte.
Esportista *adj* deportista.
Esportivo *adj* deportivo.
Esposa *s* esposa, mujer.
Esposo *s* esposo, marido.
Espraiar *v* explayar, lanzar.
Espreguiçar *v* desperezarse.
Espreitar *v* acechar, observar, espiar.
Espremer *v* estrujar, exprimir, moler.
Espumadeira *s* espumadera, rasero.
Espumoso *adj* espumoso.
Espúrio *adj* espúreo.
Esquadra *s* escuadra.
Esquadrinhar *v* escudriñar, escrutar.
Esquadro *s* cartabón, escuadra.
Esquartejar *v* descuartizar.
Esquecer *v* olvidar, descuidar.
Esquecimento *s* olvido, omisión.
Esqueleto *s* armazón, esqueleto.
Esquema *s* diagrama, esquema.
Esquentar *v* calentar, acalorar.
Esquerda *s* izquierda.
Esquerdo *adj* izquierdo, siniestro, zurdo.
Esqui *s* esquí.
Esquife *s* ataúd, esquife.
Esquilo *s* ardilla, esquirol.
Esquimó *adj* esquimal.
Esquina *s* esquina, ángulo de la calle.
Esquisito *adj* excéntrico, extraño, raro.
Esquivar *v* esquivar, eximirse.
Esquivo *adj* arisco, esquivo.
Esse *pron dem* ése; *pron, adj dem* ese.
Essência *s* esencia, ser, substancia.
Essencial *adj* esencial, básico, fundamental.
Estabelecer *v* establecer, constituir, implantar, instituir, situarse.
Estabelecimento *s* establecimiento, industria.
Estabilizar *v* fijar, estabilizar.
Estábulo *s* establo, majada.
Estacada *s* estacada.
Estação *s* estación, época.
Estacar *v* estacar, fijar, quedar.
Estacionamento *s* aparcamiento, garaje.
Estacionar *v* aparcar, estacionar.
Estádio *s* estadio.
Estado *s* estado, modo.
Estadual *adj* estatal.
Estafeta *s* estafeta, mensajero.
Estagiário *s* aprendiz.
Estagnação *s* estagnación, marasmo, inercia.
Estalagem *s* albergue, hostería, mesón, parador, venta.
Estalar *v* estallar, restallar.
Estaleiro *s* astillero.
Estalo *s* chasquido, crujido.
Estampado *adj* estampado, impreso.
Estampar *v* estampar, imprimir.
Estampido *s* estampido, tiro.
Estampilha *s* sello.
Estância *s* habitación.
Estandarte *s* estandarte, guión.
Estante *s* estante, repisa.
Estar *v* estar.
Estardalhaço *s* estruendo, ruido.
Estarrecer *v* aterrar, desmayarse.
Estátua *s* estatua, monumento.
Estatura *s* grandeza, estatura, valor.
Estatuto *s* estatuto, reglamento.
Estável *adj* estable, durable.
Este *pron dem*, éste; *adj dem* este.
Este *s* este, naciente, oriente, levante.
Esteira *s* estera, esterilla.
Esteiro *s* estero, estuario de un río.
Estelar *adj* estelar, estelario.

Estender *v* extender, estirar, desarrollar.
Estenografia *s* estenografía.
Estepe *s* estepa.
Esterco *s* boñiga, estiércol, majada.
Estereofônico *adj* estereofónico.
Estereoscópio *s* estereoscopio.
Estéril *adj* estéril, improductivo, árido.
Esterno *s* esternón.
Esterqueira *s* estercolero.
Estertor *s* estertor.
Estético *adj* estético.
Estiagem *s* estiaje, tiempo seco.
Estiar *v* serenar el tiempo, escampar.
Esticado *adj* estirado.
Esticar *v* estirar, retesar.
Estigma *s* estigma, marca.
Estilhaçar *v* astillar, destrozar.
Estilhaço *s* fragmento, astillazo, lasca.
Estilingue *s* honda.
Estilizar *v* estilizar.
Estima *s* estima, apreciación, aprecio, consideración, valor.
Estimar *v* estimar, bienquerer, considerar, valorar, preciar.
Estimativa *s* estimativa, evaluación.
Estimável *adj* estimable, adorable.
Estimular *v* estimular, excitar, incitar, aguzar.
Estímulo *s* estímulo, apetito, impulso, incentivo.
Estio *s* estío.
Estipêndio *s* estipendio, paga.
Estipular *v* estipular, convenir.
Estirado *adj* estirado.
Estirar *v* estirar, tenderse, dilatar.
Estirpe *s* estirpe, ascendencia.
Estivador *s* estibador.
Estofar *v* estofar, alcochonar.
Estofo *s* estofa, estofo, tejido, condición, laya.
Estola *s* estola.
Estontear *v* atontar, deslumbrar, atolondrar.
Estoque *s* estoque, arma blanca.
Estorvar *v* estorbar, embarazar, impedir.
Estouro *s* estallido, reventón.
Estouvado *adj* atolondrado, imprudente.
Estrábico *adj* estrábico, bizco.
Estrada *s* autopista, carretera.
Estrada de ferro *s* ferrocarril, ferrovía.
Estrado *s* estrado, tablado.
Estragado *adj* estragado, deteriorado, podrido.
Estragar *v* estragar, ajar, averiar, dañar, desgraciar, estropear.
Estralar *v* estallar, restallar.
Estrangeiro *adj* extranjero, gringo.
Estrangular *v* ahorcar, yugular, estrangular.
Estranhar *v* extrañar, desconocer, admirarse.
Estranho *adj* extraño, raro, singular.
Estratégia *s* estrategia.
Estrato *s* estrato.
Estratosfera *s* estratosfera.
Estrear *v* estrenar, inaugurar, debutar, iniciar.
Estrebaria *s* caballeriza.
Estreia *s* estreno, comienzo.
Estreito *adj* estrecho, angosto.
Estrela *s* estrella.
Estrela-do-mar *s* estrellamar.
Estrelar *v* estrellar, protagonizar, freír huevos.
Estremecer *v* estremecer, retemblar, temblar, trepidar.
Estremecimento *s* estremecimiento, amor.
Estrépito *s* estrépito, ruído, tumulto.
Estribar *adj* estribar.
Estridente *adj* estridente, agudo, áspero.
Estripar *v* destripar.
Estrofe *s* copla, estrofa.
Estrondo *s* estruendo, estrépito, fragor.
Estropiar *v* estropear, lastimar, desfigurar, mancar.
Estrume *s* estiércol.
Estrutura *s* estructura.
Estuário *s* estuário, estero.
Estudante *adj* estudiante, alumno.
Estúdio *s* estudio.
Estufar *v* estufar, calentar, hinchar.
Estupefacto *adj* estupefacto, asombrado, pasmado.

Estupendo *adj* estupendo.
Estupidez *s* estupidez, tontería.
Estúpido *adj* estúpido, torpe, grosero.
Estuprar *v* desflorar, estuprar.
Estupro *s* estupro, violación.
Estuque *s* estuque, estuco.
Esturricar *v* tostar mucho.
Esvaecer *v* desvanecer.
Esvair *v* esvaporar, disipar, desvanecer.
Esvaziar *v* vaciar, agotar.
Esvoaçar *v* revolotear.
Etapa *s* etapa, período.
Éter *s* éter.
Etéreo *adj* etéreo, delicado.
Eternizar *v* eternizar, perpetuar.
Eterno *adj* eterno, inmortal, invariable.
Etíope *adj* etíope.
Etiqueta *s* ceremonial, etiqueta, rótulo.
Etiquetar *v* rotular.
Etnia *s* etnia, raza.
Eu *pron pess* yo, sujeto pensante.
Eufemismo *s* eufemismo.
Eufonia *s* eufonía.
Eunuco *s* eunuco; *adj* estéril.
Eutanásia *s* eutanasia.
Evacuação *s* deposición, evacuación.
Evadir *v* evadir.
Evangelho *s* evangelio.
Evaporação *s* evaporación, vaporización.
Evasão *s* evasión.
Evasiva *s* evasiva, rodeo.
Evento *s* evento, suceso.
Eventual *adj* eventual, accidental, ocasional.
Evidente *adj* evidente, explícito, indudable, inequívoco, obvio, patente.
Evitar *v* evitar, esquivar, excusar, rehuir.
Evocar *v* evocar, invocar, sugerir.
Evoluir *v* evolucionar.
Exacerbar *v* exacerbar, irritar.
Exagerar *v* exagerar, desorbitar, encarecer, engrandecer, extralimitarse.
Exagero *s* exageración.
Exalação *s* exhalación, tufo, vaho.
Exalar *v* exhalar, heder.
Exaltação *s* exaltación, excitación, frenesí.
Exaltar *v* exaltar, glorificar.
Exame *s* examen, análisis, ensayo, inspección, registro, revista, supervisión.
Examinar *v* examinar, analizar, checar, conferir, observar, sondear.
Exangue *adj* exangüe, desangrando.
Exânime *adj* exánime, desfallecido.
Exasperar *v* irritar, exasperar.
Exatidão *s* exactitud.
Exaurir *v* agotar, disipar.
Exausto *adj* exhausto, agotado.
Exceção *s* excepción.
Excedente *adj* excedente, resto.
Exceder *v* exceder, sobrar.
Excelente *adj* excelente, delicioso, ótimo.
Excêntrico *adj* excéntrico.
Excepcional *adj* excepcional.
Excessivo *adj* exagerado, excesivo, exorbitante, extremo.
Excesso *s* excedencia, exceso, sobra.
Exceto *prep* excepto; *adv* a no ser.
Excipiente *s* excipiente.
Excitação *s* estímulo, excitación, agitación.
Excitável *adj* excitable.
Exclamação *s* exclamación, interjección.
Excluir *v* excluir, desechar, preterir.
Exclusivo *adj* exclusivo, propio, personal, privativo.
Excomungar *v* excomulgar.
Excreção *s* evacuación, excreción.
Excretar *v* evacuar, excretar.
Excursão *s* excursión, gira.
Execrável *adj* execrable, abominable.
Executar *v* ejecutar, ajusticiar, cumplir.
Exemplar *s* ejemplar, modelo, copia.
Exéquias *s* exequias.
Exercer *v* ejercer, practicar, profesar.
Exercício *s* ejercicio, adiestramiento, función, trabajo, uso.
Exibição *s* exhibición, ostentación, representación.
Exibir *v* exhibir, ostentar, representar.
Exigir *v* exigir, obligar, reclamar.
Exíguo *adj* exiguo.

Exilar *v* exilar, deportar, desterrar, expatriar.
Exímio *adj* eximio.
Eximir *v* eximir, libertar.
Existir *v* existir, haber, ser, vivir.
Êxito *s* éxito, triunfo.
Êxodo *s* éxodo, salida.
Exonerar *v* dimitir, exonerar.
Exorbitar *v* exorbitar, desorbitar, exagerar.
Exorcismo *s* exorcismo.
Exortação *s* exhortación.
Exótico *adj* exótico.
Expansão *s* expansión.
Expatriar *v* expatriar.
Expectativa *s* esperanza, expectativa.
Expectorar *v* expectorar.
Expedidor *s* expedidor, remitente.
Expediente *s* expediente, iniciativa, recurso, trámite.
Expedir *v* despachar, enviar, expedir, remitir.
Expelir *v* expeler, excretar, exhalar.
Expensas *s* expensas.
Experiência *s* experiencia, práctica.
Experimentar *v* experimentar, ensayar, notar, probar.
Experto *s* experto, perito.
Expiação *s* expiación, penitencia.
Expirar *v* espirar.
Explicar *v* explicar, aclarar, especificar.
Explodir *v* detonar, estallar, reventar.
Exploração *s* exploración, averiguación.
Explorar *v* explorar, sondear.
Expor *v* exponer, exhibir, exteriorizar, representar.
Exportar *v* exportar.
Expositor *s* expositor.
Exposto *adj* expuesto.
Expressar *v* expresar, enunciar.
Expresso *adj* expreso, antedicho, manifesto.
Exprimir *v* expresar, exprimir.
Expropriar *v* expropiar, confiscar, despojar, desposeer, incautarse.
Expulsar *v* expulsar, expeler, rechazar, repeler.
Expurgo *s* expurgo, expurgación, limpieza.
Êxtase *s* éxtasis, pasmo.
Extasiar *v* extasiar, encantar.
Extático *adj* extático, absorto, pasmado.
Extenso *adj* extenso, amplio, duradero.
Extenuador *adj* extenuador.
Extenuar *v* agotar, extenuar, debilitar.
Exterior *adj* exterior.
Exteriorizar *v* exteriorizar.
Exterminar *v* exterminar, aniquilar.
Externo *adj* exterior, externo.
Extinção *s* extinción, aniquilamiento.
Extinguir *v* extinguir, anular, matar.
Extirpação *s* extirpación, ablación, amputación.
Extirpar *v* amputar, extraer, extirpar.
Extorquir *v* extorsionar, arrancar.
Extraditar *v* repatriar.
Extrair *v* extraer, extirpar.
Extraordinário *adj* extraordinario, anormal, estupendo, excepcional, tremendo.
Extrato *s* extracto, substancia.
Extravagância *s* extravagancia, bizarría.
Extravasar *v* extravasar, verter.
Extraviar *v* descaminar, extraviar.
Extremar *v* extremar.
Extremidade *s* extremidad, borne, punta.
Extremo *adj* extremo.
Extrovertido *adj* expansivo.
Exuberância *s* exuberancia, vigor, intensidad.
Exultar *v* exultar, alegrarse.
Exumação *s* exhumación.
Exumar *v* exhumar, desenterrar.
Exundar *v* inundar, derramarse.
Ex-voto *s* exvoto, ofrenda en señal de un beneficio recibido.

f F

F *s* sexta letra del alfabeto portugués.
Fá *s* fa, amante.
Fabricação *s* fabricación, elaboración.
Fabricar *v* confeccionar, fabricar, forjar.
Fabril *adj* fabril.
Fábula *s* fábula, alegoría, cuento, ficción, leyenda.
Faca *s* cuchillo.
Façanha *s* hazaña.
Facão *s* machete, faca.
Facção *s* facción, partido.
Face *s* anverso, faceta, lado, haz, rostro.
Faceta *s* faceta.
Fachada *s* fachada, delantera, portada.
Facho *s* antorcha, hacho.
Fácil *adj* fácil, corriente, practicable.
Facilidade *s* posibilidad.
Facilitar *v* facilitar, facultar, proporcionar.
Facínora *s* facineroso, malhechor.
Fac-símile *s* facsímil, facsímile.
Factível *adj* factible, realizable.
Faculdade *s* facultad.
Facultar *v* facultar, permitir, conceder.
Facultativo *adj* facultativo, optativo, voluntario.
Fada *s* hada.
Fadiga *s* fatiga, cansancio, molestia.
Fagueiro *adj* acariciador, ameno, suave.
Fagulha *s* chispa, centella.
Faisca *s* rayo, chispa, centella.
Faíscar *v* chispear, deslumbrar.
Faixa *s* tira, faja, cinta.
Fala *s* habla, idioma.
Falácia *s* falacia, vocería.
Falange *s* falange.
Falar *v* hablar, conversar, declarar.
Falcão *s* halcón.
Falecer *s* fallecer, morir.
Falência *s* quiebra, insolvencia.
Falha *s* falla, rotura, raja.
Falido *adj* fallido, frustrado, quebrado.
Falo *s* falo, pene.
Falsear *v* falsear, falsificar, adulterar.
Falsificar *v* falsificar, adulterar.
Falso *adj* falso, pérfido, fingido, aparente.
Faltar *v* faltar, no comparecer, morir.
Fama *s* fama, gloria, reputación.
Família *s* família, raza, linaje.
Familiar *adj* familiar, doméstico, íntimo.
Faminto *adj* famélico, hambriento.
Famoso *adj* famoso, renombrado.
Fanatizar *v* fanatizar.
Fanfarrão *adj* fanfarrón, impostor.
Fanfarronar *v* fanfarronear.
Fanhoso *adj* gangoso.
Faniquito *s* berrinche, rabieta, desmayo.
Fantasia *s* fantasía, disfraz, ensueño, quimera.
Fantasiar *v* fantasear, disfrazar, idear, imaginar, soñar.
Fantasma *s* fantasma.
Fantástico *adj* fantástico, absurdo, extraordinario, increíble.
Fantoche *s* fantoche, marioneta, títere.
Faqueiro *s* estuche de cubiertos.
Faquir *s* faquir, asceta.
Faraó *s* faraón.
Farda *s* uniforme militar.
Fardo *s* fardo, farda, paca.
Farejar *v* husmear, olfatear.
Farelo *s* salvado, serrín.
Farináceo *s* harinero, farináceo.
Faringe *s* faringe.
Farinha *s* harina.
Farmácia *s* farmacia.

Faro *s* olfato, olor.
Farofa *s* jactancia, bravata.
Farol *s* antorcha, farol, linterna.
Farpa *s* púa, farpa.
Farra *s* farra, juerga.
Farrapo *s* harapo, trapo.
Farsa *s* pantomima, farsa.
Fartar *v* hartar, saciar, cansar.
Farto *adj* harto, saciado, lleno, gordo, cansado.
Fascículo *s* fascículo.
Fascinação *s* fascinación, alucinación.
Fase *s* fase.
Fastidiar *v* fastidiar, asquear.
Fastidioso *adj* fastidioso, empalagoso.
Fatal *adj* fatal, funesto, inevitable.
Fatalidade *s* fatalidad, desastre, destino.
Fatia *s* loncha, lonja, raja.
Fatídico *adj* fatídico, infeliz, siniestro, trágico.
Fatigar *v* fatigar, agotar, cansar.
Fato *s* evento, hecho, suceso.
Fator *s* factor.
Fátuo *adj* fatuo, efímero.
Fatura *s* factura.
Fauna *s* fauna.
Faustoso *adj* lujoso.
Fava *s* haba.
Favela *s* chabola.
Favo *s* panal de miel, alvéolo.
Favor *s* favor, gracia, merced.
Favorável *adj* favorable, propicio.
Faxina *s* limpieza, fajina.
Fazenda *s* hacienda.
Fazendeiro *s* estanciero.
Fazer *v* hacer.
Fé *s* creencia, fe.
Fealdade *s* fealdad, deformidad.
Febre *s* fiebre, calentura.
Fecal *adj* fecal.
Fechado *adj* cerrado, hermético; FIG introvertido.
Fecho ecler *s* cremallera.
Fécula *s* almidón, fécula.
Fecundação *s* fecundación, fertilización, inseminación.
Fecundar *v* fecundar, fertilizar, inseminar, preñar.
Feder *v* heder.
Federação *s* federación.
Fedor *s* fetidez, hedor, peste.
Fedorento *s* fétido, maloliente.
Feição *s* facción, aparencia.
Feijão *s* fréjol, judía.
Feijoada *s* plato de judías.
Feio *adj* feo.
Feira *s* feria.
Feitiçaria *s* brujería, hechicería.
Feitiço *s* hechizo, brujería, maleficio, aojo.
Feitio *s* forma, hechura, talle.
Feito *s* hecho, acción, acto.
Feitor *s* administrador, factor.
Feiura *s* fealdad.
Feixe *s* fajo, haz, manojo, mazo.
Fel *s* hiel.
Felicidade *s* felicidad, bienaventuranza, dicha, ventura.
Felicitar *v* congratular, felicitar.
Felino *s* felino.
Feliz *adj* feliz, afortunado, dichoso, próspero.
Felizardo *adj* dichoso, afortunado.
Felpa *s* felpa, pello.
Felpudo *adj* felposo.
Feltro *s* fieltro.
Fêmea *s* hembra, mujer.
Fêmur *s* fémur.
Fenda *s* abertura, brecha, fisura.
Fenecer *v* fenecer, fallecer.
Feno *s* heno.
Fenômeno *s* fenómeno.
Fera *s* animal, fiera.
Féretro *s* ataúd, féretro.
Féria *s* feria.
Feriado *adj* día de fiesta, vacaciones.
Férias *s* vacaciones, descanso.
Ferida *s* herida, magulladura, pinchazo.
Ferido *adj* herido, plagado.
Ferimento *s* magullamiento, herida.
Ferino *adj* duro, feroz.
Fermentar *v* fermentar, leudar.
Ferocidade *s* ferocidad.

Feroz *adj* violento.
Ferradura *s* herradura.
Ferramenta *s* herramienta.
Ferrão *s* espigón, rejo.
Ferraria *s* herrería.
Ferro *s* hierro.
Ferrolho *s* cerrojo.
Ferro-velho *s* chatarrero.
Ferrovia *s* ferrocarril.
Ferrugem *s* herrumbre, moho.
Fértil *adj* fértil, fecundo.
Fervente *adj* hirviente.
Ferver *v* hervir.
Fervor *adj* fervor, hervor.
Fervura *adj* fervor, ebullición.
Festa *s* fiesta, festividad, gala, recepción.
Festejar *v* festejar, conmemorar, regocijar.
Festim *s* festín, fiesta, ágape.
Festividade *s* festividad.
Fetiche *s* fetiche.
Fétido *adj* fétido, apestoso, maloliente.
Feto *s* feto, enjendro.
Feudalismo *s* feudalismo.
Fevereiro *s* febrero.
Fezes *s* heces, excrementos.
Fiado *adj* fiado.
Fiador *s* fiador, garante.
Fiança *s* fianza, garantía.
Fiapo *s* brizna, hilacha.
Fiar *v* fiar, hilar.
Fibra *s* fibra, hebra, hilo.
Fibroso *adj* fibroso.
Ficar *v* quedar, estar, permanecer, detenerse.
Ficção *s* ficción.
Ficha *s* ficha.
Fichário *s* fichero.
Fidalgo *s* hidalgo, noble.
Fidelidade *s* fidelidad, lealtad.
Fiel *adj* fiel, leal.
Figa *s* higa.
Fígado *s* hígado.
Figo *s* higo.
Figueira *s* higuera.
Figura *s* figura, imagen, aspecto.
Figurado *adj* figurado, supuesto.
Fila *s* cola, fila, hilera.
Filamento *s* fibra, filamento, hebra, hilo.
Filantropia *s* filantropía.
Filão *s* filón.
Filatelia *s* filatelia.
Filé *s* filete, lonja de carne.
Fileira *s* fila, hila, hilera, retahíla, sarta.
Filete *s* friso, reguero.
Filho *s* hijo.
Filhó *s* buñuelo.
Filhote *s* cría, hijo pequeño.
Filiação *s* filiación.
Filial *adj* agencia, sucursal.
Filigrana *s* filigrana.
Filmar *v* filmar.
Filme *s* filme, película.
Filologia *s* filología.
Filosofia *s* filosofía.
Filtragem *s* filtración, colada.
Filtro *s* filtro, coladero, colador.
Fim *s* fin, final, cabo, conclusión, consumación, límite, remate, término.
Fimose *s* fimosis.
Finado *adj* finado.
Final *adj* terminal, último; *s* epílogo, final.
Finalizar *s* finalizar, terminar.
Finanças *s* finanzas.
Financeiro *adj* financiero.
Finca-pé *s* hincapié.
Fincar *v* hincar.
Findar *v* finalizar, concluir, acabar, terminar.
Fingido *adj* fingido, afectado.
Fingir *v* fingir, simular, afectar, aparentar.
Fino *adj* fino, sutil, delgado.
Fio *s* filo, hebra, hilo.
Firmamento *s* cielo, firmamento.
Firmar *v* afirmar, firmar, estacar, fijar.
Firme *adj* firme, constante, sostenido, sólido, tieso.
Fiscal *adj* fiscal, inspector.
Fiscalizar *v* controlar, fiscalizar.
Físico *s*, *adj* físico, corporal.
Fisiologia *s* fisiología.

Fisionomia *s* expresión, fisonomía, gesto, rostro.
Fisioterapeuta *s* fisioterapeuta.
Fissura *s* cisura, fisura.
Fístula *s* fístula.
Fita *s* cinta, banda.
Fixar *v* fijar, clavar, marcar.
Fixo *adj* fijo, firme, estante.
Flã *s* flan.
Flácido *adj* flácido, flaco, lánguido, blando.
Flagelar *s* flagelar.
Flagrante *adj* flagrante.
Flamejante *adj* flamante, llameante.
Flamejar *v* flamear, llamear.
Flâmula *s* flámula.
Flanar *v* vagabundear.
Flanco *s* flanco, lado, costado.
Flanela *s* franela.
Flatulência *s* flatulencia.
Flauta *s* flauta.
Flecha *s* saeta, flecha.
Fleuma *s* flema, lentitud.
Flexível *adj* moldeable, maleable, flexible.
Floco *s* grumo (de nieve, algodón).
Flor *s* flor.
Floração *s* floración.
Florear *v* florear.
Floreira *s* floreto, jarra de flores.
Floresta *s* floresta, mata selva.
Florido *adj* florido.
Florir *v* florecer, cubrirse de flores.
Fluente *adj* fluente, fluyente.
Fluido *adj* fluido, fluyente; *s* fluido, líquido.
Fluir *v* fluir.
Flutuante *adj* flotante, flotador, boyante.
Flutuar *v* flotar, fluctuar, sobrenadar.
Fluvial *adj* fluvial.
Fobia *s* fobia.
Foca *s* foca.
Focalizar *v* enfocar.
Focinho *s* hocico.
Fofo *adj* fofo.
Fofoca *s* intriga, chisme, comidilla.
Fofocar *v* chismear, cotillear.
Fofoqueiro *s* alcahuete.
Fogaça *s* hogaza.
Fogão *s* estufa, fogón.
Fogareiro *s* brasero, hornillo.
Fogaréu *s* lumbrera.
Fogo *s* fuego.
Fogoso *adj* fogoso, ardoroso, arrebatado.
Fogueira *s* fogata, hoguera, pira.
Foguete *s* cohete.
Fogueteiro *s* pirotécnico.
Foice *s* guadaña, hoz.
Folclore *s* folklore.
Fole *s* fuelle.
Fôlego *s* aliento, hálito.
Folga *s* huelgo, vacación.
Folgado *adj* holgado.
Folgar *adj* holgar.
Folha *s* hoja.
Folha-de-flandres *s* hojalata, lata.
Folhado *s* hojaldre.
Folhagem *s* follaje, ramaje.
Folheto *s* folleto, opúsculo.
Folhinha *s* hojita, almanaque popular.
Folia *s* folía, juerga, farra.
Fólio *s* folio.
Fome *s* hambre.
Fomentar *v* fomentar.
Fonema *s* fonema.
Fonética *s* fonética.
Foniatria *s* foniatría.
Fonógrafo *s* gramófono.
Fonte *s* fuente, filón, mina.
Fora *adv* afuera, fuera.
Foragido *s* forajido.
Forca *s* horca.
Força *s* fuerza, potencia, pujanza, vigor.
Forçar *v* forzar, obligar, romper.
Forçoso *adj* forzoso.
Forense *adj* judicial.
Forja *s* forja.
Forjador *s* herrero.
Forma *s* forma, manera, figura.
Fôrma *s* horma, modelo, molde.
Formação *s* formación.
Formal *adj* formal, evidente.
Formalidade *s* formalidad, ceremonia.
Formar *v* componer, formar.
Formato *s* formato.

Formidável *adj* formidable, terrible.
Formiga *s* hormiga.
Formigamento *s* hormigueo.
Formigar *v* hormiguear.
Formigueiro *s* hormiguero.
Formol *s* formol.
Formoso *adj* hermoso, bello, bonito, lindo.
Formular *v* formular, recetar.
Formulário *s* formulario, recetario.
Fornada *s* hornada.
Fornalha *s* horno, fogón, hornillo.
Fornecer *v* abastecer, aprovisionar, avituallar, facilitar, proporcionar, surtir.
Forneiro *s* hornero.
Forno *s* horno.
Forquilha *s* horquilla, percha.
Forragem *s* forraje.
Forrar *s* forrar.
Forro *s* forro, revestimiento.
Fortalecer *v* fortalecer, consolidar, corroborar, reforzar, robustecer, tonificar.
Fortaleza *s* fortaleza, alcázar, fuerte.
Forte *adj* fuerte, duro, enérgico, potente, robusto, sólido, vigoroso.
Forte *s* castillo, fortaleza.
Fortificar *v* fortificar.
Fortuito *s* casual, fortuito.
Fortuna *s* fortuna, dicha, grandeza, prosperidad, ventura.
Fórum *s* foro.
Fosco *adj* hosco, empañado.
Fósforo *s* cerilla, fósforo.
Fossa *s* fosa, hoyo.
Fóssil *adj* fósil.
Fosso *s* cavidad, foso.
Foto *s* foto, fotografía.
Fotografar *v* fotografiar, retratar.
Foz *s* hoz, embocadura.
Fração *s* fracción.
Fracassar *v* fracasar, arruinar, fallir, malograr.
Fracionar *v* fraccionar, seccionar.
Fraco *adj* flaco, débil, anémico, blando, endeble, flácido, lánguido.
Frade *s* fraile, monje.
Fragilidade *s* delicadeza, flaqueza, fragilidad.
Fragmentação *s* fragmentación.
Fragmentar *v* fragmentar, fraccionar, segmentar.
Fragor *s* fragor, ruido.
Fragrância *s* fragancia, aroma, perfume.
Fralda *s* pañal.
Framboesa *s* frambuesa.
Franco *adj* franco, liberal, sincero.
Franga *s* polla, gallina joven.
Frangalho *s* harapo, trapo.
Frango *s* pollo.
Franja *s* franja, fleco, flequillo (del cabello).
Franquear *v* franquear, eximir, librar.
Franquia *s* franquía, franquicia, franqueo, exención.
Franzido *adj* crespo.
Franzino *adj* delgado.
Franzir *v* fruncir, crispar, plisar.
Fraque *s* frac, chaqué, esmoquin.
Fraquejar *v* flaquear, flojear.
Fraqueza *s* flaqueza, flojedad, abatimiento, anemia, cobardía, debilidad.
Frasco *s* frasco, vidrio.
Frasear *v* frasear, exponer.
Frasqueira *s* frasquera.
Fraternidade *s* fraternidad, hermandad, armonía.
Fraternizar *v* fraternizar.
Fraterno *adj* fraterno, fraternal.
Fratura *s* fractura, rotura, ruptura.
Fraturar *v* fracturar, romper.
Fraude *s* fraude, dolo, engaño, estafa.
Fraudulento *adj* fraudulento, doloso.
Freguês *s* cliente.
Frei *s* fray, monje.
Freio *s* freno.
Freira *s* monja.
Fremir *v* bramar, vibrar, estremecer.
Frêmito *s* frémito, bramido.
Frenesi *s* frenesí.
Frenético *adj* nervioso, frenético.
Frente *s* frente, anverso, haz.
Frequência *s* frecuencia, repetición.

Frequentar *v* frecuentar, cursar.
Frequente *adj* frecuente, asiduo, endémico, habitual.
Fresco *adj* fresco, reciente, tierno, lozano.
Frescor *s* frescor, lozanía, verdor.
Fresta *s* tronera, rendija, grieta.
Fretar *v* fletar, alquilar.
Friagem *s* frialdad.
Fricção *s* fricción, roce, masaje, loción.
Friccionar *v* friccionar, fregar, frotar.
Frieira *s* sabañón.
Frieza *s* frialdad, indiferencia.
Frigideira *s* sartén.
Frigidez *s* frigidez.
Frigir *v* freír, fritar, sofreír.
Frigorífico *s* congelador, frigorífico, nevera.
Frio *adj* frío.
Frios *s* fiambre.
Frisa *s* frisa.
Frisado *adj* rizado.
Friso *s* friso, filete.
Fritada *s* fritada, frito.
Fritar *v* freír, fritar.
Frívolo *adj* frívolo, fútil.
Frondoso *adj* frondoso.
Fronha *s* funda de almohada.
Frontal *adj* frontal.
Fronte *s* frente, rostro, delantera.
Fronteira *s* frontera, confín, linde, raya.
Frontispício *s* frontispicio, portada.
Frota *s* flota.
Frouxidão *s* flojedad, debilidad.
Frouxo *adj* flojo, débil.
Frugal *adj* frugal, sobrio.
Fruir *v* fruir, gozar.
Frustração *s* frustración, fracaso.
Frustrar *v* frustrar, fracasar, malograr.
Frutificar *v* fructificar.
Fruto *s* fruto, fruta.
Fubá *s* harina de fuba.
Fuga *s* fuga, evasión, retirada.
Fugir *v* escapar, esquivar, evadir, fugarse, huir.
Fugitivo *adj* fugitivo, huidor.
Fulgor *s* fulgor, brillo.
Fulgurante *adj* fulgurante, brillante.
Fulgurar *v* fulgurar, fulgir, resplandecer.
Fuligem *s* hollín.
Fulminar *v* fulminar.
Fumaça *s* fumarada, humaza, humarada.
Fumar *v* fumar.
Fumegante *adj* humeante.
Fumegar *v* ahumar, humear.
Fumo *s* humo.
Função *s* función.
Funcionar *v* funcionar.
Funcionário *s* empleado, funcionario.
Funda *adj* honda.
Fundação *s* fundación, origen, institución, organización.
Fundamental *adj* esencial, fundamental.
Fundamentar *v* fundamentar, apoyar, documentar.
Fundar *v* fundar, erigir, iniciar, instituir.
Fundear *v* fondear, anclar.
Fundir *v* fundir.
Fundo *adj* hondo, profundo; *s* fondo.
Fúnebre *adj* fúnebre, macabro.
Fungo *s* hongo.
Funil *s* embudo.
Funilaria *s* hojalatería.
Furacão *s* huracán, tifón.
Furadeira *s* taladrador.
Furado *adj* picado.
Furador *s* taladrador, berbiquí.
Furar *v* agujerear, perforar, picar, pinchar, taladrar.
Furgão *s* furgón.
Fúria *s* furia, furor, ira.
Furna *s* caverna, cueva, subterráneo.
Furo *s* agujero, pinchazo, punto.
Furor *s* furor.
Furtar *v* hurtar, quitar, robar.
Furto *s* hurto, robo, latrocinio.
Furúnculo *s* furúnculo.
Fusão *s* fusión, alianza, reunión.
Fuselagem *s* fuselaje.
Fusível *s* fusible, cortacircuitos.
Fuso *s* huso.
Fustigar *v* azotar, fustigar, hostigar.
Futebol *s* balompié, fútbol.

Fútil *adj* fútil, frívolo.
Futuro *s* futuro, porvenir.
Fuxicar *v* charlartear.
Fuzil *s* fusil.
Fuzilar *v* fusilar, ametrallar, balear.
Fuzuê *s* espectáculo guirigay.

g G

G *s* séptima letra del alfabeto portugués.
Gabão *s* gabán, capote.
Gabar *v* alabar, elogiar.
Gabardina *s* gabardina.
Gabinete *s* gabinete.
Gado *s* casta, ganado.
Gafanhoto *s* langosta, saltamontes.
Gago *adj* tartamudo.
Gaguejar *v* balbucear, tartamudear.
Gaiato *s* muchacho travieso.
Gaio *adj* gayo, alegre.
Gaiola *s* jaula, prisión.
Gaita *s* gaita.
Gaivota *s* gaviota.
Galã *s* galán.
Galante *adj* galante.
Galão *s* galón.
Galardoar *v* galardonar, premiar.
Galáxia *s* galaxia.
Galeria *s* galería, barandilla.
Galgar *v* trepar.
Galgo *s* galgo.
Galhardia *s* gallardía.
Galho *s* esqueje, gajo, rama.
Galicismo *s* galicismo.
Galinha *s* gallina.
Galocha *s* galocha, chanclo.
Galopar *v* galopar.
Galpão *s* nave industrial, galpón.
Galvanizar *v* galvanizar.
Gamela *s* cuenco, escudilla.
Gameta *s* gameto.
Gamo *s* gamo, venado.
Gana *s* gana, apetito.
Ganância *s* ganancia, ambición, avidez.
Gancho *s* gancho, grapa.
Gangorra *s* columpio.
Ganha-pão *s* ganapán.
Ganhar *v* ganar, lucrar, recibir.
Ganir *s* gañir, latir.
Ganso *s* ganso, oca, ánsar.
Garagem *s* garaje.
Garantia *s* garantía, fianza, solvencia.
Garapa *s* guarapo.
Garbo *s* garbo, gallardía.
Garça *s* garza.
Garçom *s* muchacho, mozo, camarero.
Garfo *s* tenedor.
Gargalhada *s* carcajada.
Gargalo *s* cuello.
Gargantilha *s* gargantilla.
Gargarejo *s* gárgaras.
Gárgula *s* gárgola.
Gari *s* barrendero.
Garimpeiro *s* buscador de metales y piedras preciosas.
Garoa *s* lluvia fina.
Garoto *s* chico.
Garrafa *s* botella, vidrio.
Garrafão *s* garrafa.
Garrido *adj* garrido, galano, galante.
Garrote *s* garrote.
Garupa *s* grupa.
Gás *s* gas.
Gases *s* gases intestinales.
Gasóleo *s* gasoleo, gasoil.
Gasolina *s* gasolina, nafta.
Gasômetro *s* gasómetro.
Gasoso *adj* gaseoso.
Gastador *adj* perdulario.
Gastar *v* gastar, disipar, consumir.
Gasto *s* consumado, gasto.
Gastronomia *s* gastronomía.
Gata *s* gata.
Gatilho *s* gatillo.
Gatuno *s* ladrón.

Gaveta *s* cajón, gaveta.
Gavião *s* gavilán.
Gaze *s* gasa.
Gazela *s* gacela.
Gazeta *s* gaceta.
Gazua *s* ganzúa.
Geada *s* helada.
Gel *s* gel.
Geladeira *s* heladera, nevera.
Gelado *adj* helado; *s* sorbete.
Geleia *s* jalea.
Geleira *s* nevera.
Gelo *s* hielo.
Gelosia *s* celosía.
Gema *s* gema, yema.
Gêmeo *adj*, *s* gemelo, mellizo.
Gemer *s* gemir, lloriquear, suspirar.
Gemido *s* gemido, lamentación.
Genciana *s* genciana, planta medicinal.
Gene *s* gen, gene.
Genealogia *s* genealogía.
General *s* general.
Generalidade *s* generalidad.
Generalizar *v* generalizar, universalizar.
Genérico *adj* genérico, vago, indeterminado.
Gênero *s* género, clase.
Generosidade *s* generosidad.
Generoso *adj* generoso, noble.
Gênese *s* génesis.
Genético *adj* genético.
Gengibre *s* jengibre.
Gengiva *s* encía.
Genial *adj* genial.
Gênio *s* genio, talento.
Genital *adj* genital.
Genocídio *s* genocidio, holocausto.
Genro *s* yerno.
Gentalha *s* gentualla.
Gentil *adj* gentil, airoso.
Genuíno *adj* genuino, puro, natural.
Geografia *s* geografía.
Geometria *s* geometría.
Geração *s* generación, concepción.
Gerador *s* generador.
Geral *adj* común, general.
Gerânio *s* geranio.
Gerar *v* generar, engendrar.
Gerência *s* gerencia, administración.
Gerente *adj* encargado.
Gergelim *s* planta herbácea, ajonjolí.
Geriatra *s* geriatra.
Geringonça *s* chapucería.
Germânico *adj* alemán, germánico.
Germe *s* germen, simiente.
Germinar *v* germinar, vegetar.
Gerúndio *s* gerundio.
Gesso *s* yeso.
Gestação *s* gestación, gravidez, embarazo.
Gestão *s* gestión.
Gesticular *v* gesticular, manotear.
Gesto *s* gesto, ademán, expresión.
Gibão *s* jubón.
Gibi *s* cómic.
Gigante *s* gigante, descomunal.
Gigolô *s* gigoló.
Ginásio *s* gimnasio, liceo.
Ginástica *s* gimnasia.
Ginecologia *s* ginecología.
Ginete *s* jinete.
Girafa *s* jirafa.
Girar *v* girar, rodar, volver.
Girassol *s* girasol, tornasol.
Gíria *s* germanía.
Giz *s* tiza.
Glacial *adj* glacial.
Glande *s* glande.
Glândula *s* glándula.
Glicose *s* glucosa.
Global *adj* global.
Glóbulo *s* glóbulo.
Glória *s* gloria.
Glosa *s* glosa.
Glossário *s* glosario, léxico.
Glutão *adj* glotón, goloso.
Glúten *s* gluten.
Glúteo *adj* glúteo.
Gnomo *s* gnomo.
Goela *s* garganta.
Goiaba *s* guayaba.
Gol *s* gol.
Gola *s* cuello, collar.
Gole *s* bocanada, trago.
Goleiro *s* guardameta.

Golfada *s* borbotón.
Golfe *s* golf.
Golfinho *s* delfín.
Golfo *s* golfo.
Golpe *s* golpe, embate, porrazo.
Goma *s* goma, almidón.
Gomo *s* brote, retoño, gajo.
Gôndola *s* góndola.
Gonzo *s* gozne.
Gorar *v* malograr, engorar, abortar.
Gorducho *adj* gordiflón.
Gordura *s* gordura, grasa.
Gorila *s* gorila, mono.
Gorjear *v* gorjear, trinar.
Gorjeta *s* propina.
Gorro *s* gorro.
Gosma *s* pepita.
Gostar *v* gustar, saborear, simpatizar.
Gosto *s* gusto, sabor.
Gota *s* gota.
Goteira *s* gotera.
Gótico *adj* gótico.
Gotícula *s* gotita, gota pequeña.
Governador *s* governador.
Governanta *s* ama, aya, gobernanta.
Governar *v* gobernar, pilotar.
Governo *s* gobierno, timón.
Gozado *adj* disfrutado, raro.
Gozador *adj* burlón, irónico.
Gozar *v* gozar, divertirse.
Graça *s* gracia, elegancia, perdón.
Gracejar *v* gracejar, bromear, decir chistes.
Gracioso *adj* gracioso.
Gradação *s* gradación.
Grade *s* reja, verja.
Gradear *v* enrejar.
Graduar *v* graduar.
Grafia *s* grafía, ortografía.
Gráfico *s* gráfico.
Grafite *s* grafito.
Grafologia *s* grafología.
Gral *s* mortero.
Grama *s* gramo, yerba.
Gramado *s* césped.
Gramática *s* gramática.
Gramofone *s* gramófono, fonógrafo.
Grampear *v* grapar.
Grampo *s* clip, grapa.
Granada *s* granada.
Grande *adj* crecido, poderoso, magnífico.
Granel *s* granero.
Granfino *s* elegante, fino.
Granito *s* granito.
Granizo *s* granizo.
Granjear *v* granjear, atraer.
Granular *v* granular, granear.
Grão *adj* gran.
Grão *s* grana, grano.
Grão-de-bico *s* garbanzo.
Grasnar *v* graznar, gañir.
Grasnido *s* graznido.
Grassar *v* propagarse.
Gratidão *s* gratitud.
Gratificação *s* gratificación.
Gratinar *v* gratinar.
Grátis *adj* gratis.
Grato *adj* grato, agradable.
Gratuíto *adj* gratuito.
Grau *s* grado.
Graúdo *adj* grande, crecido.
Gravação *s* grabación.
Gravado *adj* grabado.
Gravador *s* grabador, magnetofón.
Gravar *v* grabar, entallar, imprimirse.
Gravata *s* corbata.
Grave *adj* grave, serio.
Graveto *s* chasca.
Gravidez *s* embarazo, preñez.
Gravitar *v* gravitar.
Gravura *s* gravado.
Graxa *s* engrase, betún.
Grego *adj* griego.
Grelha *s* parrillas.
Grêmio *s* gremio, club.
Grená *adj* granate.
Grenha *s* greña.
Greta *s* grieta, raja, hendidura.
Greve *s* huelga.
Grevista *s* huelguista.
Grifo *s* bastardilla, grifo.
Grilhão *s* brete, cadena metálica.
Grilo *s* grillo.
Grinalda *s* guirnalda, cenefa, festón.

Gringo *s* gringo, extranjero.
Gripe *s* gripe.
Grisalho *adj* entrecano.
Gritar *v* exclamar, gritar, vocear.
Grito *s* grito, berrido.
Groselha *s* grosella.
Grosseiro *adj* grosero, grueso.
Grosso *adj* grueso, voluminoso.
Grossura *s* grosura.
Grua *s* grúa, cabria.
Grudar *v* engrudar.
Grunhido *s* gruñido.
Grunhir *v* gruñir.
Grupo *s* reunión.
Gruta *s* gruta, caverna, cueva.
Guano *s* guano.
Guapo *adj* guapo.
Guaraná *s* guaraná.
Guarda *s* guarda, guardia.
Guarda-chuva *s* paraguas.
Guarda-costas *s* guardaespaldas.
Guardanapo *s* servilleta.
Guarda-pó *s* guardapolvo.
Guardar *v* guardar, conservar.
Guarda-roupa *s* guardarropa, ropero.
Guarda-sol *s* parasol, sombrilla.
Guardião *s* guardián.
Guarida *s* guarida.
Guarnecer *v* guarnecer.
Gueixa *s* gueisha.
Guelra *s* agallas.
Guerra *s* guerra.
Guerrear *v* batallar, conflagrar, guerrear.
Guerreiro *adj* guerrero, belicoso.
Guia *s* guía, conductor, líder, mentor.
Guiar *v* guiar, aconsejar, dirigir.
Guichê *s* ventanilla.
Guilhotina *s* guillotina.
Guinchar *v* chillar, chirriar.
Guindaste *s* cabria, grúa.
Guirlanda *s* guirnalda.
Guisado *s* guisado, guiso.
Guisar *v* guisar.
Guizo *s* cascabel.
Gula *s* glotonería, gula.
Gume *s* filo.
Guri *s* niño.
Guru *s* gurú.
Gustação *s* gustación.
Gutural *adj* gutural.

hH

H *s* octava letra del alfabeto portugués.
Hábil *adj* hábil, diestro.
Habilidade *s* habilidad, maña.
Habilitar *v* habilitar.
Habitação *s* habitación, morada.
Habitante *adj* habitante.
Habitar *v* habitar, vivir.
Hábito *s* costumbre, hábito.
Habitual *adj* frecuente, habitual, usual.
Habituar *v* habituar, acostumbrar.
Hálito *s* hálito, soplo.
Hall *s* hall.
Halo *s* aura, halo.
Handebol *s* balonmano.
Hangar *s* hangar, abrigo.
Harém *s* harén, serrallo.
Harmonia *s* armonía, paz, acuerdo.
Harmônica *s* acordeón, armónica.
Harmonizar *v* armonizar, conciliar, concordar.
Harpa *s* arpa.
Hárpia *s* harpía, arpía.
Haste *s* asta, palo de bandera.
Hastear *v* izar, enarbolar.
Haurir *v* agotar.
Havana *adj* habana.
Haver *v* haber.
Haveres *s* bienes, riqueza, fortuna.
Hebdomadário *adj* hebdomadario, semanario.
Hebraico *adj* hebraico, hebreo.
Hecatombe *s* hecatomba.
Hectare *s* hectárea.
Hediondo *adj* hediondo.
Hedonismo *s* hedonismo.
Hegemonia *s* hegemonía.
Hélice *s* hélice.
Helicóptero *s* helicóptero.
Hematoma *s* hematoma.
Hematose *s* hematosis.
Hemiplegia *s* hemiplejía.
Hemisfério *s* hemisferio.
Hemofilia *s* hemofilia.
Hemoglobina *s* hemoglobina.
Hemorragia *s* hemorragia.
Hepatite *s* hepatitis.
Hera *s* hiedra.
Heráldico *adj* heráldico.
Herança *s* herencia.
Herbário *s* herbario.
Herbicida *s* herbicida.
Hercúleo *adj* hercúleo.
Herdade *s* heredad, hacienda de campo.
Herdar *v* heredar.
Herdeiro *adj* heredero, *s* sucesor.
Herege *s* hereje.
Heresia *s* herejía.
Herético *adj* herético, hereje.
Hermafrodita *adj*, *s* andrógino, hermafrodita.
Hermético *adj* hermético, cerrado.
Hérnia *s* hernia.
Herói *s* héroe.
Herpes *s* herpes.
Hesitação *s* hesitación, vacilación.
Hesitar *v* hesitar, vacilar.
Heterodoxia *s* heterodoxia.
Heterogêneo *adj* heterogéneo.
Heterossexual *adj* heterosexual.
Hexagonal *adj* hexagonal.
Hiato *s* hiato.
Hibernação *s* híbernación.
Hidratar *v* hidratar.
Hidrofobia *s* hidrofobia, rabia.
Hidrogênio *s* hidrógeno.
Hidrografia *s* hidrografía.

Hidrosfera *s* hidrosfera.
Hidroterapia *s* hidroterapia.
Hiena *s* hiena.
Hierarquia *s* jerarquía.
Hieróglifo *s* jeroglífico.
Higiene *s* higiene, aseo.
Higiênico *adj* higiénico.
Higrometria *s* higrometría.
Hilariante *adj* hilarante.
Hímen *s* hímen.
Hino *s* himno, canto, canción.
Hipérbole *s* hipérbole.
Hipersensível *adj* hipersensible.
Hipertensão *s* hipertensión.
Hipertrofia *s* hipertrofia.
Hípico *adj* hípico.
Hipnose *s* hipnosis.
Hipocondria *s* hipocondría.
Hipocrisia *s* hipocresía.
Hipodérmico *adj* hipodérmico.
Hipódromo *s* hipódromo.
Hipopótamo *s* hipopótamo.
Hipotecar *v* hipotecar.
Hipótese *s* hipótesis, condición.
Hipotético *adj hipotético*.
Hirto *adj* rígido, yerto.
Hispânico *adj* hispánico.
Histeria *s* histeria, histerismo.
História *s* historia.
Hoje *adv* hoy.
Holocausto *s* holocausto.
Holofote *s* proyector de luz, foco eléctrico.
Homem *s* hombre.
Homenagem *s* homenaje.
Homeopatia *s* homeopatía.
Homicida *adj* homicida.
Homogêneo *adj* homogéneo.
Homologar *v* homologar, confirmar.
Homônimo *adj* homónimo.
Homossexual *adj* homosexual.
Homúnculo *s* homúnculo.
Honestidade *s* honestidad, modestia, decoro.
Honesto *adj* honesto, decente, digno, honrado.
Honorário *adj* honorario; *s* paga.
Honra *s* honor, honra.
Honradez *s* honradez.
Honrar *v* honrar, dignificar, distinguir.
Hora *s* hora.
Horário *s* horario.
Horizontal *adj* horizontal.
Horizonte *s* horizonte.
Hormônio *s* hormona.
Horóscopo *s* horóscopo.
Horrendo *adj* horrendo.
Horripilar *v* horripilar.
Horrível *adj* horrible.
Horror *s* horror.
Horrorizar *v* amedrentar.
Horta *s* huerta.
Hortaliça *s* hortaliza.
Hortelã *s* menta.
Hortelã-pimenta *s* menta piperita.
Hortênsia *s* hortensia.
Horto *s* huerto.
Hospedagem *s* hospedaje.
Hospedar *v* hospedar, alojarse.
Hospício *s* hospicio.
Hospital *s* hospital.
Hospitalar *adj* hospitalar.
Hoste *s* hueste.
Hóstia *s* hostia.
Hostil *adj* hostil.
Hotel *s* hotel.
Hotelaria *s* hostelería.
Hulha *s* hulla.
Humanidade *s* humanidad.
Humanismo *s* humanismo.
Humano *adj* humano.
Humildade *s* humildad, modestia.
Humilde *adj* humilde, sumiso.
Humilhar *v* degradar, humillar.
Humor *s* humor.
Humorismo *s* humorismo.
Húmus *s* humus.

i I

I *s* novena letra del alfabeto portugués; I en la numeraciom romana.
Ianque *adj* yanqui, norteammericano.
Iate *s* yate. s.
Ibérico *adj* ibero, ibérico.
Ibero *adj* ibero.
Ibero-americano *adj* iberoamericano.
Içar *v* izar, levantar, alzar.
Ícone *s* icono.
Iconoclasta *adj* iconoclasta.
Iconografia *s* iconografía.
Ida *s* ida, jornada.
Idade *s* edad, época de la vida, época histórica, tiempo, duración, vejez.
Ideal *adj* ideal, perfección.
Idealismo *s* idealismo.
Ideia *s* idea, recuerdo.
Idem *adj* ídem.
Idêntico *adj* idéntico, igual.
Identidade *s* identidad.
Identificar *v* identificar, reconocer.
Ideologia *s* ideología.
Idílio *s* idilio.
Idioma *s* idioma, habla, lengua.
Idiossincrasia *s* idiosincrasia.
Idiota *adj* idiota, imbécil, cretino, tonto.
Idolatrar *v* idolatrar, adorar.
Ídolo *s* ídolo.
Idôneo *adj* idóneo, adecuado.
Idoso *adj* mayor, viejo.
Iglu *s* iglú.
Ígneo *adj* ígneo.
Ignição *s* ignición.
Ignóbil *s* innoble.
Ignorado *adj* ignorado, obscuro.
Ignorância *s* ignorancia.
Igreja *s* iglesia, templo cristiano.
Igual *adj* igual, idéntico.
Igualar *v* igualar.
Iguaria *s* iguaria.
Ilegal *adj* ilegal, ilícito.
Ilegítimo *adj* ilegítimo.
Ilegível *adj* ilegible.
Ileso *adj* ileso, intacto, salvo.
Iletrado *adj* analfabeto, iletrado.
Ilha *s* isla.
Ilhéu *adj* isleño, islote.
Ilhós *s* ojete.
Ilícito *adj* ilegal, ilícito.
Ilimitado *adj* ilimitado, infinito, indefinido.
Ilógico *adj* ilógico.
Iludir *v* iludir, engañar.
Iluminar *v* iluminar, alumbrar, ilustrar.
Ilusão *s* ilusión, ensueño, engaño.
Ilusório *adj* ilusorio.
Ilustração *s* ilustración.
Ilustrar *v* ilustrar, instruir.
Ímã *s* imán.
Imaculado *adj* inmaculado, puro, inocente.
Imagem *s* imagen.
Imaginar *v* idear, imaginar, suponer.
Imaginário *adj* imaginario, irreal, ficticio.
Imanar *v* magnetizar.
Imanente *adj* inmanente.
Imaterial *adj* incorpóreo, inmaterial.
Imaturo *adj* inmaduro.
Imbecil *adj* imbécil, idiota.
Imberbe *adj* imberbe.
Imbuir *v* imbuir, embeber, persuadir.
Imediação *s* inmediación.
Imediato *adj* inmediato, consecutivo, próximo, cercano.
Imemorável *adj* inmemorable.
Imensidão *s* inmensidad.

Imenso *adj* inmenso.
Imergir *v* inmergir.
Imersão *s* inmersión.
Imerso *adj* inmergido.
Imigração *s* inmigración.
Imigrar *v* inmigrar.
Iminente *adj* inminente.
Imiscuir-se *v* inmiscuirse.
Imitar *v* imitar, copiar, plagiar.
Imobiliária *s* inmobiliaria.
Imobilidade *s* inmovilidad.
Imobilismo *s* inmovilismo.
Imobilizar *v* inmovilizar.
Imodesto *adj* inmodesto.
Imolar *v* inmolar.
Imoral *adj* inmoral.
Imortalizar *v* inmortalizar, eternizar, perpetuar.
Imóvel *adj* estático, inmóvil; *s* inmueble.
Impaciente *adj* impaciente.
Impacto *s* impacto.
Impagável *adj* impagable.
Impalpável *adj* impalpable.
Impaludismo *s* paludismo.
Ímpar *adj* impar, desigual.
Imparcial *adj* imparcial, ecuánime.
Impassível *adj* impasible.
Impecável *adj* impecable.
Impedido *adj* impedido, interumpido.
Impedir *v* impedir, detener.
Impelir *v* impelir, empujar.
Impenetrável *adj* impenetrable, insondable.
Impensado *adj* impensado.
Imperar *v* imperar.
Imperativo *adj* imperativo.
Imperceptível *adj* imperceptible.
Imperdoável *adj* imperdonable.
Imperfeito *adj* defectuoso, imperfecto.
Imperial *adj* imperial.
Imperícia *s* impericia.
Império *s* imperio, poderío.
Impermeabilizar *v* impermeabilizar.
Impertinência *s* impertinencia.
Imperturbável *adj* imperturbable.
Impessoal *adj* impersonal.
Ímpeto *s* arranque, ímpetu.
Impetuoso *adj* impetuoso, fogoso.
Ímpio *adj* impío, hereje.
Implacável *adj* implacable, insensible.
Implantação *s* implantación.
Implantar *v* implantar.
Implicância *s* implicancia.
Implicar *v* implicar.
Implícito *adj* implícito, tácito.
Implorar *v* implorar, rogar, suplicar.
Imponente *adj* imponente, arrogante.
Impontual *adj* que no es puntual.
Impopular *adj* impopular.
Impor *v* imponer.
Importação *s* importación.
Importância *s* importancia, grandeza.
Importar *v* importar, originar, producir, convenir.
Importunar *v* importunar, aburrir.
Imposição *s* imposición.
Impossibilitar *v* imposibilitar, impedir.
Impossível *adj* imposible.
Imposto *adj* impuesto, contribución.
Impostor *adj* impostor, farsante.
Impostura *s* impostura, hipocresía.
Impotência *s* impotencia, imposibilidad.
Impraticável *adj* impracticable, intratable.
Imprecar *v* imprecar, pedir, suplicar, maldecir.
Imprecisão *s* imprecisión.
Impregnação *s* impregnación, absorción, fecundación.
Imprensa *s* imprenta.
Imprescindível *adj* imprescindible.
Impressão *s* edición, impresión, sensación.
Impressionar *v* impresionar, emocionar, impactar.
Impresso *adj* estampado, impreso; *s* folleto.
Imprestável *adj* imprestable.
Imprevidência *s* imprevisión.
Imprevisto *adj* imprevisto.
Imprimir *v* imprimir, grabar, estampar.
Ímprobo *adj* ímprobo.
Improcedente *adj* improcedente.
Improdutivo *adj* improductivo.

Impropério *s* improperio, insulto, injuria.
Impróprio *adj* impropio, inadecuado, inconveniente.
Improvável *adj* improbable.
Improvisar *v* improvisar, inventar.
Imprudência *s* imprudencia, indiscreción.
Impugnar *v* impugnar, oponer.
Impulsionar *v* impulsar.
Impulso *s* impulso, ímpetu.
Impune *adj* impune.
Impureza *s* impureza.
Imputar *v* imputar.
Imundície *s* inmundicia, porquería.
Imunidade *s* inmunidad.
Imunizar *v* inmunizar.
Imutável *adj* inmutable.
Inabalável *adj* inalterable.
Inábil *adj* inhábil.
Inabilitar *v* inhabilitar, incapacitar.
Inacabável *adj* inacabable.
Inação *s* inacción, inercia.
Inaceitável *adj* inaceptable.
Inacessível *adj* inaccesible.
Inacreditável *adj* increíble.
Inadequado *adj* inadecuado.
Inadiável *adj* improrrogable.
Inadmissível *adj* inadmisible.
Inalar *v* aspirar, inhalar.
Inalienável *adj* inalienable.
Inalterável *adj* inalterable.
Inanição *s* inanición.
Inapetência *s* desgana, inapetencia.
Inapto *adj* inepto, incapaz, inhábil.
Inatacável *adj* inatacable.
Inatingível *adj* inalcanzable.
Inativo *adj* inactivo, inerte, desocupado.
Inato *adj* congénito, innato.
Inaudito *adj* inaudito.
Inaugurar *v* inaugurar, empezar.
Inca *adj* inca.
Incalculável *adj* incalculable, ilimitado, incontable, inestimable.
Incandescente *adj* incandescente.
Incansável *adj* incansable, infatigable.
Incapacidade *s* incapacidad, incompetencia, insuficiencia, inutilidad.
Incauto *adj* incauto.
Incendiar *v* incendiar, abrasar, encender, inflamar.
Incensar *v* incensar.
Incentivar *v* estimular, incitar.
Incerteza *s* incertidumbre, duda.
Incerto *adj* incierto, ambiguo, dudoso, improbable, inconstante.
Incessante *adj* incesante, continuo.
Incesto *s* incesto.
Inchaço *s* hinchazón.
Inchar *v* hinchar.
Incidente *adj* incidente, accidente.
Incidir *v* incidir, incurrir.
Incineração *s* cremación, incineración.
Incisão *s* incisión, cortadura, hendidura.
Incisivo *adj* incisivo.
Inciso *s* inciso.
Incitar *v* incitar, estimular, instigar.
Inclemência *s* inclemencia, crueldad.
Inclinação *s* declinación, inclinación.
Incluir *v* incluir, implicar.
Inclusive *adj* inclusive, incluso.
Incluso *adj* incluido, comprendido.
Incoerência *s* incoherencia.
Incógnito *adj* anónimo, incógnito.
Incolor *adj* incoloro.
Incólume *adj* incólume.
Incomodar *v* incomodar, molestar.
Incômodo *adj* incómodo, molesto, nocivo; *s* enfermedad pasajera.
Incompatível *adj* incompatible.
Incompetência *s* incompetencia, inhabilidad.
Incompleto *adj* incompleto.
Incompreendido *adj* incomprendido.
Incompreensível *adj* incomprensible.
Incomunicável *adj* incomunicable.
Inconcebível *adj* inconcebible.
Inconciliável *adj* inconciliable, incompatible.
Incondicional *adj* incondicional.
Inconfessável *adj* inconfesable.
Inconfidência *s* inconfidencia.

Inconformado *adj* disconforme.
Inconfundível *adj* inconfundible.
Incongruente *adj* incongruente.
Inconsciência *s* inconsciencia.
Inconsistência *s* inconsistencia.
Inconsolável *adj* inconsolable.
Inconstância *s* inconstancia, inestabilidad.
Inconstitucional *adj* inconstitucional.
Incontestável *adj* incontestable, indudable.
Incontinência *s* incontinencia.
Inconveniência *s* inconveniencia, indelicadeza.
Incorporar *v* incorporar, incluir.
Incorrer *v* incurrir.
Incorreto *adj* incorrecto, errado.
Incorrigível *adj* incorregible.
Incorrupto *adj* incorrupto.
Incredulidade *adj* incredulidad.
Incrédulo *adj* incrédulo, descreído.
Incrementar *v* incrementar.
Incriminar *v* incriminar, acusar.
Incrível *adj* increíble, absurdo, inconcebible.
Incrustar *v* incrustar.
Incubar *v* incubar, empollar.
Inculcar *v* inculcar.
Inculto *adj* inculto, ignorante.
Incumbência *s* incumbencia, cometido, comisión, dever.
Incumbir *v* incumbir, delegar, encomendar.
Incurável *adj* incurable.
Incursão *s* incursión, invasión.
Incutir *v* influir.
Indagar *v* indagar, inquirir, pesquisar.
Indecência *s* indecencia.
Indecifrável *adj* indescifrable.
Indecisão *s* indecisión.
Indecoroso *adj* indecoroso.
Indefeso *adj* indefenso.
Indefinido *adj* indefinido.
Indelével *adj* imborrable, indeleble.
Indelicado *adj* indelicado, desatento, inconveniente.
Indenizar *v* indemnizar, compensar.
Independência *s* autonomía, independencia.
Indescritível *adj* indescriptible.
Indesejável *adj* indeseable.
Indestrutível *adj* indestructible.
Indeterminado *adj* indeterminado.
Indevido *adj* indebido.
Indexação *s* indexación.
Indicador *adj, s* indicador, índex, índice, dedo.
Indicativo *adj* indicativo, indicación, señal.
Índice *s* índice.
Indício *s* indicio, indicación, rastro.
Indiferença *s* indiferencia, apatía, desdén, desinterés.
Indiferente *adj* indiferente, apático, desinteresado, insensible.
Indígena *adj* indígena, autóctono.
Indigente *adj* indigente, pobre.
Indigestão *s* indigestión, embargo.
Indignar *v* indignar, encolerizar, enfadar, enojar.
Indigno *adj* indigno, impropio, abyecto.
Índio *adj* indio.
Indireto *adj* indirecto, alusivo.
Indisciplinado *adj* indisciplinado.
Indiscreto *adj* indiscreto, curioso.
Indiscutível *adj* indiscutible, innegable.
Indispensável *adj* indispensable, imperioso.
Indispor *v* indisponer.
Indistinto *adj* indistinto.
Individual *adj* individual, particular, singular.
Indivisível *adj* indivisible, inseparable.
Indócil *adj* indócil.
Índole *s* índole.
Indolência *s* indolencia, apatía, pereza, negligencia.
Indolor *adj* indoloro.
Indomável *adj* indomable.
Indubitável *adj* indubidable.
Indulgência *s* indulgencia, clemencia.
Indultar *v* indultar, absolver.
Indumentária *s* indumentaria, traje, vestuario.

Indústria *s* industria.
Industrial *adj* industrial.
Induzir *v* inducir.
Inebriante *adj* embriagador.
Inebriar *v* embriagar.
Inédito *adj* inédito, no publicado.
Inefável *adj* inefable.
Ineficaz *adj* ineficaz, inútil.
Ineficiente *adj* ineficaz.
Inegável *adj* innegable.
Inepto *adj* inepto, incapaz.
Inequívoco *adj* inequívoco, claro.
Inércia *s* inercia, flojedad.
Inerente *adj* inherente, innato.
Inescusável *adj* inexcusable.
Inesgotável *adj* inagotable.
Inesperado *adj* imprevisto, inesperado.
Inesquecível *adj* inolvidable.
Inestimável *adj* inestimable.
Inevitável *adj* inevitable, fatal.
Inexequível *adj* inasequible.
Inexistência *s* inexistencia.
Inexorável *adj* inexorable, implacable.
Inexperiente *adj* inexperto, ingenuo.
Inexplicável *adj* inexplicable.
Inexpressivo *adj* inexpresivo.
Inexpugnável *adj* inexpugnable, invencible.
Infalível *adj* infalible.
Infamar *v* infamar.
Infame *adj* infame.
Infância *s* infancia, niñez.
Infarto *s* infarto.
Infatigável *adj* infatigable.
Infausto *adj* infausto, funesto.
Infeccionar *v* infeccionar, contaminar.
Infeccioso *adj* infeccioso.
Infectar *v* infectar, contagiar.
Infelicidade *s* infelicidad, desventura, desdicha.
Infeliz *adj* infeliz, desgraciado.
Inferior *adj* inferior.
Inferir *v* inferir.
Infernal *adj* infernal, endemoniado, diabólico.
Infestar *v* infestar, horroroso.
Infiel *s* infiel, traidor.
Infiltrar *v* infiltrar.
Ínfimo *adj* ínfimo.
Infindável *adj* interminable.
Infinidade *s* infinidad.
Infinito *adj* infinito, excesivo.
Inflação *s* inflación.
Inflamar *v* inflamar, incendiar.
Inflamável *adj* inflamable.
Inflar *v* hinchar, inflar.
Inflexível *adj* inflexible.
Infligir *v* infligir.
Influência *s* influencia, autoridad.
Influir *v* influir.
Influxo *s* influjo.
Informação *s* información, comunicación.
Informal *adj* informal.
Informar *v* informar, comunicar, enterar.
Informe *s* informe, información, aviso; *adj* informe, irregular.
Infortúnio *s* infortunio, desdicha, fracaso, infelicidad.
Infração *s* infracción, transgresión.
Infraestrutura *s* infraestructura.
Infringir *v* infringir, transgredir.
Infundado *adj* infundado.
Infusão *s* infusión.
Ingenuidade *s* ingenuidad, inocencia.
Ingerência *s* injerencia, intromisión.
Ingestão *s* ingestión, deglutición.
Ingovernável *adj* ingobernable.
Ingrato *adj* ingrato, desagradecido.
Ingrediente *s* ingrediente.
Íngreme *adj* escarpado.
Ingressar *v* ingresar, entrar, afiliar.
Ingresso *s* ingreso, acceso, admisión, entrada.
Inibição *s* inhibición.
Inibir *v* inhibir.
Iniciação *s* iniciación.
Iniciar *v* iniciar, enseñar.
Início *s* inicio, comienzo.
Iniludível *adj* ineludible.
Inimaginável *adj* inimaginable.
Inimigo *adj* enemigo, adversario, hostil.
Inimizar *v* enemistar, indisponer.
Ininteligível *adj* ininteligible.

Ininterrupto *adj* ininterrumpido, incesante.
Iniquidade *s* iniquidad, injusticia.
Injeção *adj* inyección.
Injetar *s* inyectar.
Injúria *s* injuria, afrenta, enojo, insulto.
Injustiça *s* injusticia.
Inocência *s* inocencia.
Inocente *adj* inocente, infantil, ingenuo.
Inocular *v* inocular.
Inócuo *adj* inocuo, inofensivo.
Inodoro *adj* inodoro.
Inofensivo *adj* inofensivo, anodino, inocuo.
Inolvidável *adj* inolvidable.
Inoperante *adj* inoperante.
Inopinado *adj* inopinado.
Inoportuno *adj* inoportuno, impropio, inconveniente.
Inorgânico *adj* inorgánico.
Inóspito *adj* inhospitalario.
Inovação *s* innovación.
Inovar *v* innovar.
Inoxidável *adj* inoxidable.
Inqualificável *adj* incalificable.
Inquebrantável *adj* inquebrantable.
Inquérito *s* inquisición.
Inquietação *s* inquietud.
Inquilino *s* inquilino.
Inquirir *v* inquirir, indagar.
Inquisidor *s* inquisidor.
Insaciável *adj* insaciable.
Insalivar *v* insalivar.
Insalubre *adj* insalubre, malsano.
Insano *adj* insano, loco, difícil.
Insatisfeito *adj* insatisfecho.
Inscrever *v* inscribir, esculpir.
Inseguro *adj* inseguro.
Inseminar *v* inseminar.
Insensatez *s* insensatez, locura.
Insensibilizar *v* insensibilizar.
Insensível *adj* insensible.
Inseparável *adj* inseparable.
Inserir *v* insertar.
Inseticida *s* insecticida.
Inseto *s* insecto.
Insídia *s* insidia, emboscada, traición.
Insigne *adj* insigne, célebre, famoso.
Insígnia *s* insignia, emblema.
Insignificância *s* insignificancia.
Insinuar *v* insinuar, persuadir.
Insípido *adj* insípido, insulso.
Insistência *s* insistencia, perseverancia.
Insistir *v* insistir.
Insociável *adj* insociable.
Insofrível *adj* insufrible, intolerable.
Insolação *s* insolación.
Insolente *adj* insolente, grosero.
Insólito *adj* insólito.
Insolúvel *adj* insoluble.
Insolvência *s* insolvencia.
Insondável *adj* insondable.
Insônia *s* insomnio.
Insosso *adj* soso.
Inspecionar *v* inspeccionar, revistar.
Inspetor *adj* inspector.
Inspirar *v* inspirar, sugerir.
Instalação *s* instalación.
Instalar *v* instalar.
Instância *s* instancia, solicitud.
Instantâneo *adj* instantáneo.
Instante *s* instante, momento, urgente.
Instável *adj* inestable, voluble.
Instigar *v* instigar, incitar.
Instintivo *adj* instintivo.
Instituição *s* institución.
Instituir *v* instituir.
Instituto *s* instituto.
Instrução *s* educación, instrucción.
Instruído *adj* instruido, culto.
Instrumental *adj* instrumental; *s* instrumental, orquesta.
Instrutivo *adj* instructivo.
Insubordinar *v* insubordinar.
Insubstituível *adj* insubstituible.
Insuficiência *s* insuficiencia.
Insuflar *v* insuflar.
Insulina *s* insulina.
Insultar *v* insultar, injuriar.
Insuperável *adj* insuperable.
Insuportável *adj* insoportable.
Insurgir *v* insurgir, sublevarse.
Insurreição *s* insurrección.
Insurreto *adj* insurrecto.

Insustentável *adj* insustentable.
Intacto *adj* intacto.
Intangível *adj* intangible.
Íntegra *s* íntegra.
Integridade *s* integridad.
Inteirar *v* enterar.
Inteiro *adj* entero, completo, intacto.
Intelecto *s* intelecto.
Inteligência *s* inteligencia.
Inteligível *adj* inteligible, claro.
Intempérie *s* intemperie.
Intempestivo *adj* intempestivo.
Intenção *s* intención, propósito.
Intendente *s* intendente.
Intensidade *s* intensidad.
Intensificar *v* intensificar.
Intensivo *adj* intensivo.
Intentar *v* intentar.
Interação *s* interacción.
Intercalar *v* intercalar, interponer.
Intercâmbio *s* intercambio, permuta.
Interceder *v* interceder.
Interceptar *v* interceptar, interrumpir.
Interdição *s* interdicción.
Interessante *adj* interesante.
Interessar *v* interesar.
Interesse *s* interés, ganancia, ventaja.
Interferir *v* intervenir.
Interino *adj* interino, provisional.
Interior *adj* interior.
Interjeição *s* interjección.
Interlocutor *s* interlocutor.
Interlúdio *s* interludio.
Intermediar *v* intermediar.
Intermédio *s* intermedio, medianero.
Interminável *adj* interminable.
Intermitência *s* intermitencia.
Internacional *adj* internacional.
Internar *v* internar.
Internato *s* internado.
Interno *adj* interno.
Interplanetário *adj* interplanetario.
Interpolar *v* interpolar.
Interpor *v* interponer.
Interpretação *s* interpretación, versión.
Interpretar *v* interpretar, explicar.
Interrogação *s* interrogación.
Interromper *v* interrumpir.
Interrupção *s* interrupción.
Interruptor *s* interruptor.
Intersecção *s* intersección.
Intertropical *adj* intertropical.
Interurbano *adj* interurbano.
Intervalo *s* intervalo.
Interventor *adj* interventor.
Intervir *v* intervenir, interceder.
Intimar *v* intimar, notificar.
Intimidar *v* intimidar, asustar.
Íntimo *adj* íntimo, interno.
Intocável *adj* intocable.
Intolerância *s* intolerancia.
Intolerável *adj* intolerable, insoportable.
Intoxicar *v* intoxicar.
Intraduzível *adj* intraducible.
Intranquilidade *s* intranquilidad.
Intranquilizar *s* intranquilizar.
Intranquilo *adj* intranquilo.
Intransferível *adj* intransferible.
Intransigente *adj* intransigente.
Intransitável *adj* intransitable.
Intransitivo *adj* intransitivo.
Intratável *adj* intratable.
Intrepidez *s* intrepidez.
Intrépido *adj* intrépido.
Intriga *s* intriga.
Intrigar *v* intrigar.
Intrincado *adj* intrincado.
Intrínseco *adj* intrínseco.
Introduzir *v* introducir.
Intrometer *v* entrometer, entremediar.
Intrometido *adj* entrometido.
Introspectivo *adj* introspectivo.
Introvertido *adj* introvertido.
Intruso *adj* intruso.
Intuição *s* intuición.
Inumar *v* inhumar.
Inumerável *adj* innumerable.
Inundação *s* aluvión, avenida, inundación.
Inundar *v* anegar, inundar.
Inusitado *adj* inusitado.
Inútil *adj* inútil, baldío, estéril, ineficaz, vano.
Invadir *s* invadir.

Invalidar *s* invalidar, anular, inutilizar.
Invariável *adj* invariable.
Invasão *s* invasión.
Inveja *s* envidia.
Invejar *v* envidiar.
Invenção *s* invención.
Invencível *adj* invencible.
Inventar *v* inventar.
Inventário *s* catálogo, inventario.
Inventivo *adj* inventivo.
Invento *s* invento, invención.
Invernar *v* invernar.
Inverno *s* invierno.
Inverossímil *adj* inverosímil.
Inverso *adj* inverso.
Invertebrado *s* invertebrado.
Inverter *v* invertir.
Invés *s* envés.
Investida *s* embestida, asalto, ataque.
Investigação *s* investigación, averiguación, exploración, indagación.
Investir *v* investir, arremeter, avanzar.
Inveterado *adj* inveterado.
Invicto *adj* invicto.
Inviolável *adj* inviolable.
Invisível *adj* invisible.
Invocar *v* invocar, llamar.
Invólucro *s* envoltura, forro, cobertura.
Invulnerável *adj* invulnerable.
Iodado *adj* yodado.
Iodo *s* yodo.
Ioga *s* yoga.
Iogurte *v* yogur.
Ir *v* seguir, ir.
Ira *s* ira, cólera.
Iracundo *adj* iracundo.
Irar *v* airar.
Íris *s* iris.
Irlandês *adj* irlandés.
Irmã *s* hermana.
Irmão *s* hermano.
Irônico *adj* irónico, sarcástico.
Irracional *adj* irracional.
Irradiar *v* irradiar.
Irreal *adj* irreal, fantástico.
Irreconciliável *adj* irreconciliable.
Irrecusável *adj* irrecusable.
Irredutível *adj* irreductible.
Irreflexivo *adj* irreflexivo.
Irrefutável *adj* irrefutable.
Irregular *adj* irregular.
Irremediável *adj* irremediable.
Irrepreensível *adj* irreprensible.
Irresistível *adj* irresistible.
Irresoluto *adj* irresoluto, indeciso.
Irresolúvel *adj* insoluble, sin solución.
Irrespirável *adj* irrespirable.
Irresponsável *adj* irresponsable.
Irreverência *s* irreverencia.
Irrevocável *adj* irrevocable.
Irrevogável *adj* irrevocable, definitivo.
Irrigação *s* irrigación.
Irrisório *adj* irrisorio.
Irritado *adj* airado, impaciente, corajoso.
Irritar *v* irritar, agraviar, airar, encolerizar, enfadar.
Irromper *v* irrumpir, surgir, nacer, brotar.
Irrupção *s* irrupción, invasión.
Isca *s* cucharilla.
Isenção *s* exención, imunidad.
Isento *adj* exento, inmune.
Islamismo *s* islamismo.
Isolado *adj* aislado, solitario, solo.
Isolante *s* aislador.
Isolar *v* aislar, separar.
Isqueiro *s* mechero.
Israelita *adj* hebreo, israelí.
Isso *pron dem* eso, esa cosa.
Istmo *s* istmo.
Isto *pron dem* esto, esta cosa.
Itálico *s* itálico, bastardilla, letra cursiva.
Itinerário *adj* itinerario, ruta.

jJ

J *s* décima letra del alfabeto portugués.
Já *adj* ya.
Jacarandá *s* jacarandá, árbol, palo santo.
Jacaré *s* jacaré, caimán.
Jacinto *s* jacinto.
Jacobino *s* jacobino.
Jactância *s* jactancia, vanidad.
Jactar-se *v* jactarse.
Jacto *s* lanzamiento, salida impetuosa, golpe.
Jaculatória *s* jaculatoria.
Jade *s* jade.
Jaez *s* jaez.
Jaguar *s* jaguar.
Jaleco *s* jaleco, americana.
Jamais *adj* jamás, nunca.
Jamba *s* jamba.
Janeiro *s* enero.
Janela *s* ventana.
Jangada *s* armadía, balsa.
Jantar *s* cena, yantar.
Jaqueta *s* americana, chaqueta.
Jarda *s* yarda.
Jardim *s* jardín.
Jardim-de-infância *s* parvulario.
Jardinagem *s* jardinería.
Jardineiro *s* jardinero.
Jargão *s* argot, jerga.
Jarra *s* botija, jarra.
Jasmim *s* jazmín.
Jaspe *s* jaspe.
Jaula *s* jaula.
Javali *s* jabalí.
Jazer *v* yacer.
Jazida *s* fossa.
Jeito *s* modo, manera, costumbre.
Jeitoso *adj* hábil, diestro, mañoso, apto.
Jejuar *v* ayunar.
Jejum *s* ayuno.
Jesuíta *s* jesuita.
Joalheria *s* joyería.
Joaninha *s* mariquita.
Jocoso *adj* jocoso.
Joelho *s* rodilla.
Jogador *s* jugador.
Jogar *v* jugar.
Jogo *s* juego.
Jogral *s* trovador.
Joia *s* alhaja, pieza.
Joio *s* joyo, cizaña.
Jornada *s* jornada.
Jornal *s* gaceta, periódico, diario.
Jornaleiro *s* jornalero.
Jornalismo *s* periodismo.
Jorrar *v* chorrear.
Jovem *adj* joven, mancebo, mozo.
Jovial *adj* jovial, juguetón, festivo.
Juba *s* melena, juba.
Jubilar *v* alegrar.
Júbilo *s* júbilo, contentamiento.
Judaico *adj* judaico, hebraico.
Judaísmo *s* judaísmo.
Judicial *adj* judicial.
Judiciário *adj* judiciario.
Judô *s* yudo.
Jugular *adj* yugular.
Juiz *s* juez, magistrado, árbitro.
Juízo *s* juicio, juzgado, opinión.
Julgado *adj* juzgado.
Julgar *v* juzgar, apreciar, criticar.
Julho *s* julio.
Junção *s* reunión.
Juncar *v* cubrir de juncos.
Junco *s* junco.
Junho *s* junio.
Juntar *v* juntar, reunir, acumular.

Junto *adj* junto.
Jura *s* jura, juramento.
Jurado *adj* jurado.
Jurar *v* jurar.
Júri *s* jurado, tribunal.
Jurídico *adj* jurídico.
Jurisdição *s* jurisdicción.
Juro *s* interés, ganancia.
Jururu *adj* triste, melancólico.
Justapor *v* yustaponer.
Justiça *s* justicia.
Justiçado *adj* ajusticiado.
Justiçar *v* ajusticiar.
Justificação *s* justificación.
Justificar justificar.
Justo *adj* justo.
Juta *s* yute.
Juvenil *adj* juvenil.
Juventude *s* juventud, mocedad.

k K

K *s* letra del alfabeto portugués usada solamente en nombres extranjeros y sus derivaciones.

Kantismo *s* kantismo.

Kirie *s* kirie.

Km *s* kilómetro.

L

L *s* undécima letra del alfabeto portugués, L cincuenta en la numeracion romana.
Lá *adv* allá, en otro lugar o tiempo.
Lã *s* lana.
Labareda *s* llama, llamarada.
Lábaro *s* lábaro.
Lábio *s* labio.
Labirinto *s* laberinto.
Labor *s* labor.
Laboratório *s* laboratorio, oficina.
Labrego *s* labriego, campesino grosero.
Labuta *s* oficio.
Laca *s* laca, barniz.
Lacaio *s* lacayo.
Laçar *v* lazar.
Lacerar *v* lacerar, raspar.
Laço *s* lazo.
Lacônico *adj* lacónico, breve, conciso.
Lacrar *v* lacrar.
Lacrimal *adj* lacrimal.
Lactação *s* lactación.
Lactante *adj* lactante.
Lactar *v* lactar, amamantar.
Lácteo *adj* lácteo, lechoso.
Lacuna *s* laguna, vacío.
Lacustre *adj* lacustre.
Ladainha *s* letanía.
Ladeira *s* ladera, subida.
Ladino *adj* ladino, astuto, sagaz.
Lado *s* lado.
Ladrão *s* ladrón, salteador.
Ladrilhar *v* enladrillar.
Lagar *s* lagar.
Lagarta *s* lagartija.
Lagartixa *s* lagartija.
Lago *s* lago.
Lagoa *s* laguna, lago pequeño, pantano.
Lagosta *s* langosta.
Lagostim *s* langostín.
Lágrima *s* lágrima.
Laguna *s* laguna.
Laico *adj* laico, lego.
Laje *s* laja, piedra plana.
Lajear *v* enlosar.
Lama *s* lama, barro, sacerdote budista.
Lamaçal *s* lamedal, lodazal.
Lambada *s* bofetada, porrazo con la mano, paliza.
Lambança *s* golosina.
Lamber *v* lamer, relamerse.
Lambiscar *v* pellizcar, malcomer.
Lambuzar *v* emporcar, ensuciarse, pringar.
Lamentar *v* lamentar, quejarse.
Lamentável *adj* lamentable, doloroso, triste.
Lâmina *s* lámina.
Laminar *v* laminar.
Lâmpada *s* lámpara, candil.
Lamparina *s* lamparilla.
Lampejar *v* centellear, relampaguear.
Lampião *s* lampión, farol.
Lampinho *adj* lampiño.
Lamuriante *adj* lamentoso, quejumbroso.
Lançamento *s* lanzamiento.
Lançar *v* lanzar, arrojar.
Lancear *v* lancear.
Lanceiro *s* lancero.
Lancha *s* lancha, bote.
Lanchar *v* merendar.
Lanche *s* merienda.
Lanchonete *s* donde se sirve comidas ligeras en la barra.
Lânguido *adj* lánguido, flaco.
Lanifício *s* lanificio.
Lanolina *s* lanolina.

Lanoso *adj* lanudo, lanoso.
Lantejoula *s* lentejuela.
Lanterna *s* farol, linterna.
Lanudo *adj* lanudo.
Lapa *s* gruta, cueva.
Lapela *s* solapa.
Lapidar *v* apedrear, lapidar.
Lápis *s* lápiz.
Lapiseira *s* lapicera.
Lápis-lazúli *s* lapislázuli.
Lapso *s* lapso.
Laquê *s* laca.
Laquear *v* laquear.
Lar *s* lar, hogar.
Laranja *s* naranja.
Laranjada *s* naranjada.
Lardo *s* lardo, tiras de tocino.
Lareira *s* chimenea, hogar, lar.
Larga *s* larga.
Largar *v* largar, desasir, dejar, aflojar, partir, zarpar.
Largo *adj* ancho, amplio.
Laringe *s* laringe.
Larva *s* larva.
Lasanha *s* pasta para sopa.
Lascar *v* desportillar, rajar, astillarse.
Lascívia *s* lascivia.
Laser *s* láser.
Lasso *adj* laso.
Lastimar *v* lastimar, compadecer, mancar.
Lastro *s* lastre.
Lata *s* lata, envase, hojalata.
Látego *s* látigo, azote.
Latejar *v* latir, palpitar, pulsar.
Látex *s* látex.
Latido *s* ladrido.
Latifúndio *s* latifundio.
Latim *s* latín.
Latinizar *v* latinizar.
Latir *v* ladrar.
Latitude *s* latitud.
Lato *adj* lato, dilatado, extendido.
Latrina *s* privada, letrina, retrete.
Latrocínio *s* latrocinio.
Lauda *s* página de un libro.
Láudano *s* láudano.
Laudatório *adj* laudatorio.
Laureado *adj* laureado, galardonado.
Laurear *v* laurear.
Lava *s* lava.
Lavabo *s* lavabo.
Lavagem *s* lavamiento, lavatina, lavaje, clister.
Lava-louça *s* lavavajillas.
Lavar *v* lavar.
Lavatório *s* lavabo, lavamanos, lavatorio.
Lavoura *s* labranza, labores, labra.
Lavra *s* labra, cultivo, cultura, fabricación.
Lavrador *s* labrador, agricultor.
Lavrar *s* laborar, labrar.
Laxante *adj* laxante.
Lazarento *adj* lazariento, leproso.
Lazareto *s* lazareto.
Lazer *s* ocio.
Leal *adv* sincero, leal.
Leão *s* león.
Lebre *s* liebre.
Lecionar *v* leccionar.
Legado *s* legado, herencia.
Legal *adj* legal, lícito, válido.
Legalizar *v* legalizar, autenticar, validar.
Legar *v* legar, transmitir por testamento.
Legenda *s* leyenda.
Legendário *adj* legendario.
Legião *s* legión.
Legionário *s* legionario.
Legislar *v* legislar.
Legista *s* legista.
Legitimar *v* legitimar, validar, legalizar.
Legítimo *adj* legítimo, auténtico, válido.
Legível *adj* legible, leible.
Légua *s* legua.
Legume *s* legumbre.
Lei *s* ley.
Leigo *adj* lego, laico, profano.
Leilão *s* subasta, almoneda.
Leiloar *v* subastar.
Leitão *s* lechón.
Leite *s* leche.
Leiteira *s* lechería.
Leito *s* cama, lecho.
Leitor *adj* lector.

Leitoso *adj* lechoso, lácteo.
Leitura *s* lectura.
Lema *s* lema, divisa.
Lembrança *s* recuerdo, memoria, reminiscencia.
Lembrar *v* recordar, conmemorar.
Leme *s* timón.
Lenço *s* lienzo.
Lençol *s* sábana.
Lenda *s* leyenda.
Lêndea *s* liendre.
Lenha *s* leña.
Lenhador *s* leñador.
Lenitivo *s* lenimento.
Lenocínio *s* lenocinio.
Lente *s* lente, anteojo.
Lentidão *s* lentitud, pausa.
Lentilha *s* lenteja.
Lento *adj* lento, lerdo, paulatino, remolón.
Leonino *adj* leonino.
Leopardo *s* leopardo.
Lépido *adj* risueño, jovial.
Lepra *s* lepra.
Leque *s* abanico.
Ler *v* leer.
Lerdo *adj* lento, lerdo.
Lesão *s* lesión, traumatismo.
Lesar *v* lesionar, perjudicar.
Lésbica *s* lesbiana.
Lesma *s* lesma, babosa.
Leste *s* este, levante, naciente, oriente.
Letal *adj* letal.
Letargia *s* letargo, sopor, apatía.
Letificar *v* letificar, alegrar, regocijar.
Letivo *adj* lectivo.
Letra *s* letra.
Letreiro *s* letrero, título.
Léu *s* vagabundaje, ocio.
Leucemia *s* leucemia.
Leucócito *s* leucocito.
Leva *s* leva.
Levadiço *adj* levadizo.
Levado *adj* travieso.
Levantar *v* levantar, alzar, erguir.
Levante *s* levante, rebelión, plante.
Levar *v* llevar, conducir, pasar, portear.
Leve *adj* leve, liviano, suave.
Levedar *v* leudar.
Lêvedo *s* leudo, levedura.
Leveza *s* ligereza, liviandad.
Leviano *adj* liviano, fútil, insensato.
Levitar *v* levantar.
Léxico *s* léxico, vocabulario de una lengua.
Lhama *s* llama.
Lhano *adj* llano, franco.
Lhe *pron* le, a él, a ella.
Libanês *adj* libanés.
Libar *v* libar, beber.
Libelo *s* libelo.
Libélula *s* libélula.
Liberação *s* liberación.
Liberal *adj* liberal.
Liberalidade *s* liberalidad.
Liberalismo *s* liberalismo.
Liberalizar *v* liberalizar.
Liberar *v* liberar, libertar.
Liberdade *s* libertad.
Libertação *s* libertación.
Libertar *v* libertar, soltar.
Libertinagem *s* libertinaje.
Libidinoso *adj* libidinoso, lujurioso.
Libido *s* libido.
Líbio *adj* libio.
Libra *s* libra.
Libré *s* librea.
Liça *s* liza.
Lição *s* lección.
Licença *s* licencia, autorización, permiso.
Licenciar *v* licenciar.
Licenciatura *s* licenciatura.
Licenciosidade *s* libertinaje.
Licencioso *adj* licencioso, libertino.
Liceu *s* liceo.
Licitar *v* licitar.
Lícito *adj* lícito.
Licor *s* licor.
Lida *s* lidia.
Lide *s* combate, duelo, toreo.
Líder *s* guía, líder.
Liderança *s* liderato, liderazgo.
Liderar *v* liderar, guiar.

Liga *s* liga, alianza, coalición, mezcla, fusión.
Ligação *s* unión, relación.
Ligar *v* ligar, unir, vincular.
Ligeiro *adj* ligero, rápido, veloz, ágil.
Lilás *adj* lila.
Lima *s* lima.
Limão *s* limón, citrón.
Limar *v* limar, desgastar o pulir con lima, desbastar.
Limbo *s* limbo.
Limiar *s* liminar, umbral, entrada.
Limitado *adj* limitado, escaso, pequeño.
Limitar *v* limitar, balizar, coartar.
Limite *s* límite, confín, linde, frontera, fin, término.
Limo *s* limo, musgo.
Limoeiro *s* limonero.
Limonada *s* limonada.
Limpar *v* limpiar, asear, lavar, depurar.
Limpeza *s* limpieza, aseo, higiene.
Límpido *adj* límpido, nítido, limpio.
Limpo *adj* limpio, aseado, puro, mondo.
Lince *s* lince.
Linchar *v* linchar.
Lindeza *s* lindeza, hermosura, belleza.
Lindo *adj* lindo, bello, bonito.
Lineamento *s* lineamento.
Linear *adj* linear.
Linfa *s* linfa.
Lingote *s* lingote.
Língua *s* lengua, idioma.
Linguado *s* lenguado.
Linguagem *s* lenguaje, lengua.
Lingueta *s* lengüeta.
Linguiça *s* longaniza.
Linguística *s* lingüística.
Linha *s* línea, hilo.
Linhaça *s* linaza.
Linhagem *s* linaje, ascendencia, descendencia, estirpe.
Linho *s* lino.
Linóleo *s* linóleo.
Linotipista *s* linotipista.
Liquefazer *v* liquefacer, derretir.
Líquen *s* liquen.
Liquidação *s* liquidación, saldo.
Liquidar *v* liquidar, extinguir, saldar.
Liquidez *s* liquidez.
Liquidificador *s* licuadora.
Liquidificar *v* licuar.
Líquido *s* líquido.
Lira *s* lira.
Lírico *adj* lírico.
Lírio *s* lirio.
Liso *adj* liso, plano, raso, suave.
Lisonjeador *adj* lisonjeador, adulón.
Lisonjear *v* adular, lisonjear.
Lista *s* lista, elenco.
Listra *s* lista, raya, faja estrecha.
Listrado *adj* listado.
Lisura *s* lisura.
Liteira *s* litera, andas.
Literal *adj* literal.
Literario *adj* literario.
Literatura *s* literatura.
Litigar *v* litigar.
Litígio *s* litigio, contención, disputa, pleito.
Litografia *s* litografía.
Litoral *s* litoral, costa de un mar, zona marítima.
Litorâneo *adj* litoral.
Litosfera *s* litosfera.
Litro *s* litro.
Liturgia *s* liturgia.
Lívido *adj* lívido.
Livramento *s* libramiento.
Livrar *v* librar, libertar, salvar, largar, desembarazar.
Livraria *s* librería.
Livre *adj* libre, independiente, suelto.
Livro *s* libro.
Lixa *s* lija.
Lixar *v* lijar.
Lixeiro *s* basurero.
Lixívia *s* lejía.
Lixo *s* basura, imundicia.
Lobisomen *s* hombre lobo.
Lobo *s* lobo.
Lobrigar *v* vislumbrar.
Lóbulo *s* lóbulo.
Loca *s* escondrijo de pez, caverna marina.
Locador *s* locador, arrendador.
Local *s* local, paraje, puesto.

Localização *s* localización, situación.
Localizar *v* localizar.
Loção *s* loción, ablución.
Locatário *s* locatario, inquilino, arrendatario.
Locomotiva *s* locomotriz, locomotora.
Locomotor *adj* locomotor.
Locomotriz *adj* locomotriz.
Locomover-se *v* trasladarse.
Locução *s* locución.
Lodaçal *s* lodazal, atolladero, barrizal.
Lodo *s* lodo, barro, cieno, fango, lama.
Logaritmo *s* logaritmo.
Lógico *s* lógico.
Logo *adv* luego.
Logotipo *s* logotipo.
Logradouro *s* lugar común a todos, terreno baldío.
Lograr *v* lograr, estafar, alcanzar.
Logro *s* logro, engaño, estafa.
Loja *s* bazar, tienda.
Lojista *s* tendero, comerciante.
Lombada *s* loma.
Lombar *s* lumbar.
Lombo *s* lomo, solomillo.
Lombriga *s* gusano.
Lona *s* lona.
Longe *adv* lejos; *adj* longicuo.
Longevidade *s* longevidad.
Longínquo *adj* lejano.
Longitudinal *adj* longitudinal.
Longo *adj* largo.
Lonjura *s* lejanía.
Lontra *s* nutria.
Loquaz *adj* locuaz.
Lorde *s* lord.
Lotação *s* cabida, presupuesto.
Lotear *v* lotear, dividir en lotes.
Loteria *s* loto.
Loto *s* lotería, rifa, sorteo.
Louça *s* loza, vajilla.
Louco *adj* demente, insano, maníaco.
Loucura *s* locura, demencia, desatino, paranoia.
Loureiro *s* laurel.
Louro *s* laurel.
Louro *adj* rubio.
Lousa *s* losa.
Louvar *v* alabar, aplaudir, bendecir, elogiar, encumbrar.
Louvável *adj* loable, laudable, meritorio.
Lua *s* luna.
Luar *s* resplandor de la luna.
Lúbrico *adj* lúbrico.
Lubrificar *v* engrasar, lubricar.
Lúcido *adj* lúcido.
Lúcifer *s* lucifer.
Lucrar *v* lucrar.
Lucro *s* lucro, ganacia, interés, provecho.
Lucubrar *v* lucubrar.
Ludibriar *v* engañar.
Ludíbrio *s* ludibrio.
Lufada *s* ráfaga, soplo.
Lugar *s* lugar, puesto, región, situación.
Lugarejo *s* aldehuela.
Lugar-tenente *s* lugarteniente.
Lúgubre *adj* lúgubre, sombrio.
Lula *s* chipirón.
Lume *s* fuego, lumbre.
Lumieira *s* lumbrera.
Luminária *s* luminaria, lamparilla.
Lunar *adj* lunar.
Luneta *s* luneta, anteojo.
Lupa *s* lupa.
Lupanar *s* lupanar, burdel.
Lúpulo *s* lúpulo.
Lusco-fusco *s* crepúsculo, el anochecer.
Lustrar *v* lustrar, barnizar, pulir.
Lustre *s* lustre, araña.
Lustro *s* lustro, espacio de cinco años, lustre.
Luta *s* lucha, pelea, combate, contienda, disputa.
Lutar *v* luchar, pelear, pugnar, combatir, disputar, guerrear, lidiar.
Luterano *adj* luterano, protestante.
Luto *s* luto.
Luva *s* guante.
Luxação *s* luxación.
Luxo *s* lujo, ostentación, suntuosidad.
Luxuoso *adj* lujoso, suntuoso.
Luxúria *s* lujuria.
Luz *s* luz.
Luzente *adj* luciente, luminoso.
Luzido *adj* lucido, brillante.
Luzir *v* lucir.

m M

M *s* duodécima letra del alfabeto portugués, 1000 en la numeracion romana.
Má *adj* mala.
Maca *s* camilla, hamaca.
Maça *s* clava, majadero, maza.
Maçã *s* manzana.
Macabro *adj* macabro, fúnebre, triste.
Macaco *s* macaco, mono.
Macadame *s* adoquín, macadán.
Maçador *adj* maceador.
Maçaneta *s* picaporte.
Maçante *adj* latoso, patoso, machacador.
Maçapão *s* mazapán.
Macaquice *s* monada, monerías.
Maçar *v* machacar, molestar, enfadar.
Maçarico *s* soplete.
Maçaroca *s* mazorca.
Macarronada *s* comida hecha con macarrón.
Macela *s* manzanilla.
Macerar *v* macerar.
Maceta *s* maceta, maza.
Machadinha *s* cuchilla.
Machado *s* hacha.
Macho *adj* macho.
Machucado *adj* magulladura, magullamiento.
Machucar *v* machacar, magullar, llagar.
Maciço *adj* macizo.
Macieira *s* manzano.
Maciez *s* blandura, suavidad.
Macilento *adj* macilento.
Macio *adj* blando, suave, ameno.
Maço *s* mazo, machote, manojo.
Maçom *adj* masón.
Maconha *s* mariguana, marihuana.
Maçônico *adj* masónico.
Macrobiótico *adj* macrobiótico.
Macrocosmo *s* macrocosmo.
Macular *v* macular, manchar, infamar, profanar.
Madalena *s* magdalena.
Madeira *s* madera, palo.
Madeireira *s* maderería.
Madeixa *s* madeja.
Madrasta *s* madrastra.
Madre *s* madre, monja.
Madrepérola *s* madreperla, nácar.
Madressilva *s* madreselva.
Madrigueira *s* madriguera.
Madrinha *s* madrina.
Madrugada *s* madrugada, alba, alborada.
Madrugar *v* madrugar.
Madurar *v* madurar.
Madureza *s* madurez, sazón de los frutos.
Maduro *adj* maduro.
Mãe *s* madre.
Maestro *s* maestro, director de orquesta.
Máfia *s* mafia.
Maga *s* maga, hechicera.
Magazine *s* magazine, revista.
Magia *s* magia, fascinación, encanto.
Mágico *adj* mágico, fascinante, encantador.
Mágico *s* hechicero, brujo.
Magistério *s* magisterio.
Magistrado *s* magistrado, juez.
Magistral *adj* magistral.
Magnânimo *adj* magnánimo, generoso.
Magnata *s* magnate.
Magnético *adj* magnético.
Magnetizar *v* magnetizar.
Magnificar *v* magnificar, engrandecer.
Magnífico *adj* magnífico, admirable, suntuoso.

Magnitude *s* magnitud.
Magno *adj* magno, grande.
Mago *s* mago, hechicero.
Mágoa *s* magulladura.
Magoar *v* magullar, hacer dano.
Magro *adj* magro, delgado, flaco.
Maio *s* mayo.
Maiô *s* bañador.
Maionese *s* mahonesa.
Maior *adj* mayor.
Maioral *s* mayoral.
Maioria *s* mayoría.
Mais *adv* más.
Maisena *s* maicena, fécula de maiz.
Maiúscula *s* mayúscula.
Majestade *s* majestad.
Majestoso *adj* majestuoso, suntuoso.
Mal *s* mal, desgracia, enfermedad.
Mala *s* maleta, valija.
Malabarismo *s* malabarismo.
Mal-acostumado *adj* malacostumbrado.
Mal-agradecido *adj* malagradecido.
Malagueta *s* malagueta, guindilla.
Malandro *s* ladrón, granuja, bellaco.
Malária *s* malaria, paludismo.
Mal-aventurado *adj* malaventurado.
Malbaratar *v* malbaratar, malvender.
Malcheiroso *adj* maloliente, hediondo.
Malcriado *adj* malcriado.
Maldade *s* maldad, tozudez.
Maldição *s* maldición.
Maldizer *v* maldecir.
Maldoso *adj* malicioso.
Maleável *adj* maleable, flexible.
Maledicência *s* maledicencia, difamación.
Mal-educado *adj* maleducado, descortés.
Malefício *s* maleficio.
Maléfico *adj* maléfico, perjudicial.
Mal-entendido *s* malentendido, equívoco.
Mal-estar *s* malestar, enfermedad.
Maleta *s* maletín, valija, maleta.
Malevolência *s* malevolencia, antipatia.
Malfalante *adj* maldiciente, detractor.
Malfazejo *adj* maléfico.
Malfeito *adj* mal hecho.
Malfeitor *adj* malhechor.
Malferir *v* malherir.
Malgastar *v* derrochar, malgastar.
Malha *s* malla, mancha, suéter.
Malhada *s* majadura, mallada.
Malhar *v* mallar, batir.
Mal-humorado *adj* malhumorado.
Malícia *s* malicia.
Maligno *adj* maligno.
Mal-intencionado *adj* malintencionado.
Maloca *s* habitación de indígenas.
Malograr *v* fracasar, malograr.
Malquistar *v* malquistar, enojarse.
Malsão *adj* malsano.
Malsoante *adj* malsonante.
Malte *s* malta.
Maltrapilho *adj* andrajoso.
Maltratar *v* maltratar.
Maluco *adj* loco, disparatado, maníaco.
Malva *s* malva.
Malvado *adj* malvado, perverso.
Malversar *v* malversar.
Mama *s* mama, teta.
Mamadeira *s* biberón, mamadera.
Mamãe *s* mamá.
Mamão *s* mamón.
Mamar *v* mamar.
Mameluco *s* mameluco, mestizo.
Mamífero *s* mamífero.
Mamilo *s* pezón.
Mamoeiro *s* mamón, árbol sapindáceo.
Mamute *s* mamut.
Maná *s* maná.
Manada *s* manada, rebaño de animales.
Manancial *s* manantial.
Mancar *v* cojear, mancar.
Mancebo *adj* mancebo, joven.
Manchar *v* manchar, ensuciar.
Manco *adj* manco, cojo.
Mancomunar *v* mancomunar, asociar.
Mandamento *s* mandamiento.
Mandar *v* mandar, ordenar, enviar.
Mandarim *s* mandarín.
Mandato *v* mandato, encarjo.
Mandíbula *s* mandíbula, quijada.
Mandioca *s* mandioca.
Mando *s* mando, orden.

Mandril *s* mandril.
Manducar *v* manducar, comer.
Maneira *s* manera, método, estilo.
Manejar *v* manejar, dirigir, administrar.
Manejável *adj* manejable.
Manequim *s* maniquí.
Maneta *adj* manco.
Manga *s* manga, cencerro.
Manganês *s* manganeso.
Mangonar *v* holgazanear.
Mangue *s* mangle.
Mangueira *s* manguera, árbol del mango.
Manha *s* maña, habilidad.
Manhã *s* mañana.
Manhoso *adj* mañoso.
Mania *s* manía, extravagancia.
Maniatar *v* maniatar.
Manicômio *s* manicomio.
Manicura *s* manicura.
Manifestação *s* manifestación, anunciación, declaración.
Manifestar *v* manifestar, mostrar, abrirse.
Manifesto *s* manifiesto, notorio, declaración.
Manipulação *s* manipulación.
Manipular *v* manipular.
Maniqueísmo *s* maniqueísmo.
Manivela *s* manivela.
Manjar *s* manjar, comestible, gollería.
Manjedoura *s* pesebre.
Manjericão *s* albahaca.
Manjerona *s* mejorana.
Manobrar *v* maniobrar.
Mansão *s* mansión.
Mansidão *s* mansedumbre.
Manso *adj* manso, benigno, suave.
Manta *s* manta.
Manteiga *s* mantequilla.
Manter *v* mantener, sustentar.
Mantilha *s* mantilla.
Mantimento *s* mantenimiento, víveres.
Manto *s* manto.
Mantô *s* mantón.
Manual *adj* manual, portátil.
Manufatura *s* manufactura.
Manuscrito *s* manuscrito.
Manusear *v* manosear.
Manutenção *s* mantenimiento, manutención, sustento.
Mão *s* mano.
Mão-aberta *s* manilargo.
Mão-cheia *s* puñado.
Maometano *adj* mahometano.
Mapa *s* mapa.
Maquete *s* maqueta.
Maquiagem *s* maquillaje.
Maquiar *v* maquillar.
Maquiavélico *adj* maquiavélico.
Máquina *s* máquina.
Maquinar *v* ingeniar, maquinar.
Maquinaria *s* maquinaria.
Mar *s* mar.
Maracujá *s* pasionaria, planta pasiflórea.
Marajá *s* rajá.
Marasmo *s* marasmo, apatía.
Maratona *s* maratona, carrera pedestre.
Maravilha *s* maravilla, prodigio.
Maravilhoso *adj* divino, maravilloso.
Marca *s* marca, cuño, logotipo.
Marcado *adj* marcado.
Marcar *v* marcar, señalar.
Marceneiro *s* ebanista.
Marchar *v* marchar.
Marchetaria *s* marquetería, ebanistería.
Marcial *adj* marcial.
Marciano *adj* marciano.
Marco *s* marco, baliza, hito.
Março *s* marzo.
Maré *s* marea.
Marear *v* marear.
Marechal *s* mariscal.
Maremoto *s* maremoto.
Marfim *s* marfil.
Margarida *s* margarita.
Margem *s* margen, cercadura, orilla.
Marginal *adj*, *s* marginal.
Maricas *adj* maricas.
Marido *s* marido.
Marimbondo *s* avispa.
Marinha *s* marina.
Marinheiro *s* marinero.
Marionete *s* marioneta.
Mariposa *s* mariposa.
Marisco *s* marisco.

Marital *adj* marital.
Marítimo *adj* marítimo.
Marmelada *s* dulce de membrillo.
Marmelo *s* membrillo.
Marmita *s* marmita.
Mármore *s* mármol.
Marmota *s* marmota.
Maroto *adj* bríbon, pícaro.
Marquês *s* marqués.
Marquise *s* marquesina.
Marreta *s* marra pequeña de hierro.
Marta *s* marta.
Martelar *v* martillar.
Martelo *s* martillo, martinete.
Mártir *s* mártir.
Martírio *s* martirio.
Martirológio *s* martirologio.
Marujo *s* marinero.
Marxismo *s* marxismo.
Marzipã *s* mazapán.
Mas *conj* pero, todavía.
Mascar *v* mascar, masticar.
Máscara *s* máscara, mascarilla.
Mascarar *v* enmascarar.
Mascate *s* vendedor ambulante en Brasil.
Mascavo *adj* azúcar mascavo.
Mascote *s* mascota.
Mascoto *s* mazo, martillo grande.
Masculino *adj* masculino, macho, viril.
Másculo *adj* masculino, varonil.
Masmorra *s* mazmorra.
Masoquismo *s* masoquismo.
Massa *s* masa, pasta alimenticia.
Massacre *s* carnificina.
Massagem *s* masaje.
Massagista *s* masajista.
Massificar *v* masificar.
Mastigação *s* masticación.
Mastim *s* mastín.
Mastodonte *s* mastodonte.
Mastro *s* mástil.
Mastruço *s* mastuerzo.
Masturbação *s* masturbación.
Masturbar-se *v* masturbarse.
Mata *s* mata, bosque, matorral.
Mata-borrão *s* papel secante.
Matadouro *s* matadero.
Matagal *s* matorral.
Matança *s* matanza.
Matar *v* matar.
Mate *adj* sin brillo, fosco; *s* mate.
Mateiro *s* guardabosques, leñador.
Matemática *s* matemáticas.
Matéria *s* materia, causa, motivo, asunto.
Material *adj* corpóreo, material.
Materializar *v* materializar.
Maternal *adj* maternal.
Maternidade *s* maternidad.
Matilha *s* jauría.
Matinal *adj* matinal, matutino.
Matinas *s* maitines.
Matiz *s* matiz.
Matizar *v* matizar, esmaltar, graduar.
Mato *s* mato, breña, matorral.
Matraca *s* matraca, carraca.
Matreiro *adj* matrero, astuto.
Matriarca *s* matriarca.
Matriarcado *s* matriarcado.
Matrícula *s* matrícula.
Matricular *v* matricular.
Matrimônio *s* casamiento, matrimonio.
Matriz *s* matriz, útero.
Matrona *s* matrona.
Maturação *s* maduración, sazón.
Matutar *v* cavilar.
Matutino *adj* matinal, matutino.
Matuto *adj* rústico, que vive en el campo.
Mau *adj* malo, imperfecto, nocivo.
Mausoléu *s* mausoleo.
Má-vontade *s* malagana, ojeriza.
Maxilar *s* maxilar, mandíbula.
Máxima *s* máxima, aforismo, axioma.
Meada *s* madeja.
Meandro *s* meandro.
Meão *adj* mediano.
Mear *v* dividir al medio, mediar.
Mecânica *s* mecánica.
Mecânico *adj* automático, mecánico.
Mecanismo *s* mecanismo, maquinaria.
Mecanizar *v* mecanizar, motorizar.
Mecenas *s* mecenas.
Mecha *s* mecha, rastrillo.
Medalha *s* medalla.
Média *s* media.

Mediador *adj* mediador, medianero, intermediario.
Mediano *adj* mediano, intermedio.
Mediante *adj* mediante; *prep* por medio de.
Memorizar *v* memorizar, recordar.
Menção *s* alusión, mención.
Mencionar *v* mencionar, aludir, relatar, nombrar.
Mendicante *adj* mendicante.
Mendigar *v* mendigar, pedir limosna.
Mendigo *s* mendigo.
Menear *v* menear.
Meneio *s* meneo.
Menestrel *s* trovador.
Menina *s* niña.
Meninge *s* meninge.
Meninice *s* niñez.
Menino *s* niño.
Menir *s* menhir.
Menisco *s* menisco.
Menopausa *s* menopausia.
Menor *s* menor, más pequeño.
Menoridade *s* minoridad.
Menos *adv* excepto, menos.
Menoscabar *v* menoscabar.
Menoscabo *s* menoscabo, desdén.
Menosprezar *v* menospreciar.
Mensageiro *s* mensajero, portadior.
Mensagem *s* mensaje, misiva, recado.
Mensal *adj* mensual.
Mensalidade *s* mensualidad, mes.
Menstruação *s* menstruación, regla, achaque.
Mensurável *adj* mensurable.
Mental *adj* mental, psíquico.
Mente *s* mente, inteligencia, intelecto.
Mentecapto *adj* tonto, mentecato.
Mentir *v* engañar, fingir.
Mentira *s* mentira, engaño, falsedad, embuste.
Mentiroso *adj* mentiroso.
Mentol *s* mentol.
Mentor *s* mentor.
Menu *s* menú.
Mercado *s* comercio, mercado.
Mercador *s* mercader.
Mercadoria *s* mercancía, géneros.
Mercantil *adj* mercantil, comercial, marchante.
Mercê *s* merced, premio, indulto, recompensa.
Mercearia *s* tienda de comestibles.
Mercenário *adj* mercenario.
Mercúrio *s* azogue, mercurio.
Merda *s* mierda.
Merecedor *adj* merecedor, acreedor, digno.
Merecer *v* merecer, devengar.
Merecido *adj* merecido, devido.
Merenda *s* merienda.
Merendar *v* merendar.
Merengue *s* merengue.
Meretriz *s* meretriz.
Mergulhador *s* buzo, zambullidor.
Mergulhar *v* bucear, chapuzar, zabullir.
Meridiano *s* meridiano.
Meridional *adj* austral, meridional.
Merino *adj* merino.
Mérito *s* merecimiento, mérito.
Merluza *s* merluza.
Mês *s* mes.
Mesa *s* mesa.
Mesada *s* mesada, mensualidad.
Mescla *s* mezcla, mixtura.
Mesclar *v* mezclar, amalgamar.
Meseta *s* meseta.
Mesmo *pron* mismo; *conj* hasta; *adv* igualmente.
Mesnada *s* mesnada.
Mesquinhar *v* regatear.
Mesquinho *adj* mezquino, avaro.
Mesquita *s* mezquita.
Messe *s* siega, mies.
Messiânico *adj* mesiánico.
Mestiço *adj* mestizo, mulato.
Mestrado *s* maestrazgo.
Mestre *s* maestro, profesor, artista.
Mestria *s* maestría.
Mesura *s* mesura, reverencia.
Meta *s* meta, limite.
Metabolismo *s* metabolismo.
Metade *s* mitad, medio, centro.
Metafísica *s* metafísica, transcendencia.

Metáfora *s* metáfora.
Metal *s* metal.
Metálico *adj* metálico.
Metalúrgico *adj* metalúrgico.
Metamorfose *s* metamorfosis.
Metano *s* metano.
Metaplasmo *s* metaplasmo.
Meteoro *s* meteoro.
Meteorologia *adj* meteorología.
Meter *v* meter, poner dentro, incluir.
Meticuloso *adj* meticuloso, cuidadoso, quisquilloso.
Metido *adj* metido.
Método *s* método, sistema, práctica.
Metragem *s* metraje.
Metralha *s* metralla.
Metralhadora *s* ametralladora.
Metralhar *v* ametrallar.
Métrica *s* métrica.
Métrico *adj* métrico.
Metro *s* metro, medida.
Metrô *s* metro, metropolitano.
Metrópole *s* metrópoli.
Meu *pron* mío, el mío.
Mexer *v* mecer, mover, bullir, dislocar.
Mexerico *s* chisme, fábula, intriga.
Mexicano *adj* mejicano.
Mexilhão *s* mejillón.
Miado *s* maullido.
Miar *v* maullar.
Miasma *s* miasma.
Micção *s* micción.
Mico *s* mico.
Micróbio *s* microbio.
Microfilme *s* microfilm.
Microfone *s* micrófono.
Microscópio *s* microscopio.
Mictório *s* letrina, urinario.
Migalha *s* miga, migaja, triza.
Migração *s* migración.
Mijada *s* meada.
Mijar *v* mear, orinar.
Mil *num* mil.
Milagre *s* milagro.
Milênio *s* milenio.
Milésimo *num* milésimo.
Milha *s* milla.
Milhão *num* millón.
Milhar *s* millar.
Milho *s* maíz.
Milícia *s* milicia.
Miligrama *s* milígramo.
Milímetro *s* milímetro.
Milionário *adj* millonario.
Militar *adj* militar; *s* soldado.
Mim *pron* mí.
Mimado *adj* mimado, consentido, malacostumbrado.
Mimar *v* mimar, acariciar, halagar.
Mimetismo *s* mimetismo.
Mímica *s* mímica.
Mimo *s* mimo, regalo.
Mina *s* mina.
Minar *v* minar, excavar.
Minarete *s* minarete.
Mineiro *adj* minero.
Mineração *s* mineraje.
Mineral *s* mineral.
Minestra *s* menestra, caldo.
Mingau *s* gacha, papilla.
Míngua *s* mengua.
Minguado *adj* menguado.
Minguar *v* menguar, apocar, empequeñecer, enflaquecer.
Minhoca *s* miñoca.
Miniatura *s* miniatura.
Minifúndio *s* minifundio.
Mínimo *adj* mínimo, menor.
Ministério *s* ministerio, gabinete.
Ministrar *v* ministrar, suministrar, administrar.
Minoração *s* minoración.
Minorar *v* minorar, suavizar, aliviar.
Minoria *s* minoría.
Minoritário *adj* minoritario.
Minúcia *adj* minucia, detalle, pormenor.
Minucioso *adj* minucioso, meticuloso.
Minúsculo *adj* minúsculo.
Minuta *s* borrador, anotación, menú.
Minuto *s* minuto.
Miocárdio *s* miocardio.
Miolo *s* miga, medula, seso.
Míope *adj* miope.
Miopia *s* miopía.

Mira *s* mira, puntería.
Miragem *s* miraje, espejismo.
Mirante *s* mirador.
Mirar *v* mirar, visar.
Miríade *s* miríada.
Mirra *s* mirra.
Misantropia *s* misantropía.
Miscelânea *s* miscelánea.
Miserável *adj* miserable, mezquino, infeliz, granuja.
Miséria *s* miseria, necesidad, privación.
Misericórdia *s* misericordia, compasión, piedad.
Missa *s* misa.
Missal *s* misal.
Missão *s* misión, encargo, apostolado.
Míssil *s* misil.
Missionário *s* misionero, apóstol.
Missiva *s* misiva, carta.
Mister *s* menester.
Mistério *s* misterio.
Místico *adj* místico.
Mistificar *v* mistificar.
Misto *adj* mixto.
Mistura *s* mezcla, ensalada, fusión, pisto.
Misturar *v* mezclar, amasar, revolver.
Mitigar *v* mitigar, suavizar, ablandar.
Mito *s* mito.
Mitologia *s* mitología.
Mitra *s* mitra.
Miuçalha *s* conjunto de cosas pequeñas, fragmento.
Miudeza *s* menudencia, pequeñez.
Miúdo *adj* menudo, pequeño.
Mixórdia *s* desorden, confusión, mescolanza.
Mó *s* muela, piedra de molino.
Mobília *s* mobiliario, mueble.
Mobiliar *v* amueblar.
Mobiliário *s* mobiliario.
Moça *s* moza, jovem.
Moção *s* moción.
Mocassim *s* mocasín.
Mochila *s* mochila.
Mocho *adj* mocho, *s* búho.
Mocidade *s* mocedad, juventud.
Moço *adj*, *s* mozo, joven.
Moda *s* moda, costumbre.
Modalidade *s* modalidad.
Modelar *v* amoldar, modelar, plasmar.
Modelo *s* modelo, ejemplar, padrón.
Moderado *adj* moderado, blando, contenido.
Moderar *v* moderar, ablandar, aliviar.
Modernizar *v* actualizar, modernizar.
Moderno *adj* moderno, nuevo.
Modéstia *s* modestia, comedimiento, decencia.
Modesto *adj* modesto, comedido, recatado.
Módico *adj* módico.
Modificação *s* modificación, alteración.
Modificar *v* modificar, restringir, refrenar.
Modista *s* modista.
Modo *s* modo, manera, forma, estilo.
Modorra *s* modorra, somnolencia.
Modos *s* buenas maneras.
Módulo *s* módulo.
Moeda *s* moneda.
Moela *s* molleja.
Moenda *s* molienda.
Moer *v* moler, machacar, triturar.
Mofar *v* enmohecer, mofar, burlar.
Mofino *adj* mohíno, mezquino, avariento.
Mofo *s* moho.
Moinho *s* molino, aceña.
Moita *s* matorral, macizo.
Mola *s* muelle, resorte.
Moldar *v* moldear, adaptar, moldurar.
Moldura *s* moldura, marco.
Mole *adj* blando, flojo, mole, indolente.
Molécula *adj* molécula.
Moleira *s* mollera, molinera.
Moleiro *adj* molinero.
Molenga *adj* blando, indolente.
Molestar *v* molestar, maltratar, ofender.
Moléstia *s* molestia, enfermedad, enfado.
Moleza *s* flojedad, languidez, blandura.
Molhado *adj* mojado, humedecido.
Molhar *v* mojar, embeber, humedecer.
Molho *s* haz, manojo, brazada.
Molinete *s* molinete.
Molusco *s* molusco.
Momento *s* momento, instante, rato.

Monacal *adj* monacal.
Monarca *s* emperador, monarca, rey.
Monarquia *s* monarquía.
Monástico *adj* monacal.
Monção *s* monzón.
Monetário *adj* monetario.
Monge *s* monje.
Mono *adj* macaco, mono.
Monobloco *s* monobloque.
Monocórdio *s* monocorde.
Monóculo *s* monóculo.
Monocultura *s* monocultivo.
Monogamia *s* monogamia.
Monografia *s* monografía.
Monograma *s* monograma.
Monolítico *adj* monolítico.
Monólogo *s* monólogo, soliloquio.
Monomania *s* monomanía.
Monopétalo *s* monopétalo.
Monopolizar *v* monopolizar.
Monossílabo *s* monosílabo.
Monoteísmo *s* monoteísmo.
Monotonia *s* monotonía.
Monstro *s* monstruo.
Monstruoso *adj* monstruoso.
Montada *s* montadura.
Montador *adj* montador.
Montanha *s* montaña.
Montanhês *adj* montañés.
Montanhoso *adj* montañoso.
Montante *s* suma, montante, monta.
Montar *v* montar, cabalgar.
Montaria *s* montería.
Monte *s* monte, morro.
Montês *adj* montés.
Montículo *adj* montículo, monte pequeño.
Monturo *s* muladar, estercolero.
Monumental *adj* monumental.
Monumento *s* monumento, mausoleo.
Morada *s* morada, domicilio, mansión.
Moradia *adj* morada, aposento, residencia.
Moral *s* moral, ética.
Moralizar *v* moralizar.
Morango *s* fresa.
Morar *v* morar, habitar, residir, vivir.
Moratória *s* moratoria.
Mórbido *adj* mórbido.
Morcego *s* murciélago.
Morcela *s* morcilla.
Mordaça *s* mordaza.
Mordaz *adj* mordaz.
Morder *v* morder.
Mordida *s* mordedura.
Mordomo *s* mayordomo.
Moreno *adj* moreno.
Morfina *s* morfina.
Morfologia *s* morfología.
Moribundo *adj* moribundo, agonizante.
Moringa *s* botijo, porrón.
Morno *adj* templado, tibio.
Moroso *adj* moroso, lento.
Morrer *v* morir, expirar, fallecer.
Morro *s* morro, monte, otero.
Morsa *s* morsa.
Mortadela *s* mortadela.
Mortal *adj* mortal.
Mortalha *s* mortaja.
Mortalidade *s* mortalidad.
Morte *s* muerte.
Mortificar *v* mortificar, atormentar.
Morto *adj* muerto, difunto, fallecido.
Mortuário *adj* mortuario, fúnebre.
Mosaico *s* mosaico.
Mosca *s* mosca.
Moscatel *adj* moscatel.
Mosquito *s* mosquito.
Mostarda *s* mostaza.
Mosteiro *s* monasterio, convento.
Mostrador *adj* mostrador.
Mostruário *s* muestrario.
Mote *s* mote.
Motel *s* motel.
Motim *s* motín, revuelta.
Motivar *v* motivar, causar, originar.
Motivo *s* motivo, causa, razón, fundamento.
Motocicleta *s* motocicleta.
Motor *s* motor.
Motorista *s* motorista, chófer.
Motriz *adj* motriz.
Mouro *adj* arábico, moro.
Movediço *adj* movedizo.

Móvel *adj* movible, móvil; *s* mueble.
Mover *v* mover, agitar, menear.
Movimentar *v* movimentar.
Movível *adj* movible.
Muamba *s* alijo.
Muco *s* moco.
Mucoso *adj* mucoso.
Muçulmano *adj* musulmán.
Muda *s* muda, substitución, mudanza.
Mudar *v* mudar, trocar, variar, substituir.
Mudo *adj* mudo, callado, silencioso.
Mugido *s* berrido, mugido.
Mugir *v* mugir.
Muito *adj* mucho; *adv* muy.
Mulato *adj* mulato, mestizo.
Muleta *s* muleta.
Mulher *s* mujer.
Mulherengo *adj* mujeriego.
Mulo *s* mulo.
Multa *s* multa, penalidad.
Multicolor *adj* multicolor.
Multidão *s* multitud.
Multiforme *adj* multiforme.
Multinacional *adj* multinacional.
Multiplicação *s* multiplicación, reprodución.
Multiplicar *v* multiplicar, reproducirse.
Múltiplo *adj* múltiplo, múltiple, plural.
Múmia *s* momia.
Mumificar *v* embalsamar, momificar.
Mundano *adj* mundano, profano.
Mundo *s* mundo, universo.
Mungir *v* ordeñar.
Munição *s* munición.
Municipal *adj* municipal.
Município *s* municipio.
Munir *v* munir, municionar, fortificar.
Mural *s* mural.
Muralha *s* muralla.
Murar *v* murar, amurallar.
Murcho *adj* marchito, mustio, seco.
Murmurar *v* murmullar, murmujear.
Muro *s* muro, pared.
Murro *s* cachete, puñetazo.
Musa *s* musa.
Músculo *s* músculo.
Museu *s* museo.
Musgo *s* musgo.
Música *s* música.
Musselina *s* muselina.
Mutação *s* mutación.
Mutilação *s* mutilación.
Mutilar *v* mutilar, amputar, lisiar.
Mutismo *s* mudez, mutismo.
Mutualidade *s* mutualidad.
Mútuo *adj* mutuo, recíproco.

nN

N *s* décima tercera letra del alfabeto portugués.
Nabo *s* nabo.
Nação *s* nación, la Patria, naturaleza.
Nácar *s* nácar.
Nacional *adj* nacional.
Nacionalidade *s* nacionalidad.
Nacionalizar *v* nacionalizar, naturalizar.
Nada *adv* no; *pron* cosa ninguna; *s* nada.
Nadadeira *s* aleta de los peces.
Nadar *v* nadar.
Nádega *s* nalga, el trasero.
Nafta *s* nafta.
Náilon *s* nailon.
Naipe *s* naipe.
Namorado *s* novio, enamorado.
Namorar *v* enamorar, cortejar.
Namoro *s* acto de enamorar, galanteo.
Nana *s* nana, canto con que se arrulla a los niños.
Nanar *v* dormir (niños).
Nanquim *s* tinta negra de China.
Não *adv* no, negativa; *s* recusa.
Napa *s* napa.
Napalm *s* napalm.
Narciso *s* narciso, planta amarilídea y su flor.
Narcotizar *v* narcotizar.
Nardo *s* nardo.
Narina *s* nariz, ventana.
Nariz *s* nariz.
Narrador *adj* narrador.
Narrar *v* narrar, contar, referir.
Nasal *adj* nasal.
Nasalar *v* nasalizar.
Nasalização *s* nasalización.
Nascedouro *s* nacedero, lugar donde nace alguna cosa.
Nascimento *s* nacimiento, origen.
Nata *s* nata, crema.
Natação *s* natación.
Natal *adj* natal, navidad.
Natalício *adj* natalicio.
Nativo *adj* nativo, natural, vernáculo.
Nato *adj* nato, nacido.
Natural *adj* natural, sencillo.
Naturalidade *s* naturalidad, sencillez.
Naturalizar *v* naturalizar.
Natureza *s* naturaleza.
Nau *s* nao, nave.
Naufragar *v* naufragar.
Naufrágio *s* naufragio.
Náusea *s* náusea, mareo.
Nauseabundo *adj* nauseabundo, repugnante.
Nausear *v* nausear, marear.
Náutica *s* náutica, arte de navegar.
Náutico *adj* náutico.
Naval *adj* naval.
Navalha *s* navaja.
Nave *s* nave, navío.
Navegação *s* navegación.
Navegar *v* navegar.
Navio *s* navío, nave.
Nazismo *s* nazismo.
Nazista *adj* nazista.
Neblina *s* neblina.
Nebuloso *adj* nebuloso, sombrío, triste.
Necedade *s* necedad, estupidez, sandez.
Necessário *adj* necesario, preciso.
Necessidade *s* necesidad, miseria.
Necessitar *v* necesitar, carecer, precisar.
Necrologia *s* necrología.
Necrópole *s* necrópolis.
Necrópsia *s* necropsia, autopsia.
Necrosar *v* gangrenar.

Necrotério *s* morgue.
Néctar *s* néctar.
Nefasto *adj* nefasto.
Negado *adj* negado, recusado.
Negar *v* negar, repudiar.
Negativa *s* negativa, negación.
Negativo *adj* negativo, nulo.
Negligência *s* negligencia, descuido, pereza.
Negociante *s* negociante, comerciante.
Negociar *v* negociar, comerciar.
Negociável *adj* negociabe.
Negócio *s* negocio, comercio, ajuste.
Negridão *s* negrura, obscuridad.
Negrito *s* negrilla.
Negro *adj* negro, oscuro, sombrío.
Nem *adv* no; *conj* tampoco.
Nenê *s* nene, bebé.
Nenhum *pron*, *adj* nulo, ningún.
Nenúfar *s* nenúfar.
Neoclassicismo *s* neoclasicismo.
Neófito *s* neófito, novicio.
Neolatino *adj* neolatino.
Neolítico *adj* neolítico.
Neologista *adj* neologista.
Neón *s* neón.
Nepotismo *s* nepotismo, favoritismo.
Nervo *s* nervio.
Nervosismo *s* nervosismo.
Nervoso *adj* nervioso, irritable.
Nervura *s* nervura.
Néscio *adj* necio, imbécil.
Nêspera *s* níspola, fruto del níspero.
Neto *s* nieto.
Neurastenia *s* neurastenia.
Neurologia *s* neurología.
Neurônio *s* neuroma.
Neurótico *adj* neurótico.
Neutralidade *s* neutralidad, imparcialidad.
Neutralizar *v* neutralizar, anular.
Neutro *adj* neutral, neutro.
Nêutron *s* neutrón.
Nevada *s* nevada.
Nevar *v* nevar, caer nieve.
Nevasca *s* nevasca, nevazo.
Neve *s* nieve.
Névoa *s* niebla.
Nevoento *adj* cubierto de niebla, obscuro, nebuloso.
Nevralgia *s* neuralgia.
Nevrálgico *adj* neurálgico.
Nexo *s* nexo, conexión.
Nicho *s* nicho.
Nicotina *s* nicotina.
Niilismo *s* nihilismo.
Nimbo *s* nimbo.
Ninar *v* dormir a los niños, calentar.
Ninfa *s* ninfa.
Ninguém *pron* nadie.
Ninhada *s* nidada.
Ninharia *s* niñería, bagatela.
Ninho *s* nido.
Nipônico *adj* nipónico, japonés.
Níquel *s* níquel.
Nirvana *s* nirvana.
Nitidez *s* nitidez.
Nítido *adj* nítido, límpio.
Nitrato *s* nitrato.
Nítrico *adj* nítrico.
Nitro *s* nitro.
Nitrogênio *s* nitrógeno.
Nitroglicerina *s* nitroglicerina.
Nível *s* nivel.
Nivelamento *s* nivelación.
Níveo *adj* níveo, blanco.
Nó *s* nudo.
Nobiliário *adj* nobiliario.
Nobre *adj* noble, con título nobiliario, majestuoso.
Noção *s* noción.
Nocivo *adj* nocivo, perjudicial.
Nódoa *s* mancha, mácula.
Nódulo *s* nódulo.
Nogueira *s* nogal.
Noite *s* noche.
Noivar *v* noviar.
Noivo *s* novio.
Nojo *s* asco, repugnancia.
Nômade *adj* nómada, ambulante, errante.
Nome *s* nombre.
Nomeação *s* nombramiento.
Nomeada *s* fama, celebridad.

Nomear *v* nombrar, apellidar.
Nomenclatura *s* nomenclatura.
Nominal *adj* nominal.
Nonagésimo *s*, *num* nonagésimo.
Nono *s*, *num* nono, noveno.
Nora *s* nuera.
Nordeste *s* Nordeste.
Nórdico *adj* nórdico.
Norma *s* norma, modelo, regla.
Normal *adj* normal.
Noroeste *s* Noroeste.
Norte *s* Norte.
Nos *contr* de em y os, en los.
Nós *pron* nosotros.
Nosso *pron* nuestro.
Nostalgia *s* nostalgia, añoranza, tristeza.
Nota *s* nota.
Notabilidade *s* notabilidad.
Notação *s* notación.
Notar *s*, *v* notar, advertir.
Notável *adj* notable, admirable, importante.
Notícia *s* noticia, información, novedad.
Noticiar *v* noticiar, anunciar, participar.
Notificar *v* notificar, avisar.
Notório *adj* notorio, palpable, manifesto.
Noturno *adj* nocturno.
Nova *s* nueva, noticia, novedad.
Novato *adj* novato, novicio.
Nove *num* nueve.
Novecentos *num* novecientos, nonigentésimo.
Novel *adj* novel.
Novela *s* novela, enredo.
Novelista *s* novelista.
Novelo *s* ovillo.
Novembro *s* noviembre.
Noventa *num* noventa.
Novidade *s* novedad.
Novilho *s* novillo.
Novo *adj* nuevo, joven, novicio.
Noz *s* nuez.
Nu *adj* desnudo, descubierto.
Nuance *s* graduación de colores, matiz.
Nubente *adj* nubente.
Nublado *adj* nublado, oscuro, triste.
Nuca *s* nuca.
Núcleo *s* núcleo.
Nudez *s* desnudez.
Nudismo *s* nudismo.
Nulidade *s* nulidad.
Nulo *adj* nulo, inepto.
Numeração *s* numeración.
Numeral *adj* numeral.
Numerar *v* numerar.
Número *s* número, unidad, cantidad.
Numismática *s* numismática.
Nunca *adv* jamás, nunca.
Núncio *s* nuncio, representante del Papa.
Núpcias *s* nupcias.
Nutrição *s* alimentación, nutrición.
Nutrir *v* nutrir, sustentar, engordar.
Nutritivo *adj* nutritivo.
Nuvem *s* nube.

oO

O *s* décimacuarta letra del alfabeto portugués; *artdef* el.
Oásis *s* oasis.
Obcecar *v* obcecar.
Obedecer *v* obedecer, cumplir.
Obediente *adj* obediente, humilde.
Obelisco *s* obelisco.
Obesidade *s* obesidad.
Obeso *adj* obeso, gordo.
Óbice *s* óbice, obstáculo, embarazo.
Óbito *s* óbito, defunción.
Objeção *s* objeción, contestación, obstáculo.
Objetar *v* objetar, impugnar.
Objetiva *s* objetivo, lente óptica.
Objetivar *v* objetivar.
Oblação *s* oblación, oblata.
Obliquidade *s* oblicuidad, astucia.
Oblíquo *adj* oblicuo.
Obliterar *v* obliterar, tapar, obstruir.
Oboé *s* oboe.
Obra *s* obra, trabajo, composición.
Obra-prima *s* obra prima, obra maestra.
Obrar *v* obrar, fabricar, trabajar.
Obrigação *s* obligación, deber, empleo.
Obrigar *v* obligar, cautivar, comprometerse.
Obrigatório *adj* obligatorio, que obliga.
Obscenidade *s* obscenidad, torpeza.
Obsceno *adj* obsceno, impúdico, indecoroso.
Obscurecer *v* obscurecer.
Obscuridade *s* obscuridad, sombra.
Obsequiar *v* obsequiar, regalar, galantear.
Obséquio *s* obsequio, regalo, agasajo.
Observação *s* observación, advertencia.
Observador *adj* observador, crítico.
Observar *v* observar, advertir, contemplar.
Obsessão *s* obsesión.
Obsessivo *adj* obsesivo.
Obsoleto *adj* obsoleto, cosa anticuada.
Obstáculo *s* obstáculo, embarazo.
Obstante *adj* obstante.
Obstetra *s* tocólogo, partero.
Obstetrícia *s* obstetricia, tocología.
Obstinação *s* obstinación, terquedad.
Obstinado *adj* obstinado, inflexible, tozudo.
Obstinar *v* obstinarse, persistir.
Obstruir *v* obstruir, cerrar el paso.
Obtenção *s* obtención, adquisición.
Obter *v* obtener, adquirir, conseguir.
Obturação *s* obturación, taponamiento.
Obturar *v* obturar, obstruir, tapar.
Obtuso *adj* obtuso, sin punta.
Óbvio *adj* obvio.
Oca *s* oca, cabaña de indígenas.
Ocasião *s* ocasión, oportunidad.
Ocasional *adj* ocasional, eventual.
Ocasionar *v* ocasionar, provocar.
Ocaso *s* ocaso, poniente.
Oceano *s* Océano.
Oceanografia *s* oceanografía.
Ocidental *adj* occidental.
Ocidente *s* occidente, punto cardinal.
Ócio *s* ocio, descanso, pereza.
Ocioso *adj* ocioso, vago.
Ocluso *adj* ocluso, tapado, obliterado.
Oco *adj* hueco, vacío.
Ocorrer *v* ocurrir, acontecer, acordar, suceder.
Ocre *s* ocre.
Octogenário *adj* octogenario, que tiene ochenta años.

Oculista *s* oculista, oftalmólogo, óptico.
Óculos *s* gafas, anteojos.
Ocultar *v* ocultar, esconder, encubrir.
Oculto *adj* oculto, misterioso, secreto.
Ocupado *adj* ocupado, entretenido.
Ocupar *v* ocupar, emplear, obtener.
Ode *s* oda.
Odiar *v* odiar, detestar.
Ódio *s* odio, aversión, rencor.
Odioso *adj* odioso, repugnante.
Odisseia *s* odisea.
Odontologia *s* odontología.
Odor *s* olor, odor, perfume.
Odre *s* odre.
Oeste *s* oeste, occidente, poniente.
Ofegante *adj* jadeante.
Ofegar *v* jadear.
Ofender *v* ofender, molestar, herir.
Ofensa *s* ofensa, agravio.
Oferecer *v* ofrecer, regalar, exponerse.
Oferecimento *s* ofrecimiento.
Oferenda *s* ofrenda.
Oferta *s* oferta, ofrenda, regalo.
Ofertar *v* ofrecer, prometer.
Oficial *adj* oficial.
Oficiar *v* oficiar.
Oficina *s* taller, laboratorio.
Ofício *s* oficio, profesión, deber.
Oficioso *adj* oficioso, desinteresado.
Ofídio *s* ofidio.
Oftalmologia *s* oftalmología.
Ofuscar *v* ofuscar, oscurecer, ocultar.
Ogiva *s* ojiva.
Ogival *adj* ojival.
Oito *num* ocho.
Ojeriza *s* ojeriza.
Olá *interj* ¡hola!.
Olaria *s* alfarería.
Oleado *s* oleoso.
Oleiro *s* alfarero, ollero.
Óleo *s* óleo, aceite.
Oleoduto *s* oleoducto.
Oleoso *adj* aceitoso, oleoso, grasiento.
Olfato *s* olfato.
Olhada *s* ojeada, mirada.
Olhar *v* mirar, ver, contemplar.
Olheira *s* ojera.
Olho *s* ojo, vista.
Olho d'água *s* mina, nacente de agua.
Oligarquia *s* oligarquía.
Oligofrenia *s* oligofrenía.
Olimpíada *s* olimpíada.
Olímpico *adj* olímpico.
Oliva *s* olivo.
Oliveira *s* olivera, olivo.
Olmeiro *s* olmo.
Olmo *s* árbol ulmáceo.
Olor *s* olor.
Olvidar *v* olvidar.
Olvido *s* olvido.
Ombreira *s* hombrera, umbral, dintel.
Ombro *s* hombro.
Omelete *s* tortilla de huevos.
Omisso *adj* omiso, descuidado, negligente.
Omitir *v* omitir, olvidar, descuidar.
Omoplata *s* omóplato.
Onça *s* onza, medida.
Oncologia *s* oncología.
Onda *s* ola, onda.
Onde *adv* donde, en qué lugar, adonde.
Ondear *v* ondear, ondular, rizar el agua.
Ondulado *adj* ondulado, rizado.
Ondular *v* rizar, ondular.
Onduloso *adj* ondulado.
Oneroso *adj* oneroso, vejatorio, pesado.
Ônibus *s* autobús, ómnibus.
Onipotente *adj* omnipotente.
Onipresença *s* omnipresencia.
Onírico *adj* onírico.
Onisciente *adj* omnisciente.
Onívoro *s* omnívoro.
Onomatopeia *s* onomatopeya.
Ontem *adv* ayer, antiguamente.
Ontologia *s* ontología.
Ônus *s* peso, encargo, tributo.
Onze *num* once, décimo primero.
Opaco *adj* opaco, obscuro.
Opção *s* opción, alternativa.
Ópera *s* ópera.
Operação *s* operación.
Operar *v* operar.
Operário *s* operario, obrero.
Operatório *adj* operatorio.

Opinar *v* opinar, juzgar.
Opinião *s* opinión, parecer.
Ópio *s* opio.
Oponente *adj* oponente.
Opor *v* oponer, contrariar, recusar.
Oportunidade *s* oportunidad, ocasión.
Oportunista *adj* oportunista.
Oportuno *adj* oportuno, favorable.
Oposição *s* oposición, contrariedad.
Oposto *adj* opuesto, adversario.
Opressão *s* opresión, tiranía.
Opressor *adj* opresor, tirano.
Oprimir *v* oprimir, sobrecargar, tiranizar.
Optar *v* optar, escoger.
Optativo *adj* optativo.
Óptica *s* óptica.
Opulento *adj* opulento, abundante, rico.
Opúsculo *s* opúsculo.
Oração *s* oración, discurso.
Orações *s* preces.
Oráculo *s* oráculo.
Orador *s* orador.
Oral *adj* oral.
Orangotango *s* orangután.
Orar *v* rezar, rogar, suplicar.
Orbe *s* orbe, esfera.
Órbita *s* área, órbita.
Orçamento *s* presupuesto.
Orçar *v* presuponer, presupuestar.
Ordeiro *adj* amigo del orden, pacífico.
Ordem *s* orden, régimen.
Ordenado *adj* sueldo; *s* ordenado, mandado.
Ordenança *s* ordenanza.
Ordenar *v* ordenar, prevenir, ordenarse.
Ordenhar *v* ordeñar.
Ordinal *adj* ordinal.
Ordinário *adj* ordinario, regular, habitual.
Orégano *s* orégano.
Orelha *s* oreja.
Orfanato *s* orfanato.
Órfão *adj* huérfano.
Órfeão *s* orfeón.
Orgânico *adj* orgánico.
Organização *s* organización.
Organizar *v* organizar, constituir, disponer.
Organograma *s* organograma.
Órgão *s* órgano.
Orgasmo *s* orgasmo.
Orgia *s* bacanal, orgía.
Orgulhar *v* ensoberbecer, ufanar.
Orgulho *s* orgullo, vanidad.
Orientação *s* orientación, dirección.
Oriental *adj* oriental.
Orientar *v* orientar, guiar, dirigir.
Oriente *s* Oriente, naciente.
Orifício *s* orifício, agujero.
Origem *s* origen, principio, procedencia, causa.
Original *adj* original, primitivo; *s* original, modelo.
Originar *v* originar, determinar.
Oriundo *adj* originario, oriundo.
Orla *s* orla, tira, orilla.
Orlar *v* orlar, doblar, rodear.
Ornamentar *v* ornamentar, adornar.
Ornar *v* ornar, adornar.
Ornejo *s* rebuzno.
Orografia *s* orografía.
Orquestra *s* orquesta.
Ortodoxo *adj* ortodoxo.
Ortografia *s* ortografía.
Ortopedia *s* ortopedia.
Orvalho *s* llovizna, rocío.
Oscilar *v* oscilar, vacilar.
Ósculo *s* ósculo.
Osmose *s* ósmosis.
Ossário *s* osario.
Ósseo *adj* óseo.
Ossificar *v* osificar.
Osso *s* hueso.
Ostentar *v* ostentar.
Ostra *s* ostra.
Ostracismo *s* ostracismo.
Ótico *adj* ocular.
Otimismo *s* optimismo.
Ótimo *adj* óptimo.
Otomano *adj* otomano, turco.
Otorrino *s* otorrinolaringólogo.
Ourela *s* orilla, orla.
Ouriço *s* erizo.
Ourivesaria *s* orfebrería.
Ouro *s* oro.

Ousadia *s* osadía, arrojo.
Ousado *adj* osado, audaz.
Ousar *v* osar, atreverse.
Outeiro *s* colina, otero.
Outonal *adj* otoñal.
Outono *s* otoño.
Outorgar *v* donar, otorgar.
Outro *pron* otro.
Outrora *adv* antiguamente.
Outrossim *adv* otrosí, además, también.
Outubro *s* octubre.
Ouvido *s* oído.
Ouvinte *s* oyente.
Ouvir *v* escuchar, oír.
Ovacionar *v* ovacionar.
Oval *adj* ovalado, oval; *s* óvalo, curva.
Ovalado *adj* ovalado.
Ovário *s* ovario.
Ovelha *s* oveja.
Ovino *adj* ovino.
Ovíparo *adj* ovíparo.
Ovo *s* huevo.
Ovular *adj* ovular.
Óvulo *s* óvulo.
Oxalá *interj* ¡ojalá!
Oxidar *v* oxidar.
Oxigenado *adj* oxigenado.
Oxigênio *s* oxígeno.
Ozônio *s* ozono.

pP

P *s* décimoquinta letra del alfabeto portugués.
Pá *s* pala.
Paca *s* paca.
Pacato *adj* pacato, sosegado.
Pachorra *s* pachorra.
Paciência *s* paciencia.
Paciente *adj* paciente; *s* paciente, enfermo.
Pacificar *v* pacificar, apaciguar, sosegar.
Pacífico *adj* pacífico, sosegado, quieto.
Pacote *s* paquete, bulto, fardo.
Pacto *s* pacto, convenio.
Pactuar *v* pactar, contratar.
Padaria *s* panadería.
Padecer *v* padecer, sufrir.
Padeiro *s* panadero.
Padiola *s* parihuela.
Padrão *s* padrón.
Padrasto *s* padrastro.
Padre *s* padre, cura, sacerdote.
Padrinho *s* padrino, protector.
Padroeiro *adj* patrón, protector, patrono.
Padronizar *v* uniformar.
Paga *s* paga, sueldo.
Pagador *adj* pagador, habilitado.
Pagamento *s* paga, pago, estipendio, salario, sueldo, remuneración.
Paganismo *s* paganismo.
Pagão *adj* pagano, gentil.
Pagar *v* pagar, remunerar, indemnizar, saldar.
Pagável *adj* pagadero.
Página *s* página.
Pago *adj* pago, pagado.
Pai *s* padre, progenitor.
Painel *s* panel, cuadro.
Paio *s* salchichón.
Paiol *s* pañol, polvorín.
Pairar *v* pairar, parar, sostener.
País *s* país, nación, territorio.
Paisagem *s* paisaje.
Paisano *adj* paisano.
Paixão *s* pasión, amor ardiente.
Palacete *s* palacete.
Palácio *s* palacio, pazo.
Paladar *s* paladar, gusto, sabor.
Paladino *s* paladín.
Palafita *s* palafito.
Palanque *s* templete, palanque.
Palavra *s* palabra, verbo, vocablo.
Palavrão *s* insultos, grosería.
Palavreado *s* palabrería, arenga.
Palco *s* escena, tablado.
Paleolítico *s* paleolítico.
Paleontologia *s* paleontología.
Palerma *adj* estúpido, tonto, idiota.
Palestino *adj* palestino.
Palestra *s* coloquio, conferencia, conversación.
Paleta *s* paleta.
Paletó *s* paletó, sobretodo.
Palha *s* paja.
Palhaço *s* payaso, histrión.
Palheiro *s* henil, pajar.
Palheta *s* púa, lengüeta.
Palhoça *s* choza cubierta de paja.
Paliar *v* paliar, atenuar, disimular.
Paliativo *adj* paliativo.
Paliçada *s* palizada, palenque.
Palidez *s* palidez.
Pálido *adj* pálido, demacrado, exangüe.
Paliteiro *s* palillero.
Palito *s* palillo.
Palma *s* palma.
Palmada *s* palmada.

Palmeira *s* palmera.
Palmilha *s* palmilla, plantilla del zapato.
Palmito *s* palmito.
Palpar *v* palpar.
Pálpebra *s* párpado, pálpebra.
Palpitar *v* palpitar, conmoverse.
Palpite *s* palpitación.
Paludismo *s* paludismo.
Palustre *adj* palustre, palúdico.
Pampa *s* pampero.
Pan-americano *adj* panamericano.
Pança *s* panza, vientre.
Pancada *s* golpe, choque.
Pancadaria *s* paliza.
Pâncreas *s* páncreas.
Panda *s* panda.
Pândega *s* parranda, juerga.
Pandeiro *s* pandero.
Pandemônio *s* pandemonium.
Panela *s* olla, puchero, cacerola.
Panfleto *s* panfleto, pasquín, volante.
Pânico *s* pánico, terror, miedo excesivo.
Panificadora *s* panificadora, panadería.
Pano *s* paño, tela.
Panorama *s* panorama, vista, paisaje.
Pantanal *s* pantanal, atolladero.
Pântano *s* pantano, charco, lodazal.
Panteão *s* panteón.
Panteísmo *s* panteísmo.
Pantera *s* pantera.
Pantomima *s* mímica.
Panturrilha *s* pantorrilla, pantorra.
Pão *s* pan.
Pãozinho *s* panecillo.
Papa *s* papa, papada, pontífice.
Papada *s* papada.
Papado *s* pontificado.
Papagaio *s* loro, papagayo.
Papai *s* papá.
Papal *s* papal.
Papão *s* comilón, tragón, coco, fantasma imaginario.
Papável *adj* papable, comestible.
Papeira *s* paperas.
Papel *s* papel.
Papelada *s* papelada.
Papelão *s* cartón, papelón.
Papelaria *s* papelería.
Papeleira *s* papelera.
Papila *s* papila.
Papo *s* papo, buche.
Papoula *s* amapola, adormidera.
Par *adj* igual, semejante; *s* par, pareja.
Para *prep* hacia, para, en dirección a, a fin de.
Parabéns *s* parabién, felicitación.
Para-brisa *s* parabrisas.
Para-choques *s* parachoques, tope.
Parada *s* parada, paradero.
Paradigma *s* paradigma, norma, ejemplo.
Paradisíaco *adj* paradisíaco.
Paradoxo *s* paradoja.
Parafina *s* parafina.
Parafrasear *v* parafrasear, amplificar.
Parafusar *v* atornillar.
Parafuso *s* tornillo.
Parágrafo *s* párrafo.
Paraíso *s* paraíso, edén.
Para-lama *s* guardabarros.
Paralelepípedo *s* adoquín, macadán.
Paralelo *adj* paralelo.
Paralisar *v* paralizar, entorpecer, impedir.
Paralítico *adj* paralítico, tullido.
Parâmetro *s* parámetro.
Páramo *s* páramo.
Paraninfo *s* paraninfo, padrino.
Paranoia *s* paranoia.
Parapeito *s* antepecho, parapeto, pretil.
Paraquedas *s* paracaídas.
Paraquedismo *s* paracaidismo.
Paraquedista *s* paracaidista.
Parar *v* parar, permanecer, residir.
Para-raios *s* pararrayos.
Parasitar *v* hacer vida de parásito.
Parceiro *s* parcero, compañero, socio.
Parcela *s* parcela.
Parcelar *v* parcelar, dividir en parcelas.
Parcial *adj* parcial, partidario.
Parcimônia *s* parsimonia, templanza.
Parco *adj* parco, económico, frugal.
Pardal *s* gorrión.
Pardieiro *s* casa en ruinas, edificio viejo.
Pardo *adj* pardo.

Parecer *s* parecer, opinión, laudo, voto; *v* parecer, asemejar, semejar.
Parecido *adj* parecido, semejante.
Parede *s* pared, muro.
Parelha *s* yunta, casal, pareja.
Parelho *adj* parejo, parecido.
Parente *s* pariente.
Parêntese *s* paréntesis.
Paridade *s* paridad, igualdad.
Parir *v* parir.
Parlamento *s* parlamento.
Parmesão *s* queso.
Pároco *s* párroco, abad, cura.
Paródia *s* parodia.
Paróquia *s* parroquia, iglesia.
Paroxismo *s* paroxismo.
Parque *s* parqué.
Parreira *s* parra.
Parricídio *s* parricidio.
Parte *s* parte, fracción, fragmento, porción, segmento.
Parteira *s* partera, comadrona.
Partição *s* partición.
Participar *v* participar, comunicar, informar.
Partícula *s* partícula.
Particular *adj* particular, especial, individual.
Particularizar *v* particularizar, distinguir.
Partida *s* partida.
Partidário *adj* adepto, partidario.
Partido *s* partido, bando, ventaja.
Partilha *s* repartición, dote.
Partir *v* partir, dividir, separar.
Partitura *s* partitura.
Parto *s* parto.
Parturiente *s* parturienta.
Parvo *adj* parvo, idiota, tonto.
Parvoíce *s* tontería, necedad, sandez.
Páscoa *s* Pascua.
Pasmaceira *s* embobamiento, pasmo.
Pasmado *adj* pasmado, embobado, espantado.
Pasmo *s* pasmo, admiración, asombro.
Pasquim *s* pasquín.
Passa *s* pasa, uva seca.
Passada *s* pasada, paso.
Passado *s* pasado.
Passageiro *adj* efímero, temporal, transitorio; *s* pasajero, transeúnte.
Passagem *s* pasaje, pasada, transición.
Passaporte *s* pasaporte.
Passar *v* pasar, andar, correr.
Passarada *s* pajarería.
Pássaro *s* pájaro.
Passatempo *s* pasatiempo, diversión.
Passe *s* pase, permiso, pasaporte.
Passear *s* pasear.
Passeio *s* paseo, acera.
Passional *adj* pasional.
Passivo *adj* pasivo, inerte.
Pasta *s* pasta.
Pastagem *s* pastaje, pasto.
Pastar *v* pastar, pacer.
Pastel *s* pastel, dulce.
Pastelão *s* pastelón.
Pasteurização *s* pasteurización.
Pastilha *s* pastilla, tableta.
Pasto *s* hierba, pasto.
Pastor *s* pastor.
Pastoso *adj* pastoso, viscoso.
Pata *s* pata, pie, pierna.
Patamar *s* descanso, rellano, patamar.
Patê *s* paté, puré.
Patente *adj* visible, manifesto, franco.
Paternidade *s* paternidad.
Paterno *adj* paterno.
Patético *adj* patético.
Patíbulo *s* patíbulo.
Patife *s* canalla, pícaro, tunante.
Patim *s* patín, patinillo.
Pátina *s* pátina, moho.
Patinação *s* patinaje.
Pátio *s* patio.
Pato *s* pato.
Patologia *s* patología.
Patranha *s* cuento, patraña.
Patrão *s* patrón, amo, señor, dueño.
Pátria *s* patria.
Patriarca *s* patriarca.
Patrício *adj* patricio.
Patrimônio *s* patrimonio.
Pátrio *adj* patrio.
Patriotismo *s* patriotismo.

Patrocinar *v* patrocinar, proteger.
Patrono *s* patrono, dueño, abogado defensor.
Patrulhar *v* patrullar.
Pau *s* palo, bastón.
Pau-brasil *s* palo brasil.
Paulada *s* paliza, garrotazo.
Paulatino *adj* paulatino, lento.
Pausa *s* pausa, lentitud.
Pausar *v* pausar, descansar.
Pauta *s* pauta, tarifa.
Pautar *v* pautar, rayar.
Pavão *s* pavón, pavo real.
Pavilhão *s* pabellón.
Pavimentar *v* pavimentar, solar.
Pavio *s* pabilo, mecha.
Pavonear *v* pavonear.
Pavor *s* pavor, miedo, terror.
Paz *s* paz, tranquilidad.
Pé *s* pie.
Peanha *s* peana.
Peão *s* peón.
Peça *s* pieza, pedazo.
Pecado *s* pecado, vicio.
Pechinchar *v* escatimar.
Peçonhento *adj* ponzoñoso.
Pecuária *adj* pecuaria.
Peculiar *adj* peculiar, particular, propio.
Pecúlio *s* peculio, patrimonio.
Pedaço *s* pedazo, parte, trozo.
Pedágio *s* peaje.
Pedagogia *s* pedagogía.
Pedal *s* pedal.
Pedalar *v* pedalar.
Pedante *adj* pedante, vanidoso.
Pederasta *s* pederasta.
Pedestal *s* pedestal, base.
Pedestre *adj* peatón.
Pé-de-vento *s* huracán.
Pediatria *s* pediatría.
Pedicuro *s* callista, pedicuro.
Pedido *s* pedido, petición, ruego.
Pedinte *adj* mendigo, pordiosero.
Pedir *v* pedir, rogar, solicitar.
Pedra *s* piedra, granizo, pizarra.
Pedra-pomes *s* piedra pómez.
Pedra-sabão *s* piedra de talco.
Pedra-ume *s* piedra alumbre.
Pedregulho *s* pedrejón.
Pedreira *s* cantera, pedrera.
Pedreiro *s* albañil, pedrero.
Pegada *s* huella del pie en el suelo, pisada, vestigio.
Pegar *v* pegar, arraigar, encolar, juntar, unir.
Peia *s* peal.
Peito *s* pecho, peto.
Peitoral *adj* pectoral, fortificante.
Peitoril *s* parapeto, pretil.
Peixaria *s* pescadería.
Peixe *s* pez.
Peixeiro *s* pescadero.
Pejorativo *adj* peyorativo.
Pelado *adj* ñudo, pelado, morondo.
Pelagem *s* pelaje.
Pelanca *s* piltrafa.
Pelar *v* despellejar, pelar.
Pele *s* piel, cuero.
Peleja *s* lucha, pelea.
Peleteria *s* peletería.
Pelica *s* cabritilla.
Pelicano *s* pelícano.
Película *s* película, piel muy delgada.
Pelo *s* pelo, cabello, vello.
Pelota *s* pelota.
Pelourinho *s* picota.
Peludo *adj* peludo.
Pélvis *s* pelvis.
Pena *s* pena, pluma.
Penacho *s* penacho, plumero.
Penal *adj* penal, punitivo.
Penalidade *s* penalidad, sanción, castigo.
Penca *s* racimo.
Pendão *s* pendón, bandera.
Pendência *s* pendencia, riña.
Pender *v* pender, colgar.
Pêndulo *s* péndulo.
Pendurar *v* colgar, fijar, suspender.
Penedo *s* peña, peñasco.
Peneira *s* cedazo, tamiz.
Peneirar *v* cerner, tamizar.
Penetração *s* penetración.
Penhasco *s* peña grande, peñasco.
Penhor *s* prenda.

Penhora *s* embargo.
Penhorar *v* embargar, empeñar, secuestrar.
Penicilina *s* penicilina.
Penico *s* bacín, orinal.
Península *s* península.
Pênis *s* pene.
Penitência *s* penitencia.
Penitenciária *s* penitenciaría, presidio.
Penoso *adj* penoso, fatigante.
Pensamento *s* pensamiento, idea.
Pensão *s* pensión, casa de huéspedes.
Pensar *v* pensar, imaginar, discurrir.
Pensativo *adj* pensativo, meditabundo, preocupado.
Pensionato *s* pensionado.
Pensionista *s* pensionista.
Penso *s* aplicado, curativo.
Pentágono *s* pentágono.
Pente *s* peine.
Penteadeira *s* tocador.
Penteado *s* peinado.
Pentear *v* peinar.
Pentecostes *s* pentecostés.
Penugem *s* plumón, vello, pelusa de algunas plantas o frutos.
Penúltimo *adj* penúltimo.
Penumbra *s* penumbra, media luz.
Penúria *s* penuria, pobreza.
Pepino *s* pepino, fruto.
Pequeno *adj* pequeño, mezquino.
Pera *s* pera.
Perambular *v* deambular, vaguear.
Perante *prep* ante, delante de, en la presencia de.
Percalço *s* percance, ganancia.
Perceber *v* percibir, oir, ver, entender.
Percentagem *s* porcentaje, comisión.
Percepção *s* percepción, comprensión, intuición.
Percevejo *s* chincheta, tachuela.
Percorrer *v* recorrer, discurrir.
Percurso *s* recorrido, trayecto.
Percutir *v* percutir, golpear.
Perda *s* pérdida, perdición.
Perdão *s* perdón, amnistía, merced.
Perder *v* perder, destruir.
Perdido *adj* perdido, extraviado, olvidado.
Perdigão *s* perdigón.
Perdiz *s* perdiz.
Perdoar *v* perdonar, disculpar.
Perdulário *adj* perdulario, disipador.
Perdurável *s* perdurable.
Peregrinar *v* peregrinar.
Peregrino *adj* peregrino, extranjero.
Perene *adj* perenne, perpetuo.
Perfeição *s* perfección, bondad, primor.
Perfeito *adj* perfecto, acabado, completo, entero.
Perfídia *s* perfidia, traición.
Perfil *s* perfil, aspecto.
Perfilar *v* perfilar, enderezar.
Perfilhar *v* prohijar, atribuir.
Perfumaria *s* perfumería.
Perfume *s* perfume, olor.
Perfuração *s* perforación.
Perfuradora *s* perforadora.
Perfurar *v* perforar, agujerear, pinchar, taladrar.
Pergaminho *s* pergamino.
Pergunta *s* pregunta.
Perguntar *v* preguntar, inquirir.
Perícia *s* pericia, experiencia.
Periferia *s* periferia, circunferencia.
Perigo *s* peligro.
Perigoso *adj* peligroso, arriesgado.
Perímetro *s* perímetro, ámbito.
Periódico *s* periódico, gaceta.
Período *s* período, etapa, temporada, época.
Peripécia *s* peripecia, accidente.
Periquito *s* periquito, cotorra.
Perito *s* perito, técnico, experto, entendido.
Perjúrio *s* perjurio.
Permanecer *v* permanecer, quedar.
Permanente *adj* permanente, duradero.
Permeável *adj* permeable.
Permissão *s* permiso, autorización, licencia, libertad.
Permissível *adj* permisible.
Permitir *v* permitir, autorizar, consentir, tolerar.

Permuta *s* permuta, cambio, transferencia.
Perna *s* pierna.
Pernada *s* pernada.
Perneta *adj* cojo.
Pernicioso *adj* pernicioso, peligroso, nocivo.
Pernil *s* pernil.
Pernoitar *v* pernoctar, trasnochar, dormir.
Pernóstico *adj* presumido, pedante.
Pérola *s* perla, rocío.
Perônio *s* peroné.
Perpendicular *adj* perpendicular.
Perpetrar *v* perpetrar, realizar.
Perpetuar *v* perpetuar, inmortilizar.
Perplexo *adj* perplejo.
Perseguição *s* persecución.
Perseguir *v* perseguir, molestar, importunar.
Perseverança *s* perseverancia, tenacidad.
Perseverar *v* perseverar, persistir, subsistir.
Persiana *s* persiana.
Persignar-se *v* persignarse.
Persistência *s* persistencia, perseverancia.
Persistir *v* persistir, perseverar.
Personagem *s* personaje.
Personalidade *s* personalidad.
Perspectiva *s* perspectiva.
Perspicácia *s* perspicacia, sagacidad.
Persuadir *v* persuadir, aconsejar.
Pertencer *v* pertenecer.
Pertinácia *s* pertinacia, obstinación.
Perto *adv* cerca, próximo.
Perturbação *s* perturbación, conmoción.
Perturbar *v* perturbar, conmover, desordenar.
Peru *s* pavo.
Peruca *s* peluca, cabellera postiza.
Perverso *adj* perverso, vicioso, malvado.
Perverter *v* pervertir, corromper.
Pesadelo *s* pesadilla.
Pesado *adj* pesado, molesto, muy lento, obeso, caro.
Pêsames *s* pésame.
Pesar *s* pesar, disgusto, arrependimiento; *v* pesar.
Pesca *s* pesca.
Pescado *s* pescado.
Pescador *s* pescador.
Pescar *v* pescar.
Pescaria *s* pesca, pesquería.
Pescoço *s* cuello, garganta, gollete.
Peso *s* peso, carga.
Pespontar *v* pespuntar, presumir.
Pesquisa *s* pesquisa, indagación.
Pesquisador *s* investigador, pesquisador.
Pesquisar *v* investigar, pesquisar.
Pêssego *s* melocotón.
Pessimismo *s* pesimismo.
Péssimo *adj* pésimo.
Pessoa *s* persona.
Pessoal *adj* personal.
Pestana *s* pestaña.
Pestanejar *v* pestañear.
Peste *s* peste, enfermedad.
Pétala *s* pétalo.
Petardo *s* petardo.
Petição *s* petición, súplica.
Petisco *s* bocado delicioso, tapas.
Petrechar *v* pertrechar.
Petrechos *s* pertrechos.
Petrificar *v* petrificar, pasmar.
Petroleiro *s* petrolero.
Petróleo *s* petróleo.
Petulante *adj* petulante.
Pia *s* pila.
Piada *s* chiste, piada.
Pianista *s* pianista.
Piano *s* piano, despacio.
Pião *s* peón.
Piar *v* piar.
Picada *s* picada, picotazo, aguijonazo.
Picadeiro *s* picadero.
Picadinho *s* picadillo, gigote.
Picado *adj* picado, picoso.
Picador *s* picador.
Picante *adj* irritante, picante.
Pica-pau *s* picaposte, pájaro carpintero.
Picar *v* picar, irritar, pinchar.
Picardia *s* picardía, bellaquería.
Picareta *s* pico.

Pícaro *adj* pícaro, pérfido, malo.
Piçarra *s* pizarra.
Piche *s* pez.
Picles *s* escabeche.
Pico *s* montaña, pico.
Picolé *s* helado.
Piedade *s* piedad, compasión.
Piedoso *adj* piadoso.
Piegas *adj* persona dengosa, ridículo.
Pigarro *s* carraspera, ronquera.
Pigmentação *s* pigmentación.
Pigmentar *v* pigmentar.
Pigmeu *s* pigmeo.
Pijama *s* pijama.
Pilão *s* majadero.
Pilar *s* columna, pilar.
Pilha *s* pila.
Pilhar *v* pillar, robar.
Pilotagem *s* pilotaje.
Pilotar *v* pilotar.
Piloto *s* piloto.
Pílula *s* píldora.
Pimenta *s* pimienta.
Pimentão *s* pimentón.
Pimpolho *s* pimpollo.
Pinça *s* pinza, tenazuelas.
Pinçar *v* pinzar, arrancar con pinza.
Pincel *s* pincel, brocha.
Pinga *s* trago, vino, gota.
Pingar *v* pingar, gotear, lloviznar.
Pingente *s* pinjante.
Pingo *s* gota.
Pinguim *s* pingüino.
Pinha *s* piña, fruto del pino.
Pinhal *s* pinar.
Pinhão *s* piñón.
Pinote *s* respingo, salto.
Pinta *s* mancha, pinta.
Pintar *v* pintar.
Pintassilgo *s* jilguero.
Pinto *s* pollo, pollito.
Pintor *s* pintor.
Pintura *s* pintura.
Pio *adj* pío, generoso, misericordioso.
Piolho *s* piojo.
Pioneiro *s* pionero, explorador.
Pior *adj* peor.
Piorar *v* empeorar.
Pipa *s* pipa, tonel.
Piquenique *s* merienda.
Piquete *s* piquete.
Pira *s* pira, hoguera.
Pirâmide *s* pirámide.
Piranha *s* piraña.
Pirata *s* corsario, pirata.
Pires *s* platillo.
Pirilampo *s* luciérnaga.
Piromaníaco *s* pirómano.
Pirraça *s* broma, jugarreta.
Pirueta *s* pirueta, cabriola.
Pirulito *s* pirulí.
Pisar *v* pisar, calcar con los pies, machucar, magullar.
Piscadela *s* guiñada.
Piscar *v* guiñar, pestañear.
Piscina *s* piscina.
Piso *s* pavimento, piso.
Pista *s* vestigio, pista, rastro.
Pistola *s* pistola, arma de fuego.
Pistom *s* pistón.
Piteira *s* pita.
Pitoresco *adj* pintoresco.
Pivô *s* pivote.
Placa *s* placa, matrícula.
Placenta *s* placenta.
Plácido *adj* plácido, tranquilo.
Plágio *s* plagio, copia, imitación.
Plaina *s* plana, cepillo.
Planador *s* planeador.
Planalto *s* altiplanicie, planalto.
Planejar *v* planear, planificar, proyectar.
Planeta *s* planeta, astro.
Planetário *s* planetario.
Planície *s* planicie, llanura, rellano.
Planificar *v* planificar, planear.
Planisfério *s* planisferio.
Plano *adj* plano, liso, proyecto.
Planta *s* planta, vegetal, parte inferior del pie.
Plantação *s* plantación.
Plantão *s* plantón.
Plasma *s* plasma.
Plasmar *v* plasmar.
Plasticidade *s* plasticidad.

Plástico *adj* plástico.
Plataforma *s* plataforma.
Plátano *s* plátano.
Plateia *s* platea, patio de butacas.
Platina *s* platino.
Platônico *s* platónico.
Plebe *s* plebe, gentuza.
Plebeu *adj* plebeyo.
Plebiscito *s* plebiscito.
Pleitear *v* pleitear, litigar.
Pleito *s* pleito, disputa.
Plenário *adj* plenario.
Plenitude *s* plenitud.
Pleno *adj* pleno, lleno, completo.
Pleonasmo *s* pleonasmo.
Pletórico *adj* pletórico.
Pleura *s* pleura.
Plissado *s* plisado.
Pluma *s* pluma.
Plural *adj* plural.
Pluvial *adj* pluvial.
Pluviômetro *s* pluviómetro.
Pluviosidade *s* pluviosidad.
Pneu *s* neumático.
Pneumático *s* neumático.
Pneumonia *s* neumonía, pulmonía.
Pó *s* polvo.
Pobre *adj* pobre.
Pobreza *s* pobreza, necesidad.
Poça *s* poza, charco.
Poção *s* poción, pozo.
Pocilga *s* pocilga, establo.
Poço *s* pozo.
Podar *v* podar, desbastar.
Poder *v* poder, recurso.
Poderio *s* poderío, autoridad.
Poderoso *adj* poderoso, prepotente.
Podre *adj* podrido, putrefacto, corrupto.
Podridão *s* podredumbre.
Poeira *s* polvo.
Poeirada *s* polvareda.
Poema *s* poema.
Poente *s* poniente, occidente.
Poesia *s* poesía.
Poeta *s* poeta.
Pois *conj* pues, puesto que.
Polar *adj* polar.
Polarizar *v* polarizar.
Polegada *s* pulgada.
Polegar *s* pulgar.
Polêmico *adj* polémico, discutible.
Polemizar *v* polemizar, discutir.
Pólen *s* polen.
Polia *s* polea.
Policial *s* policía.
Policiar *v* vigilar.
Policlínica *s* policlínica.
Polido *adj* pulido, lamido, cortés.
Poliéster *s* poliéster.
Polifonia *s* polifonía.
Polígamo *s* polígamo.
Poliglota *s* políglota.
Polígono *s* polígono.
Polígrafo *s* polígrafo.
Polimento *s* pulimento.
Polinização *s* polinización.
Polinizar *v* polinizar.
Polinômio *s* polinomio.
Polir *v* pulir, barnizar, lustrar.
Polissílabo *s* polisílabo.
Politécnico *adj* politécnico.
Politeísmo *s* politeísmo.
Política *s* política.
Político *adj* político.
Polivalente *adj* polivalente.
Polo *s* polo.
Polpa *s* pulpa.
Poltrona *s* butaca, sillón.
Poluição *s* contaminación.
Poluir *v* contaminar, ensuciar, manchar.
Polvilhar *v* polvorear, empolvar.
Polvo *s* pulpo.
Pólvora *s* pólvora.
Pomada *s* pomada.
Pomar *s* pomar.
Pomba *s* paloma.
Pombal *s* palomar.
Pomo *s* pomo, manzana.
Pompa *s* pompa, aparato, lujo.
Pomposo *adj* pomposo, suntuoso.
Ponche *s* ponche, bebida.
Poncho *s* poncho.
Ponderação *s* ponderación, reflexión.
Ponderar *v* ponderar, pesar, reflexionar.

Ponderável *adj* ponderable.
Ponta *s* punta, extremidad.
Pontada *s* punzada.
Pontapé *s* puntapié.
Pontaria *s* puntería.
Ponte *s* puente.
Pontear *v* puntear.
Ponteiro *s* aguja de reloj, puntero.
Pontiagudo *adj* puntiagudo.
Pontífice *s* pontífice, supremo.
Ponto *s* punto, puntada.
Pontual *adj* puntual, exacto, brioso.
Pontualidade *s* puntualidad, exactitud.
Pontuar *v* puntuar, atildar, tildar.
Popa *s* popa.
População *s* población.
Popular *adj* popular.
Popularidade *s* popularidad.
Populoso *adj* populoso, muy poblado.
Por *prep* por, por causa de, en lugar de.
Pôr *v* poner, colocar.
Porão *s* bodega de un barco.
Porção *s* porción, cantidad.
Porcaria *s* porquería, chapucería.
Porcelana *s* porcelana, loza fina.
Porcentagem *s* porcentaje.
Porco *adj* marrano, inmundo, guarro; *s* cerdo, puerco, cochino.
Porém *conj* sin embargo, pero, empero.
Porfia *s* porfía, ahinco.
Pormenor *s* pormenor, detalle, particularidad.
Pornografia *s* pornografía, obscenidad.
Poroso *adj* poroso.
Porquanto *conj* por cuanto, visto que.
Porque *conj* porque, a fin de que, visto que.
Porquê *s* por qué, motivo.
Porquinho-da-índia *s* conejillo de Indias.
Porrete *s* porra, maza.
Porta *s* puerta.
Porta-aviões *s* porta-aviones.
Porta-bandeira *s* abanderado, portaestandarte.
Portada *s* portada, puerta grande.
Portador *s*, *adj* portador.
Porta-estandarte *s* portaestandarte.
Porta-joias *s* joyero, guardajoyas.
Porta-malas *s* maletero, portaequipaje.
Porta-moedas *s* monedero, portamonedas.
Portanto *conj* portanto, por consiguiente.
Portão *s* portón, portada.
Portar *v* portar, comportarse.
Porta-retratos *s* portarretratos.
Portaria *s* portería.
Porta-seios *s* sostén.
Portátil *adj* portátil.
Porta-voz *s* portavoz, vocero.
Porte *s* porte, transporte, franqueo.
Porteiro *s* portero.
Portentoso *adj* portentoso.
Pórtico *s* pórtico, portal.
Porto *s* puerto, ancladero.
Portuário *adj* portuario.
Porvir *s* porvenir, futuro.
Posar *v* posar.
Pose *s* pose.
Pós-escrito *s* posdata.
Posição *s* posición, postura, situación.
Positivar *v* realizar, positivar.
Positivo *adj* positivo, evidente.
Posologia *s* posología.
Pós-operatório *adj* postoperatorio.
Posposto *adj* pospuesto, despreciado.
Possante *adj* pujante.
Possessão *s* posesión, dominio.
Possessivo *adj* posesivo.
Possesso *adj* poseso, endemoniado.
Possibilidade *s* posibilidad.
Possível *adj* posible, practicable.
Possuidor *s* poseedor.
Possuir *v* poseer, contener.
Postal *s* postal.
Postar *v* apostar, colocarse, disponer.
Poste *s* poste, columna, o pilar.
Postergar *v* postergar.
Posterior *adj* posterior, ulterior, siguiente.
Postiço *adj* postizo.
Posto *s* puesto.
Postular *v* postular, pedir, solicitar.
Póstumo *adj* póstumo.
Postura *s* postura, actitud.

Potável *adj* potable.
Pote *s* pote.
Potência *s* potencia.
Potenciação *s* potenciación.
Potentado *s* potentado.
Potente *adj* potente, poderoso, enérgico.
Potestade *s* poder, potestad.
Potranca *s* potranca.
Potro *s* potro.
Pouca-vergonha *s* desvergüenza, inmoralidad.
Pouco *adj* poco, no mucho.
Poupado *adj* economizado, ahorrado.
Poupança *s* ahorro, economias.
Poupar *v* ahorrar, economizar.
Pousada *s* posada, albergue.
Povo *s* gente, pueblo, plebe.
Povoador *s* poblador.
Povoar *v* poblar.
Praça *s* plaza, mercado.
Prado *s* prado, hipódromo.
Praga *s* plaga, calamidad.
Praguejar *v* maldecir, jurar.
Praia *s* playa.
Prancheta *s* plancheta, tablero para dibujo.
Pranto *s* llanto, lloro.
Prata *s* plata.
Prateado *adj* plateado, argénteo.
Pratear *v* platear.
Prateleira *s* estante, anaquel, entrepaño, mostrador.
Prática *s* práctica, experiencia, uso.
Praticar *v* platicar, ejercer, cometer.
Prato *s* plato.
Praxe *s* práctica, costumbre, uso.
Prazer *s* placer, agrado, goce, gusto.
Prazo *s* plazo.
Preâmbulo *s* preámbulo, preliminar, prólogo.
Precário *adj* precario.
Precaução *s* precaución, recaudo, resguardo.
Precaver *v* precaver, prevenir.
Precavido *adj* precavido.
Prece *s* oración, rezo, plegaria, súplica.
Precedência *s* precedencia, anterioridad.
Preceder *v* preceder, anteceder.
Preceito *s* precepto, mandamiento.
Preceptor *s* preceptor.
Precioso *adj* precioso, primoroso.
Precipício *s* precipicio, abismo.
Precipitar *v* precipitar, apresurar, despeñar.
Preciso *adj* preciso, necesario, exacto, determinado.
Preclaro *adj* preclaro, ilustre.
Preço *s* precio, coste, importe, valor.
Precoce *adj* precoz, prematuro, adelantado.
Preconceber *v* preconcebir.
Preconceito *s* prejuieio.
Preconizar *v* preconizar, alabar.
Precursor *adj* precursor.
Predestinar *v* predestinar.
Predeterminar *v* predeterminar.
Predição *s* predicción, pronóstico.
Predicar *v* predicar.
Predileção *s* predilección.
Predileto *adj* predilecto.
Prédio *s* edificio, predio.
Predispor *v* predisponer.
Predizer *v* predecir, vaticinar.
Predominante *adj* predominante.
Predominar *v* predominar, preponderar, prevalecer.
Preeminente *adj* preeminente.
Preencher *v* henchir, cumplir, rellenar.
Preexistir *v* preexistir.
Prefácio *s* prefacio, prólogo.
Prefeito *s* alcalde, intendente.
Prefeitura *s* prefectura, alcadía.
Preferência *s* preferencia, predilección.
Preferir *v* preferir, anteponer, escoger.
Prefixar *v* prefijar.
Prefixo *adj* prefijo.
Prega *s* pliegue, dobladillo.
Pregador *s* orador, predicador.
Pregão *s* pregón.
Pregar *v* clavar, fijar, predicar, sermonear, aconsejar, preconizar.
Prego *s* clavo, chillón, punta.
Pregoeiro *s* pregonero.
Preguear *v* plegar, plisar, fruncir.

Preguiça *s* pereza, indolencia, dejadez.
Pré-história *s* prehistoria.
Prejudicar *v* perjudicar, atrasar.
Prejudicial *adj* perjudicial, dañino, nocivo.
Prejuízo *s* perjuicio, pérdida.
Preleção *s* disertación, lección.
Preliminar *adj* preliminar.
Prelúdio *s* preludio.
Prematuro *adj* prematuro, temprano.
Premeditar *v* premeditar.
Premente *adj* premiativo.
Premiar *v* premiar, laurear.
Prêmio *s* premio, recompensa.
Premonição *s* premonición.
Pré-natal *adj* prenatal.
Prenda *s* prenda, dádiva, regalo.
Prender *v* prender, unir, cautivar.
Prenhada *adj* preñada, embarazada, llena.
Prenhe *adj* preñado, grávido.
Prensa *s* prensa, viga.
Prenunciar *v* prenunciar.
Preocupar *v* preocupar.
Preparação *s* preparación.
Preparar *v* preparar, disponer, entablar.
Preparativos *s* preparativos.
Preparo *s* preparación.
Preponderar *v* preponderar, predominar, prevalecer.
Preposição *s* preposición.
Prepotente *adj* prepotente.
Prepúcio *s* prepucio.
Prerrogativa *s* prerrogativa.
Presa *s* presa, garra, botín.
Presbítero *s* presbítero, sacerdote.
Prescindir *v* prescindir, dispensar.
Prescrever *v* prescribir, recetar.
Presença *s* presencia.
Presenciar *v* presenciar, ver.
Presente *adj* actual; *s* ofrenda, dádiva, regalo.
Presentear *v* regalar, obsequiar.
Presépio *s* belén, presepio.
Preservar *v* preservar.
Preservativo *s* preservativo.
Presidente *s* presidente.
Presidiário *s* presidiario, penitenciario.
Presidir *v* presidir.
Preso *adj* preso, arrestado, detenido, recluso.
Pressa *s* prisa, urgencia.
Presságio *s* presagio, agüero, augurio.
Pressão *s* presión, ahogo.
Pressentimento *s* presentimiento, intuición, premonición.
Pressupor *v* presuponer, prever.
Pressuposto *s* presupuesto.
Prestação *s* prestación, plazos.
Prestar *v* prestar, beneficiar.
Prestativo *adj* servicial, solícito.
Prestes *adj* presto.
Presteza *s* presteza, ligereza, prisa.
Prestígio *s* prestigio, valía.
Préstimo *s* capacidad, utilidad, valor.
Presumido *adj* presumido, hinchado.
Presumir *v* presumir, suponer.
Presunção *s* presunción, arrogancia, vanagloria.
Presunto *s* jamón, lacón.
Pretender *s* pretender, apetecer, solicitar.
Pretenso *s* pretenso.
Preterir *v* preterir, ultrapasar.
Pretérito *s* pretérito, pasado.
Pretexto *s* pretexto, excusa, subterfugio.
Preto *adj* negro, obscuro.
Pretor *s* pretor, magistrado.
Prevalecer *v* prevalecer, predominar.
Prevaricar *v* prevaricar.
Prevenção *s* prevención, precaución, reserva.
Prevenir *v* prevenir, anticipar, precaver, preparar.
Preventivo *adj* preventivo, profiláctico.
Prever *v* prever, presagiar, pronosticar.
Prévio *adj* previo.
Previsão *s* previsión, pronóstico.
Prezado *adj* muy estimado, apreciado.
Prezar *v* preciar, apreciar, estimar.
Prima *s* prima.
Primar *v* primar, ser el primero.
Primário *adj* primario.
Primata *s* primate.
Primavera *v* primavera.

Primazia *s* primacía, prioridad, excelencia.
Primeiro *adj, num* primer, primero, uno, anterior.
Primitivo *adj* primitivo.
Primo *s* primo.
Primogênito *adj* primogénito.
Primor *s* primor.
Primoroso *adj* primoroso, bello.
Princesa *s* princesa.
Principado *s* principado.
Principal *adj* principal.
Príncipe *s* príncipe.
Principiante *s* principiante, aprendiz.
Principiar *v* principiar, comenzar, empezar, iniciar.
Prior *s* prior.
Prioridade *s* prioridad, privilegio.
Prisão *s* prisión, apresamiento, reclusión.
Prisioneiro *adj* prisionero, recluso.
Prisma *s* prisma.
Privação *s* privación, abstención, abstinencia.
Privada *s* letrina, retrete.
Privado *adj* privado, personal.
Privar *v* privar, despojar, abstenerse, cohibirse.
Privativo *adj* privativo, exclusivo.
Privilégio *s* privilegio, regalía.
Proa *s* proa.
Probabilidade *s* probabilidad.
Problema *s* problema.
Procedência *s* procedencia.
Proceder *v* proceder, provenir.
Procedimento *s* procedimiento, conducta, práctica.
Processar *v* procesar.
Processo *s* proceso.
Processual *adj* procesal.
Proclamar *v* exaltar, proclamar.
Procriar *v* procrear, poblar.
Procurador *s* procurador, apoderado.
Procurar *v* procurar, buscar, demandar, solicitar.
Prodigalizar *v* prodigar.
Prodígio *s* prodigio, portento.
Prodigioso *adj* prodigioso, espantoso.
Pródigo *adj* pródigo.
Produção *s* producción, obra.
Produtivo *adj* productivo, eficaz.
Produto *s* producto.
Produtor *s* productor.
Produzir *v* producir, crear, engendrar, fabricar, hacer.
Proeminente *adj* proeminente.
Proeza *s* aventura, hazaña.
Profanar *v* profanar.
Profecia *s* profecía, vaticinio.
Proferir *v* proferir, pronunciar.
Professar *v* profesar.
Professor *s* profesor, maestro, pedagogo.
Profeta *s* profeta, adivino.
Profetizar *v* profetizar, adivinar, vaticinar.
Profilaxia *s* profilaxis.
Profissão *s* profesión.
Profissional *adj* profesional.
Prófugo *s* prófugo, desertor.
Profundo *adj* profundo, hondo, penetrante.
Profusão *s* profusión.
Progenitor *s* progenitor.
Prognóstico *s* pronóstico.
Programa *s* programa.
Programação *s* programación.
Programar *v* programar.
Progredir *v* progresar, avanzar, prosperar.
Progresso *s* progreso, avance, desarrollo.
Proibição *s* prohibición, interdicción.
Proibir *v* prohibir, vedar.
Projetar *v* proyectar.
Projétil *s* proyectil.
Projeto *s* proyecto, plan, programa, traza.
Prole *s* prole, descendencia.
Proletário *adj* proletario.
Proliferação *s* proliferación.
Proliferar *v* proliferar.
Prolixo *adj* prolijo.
Prólogo *s* prefacio, prólogo.
Prolongar *v* prolongar, alargar, continuar.
Promessa *s* promesa.
Prometer *v* prometer, afirmar, asegurar.
Prometido *s* prometido, novio.
Promíscuo *adj* promiscuo, mezclado.

Promissor *adj* prometedor, promisorio.
Promoção *s* promoción.
Promotor *s* promotor.
Promover *v* promover, fomentar, suscitar.
Promulgar *v* promulgar.
Pronome *s* pronombre.
Pronominal *adj* pronominal.
Prontidão *s* prontitud, actividad, diligencia, prisa.
Prontificar-se *v* ofrecerse, prestarse, disponerse.
Pronto *adj* pronto, acabado, terminado, listo, presto.
Pronto-socorro *s* hospital para casos de urgencia.
Pronúncia *s* pronunciación.
Pronunciamento *s* pronunciamiento.
Pronunciar *v* pronunciar, proferir, articular.
Propagação *s* propagación, invasión.
Propaganda *s* propaganda.
Propagar *v* propagar, difundir, transmitir.
Propalar *v* propalar, alardear.
Proparoxítono *adj* proparoxítono, esdrújulo.
Propensão *s* propensión, tendencia, inclinación.
Propenso *adj* propenso, tendencioso.
Propício *s* propicio.
Propina *s* propina.
Proponente *adj* proponente.
Propor *v* proponer.
Proporção *s* proporción, simetría.
Proporcionar *v* proporcionar, ofrecer.
Proposição *s* proposición.
Propósito *s* propósito, intención.
Proposta *s* propuesta, oferta.
Propriedade *s* propiedad, virtud, dominio, inmueble.
Proprietário *s* propietario, amo, dueño.
Próprio *adj* propio, oportuno.
Propugnar *v* propugnar.
Propulsão *s* propulsión.
Propulsar *v* propulsar.
Prorrogação *s* prórroga.
Prorrogar *v* prorrogar, aplazar.
Prorromper *v* prorrumpir.
Prosa *s* prosa.
Prosaico *adj* prosaico.
Proscrever *v* proscribir.
Proscrito *adj* proscrito.
Proselitismo *s* proselitismo.
Prosódia *s* prosodia.
Prospecto *s* programa, prospecto.
Prosperar *v* prosperar, crecer.
Prosperidade *s* prosperidad.
Prosseguimento *s* seguimiento.
Prosseguir *v* proseguir, continuar, insistir.
Próstata *s* próstata.
Prosternar *v* prosternar, postrar.
Prostíbulo *s* prostíbulo, burdel.
Prostituir *v* prostituir.
Prostituta *s* prostituta, meretriz, ramera.
Prostração *s* postración.
Prostrar *v* postrar, abatir, derrubar.
Protagonista *s* protagonista.
Proteção *s* protección, amparo.
Protecionismo *s* proteccionismo.
Proteger *v* proteger, amparar, defender, abrigar.
Protegido *adj* refugiado.
Proteína *s* proteína.
Protelar *v* prorrogar, demorar, retardar.
Prótese *s* prótesis.
Protestante *adj* protestante.
Protestantismo *s* protestantismo.
Protestar *v* protestar.
Protesto *s* protesta, reclamación.
Protetor *s* protector, defensor.
Protocolar *adj* protocolario.
Protoplasma *s* protoplasma.
Protótipo *s* prototipo.
Protuberância *s* protuberancia.
Prova *s* prueba, comprobación, documento, testimonio.
Provação *s* prueba, desgracia.
Provar *v* probar, demonstrar.
Provável *adj* probable.
Provedor *s* proveedor.
Proveito *s* provecho, beneficio.
Proveitoso *adj* provechoso.

Proveniente *adj* proveniente, originario, procedente.
Prover *v* proveer, abastecer, aprovisionar, equipar, habilitar, mantener.
Proverbial *adj* proverbial.
Provérbio *s* proverbio, máxima, refrán, adagio.
Proveta *s* probeta.
Providência *s* providencia.
Província *s* provincia.
Provinciano *adj* provinciano.
Provir *v* provenir, proceder, derivar.
Provisão *s* provisión, suministro.
Provisor *s* provisor.
Provisório *adj* provisional, transitorio.
Provocação *s* provocación, desafío.
Provocador *s* provocador.
Provocar *v* provocar, incitar.
Proximidade *s* proximidad, aproximación, inmediación.
Próximo *adj* próximo, mediato, cercano, vecino.
Prudência *s* prudencia, moderación.
Prudente *adj* prudente, juicioso, cauto, precavido.
Prumo *s* plomo, plomada.
Pseudônimo *s* pseudónimo, seudónimo.
Psicanálise *s* psicoanálisis, sicoanálisis.
Psicologia *s* psicología, sicología.
Psicológico *adj* psicológico.
Psicopata *s* psicópata, sicópata.
Psicose *s* psicosis.
Psicoterapia *s* psicoterapia.
Psique *s* psique.
Psíquico *adj* psíquico, síquico.
Pua *s* púa, puya.
Puberdade *s* pubertad.
Púbere *s* púber.
Púbis *s* pubis.
Publicação *s* publicación.
Publicar *v* publicar, editar, imprimir.
Publicidade *s* publicidad.
Público *adj* público.
Pudico *adj* púdico.
Pudim *s* pudín.
Pudor *s* pudor, recato, vergüenza.
Pueril *adj* pueril, infantil.
Puerilidade *s* puerilidad, niñería.
Pugilismo *s* boxeo, pugilismo.
Pugilista *s* boxeador, pugilista.
Pugna *s* pugna.
Pugnar *v* pugnar.
Puir *v* pulir.
Pujança *s* pujanza.
Pujante *adj* pujante, robusto, poderoso.
Pular *v* saltar.
Pulcro *adj* pulcro.
Pulga *s* pulga.
Pulha *s* pulla.
Pulmão *s* pulmón.
Pulo *s* salto.
Pulôver *s* jersey.
Púlpito *s* púlpito.
Pulsação *s* pulsación, palpitación, latido.
Pulsar *v* pulsar, palpitar, latir.
Pulseira *s* pulsera.
Pulso *s* pulso, muñeca.
Pulverizar *v* pulverizar.
Puma *s* puma.
Punção *s* punción.
Punçar *v* punzar.
Pundonor *s* pundonor, punto de honor.
Pungente *adj* pungente.
Pungir *v* pungir, punzar.
Punhal *s* daga, puñal.
Punhalada *s* puñalada.
Punho *s* puño.
Punição *s* punición, castigo, pena.
Punir *v* punir, castigar, escarmentar.
Pupila *s* pupila.
Pupilo *s* pupilo.
Purê *s* puré.
Pureza *s* pureza, inocencia, virgindad.
Purga *s* purga.
Purgação *s* purgación.
Purgante *adj* laxante, purgante.
Purgar *v* purgar, purificar.
Purgativo *adj* purga, purgante.
Purgatório *adj* purgatorio.
Purificar *v* purificar, expurgar, purgar.
Purismo *s* purismo.
Puritanismo *s* puritanismo.
Puro *adj* puro, limpio, claro.
Púrpura *s* púrpura.

Purulento *adj* purulento.
Pus *s* pus.
Pusilânime *adj* pusilánime.
Pústula *s* pústula, llaga.
Putrefação *s* putrefacción.
Putrefazer *v* pudrir, corromper.
Pútrido *adj* pútrido, podrido, fétido.
Puxa *interj* ¡o!.
Puxador *s* tirador.
Puxão *s* tirón.
Puxar *v* tirar, empujar.
Puxa-saco *adj* adulador, halagador.

qQ

Q *s* décimosexta letra del alfabeto portugués.
Quadra *s* cuadra.
Quadrado *s* cuadrado.
Quadrante *s* cuadrante.
Quadricular *v* cuadricular.
Quadril *s* cuadril, anca, cadera.
Quadrilátero *s* cuadrilátero.
Quadrilha *s* cuadrilla.
Quadrimotor *s* cuartimotor.
Quadro *s* cuadro, marco.
Quadro-negro *s* pizarra, encerado.
Quadrúmano *s* cuadrúmano.
Quadrúpede *s* cuadrúpedo.
Quadruplicar *v* cuadruplicar.
Qual *pron* cual, cuál; *interj* ¡ca!
Qualidade *s* cualidad.
Qualificação *s* calificación.
Qualificar *v* calificar.
Qualitativo *adj* cualitativo.
Qualquer *pron* cualquier, cualquiera, alguno.
Quando *adv* cuando.
Quantia *s* cuantía.
Quantidade *s* cuantidad, cantidad.
Quanto *adv* cuánto, cuanto.
Quão *adv* cuanto.
Quarentena *s* cuarentena.
Quaresma *s* cuaresma.
Quarta *s* cuarta.
Quarta-feira *s* miércoles.
Quarteirão *s* cuadra, manzana de casas.
Quartel *s* cuartel.
Quarteto *s* cuarteto.
Quarto *s* cuarto, aposento.
Quartzo *s* cuarzo.
Quase *adv* casi, por poco.
Quaternário *adj* cuaternario.
Que *pron* que.
Quebra *s* quiebra.
Quebra-cabeças *s* rompecabezas.
Quebrado *adj* quebrado, partido.
Quebra-luz *s* pantalla para amortiguar la luz.
Quebra-mar *s* rompeolas, dique.
Quebra-nozes *s* cascanueces.
Quebrantar *v* quebrantar, debilitar.
Quebranto *s* quebrantamiento, postración.
Quebrar *v* quebrar, romper, partir.
Queda *s* caída, declive.
Quedar *v* quedar, detener.
Queijaria *s* quesería.
Queijeira *s* quesera.
Queijo *s* queso.
Queima *s* quema.
Queimada *s* quemada.
Queimado *adj* quemado, tostado.
Queimar *v* quemar, secar, tostar.
Queima-roupa *loc adv* a quemarropa, cara a cara.
Queixa *s* queja, lamento.
Queixada *s* quejada.
Queixar-se *v* quejarse.
Queixo *s* quijada, mentón.
Quem *pron* quien, el cual, alguien que, uno, cualquier persona.
Quente *adj* caliente.
Quentura *s* calor, fiebre.
Querela *s* querella.
Querência *s* querencia.
Querer *v* querer, amarse, desear, opinar.
Querido *adj* querido, amado.
Quermesse *s* quermese.
Querosene *s* querosén.
Querubim *s* querubín.

Questão *s* cuestión, pendencia, asunto.
Questionar *v* cuestionar, discutir.
Questionário *s* cuestionario.
Quiabo *s* planta brasileña comestible.
Quiçá *adv* quizá, talvez.
Quietar *v* quietar, aquietar, tranquilizar.
Quieto *adj* quieto, sereno, sosegado.
Quietude *s* quietud, paz, sosiego.
Quilate *s* quilate.
Quilha *s* quilla.
Quilo *s* kilo.
Quilograma *s* kilogramo.
Quilombo *s* quilombo.
Quilometragem *s* kilometraje.
Quilômetro *s* kilómetro.
Quimera *s* quimera, ilusión.
Química *s* química.
Quimono *s* quimono.
Quina *s* quina, esquina.
Quindim *s* doce brasileño.
Quinhão *s* quiñón.
Quinina *s* quinina.
Quinquinario *adj* quinquenal.
Quinquilharia *s* quincallería.
Quinta *s* quinta, casa de campo, finca rústica.
Quinta-feira *s* jueves.
Quintal *s* quintal, quinta pequeña.
Quinteto *s* quinteto.
Quinzena *s* quincena.
Quiosque *s* quiosco.
Quiproquó *s* equívoco, engaño, confusión de palabras.
Quiromancia *s* quiromancia.
Quisto *adj* quiste, estimado.
Quitanda *s* abacería, tienda donde se venden frutas y verduras.
Quitar *v* quitar, tirar, evitar, dejar.
Quitute *s* manjar exquisito.
Quixotada *s* quijotada, fanfarronada.
Quociente *s* cociente.
Quota *s* cuota, quiñón.
Quotidiano *adj* cotidiano.
Quotizar *v* cotizar.

rR

R *s* decimoséptima letra del alfabeto portugués.
Rã *s* rana, batracio.
Rabada *s* rabada.
Rabanada *s* torrija, rebanada de pan mojada con leche, azúcar y huevos, y frita.
Rabanate *s* rabanete.
Rabino *s* rabino.
Rabiscar *v* garabatear, garrapatear.
Rabo *s* cola, rabo.
Rabo-de-cavalo *s* coleta.
Rabugento *adj* quisquilloso, regañón.
Raça *s* raza, etnia.
Ração *s* ración, pitanza.
Racha *s* raja, grieta.
Rachadura *s* hendedura.
Rachar *v* rajar, resquebrajar, hendir, quebrantar.
Racial *adj* racial.
Raciocinar *v* raciocinar, razonar.
Racional *adj* lógico, racional.
Racionalismo *s* racionalismo.
Racionalizar *v* racionalizar.
Racionamento *s* racionamiento.
Racionar *v* racionar.
Racismo *s* racismo.
Radar *s* radar.
Radiação *s* radiación.
Radiador *s* radiador.
Radiante *adj* radiante, alegre.
Radiatividade *s* radiactividad.
Radical *adj* radical.
Radicalização *s* radicalización.
Radicar *v* radicar.
Rádio *s* radio, transistor.
Radiodifusão *s* radiodifusión.
Radiografia *s* radiografía.
Radiologia *s* radiología.
Radioscopia *s* radioscopia.
Radioso *adj* radioso.
Radioterapia *s* radioterapia.
Raia *s* raya.
Raiar *v* rayar.
Rainha *s* reina.
Raio *s* rayo.
Raiva *s* rabia, furia, ira.
Raivoso *adj* rabioso.
Raiz *s* raíz, origen.
Rajada *s* racha, ráfaga.
Rajado *adj* rayado.
Ralador *s* rallador.
Ralar *v* rallar.
Ralé *s* ralea, plebe.
Ralhar *v* regañar, reprender, reñir.
Ralo *adj* ralo, poco espeso; *s* rallador, colador, criba.
Rama *s* rama, ramaje.
Ramagem *s* ramaje, follaje.
Ramal *s* ramal, rama.
Ramalhete *s* ramillete, ramo.
Rameira *s* prostituta, ramera.
Ramificar *v* ramificar.
Ramo *s* rama, ramo.
Rampa *s* rampa, pendiente.
Rancheiro *s* ranchero.
Rancho *s* rancho.
Rancor *s* rencor.
Rançoso *adj* rancioso.
Ranger *v* crujir, rechinar.
Rangido *s* rechinamiento.
Ranhento *s* mocoso.
Ranhura *s* ranura.
Rapar *v* raspar, cortar.
Rapaz *s* rapaz, muchacho.
Rapé *s* rapé, tabaco en polvo.

Rapidez *s* rapidez, prisa.
Rápido *adj* rápido, veloz, pronto.
Rapina *s* rapiña.
Rapinar *v* rapiñar.
Raposo *s* raposo.
Raptar *v* raptar, robar.
Raquete *s* pala, raqueta.
Raquítico *s* raquítico.
Rarear *v* enrarecer.
Raro *adj* raro, contado, escaso, extravagante.
Rasante *adj* rasante.
Rascunho *s* borrador, minuta.
Rasgado *adj* rasgado, roto.
Rasgar *v* rasgar, romper, despedazar.
Raso *adj* llano, raso, plano.
Raspadeira *s* raspador.
Raspado *adj* raído, pelón.
Raspador *s* raedera.
Raspar *v* raspar, rasar, arañar.
Rasteira *s* zancadilla.
Rasteiro *adj* rastrero.
Rastreamento *s* rastreo.
Rastrear *v* rastrear.
Rastro *s* rastro, señal.
Rasurar *v* borrar, tachar, raspar.
Ratazana *s* rata grande, ratona.
Ratificar *v* ratificar, aprobar.
Rato *s* ratón.
Ratoeira *s* ratonera.
Razão *s* razón, causa, motivo.
Razoável *adj* razonable, justo.
Reabastecer *v* reabastecer, abastecer.
Reabertura *s* reapertura.
Reabilitação *s* rehabilitación.
Reação *s* reacción.
Reacionário *adj* reaccionario.
Readaptação *s* readaptación.
Readaptar *v* readaptar, reeducar.
Reagir *v* reaccionar, reactivar.
Reajustar *v* reajustar.
Reajuste *s* reajuste.
Real *adj* real, actual, regio, verdadero.
Realçar *v* realzar, acentuar.
Realce *s* realce, relieve.
Realeza *s* realeza.
Realidade *s* realidad, verdad.
Realização *s* realización, ejecución, producción.
Realizar *v* realizar, efectuar, ejecutar, hacer.
Reanimar *v* reanimar, vivificar.
Reaparecer *v* reaparecer, resurgir.
Reaparição *s* reaparición, resurgimiento.
Reaproveitamento *s* reciclaje.
Reaquecer *v* recalentar.
Reassumir *v* reasumir, recobrar.
Reativo *adj* reactivo.
Reator *s* reactor.
Reaver *v* recuperar, recobrar, restablecer.
Reavivar *v* reavivar, reanimar.
Rebaixar *v* rebajar.
Rebanho *s* rebaño, grei.
Rebater *v* rebatir, controvertir, rebotar, refutar.
Rebelar *v* rebelar, insubordinar.
Rebelde *adj* rebelde, contumaz, incorregible, indócil.
Rebeldia *s* rebeldía, insubordinación.
Rebelião *s* rebelión, insurrección, sedición.
Rebentar *v* reventar.
Rebento *s* renuevo, vástago.
Rebobinar *v* rebobinar.
Rebocador *adj* revocador.
Rebocar *v* remolcar.
Reboco *s* revoque.
Reboque *s* remolque.
Rebuçar *v* ocultar, embozar.
Rebuço *s* solapa, disfraz.
Rebuliço *s* rebullicio, desorden.
Recado *s* recado, aviso.
Recaída *s* recaída.
Recair *v* recaer.
Recalcar *v* recalcar.
Recalcitrar *v* recalcitrar, desobedecer.
Recanto *s* lugar retirado.
Recapacitar *v* recapacitar.
Recapitulação *s* recapitulación, repetición.
Recarga *s* recarga.
Recatar *v* recatar, encubrir.
Recato *s* recato, cautela, pudor.
Recear *v* recelar, sospechar, temer.

Receber *v* recibir, admitir, cobrar, sufrir.
Recebimento *s* recibimiento, recibo.
Receio *s* recelo, temor.
Receita *s* receta, ingreso.
Receitar *v* recetar.
Recém *adv*, *adj* recién, nuevo.
Recém-chegado *adj*, *s* recién llegado.
Recém-nascido *adj*, *s* recién nacido.
Recenseamento *s* padrón, empadronamiento.
Recensear *v* empadronar, enumerar.
Recente *adj* reciente, nuevo.
Recentemente *adv* recientemente.
Receoso *adj* receloso, tímido, temeroso.
Recepção *s* recepción.
Receptáculo *s* receptáculo, recipiente.
Receptivo receptivo.
Receptor *adj* receptor.
Recessão *s* recesión.
Rechaçar *v* rechazar, repeler.
Rechaço *s* rechazo.
Rechear *v* rellenar.
Recheio *s* relleno.
Rechonchudo *adj* rechoncho.
Recibo *s* recibo, vale.
Reciclar *v* reciclar.
Reciclável *adj* reciclable.
Recife *s* arrecife.
Recinto *s* recinto.
Recipiente *s* recipiente.
Recíproco *adj* recíproco.
Recitar *v* declamar, recitar.
Reclamação *s* reclamación, protesto.
Reclamo *s* reclamo, anuncio, llamada.
Reclinar *v* reclinar, recostar.
Recluso *adj* recluso.
Recobrar *v* recobrar, recuperar.
Recobrir *v* recubrir.
Recolher *v* recoger.
Recolhimento *s* recogimiento, recato.
Recomendar *v* recomendar, aconsejar.
Recomendável *adj* recomendable.
Recompensa *s* recompensa, remuneración.
Recompor *v* recomponer.
Recôncavo *s* concavidad, cueva.
Reconcentrar *v* reconcentrar.
Reconciliar *v* reconciliar.
Recôndito *adj* recóndito.
Reconduzir *v* reconducir.
Reconfortar *v* reconfortar.
Reconhecer *v* reconocer.
Reconhecimento *s* reconocimiento.
Reconquista *s* reconquista.
Reconsiderar *v* reconsiderar.
Reconstituir *v* reconstituir.
Reconstrução *s* reconstrucción.
Reconstruir *v* reconstruir.
Recontar *v* recontar.
Reconvir *v* reconvenir.
Recopilação *s* recopilación.
Recopilar *v* recopilar.
Recordação *s* recuerdo.
Recordar *v* recordar.
Recordista *s* plusmarquista.
Recorrer *v* apelar, recurrir.
Recortar *v* recortar.
Recorte *s* recorte.
Recostar *v* recostar.
Recreação *s* recreación, diversión.
Recrear *v* recrear, divertir.
Recreativo *adj* recreativo.
Recreio *s* recreo, placer.
Recriar *v* recriar.
Recriminar *v* recriminar, acusar, censurar.
Recrudescer *v* recrudecer.
Recrutamento *s* reclutamiento.
Recrutar *v* reclutar.
Recuar *v* retroceder.
Recuperar *v* recuperar, recobrar.
Recuperável *adj* recuperable.
Recurso *s* recurso.
Recusa *s* negativa.
Recusar *v* recusar, negar, oponerse.
Redação *s* redacción.
Redator *s* escritor, redactor.
Rede *s* ardid, hamaca.
Rédea *s* rienda.
Redemoinho *s* remolino.
Redenção *s* redención.
Redigir *v* redactar.
Redimir *v* redimir.
Redizer *v* redecir.

Redobrar *v* redoblar.
Redoma *s* redoma.
Redondeza *v* redondez.
Redondo *adj* redondo.
Redor *s* alrededor.
Redução *s* reducción, conversión.
Redundância *s* redundancia.
Reduplicar *v* reduplicar, redoblar.
Reduto *s* reducto.
Redutor *s* reductor.
Reduzido *adj* reducido, sumario.
Reduzir *v* reducir.
Reedição *s* reimpresión.
Reeditar *v* reimprimir.
Reeducar *v* reeducar.
Reeleição *s* reelección.
Reembolsar *v* reembolsar.
Reencarnar *v* reencarnar.
Reencontrar *v* reencontrar.
Reentrar *v* entrar nuevamente.
Reerguer *v* reconstruir.
Refazer *v* rehacer.
Refeito *adj* rehecho.
Refeitório *s* refectorio.
Refém *s* rehén.
Referência *s* referencia.
Referendar *v* refrendar.
Referente *s* referente.
Referir *v* referir, citar, narrar.
Refinar *v* refinar.
Refinaria *s* refinería.
Refletido *adj* reflexivo, prudente, reflejado.
Refletir *v* reflejar, reflectar.
Reflexão *s* reflexión, raciocinio.
Reflexo *s* reflejo, viso.
Reflorestar *v* repoblar.
Refluir *v* refluir.
Refluxo *s* reflujo.
Refogado *s* rehogado, guisado.
Refogar *v* guisar, rehogar.
Reforçar *v* reforzar, esforzar, rebatir, remendar.
Reforço *s* refuerzo.
Reforma *s* reforma.
Reformar *v* reformar, renovar, transformar.
Reformatório *s* reformatorio.
Refratário *adj* refractario.
Refrear *v* refrenar, reprimir, frenar.
Refrega *s* refriega.
Refrescante *adj* refrescante.
Refrescar *v* refrescar, refrigerar.
Refrigerado *adj* climatizado.
Refrigerante *s* refrigerante, refresco.
Refrigerar *v* refrescar, refrigerar.
Refugar *v* rehusar, apartar.
Refugiado *adj* refugiado.
Refugiar-se *v* refugiarse.
Refúgio *s* refugio.
Refulgir *v* refulgir.
Refundir *v* refundir.
Refutar *v* refutar, contestar, rebatir.
Rega *v* riego.
Regaço *s* regazo.
Regador *v* regador, regadera.
Regalar *v* regalar, deleitar.
Regalia *s* regalía.
Regar *v* regar.
Regatear *v* deprimir, regatear.
Regato *s* regato, arroyo.
Regência *s* regencia.
Regenerar *v* regenerar.
Reger *v* regir, guiar, gobernar.
Região *s* región, país.
Regime *s* régimen, dieta.
Regimento *s* regimiento, estatuto, norma.
Régio *adj* regio, real.
Regional *adj* regional.
Registrar *s* registrar, inscribir.
Registro *s* registro.
Rego *s* reguera, surco.
Regozijar *v* regocijar.
Regra *s* regla, ley, orden.
Regrado *adj* reglado, rayado, sensato.
Regrar *v* reglar, ajustar.
Regras *s* menstruación.
Regredir *v* retroceder una enfermedad, mejorar.
Regressão *s* regresión, regreso.
Regressar *v* regresar, retroceder.
Regressivo *adj* regresivo, retroactivo.
Regresso *s* regreso.

Régua *s* regla.
Regulagem *s* reglaje.
Regulamentar *adj* reglamentario; *v* reglamentar, regular.
Regulamento *s* reglamento, regulación.
Regular *v* regular, reglar.
Regularizar *s* regularizar, metodizar.
Regurgitar *v* regurgitar.
Rei *s* rey, soberano.
Reimprimir *v* reimprimir.
Reinar *v* reinar.
Reincidir *v* reincidir.
Reiniciar *v* iniciar de nuevo.
Reino *s* reino, estado.
Reintegração *s* reintegração.
Reintegrar *v* reintegrar, reconstruir.
Reiteração *s* reiteración.
Reitor *s* rector.
Reitoria *s* rectoría.
Reivindicar *v* reivindicar, reclamar.
Rejuvenescer *v* rejuvenecer, remozar.
Relação *s* relación, lista.
Relacionamento *s* relación.
Relâmpago *s* relámpago.
Relampejar *v* relampaguear.
Relançar *v* mirar.
Relatar *v* relatar, mencionar.
Relatividade *v* relatividad.
Relativo *adj* relativo.
Relato *s* relato, narración.
Relatório *s* relación, descripción.
Relaxado *adj* relajado, flojo, blando.
Relaxamento *s* relajamiento.
Relaxar *v* relajar, aflojar, ablandar, suavizar.
Relegar *v* relegar.
Relembrar *v* recordar, rememorar.
Relento *s* relente, rocío.
Relevante *adj* relevante.
Relevar *v* relevar.
Relevo *s* relieve.
Relicário *s* relicario.
Religião *s* religión.
Religioso *s* religioso, pío, devoto.
Relinchar *v* relinchar.
Relíquia *s* reliquia.
Relógio *s* reloj.
Relojoaria *s* relojería.
Reluzente *adj* reluciente, flamante, lustroso.
Reluzir *v* relucir, lucir, relumbrar.
Relva *s* césped, prado.
Remador *s* remador, remero.
Remanescente *adj* remanente.
Remanescer *v* remanecer.
Remanso *s* remanso, quietud.
Remar *v* remar.
Remarcar *v* remarcar.
Rematar *v* rematar, terminar.
Remediar *v* remediar.
Remédio *s* remedio, medicamento.
Remela *s* lagaña.
Rememorar *v* rememorar.
Remendar *s* remendar.
Remessa *s* envío, remesa.
Remetente *s* remitente.
Remeter *s* remitir, enviar, mandar.
Remexer *v* hurgar, revolver, menear.
Reminiscência *s* reminiscencia.
Remir *v* redimir.
Remissão *s* remisión, perdón.
Remissível *adj* remisible.
Remo *s* remo.
Remoção *s* remoción.
Remoçar *v* remozar, rejuvenecerse.
Remodelar *v* reformar, renovar.
Remoer *v* remoler.
Remoinho *s* remolino.
Remontar *v* remontar.
Remorso *s* remordimiento.
Remoto *adj* remoto, distante.
Remover *v* remover.
Removível *adj* removible.
Remuneração *s* remuneración, sueldo.
Remunerar *v* remunerar, recompensar.
Rena *s* reno.
Renascentista *adj* renacentista.
Renda *s* renta, encaje, renda.
Render *v* rendir, someter, sujetar, durar.
Rendido *adj* rendido, entregado, cansado.
Rendimento *s* rendimiento, renta, lucro.
Rendoso *adj* rentoso.
Renegado *s* renegado.
Renegar *v* renegar.

Renhido *adj* reñido.
Renhir *v* pelear, reñir.
Renome *s* renombre, celebridad.
Renovação *s* renovación, regeneración.
Renovar *v* renovar, reparar.
Renovável *adj* renovable.
Rentável *adj* rentable.
Renúncia *s* renuncia, abandono.
Renunciar *v* renunciar, abandonar, renegar.
Reorganizar *v* reorganizar.
Reparar *v* reparar, arreglar, renovar.
Reparo *s* reparo.
Repartição *s* repartición, oficial.
Repartir *v* repartir, dividir.
Repassar *v* repasar.
Repatriação *s* repatriación.
Repatriar *v* repatriar.
Repelente *adj* repelente, asqueroso.
Repelir *v* repeler, lanzar, rechazar.
Repentino *adj* repentino, súbito.
Repercussão *s* repercusión, eco.
Repercutir *v* repercutir.
Repertório *s* repertorio.
Repetição *s* repetición.
Repetido *adj* repetido, frecuente.
Repicar *v* repicar.
Repisar *v* repisar.
Repleto *adj* repleto, lleno.
Réplica *s* réplica, contestación.
Repolho *s* repollo.
Repor *v* reponer, rehacer.
Reportagem *s* reportaje.
Reportar *v* reportar.
Repórter *s* reportero.
Reposição *s* reposición.
Repousar *v* reposar, descansar, dormir, posar.
Repouso *s* reposo, descanso, holganza.
Repovoação *s* repoblación.
Repreender *v* reprehender, amonestar.
Repreensão *s* reprehensión, amonestación.
Represa *s* represa.
Represália *s* represalia, venganza.
Representação *s* representación.
Representar *v* representar.
Repressão *s* represión.
Repressivo *adj* represivo.
Reprimir *v* reprimir, refrenar, contener.
Reprodução *s* reproducción, copia.
Reproduzir *v* reproducir, copiar, multiplicarse.
Reprovação *s* reprobación, repulsión.
Reprovar *v* reprobar, desaprobar, desechar.
Réptil *s* reptil.
República *s* república.
Republicano *adj* republicano.
Repudiar *v* repudiar.
Repúdio *s* repudio.
Repugnância *s* repugnancia, asco, fastidio.
Repugnar *v* repugnar.
Repulsa *s* repulsa, aversión, repugnancia.
Repulsivo *adj* repulsivo, repugnante.
Requebro *s* requiebro.
Requeijão *s* requesón.
Requentar *v* recalentar.
Requerer *v* requerir, solicitar.
Requerimento *s* requerimiento, petición, solicitud.
Requintado *adj* requintado, refinado.
Requisitar *v* requisar.
Requisito *s* requisito.
Rês *s* res.
Rescaldo *s* rescoldo.
Rescindir *v* rescindir.
Rescisão *s* rescisión.
Resenha *s* reseña.
Reserva *s* reserva.
Reservado *adj* reservado, guardado, oculto, íntimo.
Reservar *v* reservar.
Reservatório *s* reservatorio.
Reservista *s* reservista.
Resfolegar *v* resollar, respirar.
Resfriado *adj* constipado, resfriado.
Resfriar *v* enfriar, resfriar.
Resgatar *v* rescatar, redimir.
Resguardar *v* resguardar, ahorrar, preservar.
Resguardo *s* resguardo, pudor, prudencia.

Residência *s* residencia, domicilio.
Residir *v* residir, habitar, morar.
Resíduo *s* residuo, detrito.
Resignado *adj* resignado, paciente.
Resignar *v* resignar, conformarse.
Resina *s* resina.
Resistência *s* resistencia, oposición.
Resistir *v* resistir, defenderse.
Resmungar *v* refunfuñar, murmurar.
Resolução *s* resolución, decisión.
Resoluto *adj* resoluto, decidido.
Resolver *v* resolver, decidir, transformar.
Resolvido *adj* resuelto, temerario.
Respaldar *v* respaldar.
Respaldo *s* respaldo.
Respeitar *v* respetar, considerar.
Respeitável *adj* respetable, venerable.
Respeito *s* respeto, consideración.
Respingar *v* respingar, cocear.
Respingo *s* respingo.
Respiração *s* respiración.
Respirar *v* respirar.
Resplandecente *adj* resplandeciente.
Resplandecer *v* resplandecer, relucir.
Responder *v* responder, contestar.
Responsabilidade *s* responsabilidad, obligación.
Responsável *adj* responsable.
Resposta *s* respuesta.
Resquício *s* resquicio.
Ressaca *s* resaca, flujo y reflujo.
Ressaltar *v* resaltar, sobresalir.
Ressalva *s* reserva, cláusula, resguardo, excepción.
Ressalvar *v* salvar, acautelarse, garantizar.
Ressarcir *v* resarcir, indemnizar, compensar.
Ressecar *v* resecar, secar.
Ressentido *adj* resentido, ofendido.
Ressentir *v* resentir.
Ressonância *s* resonancia.
Ressurgimento *s* resurgimiento, resurrección.
Ressurgir *v* resurgir.
Ressurreição *s* resurrección.
Ressuscitar *v* resucitar, resurgir.
Restabelecer *v* restablecer, restaurador, renovar, convalecer.
Restabelecimento *s* restablecimiento, restauración.
Restante *adj* restante.
Restar *v* restar, sobrar, quedar.
Restauração *s* restauración, reparo.
Restaurante *s* restaurante.
Restaurar *v* restaurar, restablecer, recuperar.
Réstia *s* ristra.
Restinga *s* restinga, albufera, marisma.
Restituição *s* restitución, entrega, devolución.
Restituir *v* restituir, reponer, volver.
Resto *s* resto, restante.
Restrição *s* restricción.
Restringir *v* restringir, limitarse, reducir.
Restrito *adj* restricto, limitado.
Resultado *s* resultado, consecuencia, secuela.
Resultar *v* resultar, provenir.
Resumido *adj* reducido, conciso.
Resumir *v* reducir, abreviar, sintetizar.
Resumo *s* resumen, extracto, síntesis.
Resvaladiço *adj* resbaladizo.
Resvalar *v* resbalar, patinar.
Reta *s* recta.
Retábulo *s* retablo.
Retaguarda *s* retaguardia.
Retalhar *v* retazar, retajar, cortar.
Retalho *s* retazo, jira.
Retângulo *s* rectángulo.
Retardado *adj* retrasado.
Retardar *v* retardar, demorar, atrasar.
Retardatário *adj* retardatario.
Retenção *s* retención, detención.
Reter *v* retener, detener, suspender.
Reticência *s* reticencia.
Retidão *s* rectitud.
Retificar *v* rectificar.
Retina *s* retina.
Retirada *s* retirada, evacuación, retiro.
Retirado *adj* retirado, recogido, solitario.
Retirar *v* retirar, rehuir, irse.
Reto *adj* recto, derecho.
Retocar *v* retocar, perfeccionar.

Retomar *v* reanudar.
Retoque *s* retoque.
Retorcer *v* retorcer, enrollar.
Retórica *s* retórica.
Retornar *v* retornar, volver, reaparecer, regresar.
Retorno *s* retorno.
Retração *s* retracción.
Retraído *adj* retraído, recogido.
Retraimento *s* retraimiento, contracción.
Retransmitir *v* retransmitir.
Retratar *v* retractar, retratar.
Retrato *s* retrato, fotografía.
Retribuir *v* retribuir, gratificar, pagar.
Retroagir *v* producir efecto retroactivo.
Retroativo *adj* retroactivo.
Retroceder *v* retroceder, regresar.
Retrógrado *adj* retrógrado.
Retrospectivo *adj* retrospectivo.
Retrovisor *s* retrovisor.
Retumbar *v* retumbar, resonar.
Réu *s* reo.
Reumatismo *s* reuma, reúma.
Reunião *s* reunión.
Reunir *v* reunir, aglomerar, agrupar, almacenar, incorporar, juntar.
Revalidação *s* reválida.
Revalidar *v* confirmar, revalidar.
Revalorizar *v* revalorizar.
Revanche *s* revancha.
Revelação *s* revelación.
Revelar *v* revelar.
Revenda *s* reventa.
Revender *v* revender.
Rever *v* rever, revisar.
Reverberação *s* reverberación.
Reverdecer *v* reverdecer.
Reverenciar *v* reverenciar, venerar.
Reverendo *adj* reverendo.
Reversão *s* reversión.
Reversível *adj* reversible.
Reverso *s* reverso, revés.
Revés *s* revés, envés.
Revestir *v* revestir, solar.
Revezar *v* revezar, alternar.
Revidar *v* reenvidar.
Revigorar *v* robustecer, tonificar.
Revirar *v* revirar, cambiar, torcer.
Reviravolta *s* recoveco.
Revisão *s* revisión.
Revisar *v* revisar.
Revista *s* revista.
Revistar *v* revistar, examinar.
Reviver *v* revivir, renacer, resucitar.
Revoada *s* revuelo.
Revogação *s* revocación.
Revogar *v* revocar, abolir, abrogar.
Revoltado *adj* sublevado, revoltoso.
Revoltar *v* revolucionar, indignar.
Revolto *adj* revuelto.
Revolução *s* revolución.
Revolucionar *v* revolucionar.
Revolucionário *adj* revolucionario.
Revólver *s* revólver.
Revolvido *adj* revuelto.
Reza *s* rezo.
Rezar *v* rezar, orar.
Riacho *s* arroyo, riachuelo.
Ribanceira *s* ribazo.
Ribeira *s* ribera.
Ribeirinho *adj* ribereño.
Ribeiro *s* riachuelo, arroyo.
Rícino *s* ricino.
Rico *adj* rico, acaudalado, adinerado, opulento.
Ricochetear *v* rebotar.
Ridicularizar *v* ridicularizar, satirizar.
Ridículo *adj* ridículo, risible, grotesco.
Rifa *s* rifa, sorteo.
Rifar *v* rifar, sortear.
Rifle *s* rifle.
Rigidez *s* rigidez.
Rígido *adj* rígido, tieso, erecto, inflexible.
Rigor *s* rigor, severidad, crueldad.
Rigoroso *adj* rigoroso, severo, exacto.
Rijo *adj* duro, rígido.
Rim *s* riñón.
Rimar *v* rimar.
Rímel *s* rímel.
Rincão *s* rincón.
Rinoceronte *s* rinoceronte.
Rio *s* río.
Ripa *s* ripia, listón.
Riqueza *s* riqueza, fortuna.

Rir *v* reír.
Risada *s* risada, carcajada.
Risca *s* lista, trazo.
Riscado *adj* listado, rayado, tachado.
Riscar *v* rayar, arañar, surcar, tachar.
Risco *s* raya, trazo, surco.
Riso *s* risa, sonrisa.
Risonho *adj* risueño.
Ritmo *s* ritmo, cadencia.
Rito *s* rito.
Ritual *s* ritual, liturgia.
Rival *adj* rival, concorrente, competidor.
Rivalizar *v* rivalizar, competir, emular.
Rixa *s* riña, bola, escaramuza.
Robalo *s* róbalo.
Robô *s* robot, autómata.
Robusto *adj* vigoroso, recio, fornido.
Roca *s* roca.
Roçar *v* rasar, refregar, rozar.
Rocha *s* peña, roca.
Rochedo *s* peñasco, roca.
Rocio *s* rocío.
Roda *s* rueda.
Rodagem *s* rodaje, rodamiento.
Rodapé *s* rodapié.
Rodar *v* rodar, rodear.
Rodear *v* rodear, rondar.
Rodeio *s* rodeo, giro.
Rodela *s* rodela.
Rodízio *s* rotación, tanda.
Rodovia *s* autopista, autovía, carretera.
Roedor *adj* roedor.
Roer *v* roer, corroer.
Rogar *v* rogar, implorar.
Rogo *s* ruego, plegaria, súplica, oración.
Rol *s* rol, lista.
Rolar *v* rodar, girar.
Roldana *s* polea, roldana.
Roleta *s* ruleta.
Rolha *s* corcho, tampón.
Roliço *adj* rollizo.
Rolo *s* embrollo, rollo, rulo.
Romã *s* granada.
Romance *s* romance.
Romancista *s* romancista, novelista.
Românico *adj* románico.
Romântico *adj* romántico.
Romaria *s* peregrinación, romería.
Rombo *s* rombo, obtuso o sin punta.
Romeiro *s* romero, peregrino.
Romper *v* romper, rasgar.
Roncar *v* roncar, resollar.
Ronda *s* ronda, patrulla.
Rondar *v* patrullar, rondar, merodear.
Rosa *s* rosa.
Rosário *s* rosario.
Rosbife *s* rosbif.
Rosca *s* rosca.
Roseira *s* rosal.
Rosnar *v* gruñir.
Rosto *s* rostro, cara, fisonomía.
Rota *s* ruta, camino, rota.
Rotação *s* giro, rotación.
Rotativo *adj* rotativo.
Roteiro *s* itinerario, ruta, guía.
Rotina *s* rutina, hábito.
Rotineiro *adj* rutinario, habitual, ordinario.
Roto *adj* roto, rasgado.
Rótula *s* rótula, rodilla.
Rotular *v* rotular, etiquetar.
Rótulo *s* etiqueta, letrero.
Roubar *v* robar, estafar, hurtar, pillar.
Roubo *s* robo, rapto.
Roupa *s* ropa, indumentaria, prenda, vestimenta.
Roupão *s* bata, albornoz.
Rouquidão *s* ronquera.
Rouxinol *s* ruiseñor.
Roxo *adj* violáceo, violeta.
Rua *s* calle, camino público.
Rubi *s* rubí.
Ruborizado *adj* ruborizado, encendido.
Ruborizar *v* ruborizar, sonrojar.
Rubrica *s* rúbrica.
Rubro *adj* rojo, encarnado, bermejo.
Ruço *adj* rucio, descolorido.
Rude *adj* rudo, bronco, inculto, intratable.
Rudeza *s* rudeza, aspereza, grosería, estupidez.
Rudimento *s* rudimento.
Ruela *s* calleja, callejuela.
Rufião *s* rufián, gigolo.

Ruga *s* arruga, ruga, pliegue.
Rugido *s* bramido, rugido.
Rugir *v* rugir, bramar.
Ruído *s* ruído, son, sonido, rumor.
Ruim *adj* ruin, vil, malo.
Ruína *s* ruína, desolación, estrago.
Ruindade *s* maldad, ruindad.
Ruivo *adj* pelirrojo.
Rum *s* ron.
Ruminante *adj* rumiante.
Rumo *s* rumbo, ruta, dirección, orientación.
Rumor *s* rumor, ruido.
Rupestre *adj* rupestre.
Ruptura *s* ruptura, fractura, rompimiento.
Rural *adj* rural, agrario.
Rústico *adj* rústico, agreste, rural.
Rutilante *adj* rutilante, brillante.
Rutilar *v* rutilar, brillar, resplandecer.
Rútilo *adj* rútilo, rutilante.
Rutina *s* rutina.

S s

S *s* décimoctava letra del alfabeto portugués.
Sábado *s* sábado.
Sabão *s* jabón.
Sabático *adj* sabático.
Sabatina *s* sabatina.
Sabedoria *s* sabiduría.
Saber *v* saber, conocer.
Sabichão *s* sabihondo.
Sábio *s* erudito, docto, sabio.
Sabonete *s* jaboncillo, jabonete, jabón.
Saboneteira *s* jabonera.
Saborear *v* saborear, degustar, gustar.
Saboroso *adj* sabroso, apetitoso, gustoso.
Sabotagem *s* sabotaje, saboteo.
Sabotar *v* sabotear, destruir.
Sabre *s* machete, sable.
Sabugueiro *s* saúco, sabugo.
Sacada *s* balcón, saca.
Sacar *v* sacar, arrancar, girar.
Saca-rolhas *s* sacacorchos.
Sacerdócio *s* sacerdocio.
Sacerdote *s* sacerdote, cura.
Saciado *adj* saciado, harto.
Saciar *v* saciar, saturar.
Saco *s* bolsa, saco.
Sacola *s* alforja, macuto.
Sacralizar *v* sacralizar.
Sacramentar *v* sacramentar.
Sacramento *s* sacramento.
Sacrário *s* sagrario.
Sacrificar *v* sacrificar, inmolar.
Sacrifício *s* sacrificio, inmolación, privación.
Sacrilégio *s* sacrilegio.
Sacristão *s* sacristán.
Sacro *adj* sacro, sagrado.
Sacrossanto *adj* sacrosanto.
Sacudir *v* sacudir, estremecer.
Sádico *adj* sádico.
Sadio *adj* sano, saludable.
Sadismo *s* sadismo.
Safado *adj* indecente, guarro.
Safar *v* quitar, extraer, borrar.
Safári *s* safari.
Safira *s* zafiro.
Safo *adj* zafado.
Safra *s* cosecha.
Saga *s* saga.
Sagacidade *s* sagacidad.
Sagrado *adj* sagrado, santo, inmaculado, sacro.
Sagu *s* sagú.
Saguão *s* portal, portería, entrada, hall.
Saia *s* falda.
Saída *s* salida.
Sair *v* salir, partir, irse a la calle.
Sal *s* sal.
Sala *s* sala.
Salada *s* ensalada.
Salamaleque *s* reverencia, cortesía.
Salamandra *s* salamandra.
Salame *s* salchichón, embutido.
Salão *s* salón, sala grande.
Salário *s* salario, paga, jornal.
Saldar *v* saldar.
Saleiro *s* salero.
Salgado *adj* salado.
Salgar *v* salar.
Salientar *v* sobresalir, destacar, acentuar.
Saliente *adj* saliente, saledizo, salido.
Salitre *s* salitre.
Saliva *s* saliva, baba.
Salivar *v* salivar, escupir.
Salmão *s* salmón.
Salmo *s* salmo, cántico.

Salmoura *s* salmuera.
Salobre *adj* salobre.
Salpicão *s* salpicón.
Salpicar *v* salpicar.
Salsa *s* perejil.
Salsaparrilha *s* zarzaparrilla.
Salsicha *s* salchicha, embutido.
Salsichão *s* salchichón.
Salsicharia *s* salchichería.
Saltador *adj* saltador.
Saltar *v* saltar.
Salteador *s* salteador, bandido, ladrón.
Saltimbanco *s* saltimbanqui.
Salto *s* salto, bote.
Salubridade *s* salubridad.
Salutar *adj* saludable, salubre.
Salvação *s* salvación.
Salvaguarda *s* salvaguardia, custodia.
Salvaguardar *v* salvaguardar.
Salvamento *s* salvación, salvamento.
Salvar *v* salvar, librar.
Salva-vidas *s* salvavidas.
Salve *interj* ¡salve!.
Salvo *adj* intacto, salvo.
Salvo-conduto *s* salvoconducto.
Samaritano *adj* samaritano.
Samba *s* baile popular brasileño.
Samurai *s* samurai.
Sanar *v* curar, sanar.
Sanatório *s* sanatorio.
Sanção *s* sanción.
Sancionar *v* sancionar.
Sandália *s* sandalia.
Sândalo *s* sándalo.
Sandice *s* sandez, disparate.
Sanduíche *s* bocadillo, emparedado.
Saneamento *s* saneamiento.
Sangrento *adj* sangriento, ensangrentado.
Sangria *s* sangría, bebida de agua, limón y vino tinto.
Sangue *s* sangre.
Sanguessuga *s* sanguijuela.
Sanguíneo *adj* sanguíneo.
Sanha *s* saña, ira, furia.
Sanidade *s* sanidad, salud.
Sanitário *s* sanitario.
Santidade *s* santidad, pureza.
Santo *adj* santo, sagrado.
Santuário *s* santuario, templo.
São *adj* sano.
Sapa *s* zapa.
Sapataria *s* zapatería.
Sapatear *v* zapatear.
Sapateiro *s* zapatero.
Sapatilha *s* zapatilla.
Sapato *s* calzado, zapato.
Sapiência *s* sapiencia, sabiduría.
Sapo *s* sapo.
Saponáceo *adj* saponáceo, jabonoso.
Saque *s* saque.
Saquear *v* saquear, robar.
Saracotear *v* requebrar, mover con gracia.
Sarampo *s* sarampión.
Sarar *v* sanar, curar.
Sarau *s* sarao.
Sarcasmo *s* sarcasmo, escarnio, ironía.
Sarda *s* peca, caballa.
Sardinha *s* sardina.
Sardônico *adj* sardónico, sarcástico.
Sargaço *s* sargazo.
Sargento *s* sargento.
Sarjeta *s* sarga fina, arroyo.
Sarmento *s* sarmiento.
Sarna *s* sarna.
Sarnento *adj* sarnoso.
Sarrafo *s* viga pequeña, listón.
Sarro *s* sarro.
Satã *s* satán, espíritu del mal.
Satanás *s* satanás.
Satélite *s* satélite.
Satirizar *v* satirizar, ironizar.
Satisfação *s* satisfacción, alegría.
Satisfazer *v* satisfacer, cumplir, pagar, saciar.
Satisfeito *adj* satisfecho, contento, realizable.
Saturação *s* saturación.
Saudação *s* saludo, salutación, felicitación.
Saudade *s* nostalgia, añoranza.
Saudar *v* saludar, felicitar.
Saudável *adj* saludable, sano.
Saúde *s* salud, sanidad.

Saudoso *adj* nostálgico.
Sauna *s* sauna.
Savana *s* sabana.
Saxofone *s* saxófono, saxo.
Saxônio *adj* sajón.
Se *pron* se, sí, a sí.
Se *conj* si.
Sé *s* sede, catedral, seo.
Sebáceo *adj* sebáceo, ensebado, seboso.
Sebento *adj* seboso, sebáceo.
Sebo *s* sebo, carnaza, grasa.
Seca *s* seca, estiaje.
Seção *s* sección, parte, corte.
Secar *v* secar, enjugar, marchitar, mustiar.
Seccionar *s* seccionar, cortar.
Seco *adj* seco, enjuto, marchito, árido, áspero, rudo.
Secreção *s* secreción.
Secretaria *s* secretaría, oficina.
Secretária *s* secretaria.
Secreto *adj* secreto, reservado, solitario.
Sectário *s* sectario, adepto.
Secular *adj* secular, laico.
Secularizar *v* secularizar.
Século *s* siglo, época.
Secundar *v* secundar.
Secundário *adj* secundario, accesorio.
Secura *s* sequedad, secura.
Seda *s* seda.
Sedar *v* sedar, calmar.
Sedativo *adj* sedante, calmante.
Sede *s* sed, sede.
Sedentário *adj* sedentario, inactivo.
Sedição *s* sedición, levantamiento, motín.
Sedimentar *v* sedimentar.
Sedoso *adj* sedoso.
Sedução *s* seducción.
Seduzir *v* seducir, sobornar.
Sega *s* siega.
Segar *v* segar.
Segmentação *s* segmentación.
Segmentar *v* segmentar, cortar.
Segredo *s* secreto.
Segregação *s* segregación.
Segregar *v* separar, segregar.
Seguimento *s* seguimento.
Seguinte *adj* siguiente, inmediato.
Seguir *v* seguir, proseguir, acosar.
Segunda *s* segunda.
Segunda-feira *s* lunes.
Segundo *adj* secundario, segundo; *prep* según; *num* segundo.
Segurança *s* seguridad, solidez, confianza.
Segurar *v* aferrar, amparar, agarrar.
Seguro *adj* seguro, fiel, infalible, sostenido.
Seio *s* seno, pecho.
Seita *s* secta, doctrina.
Seiva *s* savia, jugo.
Seixo *s* callao, china, guija, guijarro.
Sela *s* silla.
Selar *v* sellar.
Selecionar *v* seleccionar.
Seleto *adj* selecto.
Seletor *s* selector.
Selo *s* sello, estampilla, cuño.
Selva *s* selva, bosque.
Selvagem *adj* salvaje, selvático.
Selvageria *s* salvajismo.
Sem *prep* sin.
Semáforo *s* semáforo.
Semana *s* semana.
Semanal *adj* semanal.
Semanário *s* semanario.
Semântica *s* semántica.
Semblante *s* semblante.
Semeadura *s* siembra.
Semear *v* sembrar, granear, plantar.
Semelhança *s* semblanza.
Semelhante *adj* semejante, parecido, prójimo, símil.
Semelhar *v* semejar, parecer.
Sêmen *s* semen, esperma.
Semente *s* semilla, simiente, grano.
Sementeira *s* sembrado.
Semestral *adj* semestral.
Semicírculo *s* semicírculo.
Seminário *s* seminario.
Seminarista *s* seminarista.
Semita *adj* judío, semita.
Sêmola *s* sémola.

Sempre *adv* siempre, eternamente.
Sempre-viva *s* siempreviva.
Sem-vergonha *adj* sinvergüenza.
Sem-vergonhice *s* desvergüenza.
Senado *s* senado.
Senador *s* senador.
Senda *s* senda, sendero, camino estrecho.
Senha *s* seña, señal.
Senhor *s* señor, amo, dueño.
Senhora *s* señora.
Senhorio *s* señorío.
Senhorita *s* señorita, joven soltera.
Senil *adj* senil, decrépito, caduco.
Senilidade *s* senilidad, vejez.
Sensabor *s* sinsabor.
Sensação *s* sensación, impresión.
Sensacional *adj* sensacional, notable.
Sensatez *s* juicio, sensatez.
Sensato *adj* sensato, cuerdo.
Sensibilizar *v* sensibilizar.
Sensitivo *adj* sensitivo.
Sensível *adj* sensible, sensitivo, susceptible.
Sensorial *adj* sensorial.
Sensual *adj* sensual, erótico.
Sensualidade *s* sensualidad, lujuria.
Sentado *adj* sentado.
Sentar *v* sentar.
Sentença *s* sentencia, decisión.
Sentenciar *v* sentenciar, juzgar.
Sentido *s* sentido, significación, acepción, noción; *adj* sentido.
Sentimento *s* sentimiento.
Sentinela *s* centinela, vigilante.
Sentir *v* sentir, percibir.
Separação *s* separación.
Separado *adj* separado, apartado, distante.
Separar *v* separar, abstraer.
Septicemia *s* septicemia.
Sepulcro *s* sepulcro, sepultura, entierro, mausoleo.
Sepultar *v* sepultar, enterrar, inhumar.
Sequela *s* secuela, resultado.
Sequência *s* secuencia, serie.
Sequestrar *v* secuestrar, aislar.
Sequestro *s* secuestro.
Sequioso *adj* sediento.
Séquito *s* corte, séquito.
Ser *v* ser, existir.
Serão *s* velada, tertulia.
Sereia *s* sirena.
Serenar *v* serenar, pacificar.
Serenata *s* serenata.
Serenidade *s* serenidad, sosiego, paciencia.
Sereno *adj* sereno, tranquilo.
Série *s* serial, serie.
Seriedade *s* seriedad, severidad, formalidad.
Seringa *s* jeringa, lavativa.
Seringueira *s* gomero.
Sério *adj* serio, austero, grave, severo.
Sermão *s* sermón.
Serpente *s* serpiente, cobra.
Serpentina *s* serpentina.
Serra *s* serranía, sierra.
Serragem *s* serrín.
Serralheiro *s* cerrajero, herrero.
Serralho *s* serrallo.
Serrania *s* serranía.
Serrar *v* serrar.
Serrote *s* serrucho, sierra.
Servente *s* servidor, sirviente, criado, servo.
Serventia *s* utilidad.
Serviço *s* servicio, empleo.
Servidão *s* esclavitud, servidumbre.
Servidor *s* servidor.
Servil *adj* servil, esclavo.
Servir *v* servir, cuidar.
Servo *s* siervo.
Sessão *s* sesión.
Sesta *s* siesta.
Seta *s* flecha, saeta.
Setembro *s* septiembre.
Setentrional *adj* septentrional.
Setor *s* sector, ramo.
Setuagenário *s* septuagenario.
Seu *pron* suyo, su.
Severidade *s* severidad.
Severo *adj* severo, serio, austero.
Sevícias *s* sevícias, malos tratos, crueldad.
Sexo *s* sexo.

Sexologia *s* sexología.
Sexta-feira *s* viernes.
Sexteto *s* sexteto.
Sexual *adj* sexual.
Sexualidade *s* sexualidad.
Short *s* short.
Show *s* show, espectáculo.
Siamês *s* siamés.
Sibilante *adj* sibilante.
Sideral *adj* astral, estelar.
Siderurgia *s* siderurgia.
Siderúrgico *adj* siderúrgico.
Sidra *s* sidra.
Sifão *s* sifón.
Sífilis *s* sífilis.
Sigilo *s* secreto.
Sigiloso *adj* sigiloso.
Sigla *s* sigla.
Signatário *s* signatario.
Significado *s* significado, significación.
Significar *v* significar.
Signo *s* signo.
Sílaba *s* sílaba.
Silábico *adj* silábico.
Silêncio *s* silencio.
Silhueta *s* silueta.
Silicone *s* silicona.
Silicose *s* silicosis.
Silo *s* silo.
Silogismo *s* silogismo.
Silva *s* zarza, zarzal.
Silvar *v* silbar, pitar.
Silvestre *adj* silvestre, agreste, bravío.
Silvícola *adj* silvícola.
Silvicultor *s* silvicultor.
Silvicultura *s* silvicultura.
Silvo *s* silbo, chifla, pitido.
Sim *adv* si.
Simbiose *s* simbiosis.
Simbólico *adj* simbólico, alegórico.
Simbolismo *s* simbolismo.
Simbolizar *v* simbolizar.
Símbolo *s* símbolo.
Simetria *s* simetría.
Simétrico *adj* simétrico.
Similar *adj* similar, homólogo, paralelo.
Símile *s* símil.
Símio *s* macaco, simio.
Simpatia *s* simpatía, gusto.
Simpático *adj* simpático.
Simpatizar *v* simpatizar.
Simples *adj* simple, sencillo, fácil, modesto, puro.
Simplicidade *s* simplicidad, sencillez.
Simplificar *v* simplificar.
Simplório *adj* simplón.
Simpósio *s* simposio.
Simulação *s* simulación, fingimiento.
Simulacro *s* simulacro.
Simular *v* simular, fingir, afectar.
Simultâneo *adj* simultáneo, sincrónico.
Sina *s* sino, destino.
Sinagoga *s* sinagoga.
Sinal *s* seña, estigma, huella, indicio, insignia, lacra, mancha.
Sinalização *s* señalamiento.
Sinalizar *v* señalar.
Sinceridade *s* sinceridad, franqueza.
Sincero *adj* sincero, leal, natural, honesto.
Sincopar *v* sincopar.
Síncope *s* síncope.
Sincretismo *s* sincretismo.
Sincronia *s* sincronía.
Sincronizar *v* sincronizar.
Sindical *adj* sindical.
Sindicalismo *s* sindicalismo.
Sindicalizar *v* sindicar.
Sindicância *s* investigación, averiguación.
Sindicato *s* sindicato.
Síndico *s* síndico.
Síndrome *s* síndrome.
Sineta *s* esquila.
Sinfonia *s* sinfonía.
Sinfônico *adj* sinfónico.
Singelo *adj* sencillo, simple.
Singular *adj* singular, extravagante, particular.
Singularizar *v* singularizar.
Sinistra *s* siniestra, la mano izquierda.
Sinistro *adj* siniestro, fatídico.
Sino *s* campana.
Sínodo *s* sínodo.
Sinônimo *s* sinónimo.

Sinopse *s* sinopsis.
Sintático *adj* sintáctico.
Sintaxe *s* sintaxis.
Síntese *s* síntesis, compendio, concisión, sumario.
Sintetizar *v* sintetizar.
Sintoma *s* síntoma, amago.
Sintonia *s* sintonía.
Sintonizar *v* sintonizar.
Sinuoso *adj* sinuoso.
Sinusite *s* sinusitis.
Sionismo *s* sionismo.
Sísmico *adj* sísmico.
Sofisma *s* sofisma.
Sofisticação *s* sofisticación.
Sofisticar *v* sofisticar.
Sofredor *adj* sufridor.
Sôfrego *adj* voraz, ávido.
Sofreguidão *s* voracidad.
Sofrer *v* sufrir, padecer.
Sofrido *adj* sufrido.
Sofrimento *s* dolor, sufrimiento.
Sofrível *adj* sufrible.
Sogro *s* suegro.
Soja *s* soja, soya.
Sol *s* sol.
Solapar *v* socavar.
Solar *s* solar, palacio; *adj* solar.
Solário *s* solario.
Solavanco *s* tumbo, traqueo.
Solda *s* suelda.
Soldado *s* soldado.
Soldar *v* soldar, emplomar.
Soldo *s* sueldo, estipendio, soldada.
Soleira *s* solera.
Solenidade *s* solemnidad, festividad, función.
Soletrar *v* deletrear, silabear.
Solfejo *s* solfa.
Solicitar *v* solicitar, pedir, pretender.
Solícito *adj* solícito, cuidadoso, hacendoso, oficioso, servicial.
Solidão *s* soledad.
Solidariedade *s* solidaridad.
Solidarizar *v* solidarizar.
Solidez *s* solidez, dureza, espesura, fuerza.
Solidificar *v* solidificar, coagular.
Sólido *adj* sólido, macizo.
Solilóquio *s* soliloquio.
Solista *s* solista, concertista.
Solitária *s* tenia.
Solitário *adj* solitario, solo.
Solo *s* piso, suelo, solar.
Solstício *s* solsticio.
Soltar *v* soltar, desligar, desatarse.
Solteiro *adj* soltero, célibe.
Solto *adj* suelto, libre.
Soltura *s* soltura.
Solução *s* solución.
Soluçar *v* sollozar.
Solucionar *v* resolver, solucionar.
Soluço *s* sollozo.
Solúvel *adj* soluble.
Solvente *adj* solvente.
Solver *v* resolver, solver.
Som *s* son, sonido.
Soma *s* suma, cantidad.
Somar *v* sumar, juntar.
Somático *adj* somático.
Sombra *s* sombra, espectro, mancha.
Sombrear *v* obscurecer, sombrear.
Sombrinha *s* sombrilla.
Sombrio *adj* sombrío, obscuro.
Sonâmbulo *adj* sonámbulo.
Sonata *s* sonata.
Sonda *s* sonda.
Sondagem *s* sondeo.
Sondar *v* sondar.
Soneca *s* sueño corto.
Sonegar *v* ocultar, encubrir.
Soneira *s* somnolencia.
Soneto *s* soneto.
Sonhador *adj* soñador, idealista.
Sonhar *v* soñar.
Sonho *s* sueño, devaneo.
Sonífero *s* somnífero.
Sono *s* sueño, indolencia.
Sonolência *s* somnolencia, sueño leve.
Sonolento *adj* somnoliento.
Sonorizar *v* sonorizar.
Sonoro *adj* sonoro.
Sonso *adj* disimulado.
Sopa *s* sopa.
Sopapo *s* sopapo, puñetazo, puñada.

Sopeira *s* sopera.
Sopesar *v* sopesar.
Soporífero *adj* soporífero.
Soprano *s* soprano.
Soprar *v* soplar.
Sopro *s* soplo.
Sordidez *s* sordidez.
Soro *s* suero.
Soror *s* sor.
Sorrir *v* sonreír.
Sorriso *s* sonrisa.
Sorte *s* suerte, destino.
Sortear *v* sortear.
Sorteio *s* sorteo.
Sortido *adj* surtido.
Sortilégio *s* maleficio, sortilegio.
Sortir *v* surtir.
Sorver *v* sorber.
Sorvete *s* helado, sorbete.
Sorveteria *s* heladería.
Sorvo *s* sorbo, trago.
Soslaio *s* soslayo.
Sossegar *v* sosegar, descansar, serenar.
Sossego *s* sosiego, descanso, quietud, serenidad.
Sótão *s* sobrado, buhardilla.
Sotaque *s* acento, pronunciación.
Soterrar *v* soterrar, enterrar.
Soturno *adj* soturno, taciturno.
Sova *s* paliza, solfa.
Sovaco *s* axila.
Sovar *v* sobar, amasar, zurrar.
Sovina *adj* agarrado, mezquino.
Sozinho *adj* solo, único.
Status *s* estatus.
Stress *s* stress, estrés.
Suar *v* sudar, transpirar.
Suave *adj* suave, blando, delicado.
Suavidade *s* suavidad.
Subalterno *adj* subalterno.
Subconsciente *adj* subconsciente.
Subcutâneo *adj* subcutáneo.
Subdesenvolvimento *s* subdesarrollo.
Subentender *v* sobrentender.
Subentendido *adj* subentendido, sobrentendido.
Subestimar *v* subestimar.
Subida *s* subida.
Subir *v* subir.
Súbito *adj* súbito, impensado, improviso, instantáneo.
Subjacente *adj* subyacente.
Subjetivo *adj* subjetivo.
Subjugado *adj* subyugado, sumiso.
Subjuntivo *s* subjuntivo.
Sublevação *s* sublevación, pronunciamiento, rebelión.
Sublime *adj* sublime.
Submarino *adj* submarino.
Submergir *v* submergir, hundir.
Submeter *v* someter.
Submissão *s* sumisión.
Subordinação *s* subordinación, dependencia.
Subordinar *v* sujetar, subordinar.
Subornar *v* corromper, sobornar.
Suborno *s* soborno.
Sub-rogar *v* subrogar.
Subscrever *v* subscribir.
Subscrição *s* subscripción.
Subsequente *adj* subsiguiente.
Subserviência *s* servilismo.
Subsidiar *v* subvencionar.
Subsídio *s* subsidio, subvención.
Subsistir *v* subsistir.
Subsolo *s* subsuelo.
Substância *s* substancia, sustancia, materia.
Substancioso *s* substancioso, suculento.
Substantivo *s* sustantivo, substantivo.
Substituição *s* substitución, suplencia, sustitución.
Substituir *v* substituir, suceder.
Substrato *s* substrato.
Subterfúgio *s* subterfugio.
Subterrâneo *adj* subterráneo.
Subtração *s* substracción.
Subtrair *v* substraer.
Subúrbio *s* suburbio.
Subvenção *s* subvención.
Subversão *s* subversión.
Sucata *s* chatarra.
Sucateiro *s* chatarrero.
Sucção *s* succión.

Suceder *v* suceder.
Sucedido *adj* sucedido.
Sucessão *s* sucesión.
Sucessivo *adj* seguido, sucesivo.
Sucesso *s* suceso, éxito.
Sucessor *s* sucesor, descendiente, heredero.
Sucinto *adj* sucinto.
Suco *s* jugo, zumo.
Suculento *adj* jugoso, suculento, substancial.
Sucumbir *v* sucumbir.
Sucursal *s* sucursal.
Sudário *s* sudario.
Sudeste *s* sudeste, sureste.
Súdito *s* súbdito.
Sudoeste *s* sudoeste, suroeste.
Suéter *s* suéter.
Suficiente *adj* suficiente, bueno.
Sufixo *s* sufijo.
Sufocar *v* sufocar, ahogar.
Sufoco *s* sofoco.
Sufragar *v* sufragar.
Sufrágio *s* sufragio, voto.
Sugar *v* sorber, succionar.
Sugerir *v* sugerir, insinuar.
Sugestão *s* sugestión, sugerencia, insinuación.
Suíças *s* patillas.
Suicidar-se *v* suicidarse.
Suicídio *s* suicidio.
Suíno *s* suíno, guarro.
Suíte *s* suite.
Sujar *v* ensuciar, desasear, manchar.
Sujeição *s* sujeción, vasallaje.
Sujeira *s* suciedad, basura, imundicia, mugre.
Sujeitar *v* sujetar, dominar, prender.
Sujeito *adj* sujeto.
Sujo *adj* sucio, inmundo, mugriento, puerco.
Sul *s* sur, sud.
Sul-americano *adj* sudamericano.
Sulfúrico *adj* sulfúrico.
Sulino *adj* sureño.
Sultão *s* sultán.
Sumário *s* sumario, compendio.
Sumiço *s* desaparecimiento.
Sumidade *s* sumidad.
Sumidouro *s* sumidero.
Sumir *v* desaparecer, sumir.
Sumo *s* jugo, zumo.
Suntuosidade *s* grandiosidad, suntuosidad.
Suor *s* sudor.
Superabundância *s* superabundancia, hartura.
Superação *s* superación.
Superalimentar *v* sobrealimentar.
Superar *v* superar, sobrepasar, sobrepujar, vencer.
Superável *adj* superable.
Supercílio *s* ceja.
Superdotado *adj* superdotado.
Superestimar *v* sobrestimar.
Superfície *s* superficie.
Supérfluo *adj* superfluo.
Super-homem *s* superhombre.
Superintendência *s* superintendencia.
Superintender *v* presidir.
Superior *adj* superior, máximo, mayor.
Superioridade *s* superioridad.
Superlativo *adj* superlativo.
Supermercado *s* hipermercado, supermercado.
Supersônico *adj* supersónico.
Superstição *s* superstición.
Supersticioso *adj* supersticioso.
Supervisão *s* supervisión.
Supervisionar *v* supervisar.
Suplantar *v* suplantar.
Suplemento *s* suplemento.
Suplente *s* substituto, suplente.
Súplica *s* súplica, petición, plegaria.
Suplicar *v* suplicar, implorar.
Suplício *s* suplicio, tortura.
Supor *v* suponer, creer.
Suportar *v* soportar, sobrellevar.
Suportável *adj* soportable, tolerable.
Suporte *s* pedestal, soporte.
Suposição *s* suposición.
Supositório *s* supositorio.
Suposto *adj* supuesto.
Supremacia *s* hegemonía, supremacía.

Supremo *adj* supremo, soberano, sumo.
Supressão *s* supresión, corte.
Suprimento *s* provisión.
Suprimir *v* abolir, suprimir.
Suprir *v* suplir.
Supurar *v* supurar.
Surdez *s* sordera.
Surdina *s* sordina.
Surdo *adj* sordo.
Surdo-mudo *s* sordomudo.
Surfe *s* surf.
Surgir *v* surgir.
Surpreendente *adj* sorprendente.
Surpreender *v* sobrecoger, sorprender.
Surpresa *s* sorpresa.
Surra *s* paliza, solfa, zurra.
Surrar *v* sobar, pegar.
Surrupiar *s* hurtar, robar.
Surtir *s* surtir, originar.
Surto *adj* surto, anclado.
Suscetível *adj* susceptible.
Suscitar *v* provocar, suscitar.
Suspeita *s* sospecha.
Suspeitar *v* sospechar, desconfiar.
Suspeito *adj* sospechoso.
Suspensão *s* suspensión.
Suspenso *adj* suspenso, colgado.
Suspensório *s* tirantes.
Suspirar *v* suspirar.
Sussurrar *v* murmurar, susurrar.
Sustentação *s* sustentación, apoyo.
Sustentador *s* sustentador, patrocinador.
Sustentar *v* sustentar, mantener, conservar.
Suster *v* sostener.
Susto *s* susto, miedo, sobresalto.
Sutiã *s* sujetador, sostén.
Sutil *adj* sutil, tenue, delicado.
Sutileza *s* sutileza.
Sutura *s* sutura, costura.

t T

T *s* décimonona letra del alfabeto portugués; T-abreviatura de tonelada.
Taba *s* taba, residencia de indios en América del Sur.
Tabacaria *s* tabaquería, estanco.
Tabaco *s* tabaco.
Tabagismo *s* tabaquismo.
Tabefe *s* bofetón.
Tabela *s* índice, lista.
Tabelar *v* tarifar, tabellar.
Tabelião *s* escribano, notario.
Taberna *s* taberna, casa de bebidas y comidas.
Tabique *s* tabique.
Tablado *s* tablado, estrado.
Tabu *s* tabú.
Tábua *s* tabla.
Tabuada *s* tabla.
Tabuado *s* tablado, porción de tablas.
Tabular *adj* tabular.
Tabuleiro *s* tablero.
Tabuleta *s* tablilla.
Taça *s* copa.
Tacha *s* tachuela, tacha.
Tachar *v* tachar, censurar, notar.
Tacho *s* vasija para cocer los alimentos, cazuela.
Tácito *adj* tácito, silencioso, callado.
Taciturno *adj* tacirturno, callado, triste.
Taco *s* tarugo, taco.
Tafetá *s* tafetán, tejido.
Tagarela *adj* hablador, indiscreto, chirlón.
Tagarelar *v* charlar, chismear.
Taifa *s* taifa (conjunto de marineros y soldados que durante el combate guarnecen la cubierta).
Taimado *adj* taimado, astuto.
Taipa *s* tapia.
Tal *pron* éste, ése, aquél, esto, aquello, alguno, cierto; *adv* tal cual, exactamente; *adj* tal, semejante.
Talão *s* talón, calcañar.
Talar *v* talar, arruinar.
Talco *s* talco.
Talento *s* talento, inteligencia.
Talha *s* talla, entalladura.
Talhadeira *s* cortadera, tajadera.
Talhado *adj* tajado, cortado.
Talhar *v* tajar, tallar, cortar.
Talharim *s* tallarín.
Talhe *s* talle.
Talher *s* cubierto, conjunto de tenedor, cuchillo y cuchara.
Talismã *s* talismán, amuleto.
Talo *s* tallo, pecíolo.
Talonário *s* talonario.
Talvez *adv* tal vez, quizá.
Tamanco *s* zueco, galocha.
Tamanho *adj* tamaño, volumen.
Tâmara *s* dátil, támara.
Também *adv* también, igualmente, del mismo modo.
Tambor *s* tambor.
Tampa *s* tapa, papadera.
Tampão *s* tapón grande.
Tampouco *adv* tampoco.
Tanga *s* taparrabo.
Tangente *adj* tangente, tañente.
Tanger *v* tañer, sonar.
Tangerina *s* mandarina.
Tangível *adj* tangible, palpable.
Tango *s* tango.
Tanino *s* tanino.
Tanque *s* tanque, carro de asalto, depósito.

Tantã *adj* tantán, batintín.
Tanto *adj* tanto, tamaño; *adv* de tal modo, con tal fuerza; *s* porción, cuantía.
Tão *adv* tan, tanto.
Tapar *v* tapar, vendar.
Tapear *v* engañar, disimular.
Tapeçaria *s* tapicería, tapiz.
Tapera *s* hacienda abandonada, casa en ruinas.
Tapete *s* tapete, alfombra, alcatifa.
Tapioca *s* tapioca, fécula extraida de la mandioca.
Tapume *s* cercado, sebe, tabique.
Taquicardia *s* taquicardia.
Taquigrafia *s* taquigrafía.
Tara *s* tara.
Tarado *adj* tarado.
Tardar *v* tardar, demorarse.
Tarde *s* tarde, tardíamente.
Tardinha *s* tardecica, cerca de la tarde.
Tardio *adj* tardío, tardo.
Tarefa *s* tarea.
Tarimba *s* tarima.
Tarrafa *s* red para pescar.
Tarraxa *s* tornillo, clavo.
Tártaro *s* tártaro.
Tartaruga *s* tortuga.
Tasca *s* tasca, taberna ordinaria.
Tatear *v* apalpar.
Tática *s* táctica.
Tato *s* tacto.
Tatuagem *s* tatuaje.
Taverna *s* taberna.
Taxa *s* tasa, impuesto.
Taxar *v* tasar, limitar.
Táxi *s* taxi.
Taxista *s* taxista.
Tear *s* telar.
Teatro *s* teatro.
Tecelagem *s* tejeduría.
Tecelão *s* tejedor.
Tecer *v* tejer, prepararse, intrigar.
Tecido *s* tejido.
Tecla *s* tecla.
Técnica *s* técnica.
Tecnologia *s* tecnología.
Tédio *s* tedio, fastidio, enfado.
Teia *s* tela, trama, telaraña.
Teimar *v* obstinarse, porfiar.
Teimosia *s* obstinación, terquedad.
Teimoso *adj* obstinado, pertinaz, prolongado, insistente.
Tela *s* tela, cuadro, tejido.
Telecomunicação *s* telecomunicación.
Teleférico *s* teleférico.
Telefonar *v* telefonear.
Telefone *s* teléfono.
Telefonia *s* telefonía.
Telegrafar *v* telegrafiar.
Telegrafia *s* telegrafía.
Telegrama *s* telegrama.
Telejornal *s* telediario.
Telepatia *s* telepatía.
Telescópio *s* telescopio.
Telespectador *s* telespectador.
Teletipo *s* teletipo.
Televisão *s* televisión.
Telex *s* télex.
Telha *s* teja.
Telhado *s* techo, tejado.
Tema *s* tema, objeto.
Temer *v* recelar, temer.
Temerário *adj* temerario.
Temido *adj* temido, temeroso, tímido.
Temor *s* temor, miedo.
Têmpera *s* temple.
Temperado *adj* temperado, adobado, picante.
Templo *s* santuario, templo.
Tempo *s* tiempo, edad, época.
Temporada *s* temporada.
Temporal *s* tempestad, vendaval.
Temporão *adj* prematuro, precoz, temprano.
Tenaz *adj* férreo, constante; *s* tenaza, pinza, tenaz.
Tenazes *s* tenacillas.
Tenda *s* tienda.
Tendão *s* tendón, nervio.
Tendência *s* tendencia.
Tender *v* tender.
Tenebroso *adj* tenebroso, lóbrego.
Tenente *s* teniente.
Tênia *s* tenia, gusano intestinal.

Tenista *s* tenista.
Tenor *s* tenor.
Tenro *adj* tierno, blando, nuevo.
Tensão *s* tensión, erección.
Tenso *adj* tenso, estirado.
Tentador *adj* tentador.
Tentear *v* tantear.
Tento *s* tiento.
Tênue *adj* tenue, delgado, sutil.
Teologia *s* teología.
Teorema *s* teorema.
Teoria *s* teoría.
Tépido *adj* templado, tibio.
Tequila *s* tequila.
Ter *v* tener, haber, poseer.
Terapêutica *s* terapéutica.
Terça-feira *s* martes.
Terceto *s* terceto.
Terço *s* tercio, rosario.
Terçol *s* orzuelo.
Tergiversar *s* tergiversar.
Termas *s* termas, caldas.
Térmico *adj* térmico.
Terminar *v* terminar, concluir, acabar.
Término *s* término, límite.
Terminologia *s* terminología.
Termo *s* término, límite, mojón.
Termodinâmica *s* termodinámica.
Termômetro *s* termómetro.
Termonuclear *adj* termonuclear.
Termostato *s* termostato.
Terno *s* traje, trio.
Ternura *s* ternura, cariño, mimo.
Terra *s* tierra, suelo.
Terraço *s* terraza, azotea.
Terraplenagem *s* terraplenamiento.
Terráqueo *adj* terráqueo, terrestre.
Terremoto *s* terremoto, seísmo.
Terreno *adj* terreno; *s* sitio, terreno.
Térreo *adj* térreo, terroso, que queda a ras del suelo.
Terrestre *adj* terrestre.
Terrina *s* sopera.
Território *s* territorio.
Terrível *adj* terrible, grande, tremendo.
Terror *s* terror, miedo, espanto.
Terso *adj* terso, limpio.
Tertúlia *s* tertulia.
Tese *s* tesis.
Teso *adj* tieso, estirado.
Tesoura *s* tijera.
Tesouraria *s* tesorería.
Tesouro *s* tesoro.
Testa *s* frente, testa.
Testa-de-ferro *s* testaferro.
Testamento *s* testamento.
Teste *s* test, prueba.
Testemunha *s* testigo, prueba.
Testemunhar *v* atestiguar, testimoniar.
Testemunho *s* testimonio, prueba, vestigio.
Testículo *s* testículo.
Teta *s* ubre, teta.
Tétano *s* tétano.
Teto *s* techo.
Tétrico *adj* tétrico, fúnebre.
Teu *pron* tu, tuyo, de tí.
Têxtil *adj* textil.
Texto *s* texto.
Textura *s* textura.
Tez *s* tez.
Ti *pron* ti.
Tia *s* tía.
Tiara *s* tiara.
Tíbia *s* tibia.
Tição *s* tizón.
Tifo *s* tifus.
Tigela *s* tazón, cuenco.
Tigre *s* tigre.
Tijolo *s* ladrillo.
Til *s* tilde.
Tília *s* tila.
Timão *s* timón.
Timbre *s* timbre, emblema, sello, señal, marca.
Time *s* equipo.
Timidez *s* timidez, encogimiento, vergüenza.
Tímido *adj* tímido, apagado, modesto.
Tina *s* tina, cuba, palangana.
Tingido *adj* teñido.
Tingir *v* teñir.
Tino *s* tino, juicio, acierto, prudencia.
Tinta *s* tinta.

Tinturaria *s* tintorería.
Tio *s* tío.
Típico *adj* típico.
Tipo *s* tipo.
Tipografia *s* imprenta, tipografía.
Tira *s* tira, venda, hijuela, lista.
Tirada *s* tirada.
Tirania *s* tiranía, despotismo.
Tirano *s* tirano, déspota.
Tirar *v* eliminar, sacar.
Tiritar *v* tiritar.
Tiro *s* tiro, disparo.
Tirotear *s* tirotear.
Tísico *s*, *adj* tísico, tuberculoso.
Titã *s* titán.
Títere *s* títere.
Titubear *v* titubear, vacilar.
Título *s* título.
Toada *s* canto.
Toalha *s* toalla.
Toalheiro *s* toallero.
Tobogã *s* tobogán.
Toca-discos *s* tocadiscos.
Tocar *v* tocar.
Tocha *s* antorcha, cirio.
Toco *s* tocón, cepa.
Todavia *conj* todavía, aún, sin embargo, empero.
Todo *adj*, *pron* todo, entero, completo, total.
Todo *s* conjunto, suma, universalidad.
Toga *s* toga.
Toicinho *s* tocino.
Toldar *v* entoldar.
Toldo *s* toldo.
Tolerante *adj* tolerante, indulgente.
Tolerar *v* tolerar, consentir, permitir.
Tolerável *adj* tolerable, soportable.
Tolher *v* tullir, privar.
Tolice *s* tontería, necedad, estupidez.
Tolo *adj* tonto, loco, ridículo.
Tom *s* tono, sonido, acento.
Tomada *s* toma, enchufe.
Tomar *v* tomar, agarrar, conquistar, robar.
Tomate *s* tomate.
Tombar *v* tumbar, inclinar, derribar.
Tombo *s* tumbo, caída.
Tômbola *s* tómbola.
Tomo *s* tomo, parte.
Tonalidade *s* tonalidad.
Tonel *s* tonel.
Tonelada *s* tonelada.
Tônico *adj* tónico.
Tonteira *s* tontería, vértigo.
Tonto *adj* tonto, demente.
Tontura *s* mareo, vértigo.
Topada *s* tropezón.
Topar *v* topar, chocar.
Topázio *s* topacio.
Topete *s* copete, tupé.
Tópico *adj* tópico.
Topo *s* topetada, topetazo, encuentro.
Topografia *s* topografía.
Toque *s* toque, contacto, sonido.
Tórax *s* tórax.
Torção *s* torsión.
Torcer *v* torcer, inclinar.
Torcicolo *s* tortícolis.
Torcida *s* torcida, mecha.
Torcido *adj* torcido, ladeado.
Tormenta *s* tormenta, temporal.
Tormento *s* tormento, sufrimiento, desgracia.
Tornar *v* tornar, vuelta, regreso.
Tornear *v* tornear.
Torneio *s* torneo.
Torneira *s* grifo.
Torneiro *s* tornero.
Torno *s* torno.
Tornozelo *s* tobillo.
Torpe *adj* torpe, indecoroso.
Torpedear *v* torpedear.
Torpedo *s* torpedo.
Torpor *s* torpor.
Torquês *s* tenaza, alicates.
Torrada *s* tostada.
Torrão *s* terrón.
Torrar *v* torrar, tostar.
Torre *s* torre.
Torrefação *s* torrefacción.
Torrencial *adj* torrencial, impetuoso.
Torrente *s* torrente.
Torresmo *s* torrezno, chicharrón.

Tórrido *adj* tórrido.
Torso *s* torso.
Torta *s* tarta, torta.
Torto *adj* torcido; *s* ofensa, daño.
Tortuosidade *s* tortuosidad.
Tortura *s* tortura, tormento.
Torturar *v* torturar, atormentar.
Torvelinho *s* torbellino.
Torvo *adj* torvo, feo.
Tosar *v* tonsurar, trasquilar.
Tosco *adj* tosco, grosero.
Tosquiar *v* esquilar, trasquilar.
Tosse *s* tos.
Tossir *v* toser.
Tostar *v* quemar, tostar.
Total *adj* total, completo, entero.
Totalidade *s* totalidad.
Totalitário *adj* totalitario.
Totalizar *v* totalizar.
Touca *s* toca.
Toucador *s* tocador.
Toucinho *s* tocino, carne de grasa de cerdo.
Toupeira *s* topo.
Tourada *s* corrida de toros, torada.
Tourear *v* torear.
Toureiro *s* torero, matador.
Touro *s* toro.
Tóxico *adj* tóxico.
Toxicologia *s* toxicología.
Toxina *s* toxina.
Trabalhador *s* trabajador, obrero, operario.
Trabalhar *v* trabajar, labrar.
Trabalhista *adj* laborista.
Trabalho *s* trabajo, ejercicio.
Traça *s* polilla.
Traçado *s* trazado.
Tração *s* tracción.
Traçar *v* trazar, delinear, proyectar.
Traço *s* trazo, raya.
Tracoma *s* tracoma.
Tradição *s* tradición.
Tradução *s* traducción, versión.
Traduzir *v* traducir, representar.
Trafegar *v* trafagar, traficar, negociar.
Tráfego *s* tráfego, tráfico.
Traficar *v* traficar, comerciar, negociar.
Tráfico *s* tráfico.
Tragar *v* tragar.
Tragédia *s* tragedia.
Trágico *adj* trágico.
Trago *s* trago, sorbo.
Traição *s* traición.
Traidor *adj* traidor, desleal.
Trair *v* traicionar.
Trajar *v* trajear, vestir.
Traje *s* traje, vestimenta.
Trajeto *s* trayecto, camino.
Trajetória *s* trayectoria, órbita.
Trama *s* trama, tejido.
Trâmite *s* trámite.
Tramoia *s* tramoya de teatro.
Trampa *s* trampa, engaño, excremento.
Trampolim *s* trampolín.
Tranca *s* tranca.
Trança *s* trenza.
Trancar *v* trancar.
Trançar *v* entrenzar.
Tranquilizar *v* tranquilizar, calmar.
Tranquilo *adj* tranquilo, sereno, sosegado.
Transação *s* transacción.
Transatlântico *adj* transatlántico.
Transbordar *v* transbordar, derramar.
Transcendental *s* transcendental.
Transcendente *adj* transcendente.
Transcender *v* transcender, trascender.
Transcorrer *v* transcurrir.
Transcrever *v* transcribir.
Transcrição *s* transcripción.
Transcurso *s* transcurso.
Transe *s* trance, crisis.
Transeunte *adj* transeúnte.
Transexual *adj* transexual.
Transferir *v* transferir, diferir, mudar.
Transfigurar *v* transfigurar.
Transformação *s* transformación.
Transformar *v* transformar, transfigurar.
Trânsfuga *s* tránsfuga.
Transfusão *s* transfusión.
Transigir *v* transigir, conciliar, contemporizar.
Transístor *s* transistor.
Transitar *v* transitar.

Transitável *adj* transitable.
Transitório *adj* transitorio, pasajero, breve.
Transladar *v* trasladar.
Translúcido *adj* translúcido.
Transmigrar *v* transmigrar.
Transmissão *s* transmisión.
Transmissor *adj* transmisor.
Transmitir *s* transmitir, transferir, comunicar.
Transmutar *v* transmudar.
Transmutável *adj* transmutable.
Transparecer *v* transparentarse.
Transparente *adj* transparente.
Transpassar *v* traspasar.
Transpiração *s* transpiración, sudor.
Transpirar *v* transpirar, sudar.
Transplantar *v* trasplantar.
Transplante *s* trasplante.
Transpor *v* transponer, ultrapasar.
Transportador *adj* transportador.
Transportar *v* trasladar, traducir, transportar.
Transposição *s* transposición.
Transtornar *v* transtornar, desorganizar.
Transtorno *s* trastorno, alteración.
Transvasar *v* transvasar, trasegar.
Transversal *adj* transversal, colateral.
Trapaça *s* trapaza, burla.
Trapacear *v* trapacear.
Trapalhada *s* trapería, embrollo.
Trapeiro *s* trapero, chamarilero.
Trapézio *s* trapecio.
Trapo *s* trapo, harapo.
Traqueia *s* tráquea.
Traquejo *s* gran práctica o experiencia en cualquier servicio.
Traquinagem *s* travesura.
Traquinar *s* hacer travesuras, jugar.
Traseira *s* trasera, nalga.
Traseiro *adj* trasero.
Trasfegar *s* trasegar.
Trasladar *v* trasladar.
Traspasse *s* traspaso.
Traste *s* trasto.
Tratado *s* tratado.
Tratamento *s* tratamiento, trato.
Tratante *s* tratante, bellaco.
Tratar *v* tratar.
Trator *s* tractor.
Trauma *s* trauma.
Trava *s* traba.
Travamento *s* trabamiento.
Travar *s* trabar, frenar.
Trave *s* trabe, viga.
Través *s* través, flanco.
Travessa *s* travesaño, travesia.
Travessão *s* broche.
Travesseiro *s* almohada larga de la cama.
Travessia *s* travesía.
Travesso *adj* travieso.
Travesti *s* travesti.
Travo *s* amargo.
Trazer *v* traer.
Trecho *s* trecho.
Trégua *s* tregua.
Treinador *s* entrenador.
Treinamento *s* entrenamiento.
Treinar *v* entrenar.
Trejeito *s* mueca, gesto.
Trem *s* tren.
Tremedeira *v* tremielga.
Tremendo *s* tremendo, horrible.
Tremer *v* tremer, estremecer, oscilar.
Tremoço *s* altramuz.
Tremor *s* tremor, temblor.
Trêmulo *adj* trépido, tembloroso.
Trenó *s* trineo.
Trepadeira *adj* enredadera, trepadora.
Trepanação *s* trepanación.
Trepanar *v* trepanar.
Trepar *v* trepar, subir.
Trepidar *v* trepidar, temblar.
Tresnoitar *v* trasnochar.
Trespassar *v* traspasar.
Treta *s* treta, astucia.
Treva *s* obscuridad.
Trevo *s* trébol.
Triagem *s* elección.
Triângulo *s* triángulo.
Tribo *s* tribu.
Tribulação *s* tribulación.
Tribuna *s* tribuna.
Tribunal *s* tribunal.

Tributar *v* tributar.
Tricô *s* punto.
Tricotar *v* tricotar.
Triênio *s* trienio.
Trigêmeo *s* trillizo.
Trigo *s* trigo.
Trigonometria *s* trigonometría.
Trilhar *v* trillar.
Trilho *s* carril, trillo.
Trinado *s* trinado, gorjeo.
Trinar *v* trinar, gorjear.
Trincar *v* trincar.
Trincheira *s* trinchera, barricada.
Trinco *s* pestillo, trinquete.
Trindade *s* trinidad.
Trino *s* trinitario.
Trio *s* trío.
Tripa *s* tripa, intestino.
Tripé *s* trípode.
Tríplice *adj* tríplece, triplo.
Triplo *adj* triple, triplo.
Tripulação *s* tripulación.
Tripulante *s* tripulante.
Triste *adj* triste.
Tristonho *adj* tristón, melancólico.
Triturar *v* moler, triturar.
Triunfar *v* triunfar, vencer.
Triunfo *s* triunfo.
Trivial *adj* trivial, vulgar.
Troar *v* tronar.
Troca *s* trueque, cambio, mudanza.
Troça *s* escarnio, mofa, chanza.
Trocadilho *s* juego de palabras.
Trocar *v* trocar, cambiar, permutar.
Troçar *v* escarnecer, burlar, ridiculizar.
Troco *s* cambio, trueque.
Troféu *s* trofeo, honor.
Tróleibus *s* trolebús.
Tromba *s* tromba.
Trombada *s* trompada, encontronazo.
Trombeta *s* trompeta.
Trombone *s* trombón.
Trombose *s* trombosis.
Trompa *s* trompa, trompeta.
Tronco *s* tronco, tallo.
Trono *s* trono.
Tropa *s* tropa.
Tropeçar *v* tropezar.
Trôpego *adj* torpe.
Tropel *s* tropel.
Trópico *s* trópico.
Trotar *v* trotar.
Trote *s* trote.
Trouxa *s* paquete.
Trovador *s* trovador.
Trovão *s* trueno.
Trovejar *v* tronar.
Trovoada *s* tronada.
Trucagem *s* trucaje.
Trucidar *v* degollar, mutilar.
Truculento *adj* truculento, cruel.
Trufa *s* trufa.
Truncado *adj* truncado, mutilado.
Truncar *v* truncar, mutilar.
Trunfo *s* triunfo.
Truque *s* truque, truco.
Truste *s* truste.
Truta *s* trucha.
Tu *pron* tú.
Tubarão *s* tiburón.
Tubérculo *s* tubérculo.
Tuberculose *s* tuberculosis.
Tubo *s* tubo, canuto.
Tubulação *s* tubería.
Tucano *s* tucán.
Tudo *pron* todo.
Tufão *s* tifón.
Tufo *s* porción de plantas o flores, plumas, toba.
Tugir *v* susurrar.
Tugúrio *s* tugurio.
Tule *s* tul.
Tulha *s* granero, silo.
Tulipa *s* tulipán.
Tumba *s* tumba.
Tumefato *adj* tumefacto.
Túmido *s* túmido, hinchado.
Tumor *s* tumor, quiste.
Túmulo *s* túmulo, sepulcro.
Tumulto *s* tumulto, motín, alboroto.
Tumultuar *v* tumultuar.
Tunda *s* tunda, paliza.
Túnel *s* túnel.
Túnica *s* túnica.

Turba *s* turba, multitud.
Turbante *s* turbante.
Turbar *v* turbar.
Turbina *s* turbina.
Turco *adj* otomano, turco.
Túrgido *adj* túrgido.
Turíbulo *s* turíbulo, incensario.
Turismo *s* turismo.
Turma *s* pandilla, bando.
Turmalina *s* turmalina.
Turno *s* turno, vez.
Turquesa *s* turquesa.
Turvação *s* turbación, confusión.
Turvar *v* turbar.
Turvo *adj* obscuro, turbio.
Tutano *s* tuétano.
Tutela *s* tutela.
Tutor *s* tutor.

uU

U *s* vigésima letra del alfabeto portugués.
Úbere *s* ubre, teta.
Ubiquidade *s* ubicuidad.
Ufanar-se *v* ufanarse, jactarse.
Ufania *s* ufanía, ostentación, vanidad.
Ufano *adj* ufano, jactancioso, contento.
Uivar *v* aullar.
Uivo *s* aullido.
Úlcera *s* úlcera, fístula, plaga, llaga.
Ulterior *adj* ulterior, posterior.
Ultimar *v* ultimar, concluir.
Ultimato *s* ultimátum.
Último *adj* último, final.
Ultrajar *v* ultrajar, injuriar, insultar.
Ultraje *s* ultraje, injuria, insulto.
Ultramar *s* ultramar.
Ultrapassar *v* ultrapasar, exceder, sobrar, sobrepasar, transponer.
Umbigo *s* ombligo.
Umbral *s* umbral.
Umedecer *v* humedecer.
Úmero *s* húmero.
Umidade *s* humedad.
Úmido *adj* húmedo.
Unânime *adj* unánime.
Unção *s* unción, devoción.
Ungir *v* ungir.
Unguento *s* ungüento, emplasto, linimento.
Unha *s* uña, garra.
Unhar *v* arañar, rasguñar.
União *s* unión, enlace, matrimonio.
Unicelular *adj* unicelular.
Unicidade *s* unicidad.
Único *adj* único, solo, incomparable, singular.
Unicórnio *s* unicornio.
Unidade *s* unidad.
Unificar *v* unificar, reunir.
Uniforme *adj* uniforme.
Uniformizar *v* uniformar, hermanar.
Unilateral *adj* unilateral.
Unir *v* unir, vincular, juntar.
Uníssono *adj* unísono.
Unitário *adj* unitario.
Universal *adj* universal, general.
Universidade *v* universidad.
Universo *s* cosmos, orbe, universo.
Unívoco *adj* unívoco.
Untar *v* ungir, untar.
Unto *s* unto, manteca de puerco por derretir.
Urânio *s* uranio.
Urbanismo *s* urbanismo.
Urbanístico *adj* urbanístico.
Urbanizar *v* urbanizar.
Urbano *adj* urbano.
Urbe *s* urbe, ciudad.
Urdidura *s* urdidura.
Urdimento *s* urdidura.
Urdir *v* entretejer, urdir.
Ureia *s* urea.
Uremia *s* uremia.
Ureter *s* uréter.
Uretra *s* uretra.
Urgente *adj* urgente.
Urgir *v* urgir.
Urina *s* orina.
Urinar *v* orinar.
Urna *s* urna, ataúd.
Urologia *s* urología.
Urrar *v* rugir, bramar.
Urso *s* oso.
Urticária *s* urticaria.
Urtiga *s* ortiga.
Urubu *s* urubú, especie de buitre.

Urze *s* brezo, urce.
Usança *s* usanza, uso.
Usar *v* usar, deteriorar.
Usina *s* usina, factoría.
Uso *s* uso, empleo, tradición, hábito, usanza.
Usual *adj* usual, ordinario, corriente.
Usuário *s* usuario.
Usufruir *v* usufructuar, gozar.
Usura *s* usura, agio.
Usurpar *v* usurpar, detentar.
Utensílio *s* utensilio, pertrecho.
Útero *s* matriz, útero.
Útil *adj* útil, aprovechable.
Utilidade *s* utilidad, servicio.
Utilizar *v* utilizar, ocupar.
Utopia *s* utopía, fantasía.
Utópico *adj* utópico, fantástico.
Uva *s* uva.

V

V *s* vigésima primera letra del alfabeto portugués; V-cinco en la numeracion romana.
Vaca *s* vaca.
Vacância *s* vacancia.
Vacaria *s* vaquería, vacada.
Vacilante *adj* vacilante, trémulo.
Vacilar *v* vacilar, oscilar, tambalear.
Vacina *s* vacuna.
Vacinar *v* vacunar.
Vacum *adj* vacuno.
Vácuo *adj* vacuo, vacío.
Vadear *v* vadear.
Vadiagem *s* vagancia, hampa.
Vadiar *v* vagar, vagabundear.
Vaga *s* ola, plaza, onda.
Vagabundagem *s* vagabundeo.
Vagabundear *v* vagabundear.
Vagalhão *s* ola muy grande.
Vaga-lume *s* luciérnaga.
Vagão *s* vagón.
Vagar *v* vagar, vaguear; *s* lentitud, ocio.
Vagaroso *adj* lento, moroso, paulatino.
Vagem *s* vaina, baca.
Vagina *s* vagina.
Vago *adj* vago, evasivo.
Vaguear *v* errar, vaguear.
Vaia *s* abucheo, pitada.
Vaiar *v* abuchear, silbar.
Vaidade *s* vanidad, alarde.
Vaidoso *adj* vanidoso, engolado.
Vaivém *s* vaivén.
Vala *s* foso, valla.
Vale *s* vale, boletín.
Valente *adj* valeroso, valiente.
Valentia *s* valentía, valor.
Valer *v* valer, costar.
Valeriana *s* valeriana.
Valeta *s* hijuela, zanja.
Valia *s* valor, valía.
Validade *s* validez.
Validar *v* legalizar, validar.
Válido *adj* válido, útil.
Valise *s* maletín.
Valor *s* valor, valía, virtud.
Valorização *s* valoración.
Valorizar *v* evaluar, valorizar.
Valoroso *adj* valeroso.
Valsa *s* vals.
Vampiro *s* vampiro.
Vândalo *adj* vándalo, selvaje.
Vangloriar-se *v* vanagloriarse, jactarse, ufanarse.
Vanguarda *s* vanguardia.
Vantagem *s* ventaja.
Vantajoso *adj* ventajoso, lucrativo, útil.
Vão *adj* vano, fatuo; *s* mella, nicho.
Vapor *s* tufo, vapor.
Vaporizar *v* vaporizar.
Vaqueiro *s* vaquero.
Vara *s* vara, bastón.
Varal *s* colgador, tendedero.
Varanda *s* balcón, baranda, barandilla.
Varão *s* hombre, varón.
Varejão *s* economato.
Varejo *loc adv* a venta al por menor.
Vareta *s* varilla, palillo.
Variação *s* variación, mudanza.
Variado *adj* variado, vario, múltiple, surtido.
Variar *v* variar, mudar, cambiar, alternar.
Varicela *s* varicela.
Variedade *s* variedad, profusión.
Vário *adj* vario, variado.
Varíola *s* viruela.
Varonil *adj* varonil, viril.

Varredor *s* barrendero.
Varrer *v* barrer, escobar.
Varrido *adj* barrido, limpio.
Várzea *s* vega, campiña.
Vasilha *s* vajilla, vasija.
Vasilhame *s* envase, vasija.
Vaso *s* florero, urna, ánfora, pote.
Vassalo *s* súbdito, vasallo.
Vassoura *s* escoba.
Vastidão *s* amplitud, inmensidad.
Vasto *adj* vasto, extenso, amplio.
Vatapá *s* iguaria hecha con pescado, aceite y pimienta.
Vaticinar *v* vaticinar, predecir.
Vau *s* vado, bajío.
Vazamento *s* vaciamiento.
Vazar *v* vaciar, filtrar, verter, derramar.
Vazio *adj* vacío, hueco.
Veado *s* venado, corzo.
Vedação *s* defensa, veda.
Vedar *v* vedar, estancar, privar.
Vedete *s* vedette.
Veemente *adj* vehemente, ardiente, fervoroso.
Vegetação *s* vegetación.
Vegetal *adj* vegetal; *s* planta.
Vegetar *v* vegetar, germinar.
Veia *s* vena, vaso.
Veicular *v* transportar en vehículo, introducir, importar.
Veículo *s* vehículo.
Veio *s* filón, vena.
Vela *s* vela.
Velado *adj* velado, cubierto, oculto.
Velar *v* velar, vigilar.
Veleiro *s* velero.
Velhacaria *s* bellaquería, picardía.
Velhaco *adj* bellaco, bribón.
Velharia *s* vejez.
Velhice *s* vejez, senilidad.
Velho *adj* viejo, anciano, abuelo, anticuado; *s* viejo.
Velocidade *s* velocidad, marcha.
Velocímetro *s* velocímetro.
Velocípede *s* velocípedo.
Velório *s* velatorio, funeral.
Veloz *adj* veloz, rápido, ligero.
Veludo *s* velludo.
Venal *adj* venal, venoso.
Vencedor *adj* vencedor.
Vencer *v* vencer, sujetar, triunfar.
Venda *s* venda, vender.
Venda *s* venta, tienda, taberna.
Vendar *v* vendar, tapar.
Vendaval *s* vendaval, tempestad.
Vender *v* vender.
Veneno *s* veneno.
Venenoso *adj* venenoso.
Venerar *v* respetar, venerar.
Venerável *adj* venerable.
Venéreo *adj* venéreo.
Vênia *s* venia.
Venial *adj* venial.
Venoso *adj* venoso.
Ventania *s* ventarrón, viento forte.
Ventar *v* ventear.
Ventilador *s* ventilador.
Ventilar *v* ventilar.
Vento *s* viento.
Ventosa *s* ventosa.
Ventre *s* vientre, barriga.
Ventrículo *s* ventrículo.
Ventríloquo *adj* ventrílocuo.
Ventura *s* ventura, buena suerte.
Ver *v* ver, presenciar.
Veracidade *s* veracidad, exactitud.
Veranear *v* veranear.
Verão *s* verano, estío.
Veraz *adj* veraz, verdadero, verídico.
Verbal *adj* verbal, oral.
Verbete *s* apunte, nota, ficha.
Verbo *s* verbo.
Verborreia *s* verborrea.
Verdade *s* verdad, realidad.
Verde *adj* verde.
Verdejar *v* verdea.
Verdura *s* hortaliza, verdura.
Verdureiro *s* verdulero.
Vereador *s* concejal.
Vereda *s* vereda, camino estrecho.
Veredito *s* veredicto.
Vergar *v* cimbrar, curvar, doblar.
Vergel *s* vergel, jardín.
Vergonha *s* vergüenza.

Vergonhoso *adj* vergonzoso, deshonesto, obsceno, tímido.
Verídico *adj* verídico, verdadero.
Verificação *s* verificación.
Verificar *v* verificar, examinar, examinar.
Verme *s* gusanillo, gusano.
Vermelhão *adj* bermellón.
Vermelho *adj* rojo, bermejo, rubro.
Vermicida *adj* vermicida.
Vermute *s* vermut.
Vernáculo *adj* vernáculo, nativo.
Verniz *s* barniz, charol.
Verossímil *adj* verosímil, natural.
Verruga *s* verruga.
Verruma *s* barrena, taladro.
Verrumar *v* barrenar.
Versado *adj* versado, perito.
Versão *s* versión, traducción.
Versar *v* versar, volver.
Versátil *adj* versátil, voluble.
Versículo *s* versículo.
Versificar *v* versificar.
Verso *s* verso.
Vertebrado *adj* vertebrado.
Verter *v* verter, derramar, traducir.
Vertical *adj* vertical.
Vértice *s* vértice, cúspide.
Vertigem *s* vértigo.
Vesgo *adj* bizco, estrábico, bisojo.
Vesícula *s* vesícula.
Vespa *s* avispa.
Véspera *s* víspera.
Vespertino *adj* vespertino.
Veste *s* veste, vestido, traje.
Vestiário *s* ropero, vestuario.
Vestíbulo *s* vestíbulo.
Vestido *s* vestido, traje.
Vestígio *s* vestigio, huella, marca.
Vestimenta *s* vestimenta, vestidura.
Vestir *v* vestir, cubrir.
Vestuário *s* vestuario, traje completo.
Vetar *v* vetar, prohibir.
Veterano *adj* veterano, antiguo.
Veterinário *s* veterinario.
Veto *s* veto, prohibición, recusa.
Vetusto *adj* vetusto, viejo, antiguo.
Véu *s* velo.
Vexar *v* vejar.
Vexatório *adj* vejatorio.
Vez *s* vez.
Via *s* vía, trayectoria, camino.
Viaduto *s* viaducto.
Viagem *s* viaje, jornada.
Viajante *s* viajante, viajero.
Viário *s* calzada de la vía férrea.
Viatura *s* vehículo.
Viável *adj* viable.
Víbora *s* víbora.
Vibração *s* vibración.
Vibrar *v* vibrar, mover, agitar, conmover.
Vice-rei *s* virrey.
Vice-versa *loc adv* viceversa.
Viciar *v* viciar.
Vicinal *adj* vecinal.
Vicissitude *s* vicisitud.
Viço *s* lozanía.
Viçoso *adj* lozano, vigoroso.
Vicunha *s* vicuña.
Vida *s* vida.
Videira *s* cepa, vid.
Vidente *adj* vidente, que ve.
Vidraça *s* vidriera, vitral.
Vidraceiro *s* vidriero.
Vidrado *adj* vidriado.
Vidraria *s* vidriería, fábrica de vidrios.
Vidrilho *s* canutillo, lentejuelas.
Vidro *s* vidrio.
Viela *s* callejuela.
Viés *s* biés, sesgo.
Viga *s* viga.
Vigário *s* vicario.
Vigência *s* vigencia.
Vigente *adj* vigente.
Vigia *s* vigía.
Vigiar *v* atalaya, centinela, espía.
Vigilância *s* vigilancia, precaución.
Vigilar *v* vigilar.
Vigília *s* vigilia, insomnio.
Vigor *s* vigor, energía, fuerza muscular.
Vigorar *v* vigorar, fortalecer.
Vil *adj* vil, infame.
Vila *s* poblado, villa.
Vilania *s* villanía.
Vilão *adj* villano.

Vilarejo *s* aldea, pueblo, lugarejo.
Vileza *s* vileza, villanía, bajeza.
Vilipêndio *s* vilipendio.
Vime *s* mimbre.
Vimeiro *s* mimbrera.
Vinagre *s* vinagre.
Vincar *v* plegar, arrugar.
Vinco *s* raya, pliegue.
Vincular *v* vincular, atar.
Vinda *s* venida, llegada.
Vindima *s* vendimia.
Vindouro *s* venidero, futuro.
Vingador *s* vengador.
Vingança *s* venganza.
Vingar *v* vengar.
Vinha *s* viña.
Vinhedo *s* viñedo.
Vinheta *s* viñeta.
Vinho *s* vino.
Vinícola *adj* vinícola.
Viola *s* guitarra, instrumento de cuerda.
Violação *s* violación.
Violáceo *adj* violáceo.
Violão *s* violón, instrumento músico de seis cuerdas.
Violar *v* violar, ofender, profanar.
Violentar *v* violentar, desflorar, forzar.
Violento *adj* violento, intenso, impetuoso.
Violeta *s* violeta.
Violino *s* violín.
Viperino *adj* viperino.
Vir *v* venir.
Virar *v* virar, doblar.
Virgem *s* virgen, doncella.
Virgindade *s* virgindad.
Vírgula *s* coma, virgulilla.
Viril *adj* viril, masculino.
Virilha *s* ingle.
Virilidade *s* virilidad, vigor.
Virtual *adj* virtual, potencial.
Virtude *s* virtud, bien.
Virulento *adj* virulento.
Vírus *s* virus.
Visado *s* visto.
Visão *s* visión.
Visar *v* visar, mirar.
Víscera *s* víscera.
Visconde *s* vizconde.
Viscoso *adj* viscoso, pegajoso.
Viseira *s* visera.
Visionário *adj* visionario.
Visitar *v* visita.
Visível *adj* visible.
Vislumbrar *v* vislumbrar.
Vislumbre *s* vislumbre.
Vista *s* vista, panorama.
Visto *adj* visto, conocido, notorio, sabido; *s* visado, visto bueno.
Vistoriar *v* registrar, inspeccionar.
Vistoso *adj* vistoso, jarifo.
Visual *adj* visual.
Vital *adj* vital.
Vitalidade *s* vitalidad.
Vitamina *s* vitamina.
Vitelo *s* ternero, becerro.
Vítima *s* víctima, mártir.
Vitimar *s* sacrificar, damnificar, matar.
Vitória *s* victoria, triunfo.
Vitral *s* vitral, vidriera de colores o con pinturas.
Vítreo *adj* vítreo.
Vitrificar *v* vitrificar.
Vitrina *s* vitrina, escaparate.
Vitupério *s* vituperio, ultraje, insulto.
Viuvez *s* viudez.
Viúvo *s* viudo.
Viva *s* ¡viva!
Vivacidade *s* vivacidad.
Viveiro *s* vivero.
Vivenda *s* vivienda.
Viver *v* vivir, existir, residir, morar.
Víveres *s* víveres.
Vívido *adj* vívido, vivaz.
Vivo *adj* vivo.
Vizinhança *s* vecindad, proximidades, cercanías.
Vizinho *adj* vecino, limítrofe, próximo; *s* vecino.
Voador *adj* volador.
Voar *v* volar.
Vocabulário *s* vocabulario, diccionario.
Vocábulo *s* vocablo, voz.
Vocação *s* tendencia, vocación.

Vocal *adj* vocal, oral.
Vocálico *adj* vocálico.
Você *pron* usted, forma de tratamiento cortesano y familiar.
Vociferar *v* vociferar.
Vodca *s* vodka.
Voejar *v* revolotear, rastrear.
Voga *s* boga.
Vogal *s* vocal; *adj* vocal.
Volátil *adj* volátil.
Vôlei *s* balonvolea.
Volta *s* vuelta.
Voltagem *s* voltaje.
Voltar *v* volver, regresar.
Voltear *v* voltear.
Volume *s* volumen, tamaño.
Volumoso *adj* voluminoso.
Voluntário *adj* instintivo, voluntario.
Volúpia *s* voluptuosidad.
Volúvel *adj* voluble, fácil, falso, inconstante.
Volver *v* volver, pensar.
Vomitar *v* vomitar, lanzar.
Vômito *s* vómito.
Vontade *s* voluntad, deseo, gana, intención.
Voo *s* vuelo.
Voracidade *s* glotonería, voracidad.
Voraz *adj* voraz, ávido, goloso.
Vós *pron* vos, os, vosotros.
Vosso *pron* vuestro.
Votação *s* elección, votación.
Voto *s* voto, opinión, sufragio.
Vovó *s* abuela.
Vovô *s* abuelo.
Voz *s* voz.
Vozear *v* vocear.
Vulcânico *adj* vulcánico.
Vulcão *s* volcán.
Vulgar *adj* vulgar, trivial, mediocre.
Vulgarizar *s* vulgarizar, popularizar.
Vulgo *s* vulgo.
Vulnerar *v* vulnerar, herir.
Vulnerável *adj* vulnerable.
Vulpino *adj* vulpino.
Vulto *s* rostro.
Vultoso *adj* voluminoso.
Vulturno *s* vulturno.
Vulva *s* vulva.
Vurmo *s* pus o sangre purulenta de las heridas.

X

X *s* vigésima segunda letra del alfabeto portugués.
Xácara *s* jácara, seguidilla.
Xadrez *s* ajedrez.
Xale *s* chal.
Xampu *s* champú.
Xará *s* tocayo, homónimo.
Xarope *s* jarabe, arrope.
Xenofobia *s* xenofobia.
Xeque *s* jaque, jeque.
Xereta *adj* curioso, intrigante.
Xeretar *v* fisgonear, intrigar, chismear.
Xerez *s* jerez.
Xerife *s* sheriff.
Xerografia *s* xerografía.
Xícara *s* jícara, taza.
Xingar *v* insultar, injuriar.
Xisto *s* pizarra, esquisito.
Xixi *s* pipí, pis.
Xodó *s* amor, pasión.
Xoxota *s* coño.
Xucro *adj* arisco, salvaje.
Xurdir *v* luchar por la vida.
Xuxo *s* pez selacio de la costa de Portugal.

zZ

Z *s* vigésima tercera letra del alfabeto portugués.
Zabumba *s* zambomba, bombo.
Zanga *s* cólera, ira, enfado.
Zangado *adj* enfadado.
Zangão *s* zángano.
Zangar *v* enfadar, atufar.
Zarcão *s* bermejón.
Zarolho *s* tuerto, bizco, estrábico.
Zarpar *v* zarpar, levar anclas.
Zarzuela *s* zarzuela.
Zebra *s* cebra.
Zebrar *v* listar, alistar.
Zebu *s* cebú.
Zelador *s* celador, conserje.
Zelar *v* celar, vigilar.
Zelo *s* celo, desvelo, devoción, escrúpulo, esmero.
Zeloso *adj* celoso, cuidadoso.
Zénite *s* cenit, auge, apogeo.
Zepelim *s* zepelín, globo dirigible.
Zero *s* cero.
Ziguezague *s* zigzag.
Zinco *s* cinc, zinc.
Zíngaro *adj* cíngaro, gitano.
Zíper *s* cremallera.
Zoada *s* zurrido.
Zodíaco *s* zodíaco.
Zombador *adj* zumbón, burlón.
Zombar *v* jugar, burlarse, mofar.
Zombaria *s* escarnio, burla, chacota, ironía.
Zombeteiro *adj* sarcástico.
Zona *s* área, banda.
Zonzo *adj* atolondrado.
Zoologia *s* zoología.
Zoológico *s* zoológico, zoo.
Zopeiro *adj* tonto, zoquete.
Zorro *adj* astuto.
Zuco *adj* tonto, borracho.
Zuído *s* zumbido.
Zumbir *v* zumbar, silbar.
Zunido *s* silbo, zumbido, silbido.
Zunir *v* silbar, zumbar.
Zunzum *s* rumor, zumbido.
Zurrar *v* rebuznar, roznear.
Zurro *s* rebuzno.
Zurzir *v* azotar, castigar, critica áspera.

Minidicionário Escolar

Suplemento gramatical

O alfabeto espanhol
Divisão silábica
Pronúncia
Numerais
Verbos

Noções de Gramática Espanhola

O ALFABETO ESPANHOL:

O alfabeto espanhol apresenta-se com 28 (vinte e oito) letras:

a - *a (a)*
b - *be (be)*
c - *ce (θe)*
ch - *che (tʃe)*
d - *de (de)*
e - *e (e)*
f - *efe ('efe)*
g - *ge (he)*
h - *hache ('atʃe)*
i - *i (i)*
j - *jota (h'ota)*
k - *ka (ka)*
l - *ele ('ele)*
ll - *elle ('eλe)*
m - *eme ('eme)*
n - *ene ('ene)*
ñ - *eñe ('eñe)*
o - *o (o)*
p - *pe (pe)*
q - *cu (ku)*
r - *erre ('erre)*
s - *ese ('ese)*
t - *te (te)*
u - *u (u)*
v - *uve ('uve)*
x - *equis ('ekis)*
y - *i griega (igr'jega)*
z - *zeta (θ'eta)*

a. Ch, ll e ñ são consoantes distintas que no alfabeto espanhol sucedem, respectivamente: **c, l e n.**

Início da palavra	Meio da palavra
choco	acelerón
clarín	achaque
llaga	fallo
lodo	falsedad
niebla	pinta
ñantota	piñata

b. O **h** é uma consoante muda, pronunciada apenas em algumas palavras estrangeiras:

hard *(h'ard)*

c. A representação fonética do **x** *(ks)* indica que o som entre parênteses, usado em várias regiões, é omitido em outras:

e.xa.me *[e(k)s'ame].*

O som (*s*) corresponde ao **x** em início de palavra:

xe.nó.fo.bo *(seno'fobo).*

d. O **w** uve doble (*'ube d'oble*) não faz parte do alfabeto, mas aparece em algumas palavras estrangeiras.

DIVISÃO SILÁBICA:

A divisão silábica em espanhol é semelhante ao português, sendo que:

a. A consoante dupla **rr** e a letra **ll** ficam sempre na mesma sílaba:

co.rrom.per
lla.ma
de.rri.bar

b. As consoantes **c** e **n**, quando duplicadas, ficam em sílabas diferentes:

ac.ci.den.te
in.ne.ga.ble
fac.cio.s o

c. Os ditongos **i** ou **u + vogal** não se separam:

cie.go
fue.go
cua.jo

d. Nunca se duplica a consoante **s** em espanhol.

e. Se houver **h** em um grupo vocálico, separam-se as vogais:

co.he.sión
a.hi.já.do

f. As palavras compostas podem ser separadas etimologica ou foneticamente:

des.in.te.grar
ou
de.sin.te.grar

PRONÚNCIA:

a. As vogais são sempre orais:
(a) Portugal *(Purtu'gal)*
(e) erro *('erru)*
(i) agil ('ahil) e para **y** usado como vogal rey *(r'ei)*
(o) ovo *('ovo)*
(u) mula *('mula)*

b. As consoantes foram simplificadas:
(b) para **b** e **v** - **b**lanco *(bl'anko)* - **v**ino *(b'ino)*
(k) para **c**, seguido de **a, o, u, k ,qu** - **c**apa *(k'apa)* - **qu**eso *(k'eso)*
(θ) para **c**, seguido de **e, i, z** - **c**erca *(θ'erka)* - **z**apato *(θap'ato)*
(tʃ) para **ch** - an**ch**o *('antʃo)* - igual **ch** precedido de **t**
(d) **d**a**d**o *(d'ado)* - no final da palavra soa brando
(f) **f**ango *(f'ango)*
(g) para g, seguido de **a, o, u** - a**g**ua *('agwa)* - ho**g**uera *(og'era)*
(h) para **j** e **g** seguido de **e, i** - ca**j**a *(k'aha)* - á**g**il *('ahil)*
(j) para **i** nos ditongos - f**i**esta *(f'jesta)*
(l) **l**ente *(l 'ente)*
(λ) para **ll** - ca**ll**e *(k'aλe)* - igual ao **lh** do português
(m) **m**adre *(m'adre)*
(n) **n**atal *(nat'al)*
(ñ) para **ñ** - ca**ñ**a *(k'aña)* - igual ao **nh** do português
(p) **p**año *(p'año)*
(r) no início e após **l, n, s** é forte - **r**ed *(red)* - al**r**ededor *(alreded'or)* no meio ou final é brando - gene**r**al *(hener'al)*
(rr) para **rr** - tie**rr**a *(t'jerra)*
(s) para **s** e **x** inicial - **s**osiego *(sos'jego)* - **x**erocopia *(serok'pja)*
[k(s)] para **x** - e**x**igir *[e(k)sih'ir]*
(θ) para **z** e **c** seguidos de **e** ou **i** - azú**c**ar *(aθ'ukar)*
(t) **t**ortilla *(tort'iλa)*
(w) c**u**atro *(k'watro)*
(y) para **y** - arro**y**o *(arr'oyo)*

NUMERAIS: *(Los Numerales)*

	CARDINAIS *(Cardinales)*	ORDINAIS *(Ordinales)*
0	*cero*	–
1	*uno*	*primero*
2	*dos*	*segundo*
3	*tres*	*tercero*
4	*cuatro*	*cuarto*
5	*cinco*	*quinto*
6	*seis*	*sexto*
7	*siete*	*sé(p)timo*
8	*ocho*	*octavo*
9	*nueve*	*noveno, nono*
10	*diez*	*décimo*
11	*once*	*undécimo*
12	*doce*	*duodécimo*
13	*trece*	*decimotercero, decimotercio*
14	*catorce*	*decimocuarto*
15	*quince*	*decimoquinto*
16	*dieciséis*	*decimosexto*
17	*diecisiete*	*decimosé(p)timo*
18	*dieciocho*	*decimoctavo*
19	*diecinueve*	*decimonoveno, decimonono*
20	*veinte*	*vigésimo*
21	*veintiuno*	*vigésimo primero, vigésimo primo*
22	*veintidós*	*vigésimo segundo*
30	*treinta*	*trigésimo*
31	*treinta y uno*	*trigésimo primero, trigésimo primo*
40	*cuarenta*	*cuadragésimo*
50	*cincuenta*	*quincuagésimo*
60	*sesenta*	*sexagésimo*
70	*setenta*	*septuagésimo*
80	*ochenta*	*octogésimo*
90	*noventa*	*nonagésimo*
100	*ciento / cien*	*centésimo*
101	*ciento uno*	*centésimo primero*
200	*doscientos*	*ducentésimo*
300	*trescientos*	*tricentésimo*
400	*cuatrocientos*	*cuadringentésimo*
500	*quinientos*	*quingentésimo*
600	*seiscientos*	*sexcentésimo*
700	*setecientos*	*septingentésimo*
800	*ochocientos*	*octingentésimo*
900	*novecientos*	*noningentésimo*
1.000	*mil*	*milésimo*
1.001	*mil uno*	*milésimo primero*
100.000	*cien mil*	*cien milésimo*
1.000.000	*un millón*	*millonésimo*
2.000.000	*dos millones*	*dos millonésimo*

Os numerais 1 (cardinal e ordinal) e 3 (ordinal), bem como suas derivações (ordinal), perdem o **O** final diante de substantivo.

Ex.: *un perro* (um cachorro); *primer dia del mes* (primeiro dia do mês); *tercer piso* (terceiro andar)

OS VERBOS:

a. A conjugação dos verbos tem três modelos, que se distinguem pela terminação:

Primeiro Grupo: O infinitivo termina em ar.
Segundo Grupo: O infinitivo termina em er.
Terceiro Grupo: O infinitivo termina em ir.

b. VERBOS AUXILIARES:
Existem quatro importantes verbos auxiliares: ter, haver, ser, estar.

LOS VERBOS:

a. *La conjugación de los verbos tiene tres modelos, que se distinguen por la terminación:*

Primer Grupo: *El infinitivo termina en ar.*
Segundo Grupo: *El infinitivo termina en er.*
Tercer Grupo: *El infinitivo termina en ir.*

b. *VERBOS AUXILIARES:*
Hay cuatro grandes verbos auxiliares: tener, haber, ser, estar.

MODELOS DE CONJUGAÇÃO COMPLETA:
MODELOS DE CONJUGACIÓN COMPLETA:

Verbo TER (*TENER*) Verbo HAVER (*HABER*)

MODO INDICATIVO *(Modo Indicativo)*

Presente (*Presente*)

eu tenho	*(yo tengo)*
tu tens	*(tú tienes)*
ele tem	*(él tiene)*
nós temos	*(nosotros tenemos)*
vós tendes	*(vosotros tenéis)*
eles têm	*(ellos tienen)*
eu hei	*(yoze)*
tu hás	*(tú has)*
ele há	*(él ha)*
nós havemos	*(nosotros hemos)*
vós haveis	*(vosotros habéis)*
eles hão	*(ellos han)*

Pretérito Imperfeito (*Pretérito Imperfecto*)

tinha	*(tenía)*
tinhas	*(tenías)*
tinha	*(tenía)*
tínhamos	*(teníamos)*
tínheis	*(teníais)*
tinham	*(tenían)*
havia	*(había)*
havias	*(habías)*
havia	*(había)*
havíamos	*(habíamos)*
havíeis	*(habíais)*
haviam	*(habían)*

Pretérito Perfeito *(Pretérito Perfecto)*

tive	*(tuve)*
tiveste	*(tuviste)*
teve	*(tuvo)*
tivemos	*(tuvimos)*
tivestes	*(tuvisteis)*
tiveram	*(tuvieron)*
houve	*(hube)*
houveste	*(hubiste)*
houve	*(hubo)*
houvemos	*(hubimos)*
houvestes	*(hubisteis)*
houveram	*(hubieron)*

Pretérito mais que Perfeito (*Pretérito Pluscuamperfecto*)

tivera	*(tuviera)*
tiveras	*(tuvieras)*
tivera	*(tuviera)*
tivéramos	*(tuviéramos)*
tivéreis	*(tuvierais)*
tiveram	*(tuvieran)*
houvera	*(hubiera)*
houveras	*(hubieras)*
houvera	*(hubiera)*
houvéramos	*(hubiéramos)*
houvéreis	*(hubierais)*
houveram	*(hubieran)*

Futuro do Presente (*Futuro Imperfecto*)

terei	*(tendré)*
terás	*(tendrás)*
terá	*(tendrá)*
teremos	*(tendremos)*
tereis	*(tendréis)*
terão	*(tendrán)*
haverei	*(habré)*
haverás	*(habrás)*
haverá	*(habrá)*
haveremos	*(habremos)*
havereis	*(habréis)*
haverão	*(habrán)*

Futuro do Pretérito (*Condicional*)

teria	*(tendría)*
terias	*(tendrías)*
teria	*(tendría)*
teríamos	*(tendríamos)*
teríeis	*(tendréis)*
teriam	*(tendrían)*
haveria	*(habría)*
haverias	*(habrias)*
haveria	*(habría)*
haveríamos	*(habríamos)*
haveríeis	*(habríais)*
haveriam	*(habrían)*

MODO SUBJUNTIVO (*Modo Subjuntivo*)

Presente (*Presente*)

tenha	*(tenga)*
tenhas	*(tengas)*
tenha	*(tenga)*
tenhamos	*(tengamos)*
tenhais	*(tengais)*
tenham	*(tengan)*
haja	*(haya)*
hajas	*(hayas)*
haja	*(haya)*
hajamos	*(hayamos)*
hajais	*(hayáis)*
hajam	*(hayan)*

Pretérito Imperfeito *(Pretérito Imperfecto)*

tivesse	*(tuviese)*
tivesses	*(tuvieses)*
tivesse	*(tuviese)*
tivéssemos	*(tuviésemos)*
tivésseis	*(tuvieseis)*
tivessem	*(tuviesen)*
houvesse	*(hubiese)*
houvesses	*(hubieses)*
houvesse	*(hubiese)*
houvéssemos	*(hubiésemos)*
houvésseis	*(hubieseis)*
houvessem	*(hubiesen)*

Futuro *(Futuro Imperfecto)*

tiver	*(tuviere)*
tiveres	*(tuvieres)*
tiver	*(tuviere)*
tivermos	*(tuviéremos)*
tiverdes	*(tuviereis)*
tiverem	*(tuvieren)*
houver	*(hubiere)*
houveres	*(hubieres)*
houver	*(hubiere)*
houvermos	*(hubiéremos)*
houverdes	*(hubiereis)*
houverem	*(hubieren)*

MODO IMPERATIVO *(Modo Imperativo)*

tem	*(ten)*
tenha	*(tenga)*
tenhamos	*(tengamos)*
tende	*(tened)*
tenham	*(tengan)*
há	*(he)*
haja	*(haya)*
hajamos	*(hayamos)*
havei	*(habed)*
hajam	*(hayan)*

MODO INFINITIVO *(Modo Infinitivo)*

Impessoal *(Impersonal)*

ter *(tener)*	haver *(haber)*

Pessoal *(Personal)*

ter	*(que tenga)*
teres	*(que tengas)*
ter	*(que tenga)*
termos	*(que tengamos)*
terdes	*(que tengáis)*
terem	*(que tengan)*
haver	*(que haya)*
haveres	*(que hayas)*
haver	*(que haya)*
havermos	*(que hayamos)*
haverdes	*(que hayáis)*
haverem	*(que hayan)*

Gerúndio *(Gerundio)*

tendo *(teniendo)*	havendo *(habiendo)*

Particípio *(Participio)*

tido *(tenido)*	havido *(habido)*

Verbo SER *(SER)* Verbo ESTAR *(ESTAR)*

MODO INDICATIVO *(Modo Indicativo)*

Presente *(Presente)*

sou	*(soy)*
és	*(eres)*
é	*(es)*
somos	*(somos)*
sois	*(sois)*
são	*(son)*
estou	*(estoy)*
estás	*(estás)*
está	*(está)*
estamos	*(estamos)*
estais	*(estáis)*
estão	*(están)*

Pretérito Imperfeito *(Imperfecto)*

era	*(era)*
eras	*(eras)*
era	*(era)*
éramos	*(éramos)*
éreis	*(erais)*
eram	*(eran)*
estava	*(estaba)*
estavas	*(estabas)*
estava	*(estaba)*
estávamos	*(estábamos)*
estáveis	*(estabais)*
estavam	*(estaban)*

Pretérito Perfeito *(Perfecto)*

fui	*(fui)*
foste	*(fuiste)*
foi	*(fue)*
fomos	*(fuimos)*
fostes	*(fuistes)*
foram	*(fueron)*
estive	*(estuve)*
estiveste	*(estuviste)*
esteve	*(estuvo)*
estivemos	*(estuvimos)*
estivestes	*(estuvisteis)*
estiveram	*(estuvieron)*

Pretérito mais que Perfeito *(Preterito Pluscuamperfecto)*

fora	*(fuera)*
foras	*(fueras)*
fora	*(fuera)*
fôramos	*(fuéramos)*
fôreis	*(fuerais)*
foram	*(fueran)*
estivera	*(estuviera)*
estiveras	*(estuvieras)*
estivera	*(estuviera)*
estivéramos	*(estuviéramos)*
estivéreis	*(estuvierais)*
estiveram	*(estuvieran)*

Futuro do Presente *(Imperfecto)*

serei	*(seré)*
serás	*(serás)*
será	*(será)*
seremos	*(seremos)*
sereis	*(seréis)*
serão	*(serán)*
estarei	*(estaré)*
estarás	*(estarás)*
estará	*(estará)*
estaremos	*(estaremos)*
estareis	*(estaréis)*
estarão	*(estarán)*

Futuro do Pretérito *(Condicional)*

seria	*(sería)*
serias	*(serías)*
seria	*(sería)*
seríamos	*(seríamos)*
seríeis	*(seríais)*
seriam	*(serían)*
estaria	*(estaría)*
estarias	*(estarías)*
estaría	*(estaría)*
estaríamos	*(estaríamos)*
estaríeis	*(estaríais)*
estariam	*(estarían)*

MODO SUBJUNTIVO *(Modo Subjuntivo)*

Presente *(Presente)*

seja	*(sea)*
sejas	*(seas)*
seja	*(sea)*
sejamos	*(seamos)*
sejais	*(seáis)*
sejam	*(sean)*
esteja	*(esté)*
estejas	*(estés)*
esteja	*(esté)*
estejamos	*(estemos)*
estejais	*(estéis)*
estejam	*(estén)*

Pretérito Imperfeito *(Pretérito Imperfecto)*

fosse	*(fuese)*
fosses	*(fueses)*
fosse	*(fuese)*
fôssemos	*(fuésemos)*
fôsseis	*(fueseis)*
fossem	*(fuesen)*
estivesse	*(estuviese)*
estivesses	*(estuvieses)*
estivesse	*(estuviese)*
estivéssemos	*(estuviésemos)*
estivésseis	*(estuvieseis)*
estivessem	*(estuviesen)*

Futuro *(Futuro Imperfecto)*

for	*(fuere)*
fores	*(fueres)*
for	*(fuere)*
formos	*(fuéremos)*
fordes	*(fuereis)*
forem	*(fueren)*
estiver	*(estuviere)*
estiveres	*(estuvieres)*
estiver	*(estuviere)*
estivermos	*(estuviéremos)*
estiverdes	*(estuviereis)*
estiverem	*(estuvieren)*

MODO IMPERATIVO *(Modo Imperativo)*

sê	*(sé tú)*
seja	*(sea él)*
sejamos	*(seamos)*
sede	*(sed)*
sejam	*(sean)*
está	*(está tú)*
esteja	*(esté él)*
estejamos	*(estemos)*
estai	*(estad)*
estejam	*(estén)*

MODO INFINITIVO M*odo Infinitivo)*

Impessoal *(Impersonal)*

ser *(ser)*	estar *(estar)*

Pessoal *(Personal)*

ser	*(que yo sea)*
seres	*(que tú seas)*
ser	*(que él sea)*
sermos	*(que nosotros seamos)*
serdes	*(que vosotros seáis)*
serem	*(que ellos sean)*
estar	*(que yo esté)*
estares	*(que tú estés)*
estar	*(que él esté)*
estarmos	*(que nosotros estemos)*
estardes	*(que vosotros estéis)*
estarem	*(que ellos estén)*

Gerúndio *(Gerundio)*

sendo *(siendo)*	estando *(estando)*

Particípio *(Participio)*

sido *(sido)*	estado *(estado)*

ALGUNS VERBOS IRREGULARES:
(Algunos Verbos Irregulares):

abastecer	*abastecer*
abstrair	*abstraer*
aderir	*adherir*
adoecer	*adolecer*
afazer	*habituar*
amaldiçoar	*maldecir*
apor	*justaponer*
aquecer	*calentar*
bendizer	*bendecir*
benfazer	*beneficiar*
benquerer	*bienquerer*
brunir	*bruñir*
bulir	*bullir*
cingir	*ceñir*
cobrir	*cubrir*
começar	*comenzar*
compor	*componer*
comprazer	*complacer*
condizer	*condecir*
conhecer	*conocer*
cozer	*cocer*
crer	*creer*
custar	*costar*
dar	*dar*
deduzir	*deducir*
demolir	*demoler*
depor	*deponer*
descer	*descender*
desfazer	*deshacer*
despendurar	*descolgar*
despir	*desnudar*
desterrar	*desterrar*
dizer	*decir*
eleger	*elegir*
embelezar	*embellecer*
falecer	*fallecer*
frigir	*freir*
gelar	*helar*
grunhir	*gruñir*
haver	*haber*
impor	*imponer*
inflorar	*florescer*
interpor	*interponer*

julgar	*juzgar*
labuzar	*ensuciar*
lembrar	*acordar*
maganear	*tunantear*
moer	*moler*
morrer	*morir*
namorar	*enamorar*
nascer	*nacer*
negar	*negar*
oferecer	*ofrecer*
opor	*oponer*
ouvir	*oír*
padecer	*padecer*
pensar	*pensar*
perolar	*perlificar*
poder	*poder*
querer	*querer*
quotizar	*cotizar*
rachar	*rajar*
rapar	*raspar*
reduzir	*reducir*
reger	*regir*
rir	*reír*
saber	*saber*
sair	*salir*
seduzir	*seducir*
sentir	*sentir*
ser	*ser*
talhar	*tajar*
tanger	*tañer*
tingir	*teñir*
trazer	*traer*
uberar	*fecundar*
untar	*untar*
vacinar	*vacunar*
valar	*vallar*
velar	*velar*
vir	*venir*
voar	*volar*
voltar	*volver*
xadrezar	*ajedrezar*
xingar	*insultar*
zabumbar	*aturdir*
zangar	*enfadar*
zebrar	*listar*
zurzir	*apalear*

ESPANHOL E PORTUGUÊS: SEMELHANÇAS E DIFERENÇAS

EL ALFABETO PORTUGUÉS

El alfabeto portugués consta de 23 letras:

a *- a (a)*	***i*** *- i (i)*	***r*** *- erre ('ɛr̃i)*
b *- bê (be)*	***j*** *- jota ('ʒɔta)*	***s*** *- esse ('ɛsi)*
c *- cê (se)*	***l*** *- ele ('ɛli)*	***t*** *- tê (te)*
d *- dê (de)*	***m*** *- eme ('emi)*	***u*** *- u (u)*
e *- e (e)*	***n*** *- ene ('eni)*	***v*** *- vê (ve)*
f *- efe ('ɛfi)*	***o*** *- o (ɔ)*	***x*** *- xis (ʃis)*
g *- gê (ʒe)*	***p*** *- pê (pe)*	***z*** *- zê (ze)*
h *- agá (ag'a)*	***q*** *- quê (ke)*	

a. *Las letras **K**, cá (ka), **w** - dábliu (d'abliu) y **y** - ípsilon ('ipsilõw) sólo se usan en las palabras de derivación extranjera.*

b. *El sonido de las consonantes **ch, ll , ñ,** se representa, en portugués, por los grupos de letras **ch, lh, nh**. Estas letras siguen el orden alfabético del portugués:*

En el inicio de la palabra	***En el medio de la palabra***
caderno	aceno
leito	pilastra
narina	caneca

SEPARACIÓN SILÁBICA

a. *En portugués, siempre se separan:*
las consonantes duplicadas

guer.ra
ne.ces.sá.rio

b. *Jamás se separan:*
*los grupos: **ch, lh, nh, gu, qu***

ca.cha.ça
ve.lho

c. *Las sílabas en portugués no se separan por la etimología, pero por la fonética:*

i.na.lar

PRONUNCIACIÓN Y TRANSCRIPCIÓN FONÉTICA

a. *Vocales orales:*
a, ɛ, *e*, *i*, ɔ, *o*, *u*, ɘ, ʌ

b. *Vocales nasales:*
ã, *ẽ*, *ĩ*, *õ*, *ũ*

c. *Semivocales:*
j, *w*

d. *Para las consonantes, los símbolos son los siguientes:*
b, *d*, *f*, *g*, ʒ, *k*, *l*, ʎ, *m*, *n*, *ñ*, *p*, *r*, *r̃*, *s*, ʃ, *t*, *v*, *z*